Di Enzo Striano negli Oscar

Giornale di adolescenza
Indecenze di Sorcier
Il resto di niente

Enzo Striano

IL RESTO DI NIENTE

I edizione Oscar classici moderni aprile 2005
I edizione Oscar Moderni maggio 2016

ISBN 978-88-04-66825-1

Questo volume è stato stampato
presso ELCOGRAF S.p.A.
Stabilimento - Cles (TN)
Stampato in Italia. Printed in Italy

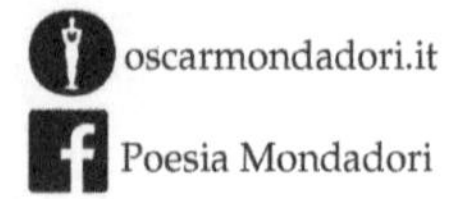

Anno 2021 - Ristampa 25 26 27 28

librimondadori.it

Enzo Striano

La vita e le opere

Nato a Napoli il 22 febbraio del 1927, da Pasquale, macchinista ferroviere, e da Antonia Fadda, maestra elementare nata a Sassari, Enzo Striano trascorre i primi anni a San Giovanni a Teduccio, piccolo centro della periferia orientale della città, in una casa vicino al mare e alle linee ferroviarie.

Per agevolare la vita scolastica dei tre figli, Pasquale Striano più tardi decide il trasferimento della famiglia a Napoli in via Nicola Amenta, nei pressi del Regio Liceo Ginnasio Giuseppe Garibaldi, che sarà la scuola degli anni dell'adolescenza di Enzo. Questo periodo verrà poi rievocato in *Giornale di adolescenza*, romanzo di formazione, che Striano elabora assolvendo un impegno risolutivo verso un recente passato segnato da sentimenti forti e contraddittori e da un intenso rapporto di difficile amore per il padre, in uno spazio-tempo (Napoli fascista) di grandi incertezze e suggestioni.

Nel 1945, ancora studente liceale, Enzo Striano affida i suoi primi racconti e interventi critici a «La Giovane Fronda», piccola rivista culturale progettata insieme ad altri giovani intellettuali. Il successivo passaggio a un'assidua pratica giornalistica caratterizza, insieme a un costante esercizio letterario, gli anni della frequentazione della facoltà di Lettere e Filosofia presso l'Università di Napoli. Tra il 1947 e il 1949 scrive, infatti, per il settimanale «La Cronaca», per i quotidiani «La Repubblica d'Italia» (per cui curerà la rubrica «24 Ore», corredandola di vignette umoristiche), per l'«Avanti!», per «La Voce del Mezzogiorno», settimanale comunista di lotte meridionali, e per «Il Vesuvio», settimanale politico.

In ambito universitario, inserito nel Gruppo di studio Antonio Gramsci, laboratorio permanente istituito dal professore Nino Cortese per analizzare la realtà italiana nel primo ventennio del Novecento, svolge una ricerca su *La vita letteraria ed artistica* (1951) di quel periodo. A queste esperienze formative affianca la partecipazione alle vivaci riunioni nella casa del matematico Renato Caccioppoli, occasioni straordinarie di riflessione e di dibattito su temi che spaziano dalla letteratura alla filosofia, alla scienza, alla politica, alla musica.

S'iscrive al Partito comunista italiano: nel 1951 collabora a «Gioventù nuova», rassegna mensile della Federazione giovanile comunista; poi entra a far parte della redazione napoletana dell'«Unità», in cui resterà fino al 1957.

Nel 1954 riceve la prima significativa conferma delle sue attitudini letterarie: si classifica terzo al premio Pozzale con il racconto *La carriera di Sassòne*, che sarà pubblicato l'anno seguente nella raccolta di autori esordienti *L'Italia l'è malada* (Edizioni «Avanti!», Milano-Roma 1955).

Anche il racconto *La prima notte* viene segnalato nell'edizione del 1956 dello stesso premio. L'11 marzo di quell'anno su «Lavoro», settimanale illustrato della Cgil, pubblica *Reparto diversi*, vincitore del concorso «Un racconto per il Congresso». *Reparto diversi*, originale esempio di letteratura industriale, è stato riproposto nel 1999 (Dante & Descartes, Napoli).

Striano completa gli studi universitari con una tesi di laurea sulla *Prostituzione al tempo di Masaniello*.

Nel 1957 *La linea gotica*, racconto autobiografico delle terribili esperienze di scissione ideologica, morale e civile vissute nella fase conclusiva della guerra, ottiene il premio Castellammare. *La linea gotica* non è mai stato pubblicato.

Incoraggiato da questo ulteriore riscontro della critica, incanala tutte le sue energie nella narrativa: nel 1958, terminata la prima stesura, inizia a riscrivere *Giornale di adolescenza*. La versione definitiva del 1961 viene fatta rilegare con il romanzo breve *Nausica ed Odisseo*, ancora oggi inedito.

In una «Nota» posposta ai due dattiloscritti l'autore dichiara che sarebbe auspicabile che le due opere venissero pubblicate insieme, per la conferma di un simbolico legame di sviluppo diacronico tra la vicenda dell'adolescente Mario e quella dell'uomo Odisseo. Striano è tuttavia consapevole di suggerire un progetto editoriale tanto ambizioso quanto irrealizzabile. Nel 2000 la Mondadori pubblica, postumo, *Giornale di adolescenza*.

Tra la fine degli anni Cinquanta e l'inizio del decennio successivo tenta di stabilire relazioni letterarie e contatti con il grande circuito editoriale. Riceve risposte vaghe su entrambi i fronti: è l'inizio di un percorso di sofferta marginalità, che tuttavia riuscirà a tramutare, nel corso degli anni, in una preziosa zona franca di separatezza e di indipendenza ideologica.

Anche l'esperienza di militanza politica e giornalistica si conclude con una singolare sovrapposizione di eventi. Inviato da Giorgio Amendola presso la redazione romana dell'«Unità» come capo dei servizi sportivi, abbandona l'incarico nell'arco di pochi mesi e ritorna a Napoli. Contemporaneamente, sollecitato dalle ambigue posizioni assunte dal Pci dopo i moti d'Ungheria, si allontana definitivamente dal partito.

Nonostante la certezza dell'assoluta priorità della propria vocazione letteraria, trova nell'insegnamento (italiano e storia negli istituti superiori) la pratica di un valido impegno civile. Seguono stagioni intense, trascorse tra l'attività didattica, che si risolve anche nell'elaborazione di testi scolastici innovativi, e l'incessante sperimentazione letteraria.

Nel 1968 pubblica, per la serie *Le fonti della storia* della Nuova Italia, la cartella a schede *Le quattro giornate di Napoli*, che contiene l'introduzione critica a un corpus di giornali e di manifesti.

Tra il 1968 e il 1969 scrive *Un'etica per Narciso. Appunti per un'ideologia della società dei consumi*, una lunga riflessione sull'evoluzione della società verso il postmoderno, condotta da un punto di vista interno ai fenomeni. Il saggio è ancora inedito.

Nel 1973 affronta, con gli appunti *Cattiva coscienza. Falsi miti e romanzo su Napoli*, pubblicati postumi con la cura di Francesco D'Episcopo (Oxiana, Napoli 1998), mediante coordinate di sociologia della letteratura e di sociologia urbana, lo snodo organizzativo del proprio sistema estetico, attraverso una serrata riflessione sulle ragioni del genere romanzo.

Nella prova successiva, *I giochi degli eroi* (Campironi, Milano 1974), riaffiora, in termini singolari, parte di questo lavoro di riordino e di archiviazione: si tratta di un romanzo dall'architettura complessa sull'esercizio del potere, in cui s'intrecciano, nel disegno di un macchinoso colpo di Stato in Italia, le rivendicazioni di un gruppo di piccoli industriali contro i grandi monopoli, i sovversivi progetti politici di ambiziosi militari, la funzione mediatrice e mistificatoria della stampa. Inoltre, nella specularità tra le azioni delle coppie (Emanuele Sirri e Gemma; Enrico Sanges e Jacqueline; Ezio Santi e Giulia) coinvolte nell'intrico del golpe a diversi livelli della scala sociale, Striano verifica le dinamiche sempre diverse in cui si compie il rapporto tra il maschile e il femminile. Quest'opera originale – unica nel panorama della narrativa italiana del tempo – affida a un plot circolare la visione profetica del configurarsi di un'economia così articolata e incisiva da assumere valenze ideologiche.

Lo scrittore si avvicinerà poi ad altri orizzonti tematici, con la sperimentazione di canoni ancora nuovi.

Nei modi di una lunga metafora, nel *Delizioso giardino* (Loffredo, Napoli 1975) realizza una rarefatta evocazione di Napoli, scardinando tutti i miti letterari e la tradizionale rifrazione dell'immagine della città. La metropoli del *Delizioso giardino* è un cronotopo misterioso e decadente, attraversato da tensioni contrastanti e da sotterranei flussi di energia, luogo reale ma soprattutto ipotetico assioma di uno stato della mente.

Indecenze di Sorcier (Loffredo, Napoli 1978), prosecuzione ideale dell'opera precedente, è un autentico antiromanzo condotto nei modi dissacranti e iperbolici di un affascinante viaggio all'interno dell'universo mescidato, etico e indecente, misero e grandioso di uno scrittore-sciamano, ovvero di un laborioso creatore di illusioni. Il romanzo fu finalista, tra gli inediti, al premio Pannunzio del 1977.

L'inizio degli anni Ottanta è segnato da un'altra prova, la pièce teatrale *Quel Giuda nominato Trotskij* (finalista al premio Vallecorsi-Pistoia), proposta in appendice nel volume *Enzo Striano. Il lavoro di uno scrittore tra editi e inediti* (Edizioni Scientifiche Italiane, Napoli 2012).

Qui Striano approfondisce alcuni dei suoi più ricorrenti motivi tematici, indagando sui risvolti reali dell'ideologia politica e sulle dinamiche antropologiche messe in atto per identificare padri e maestri. Ne deriva un tracciato fitto di spunti e di domande, una sorta di laboratorio dell'avantesto per il lavoro successivo, il romanzo *Il resto di niente*, concluso nel 1982 ma pubblicato per la prima volta nel novembre del 1986.

Sei mesi dopo, il 26 giugno 1987, Enzo Striano muore.

Il resto di niente

Nei quattro anni che intercorrono tra la pubblicazione di *Indecenze di Sorcier*, del 1978, e il 1982, Enzo Striano elabora e conclude *Il resto di niente*. A partire dal 1983 il romanzo è inviato a diverse case editrici. Alcune restituiscono il manoscritto, senza averlo neppure esaminato, altre mostrano interesse unito a perplessità (per la mole e per la specificità dell'argomento) e differiscono una risposta definitiva.

Nel 1986 Striano decide di non attendere oltre e *Il resto di niente* esce per l'editore scolastico Loffredo, con cui ha già pubblicato alcune antologie innovative di successo.

Il romanzo ottiene consensi critici e la favorevole risposta del pubblico, tanto che si susseguono in pochi giorni diverse ristampe e compare nelle classifiche dei maggiori quotidiani nazionali tra i libri più venduti. A Napoli viene riconosciuto dai tantissimi lettori entusiasti come un tassello mancante per la ricostruzione dell'identità storica della città. Non è casuale che il titolo *Il resto di niente* ricorra come citazione di una vicenda storica esemplare, come lapidario slogan, come metafora, in molte lettere indirizzate al quotidiano della città «Il Mattino», tra gli ultimi anni Ottanta (Striano è già scomparso nel giugno del 1987) e i primi anni Novanta, secondo i paradigmi di uno spontaneo fenomeno di sociologia della letteratura.

In un'intervista per «Uomini e libri» (*Il romanzo è l'unico genere letterario in divenire*, in «Uomini e libri», 1986, XXII, 110, p. 51), Striano riesce a intuire, in visionaria previsione, che il suo romanzo sarebbe stato scelto da un pubblico proteso in uno sforzo di comprensione della città, consapevole di dover cercare, molto oltre il naturalismo e il «napoletanismo di maniera», «indietro nel tempo le radici dell'oggi».

Il resto di niente, saldato in queste strutture interpretative, analizza lo snodo del 1799, momento storico in cui, a Napoli, capitale delle Due Sicilie, alcuni illuministi, sull'onda lunga delle notizie della Rivoluzione francese, tentano di realizzare l'ambiziosa e fragile Repubblica partenopea. Insieme a Cuoco, Lomonaco, Cirillo, Pagano, Serra, Caracciolo, Ciaia, De Deo, Fasulo e tanti altri, Eleonora de Fonseca Pimentel, nobile e portoghese di nascita, compie il suo destino, assumendo per sé il ruolo di «cittadina» e giornalista, fondatrice e direttrice del «Monitore napoletano».

L'autore scandisce la vita di Eleonora, nel tracciato della grande storia, tra le tappe della formazione: prima, bambina attenta e curiosa che affascinata esplora Roma, la città italiana in cui, esule dal Portogallo, si stabilisce la sua famiglia; poi, adolescente a Napoli, certa che non se ne sarebbe più allontanata:

> Vi alitavano savia comprensione, indifferenza gentile, meglio ancora supremo senso della vita, in equilibrio fra pietà e disincanto. Tutto (dal grande e nobile, al futile e meschino) acquistava preziosità inestimabile ma, al tempo stesso, non valeva nulla.

È questo il momento in cui Eleonora inizia a gettare le basi del suo percorso di letterata, a stabilire rapporti culturali, in una reciprocità di scambi con i maggiori ingegni del tempo, a intraprendere la sua carriera di poetessa.

Seguono gli anni dei primi legami sentimentali, poi quelli dell'infelice matrimonio, finito subito dopo la morte del piccolo Francesco, mai dimenticato. Nella condivisione dell'ideologia illuminista, Eleonora riesce a recuperare se stessa e un coraggioso progetto di vita. Nella pratica del giornalismo, come servizio per tutti, e nell'impegno a educare il popolo afferma la propria scelta politica. Pagherà il suo personale tributo all'idea della Repubblica, con l'inizio della restaurazione borbonica.

Appare utile tentare una lettura del *Resto di niente* a partire da quella breve «Nota dell'autore» cui Striano affida la risposta a uno dei tanti problemi letterari con cui si è dovuto confrontare. Si tratta di un romanzo storico, ci avverte, se ancora tiene la classificazione dei generi letterari, così come è storico, ovvero calato in un periodo e quindi voce di un'epoca, ogni romanzo, ma nello stesso tempo sperimentale, come ogni nuova prova di scrittura.

Né «biografia», né «vita romanzata», specifica Striano, poiché entrambi i generi non concedono la narrazione degli eventi della storia mediante «quelle libertà postulate da Aristotele», da Tasso, da Manzoni e da altri grandi, ma implicano, invece, un'univoca interpretazione degli avvenimenti.

Striano, dunque, si muove sul doppio binario della ricostruzione storica e dell'invenzione, facendo confluire gli esiti nella formula che ritiene più attuale e valida: il romanzo. Le motivazioni di questa scelta vengono chiarite nella già citata intervista per «Uomini e libri», innanzitutto attraverso la sottoscrizione del pensiero di Michail Bachtin, secondo il quale il romanzo è l'unico genere letterario in divenire, tale quindi da riflettere il divenire della realtà in modo profondo, essenziale, sensibile, «dal momento che solo chi diviene può capire il divenire».

Nel romanzo è inoltre possibile l'organizzazione artistica di «pluridiscorsività sociale», «plurilinguismo», «plurivocità individuale»; in un romanzo storico, poi, tutto questo coopera a un processo di modernizzazione, di azzeramento dei confini del tempo, alla scoperta dell'eterno presente nel passato. Afferma Striano nella stessa intervista:

> Aggiungerò che il mio romanzo vuol essere (oltre che memoriale di tempi irrimediabilmente perduti) ricerca delle cause remote del progressivo vanificarsi del ruolo di Napoli, intesa come uno dei luoghi canonici dello spirito e del mondo ... ma anche ricerca del lento farsi, dalle ideologie d'epoca (illuminismo, arcadia, romanticismo), di talune convinzioni del nostro tempo che non paiono ultima causa del malessere in cui attualmente vivono e Napoli e l'Europa e il mondo.

Dal confronto con il genere, l'autore ricava strumenti e strategie per la costruzione del suo sistema estetico narrativo. In *Cattiva coscienza. Falsi miti e romanzo su Napoli*, Striano adatta la funzione romanzo alle urgenze della città, intesa come avvenimento storico, nel cui ambito vengono definiti i ruoli degli uomini. Napoli rivela così i segni, endogeni ed esogeni, della necessità romanzesca:

È un fatto, ad esempio, che la cultura di Napoli, per Napoli, su Napoli abbia, sin dai tempi del Boccaccio, preferito un veicolo di tipo romanzesco (romanzo, saggio letterario-psicologico, cronache, storia patria tagliata in maniera narrativa, racconto di appendice, novella) per la epifanizzazione di una generica propensione alla socialità, propensione che ha per matrice da un lato strutture storico-urbanistiche, dall'altro (per quanto riguarda la cultura di Napoli) strutture politico-sociali.

Il problema della rappresentazione della città, oltre i limiti delle formule neorealistiche, la mitologia del *genius loci*, le ingenuità pseudoilluministiche di una Napoli «governata da filosofi, libera, gagliarda ... lucida ... con una classe ideologica capace di individuare la propria funzione», coincide con la questione della sua vocazione, che deve essere individuata per ottenere una risoluzione letteraria e la sua codificazione in ideologia. Dilatando il discorso nei margini della sociologia urbana, Striano intravede alcune preziose tracce, che lo conducono verso l'antropologica coscienza dello spazio sociale, come categoria in cui sono in equilibrio aspirazioni, funzioni, valori, metafore, proiezioni per il futuro. Circoscrive, da questo momento in poi, nell'elaborazione filosofica e creativa della mancata appropriazione del simbolo spazio, la primaria radice di ogni malessere, facendone uno dei cursori del possibile romanzo su e di Napoli, difficile scommessa letteraria (già intuita, in questi termini, da Matilde Serao), cui non vorrà sottrarsi.

Tra le più interessanti conseguenze di questa intensa riflessione sul romanzo sarà il tentativo di scomposizione e dismissione del genere, operato con *Il delizioso giardino* (1975) e *Indecenze di Sorcier* (1978), antiromanzi oltre la cui estetica iconoclasta Striano ritrova intatte tutte le ragioni narrative.

Nelle stesse pagine del *Resto di niente*, tornerà ancora, in un gioco metaletterario, a confermare l'eticità e il valore civile che segnatamente informano ogni romanzo:

> Ma forse questo è tempo di prosa, Lenòr. Di riflessione. Perciò vanno i romanzi.

A parlare è Sanges, tra i protagonisti di finzione, mescolati e interagenti con quelli realmente vissuti, che esorta la giovane Eleonora ad abbandonare le esercitazioni arcadiche per un impegno letterario più incisivo, rispondente al veloce cambiamento dei tempi. A parlare è, secondo un artifizio che utilizzerà fino al termine della narrazione, Striano, che instaura una relazione diretta, emotiva con la protagonista, per la quale può evocare, come «veri» perché narrativamente necessari, ma forse anche perché medianicamente «dettati» (si veda la già citata intervista per «Uomini e libri»), tanti elementi della sua eroica vicenda. Eleonora viene così ricreata dalla percezione dello scrittore, che ne fa uno straordinario personaggio letterario.

Oltre a questo, attraverso Sanges, Striano riesce a osservare, da un punto di vista interno, il dispiegarsi della parabola rivoluzionaria, dalle sollecitazioni dell'Illuminismo alle forti suggestioni del messaggio democratico, diffuso dalla Costituzione americana e dalle conquiste della Rivoluzione francese, sino all'elaborazione del disegno egalitario e libertario per Napoli.

La storia di quel veloce torno di anni, segnata dal formarsi, per la prima volta, di una valida *intellighenzia* cittadina finalmente attiva, dalla ostinata resistenza borbonica, dall'esistenza della vasta, incontrollabile onda anarcoide dei lazzari, viene evocata in una scrittura con più focalizzazioni, in cui si sommano alle categorie del narratore, a tratti onnisciente, le prospettive acquisite sulla scena da Sanges – che partecipa a tutti gli eventi della Repubblica del '99, come coscienza critica, equidistante da ogni estremismo, giacobino o monarchico – e quelle di Eleonora, protagonista del romanzo.

La tecnica prescelta è quella dell'«accumulazione», che, fusa con altre («quella del flusso di coscienza, addirittura quella del romanzo d'appendice», spiega l'autore su «Uomini e libri»), ha consentito a Striano di superare anche la difficoltà linguistica. Nel romanzo si intersecano, infatti, italiano, francese, portoghese e napoletano, per connotare la diversità dei modi del pensiero, delle situazioni, dei momenti. L'ambito indefinito della «lingua narrativa» rende lecita la coesistenza di molte possibilità. In un'intervista rilasciata in occasione della presentazione del romanzo, a Napoli, nel dicembre 1986, Striano si sofferma proprio su questo:

> Lo scrittore deve utilizzarle tutte, limitandosi a sceglierle, ad attenuare quanto può renderle incomprensibili. Come avrei dovuto far parlare i lazzaroni di Napoli del Settecento? In italiano, o in quel ridicolo italiano dialettizzato che usò la Serao e che usano ancora tanti epigoni del verismo? Come avrei dovuto far parlare i nobili e gli intellettuali napoletani infatuati della Francia nel Settecento? E, in certi momenti della sua vita, Lenòr, che era portoghese? L'importante è che tutti questi linguaggi siano usati in modo che ogni lettore capisca. Solo laddove ho dovuto usare ... un linguaggio circoscritto (un gergo malavitoso napoletano del Settecento) ho dato la traduzione in nota.

All'«accumulazione» espressiva, l'autore avvicina i modi di un'«accumulazione» impressionistica di immagini, da risolversi nella narrazione filmica. Su «Uomini e libri» riflette in proposito:

> Sono convinto ... che la letteratura, nell'attuale civiltà dell'immagine ... tenda ad avere un ruolo sempre più subordinato ai mezzi che s'esprimono principalmente per simulacri visivi. Ma si può recuperarle una funzione autonoma, aiutandosi proprio con le tecniche della rappresentazione per immagini, tentando il punto limite al quale le due cose possono giungere senza danno, cercando il coagulante che le possa tenere insieme in modo armonico e non superficiale.

È in funzione «coagulante» anche trasferire nel futuro «il centro dell'attività che interpreta e giustifica il passato»: così, commensurabile, contigua al presente, mirabilmente contemporanea, la storia diviene patrimonio di tutti.

Anche per Eleonora, che, ormai disillusa, cerca di scorgere in prospettiva diacronica quanto varrà della sua esperienza, è questa l'implicita risposta:

> Ma a lei cosa importava? Tutta la vicenda sua, e l'universo, finiti con lei. Cosa poteva rimanerne? I versi? Se proprio non «facevano schifo», come disse Primicerio, erano nulla in paragone a quelli di Metastasio, Rolli, Parini. Di costoro, forse, qualcosa resterà. Fra cent'anni, duecento: nel 1983, meu Deus! Ma di me? Nada de nada. Il resto di niente.

Parallelo al valore della memoria, altro imponente alveo tematico in cui scorre il romanzo è quell'esistenzialismo nichilista che per remote ragioni si traduce, per la protagonista e per i suoi compagni, in spirito vitale, in postulati edificatori, mediante le misteriose risonanze etiche dell'agire civile e la categorica consapevolezza dell'impegno sottoscritto in tutte le scelte e le non scelte. È forse questa la forza che spinge giovani intelligenti, nobili, borghesi, con tante possibilità di condurre una vita tranquilla e appagante, ad abbandonare ogni privilegio per tentare l'Utopia? Per Eleonora deve esservi altro:

> Certi ragazzi sono come Dio, generosi e sciocchi. Si costruiscono in testa le immagini orgogliose d'un mondo, s'incapricciano a dargli vita: appagano, in ciò, brame d'infinito amore?

A voler considerare l'opera intera di Striano come un unico testo, se ne ricava un immediato collegamento con le pagine di *Indecenze di Sorcier* in cui viene analizzato il terrorismo, la sua fenomenologia fatta di violenze, di slanci egoistico-altruistici, di un confusionario desiderio di dissoluzione per segnare il proprio tempo. Anche in questo romanzo il sistema gnoseologico costruito dallo scrittore porta sempre, in ultima analisi, alla frantumazione lucida, dissacrante, indecente delle illusioni più pericolose. Così, nel *Resto di niente* strette maglie intercettano e restituiscono i miti persistenti, privandoli di ogni alone illusorio: il potere, la fede politica, la religione, l'amore, il sesso, l'amicizia.

Se prevale per Eleonora e gli altri la percezione di aver agito sempre nell'approssimazione alla verità, acquista invece lo spessore di una certezza quell'Umanismo (ricavato anche dal pensiero di Voltaire) attraverso il quale sono riusciti a conquistare il senso della sacrale necessità di coltivare il giardino dei valori, delle ipotesi di futuro, anche sacrificando se stessi. Riflette Eleonora:

> Un giorno, grazie al nostro lavoro, spunteranno fiori, frutti, i bambini mangeranno. Se nessuno s'occupa del giardino il mondo finisce.

La fortuna

La presenza di esiguo materiale critico sulla produzione di Enzo Striano è da porre in relazione alla sua vicenda editoriale, tuttora aperta: se nel 2000 la Mondadori ha pubblicato la sua prima opera *Giornale di adolescenza*, rimangono ancora inediti il breve romanzo *Nausica ed Odisseo*, la lunga riflessione *Un'etica per Narciso. Appunti per un'ideologia della società dei consumi* e alcuni racconti. Non sono stati più ripubblicati invece i romanzi *Il delizioso giardino* e *I giochi degli eroi*. Alla fine degli anni Novanta sono usciti il racconto del 1956 *Reparto diversi* e il saggio del 1973 *Cattiva coscienza. Falsi miti e romanzo su Napoli*. La pièce teatrale *Quel Giuda nominato Trotskij* è stata proposta nel volume *Enzo Striano. Il lavoro di uno scrittore tra editi e inediti* (2012), in cui sono stati raccolti gli interventi tenuti nel corso di una giornata di studi promossa nell'aprile del 2008 dall'Università degli Studi di Napoli Federico II.

I percorsi critici su Enzo Striano sono stati inevitabilmente condizionati dalla parziale visibilità dell'autore all'interno della letteratura italiana del secondo Novecento. Tuttavia, intorno agli anni Settanta, sono comparse le prime «letture» di Giorgio Bàrberi Squarotti e Carmine Di Biase, che ne hanno segnalato l'originalità tematica, la dimensione sperimentale dell'impianto strutturale e di quello stilistico.

Con *Il resto di niente*, nel 1986, il discorso su Striano viene ripreso da un altro scrittore, Domenico Rea, che per primo recensisce il romanzo evidenziandone la forza descrittiva, il ritmo narrativo, i valori linguistici:

> Il linguaggio ... in questo libro sale a un'altezza rare volte raggiunta dagli scrittori italiani. La sua prosa è scorrevolissima e non conosce intoppi di sorta.

Anche Michele Prisco, nel 1987, si occupa del romanzo, indicandolo come un tassello importante della storia letteraria di Napoli:

> Uno straordinario bellissimo romanzo, dove è tutto rappresentato più che descritto in funzione narrativa e obbedisce a una naturalezza espressiva (e a una singolare concisione e rapidità di scrittura), ch'è la sua nota più vivace e felice.

Dopo la morte di Striano, alcuni intellettuali intuiscono che è necessario spingere lo sguardo oltre *Il resto di niente*, per recuperare tutta la produzione dello scrittore; in questa direzione sono i molti interventi del poeta Alberto Mario Moriconi.

Dalle pagine del «Mattino» e di «Repubblica» si è levata inoltre ripetutamente l'autorevole voce di Luigi Compagnone, per il quale «Enzo Striano non fu lo storico, ma il poeta dell'infelicissima Repubblica partenopea». Spinto da un impegno morale, Compagnone non si stancava di sollecitare attenzione su questo autore, la cui vicenda gli sembrava connotata da quella marginalità cui talvolta il mondo letterario e quello editoriale confinano i veri talenti.

Anche per Felice Piemontese *Il resto di niente* è un caso rappresentativo di uno statuto letterario viziato, condizionato da logiche esterne.

La prima monografia dedicata a Striano, uscita nel 1992 presso l'editore napoletano Liguori, è di Francesco D'Episcopo, docente di Letteratura italiana presso la Federico II, che ha avviato un intenso discorso interpretativo, considerando tutte le opere in un unico sistema narrativo segnato da rimandi, citazioni e contiguità tematiche.

Tra il '97 e il '98, dopo il rilancio e la vasta diffusione del *Resto di niente* con l'edizione tascabile di Avagliano e quella hardcover di Rizzoli, gli interventi critici si sono intensificati. Si è trattato soprattutto di articoli sui quotidiani, di recensioni e studi apparsi in riviste, in cui si è frequentemente adoperata la categoria del caso letterario, per tentare una risoluzione della collocazione del romanzo e del suo autore. Su «Repubblica», nel maggio 1998, Corrado Augias ne evidenzia l'avvincente forza narrativa («un romanzo che afferra il suo lettore alla gola») e l'impianto di «grande romanzo storico» (una «grande lettura dai sapori forti nella vivacità dei personaggi, nel riuscito impasto linguistico tra italiano e dialetto»).

La trasposizione cinematografica del *Resto di niente* nell'omonimo film della regista Antonietta De Lillo, nel 2004, ha sollecitato ulteriormente l'attenzione della critica, che si è soffermata sulla dimensione intrinsecamente «filmica» del libro.

Con la pubblicazione del romanzo *Giornale di adolescenza* nel 2000 si sono finalmente aperte altre prospettive: Giulio Ferroni, evidenziandone l'originalità rispetto alla tradizione italiana del romanzo di formazione, ne ha sottolineato l'incidenza, l'impassibile linearità, molto oltre l'aura mitico-simbolica di cui è solitamente investita l'adolescenza.

Nell'ambito del già citato convegno del 2008 si sono confrontati sugli scritti editi e inediti di Striano professori universitari e giornalisti. L'italianista Toni Iermano ha indagato sul *Resto di niente*, considerandolo una «grande autobiografia collettiva» di un autore che si è stagliato come «caposcuola europeo di un nuovo modo di scrivere di Napoli». Un'entusiasmante interpretazione di Toni Servillo di *Quel Giuda nominato Trotskij* ha chiuso la manifestazione.

Recentemente, il critico Pier Vincenzo Mengaldo si è più volte soffermato sul *Resto di niente*, definendolo un «vero romanzo storico, da non confondersi con i romanzi eruditi», «bellissimo».

Bibliografia

Edizioni de «Il resto di niente»

Il resto di niente, Loffredo, Napoli 1986; *Il resto di niente*, Loffredo, Napoli 1995 (edizione scolastica a cura di Raffaele Messina).

Il resto di niente, Avagliano, Cava de' Tirreni 1997 (edizione economica).

Il resto di niente, Rizzoli, Milano 1998 (edizione hardcover).

Il resto di niente, Rizzoli, Milano 2001 (Piccola Biblioteca «La Scala»).

Il resto di niente, Avagliano, Cava de' Tirreni 2002 (edizione tascabile con postfazione di Francesco Durante).

Il resto di niente, Mondadori, Milano 2005 (Oscar classici moderni).

Altre opere di Enzo Striano

I giochi degli eroi, Campironi, Milano 1974.

Il delizioso giardino, Loffredo, Napoli 1975.

Indecenze di Sorcier, Loffredo, Napoli 1978; poi a cura di Apollonia Striano, Mondadori, Milano 2006.

Cattiva coscienza. Falsi miti e romanzo su Napoli [1973], a cura di Francesco D'Episcopo, Oxiana, Napoli 1998.

Reparto diversi [1956], Dante & Descartes, Napoli 1999.

Giornale di adolescenza [1961], Mondadori, Milano 2000, con postfazione a cura di Apollonia Striano; nuova edizione con introduzione di Giulio Ferroni, Mondadori, Milano 2012 (Oscar scrittori moderni).

Il resto di niente

a Mimma

PARTE PRIMA

1

«Meu Deus, que calor!»

Lenòr si levava all'alba, estenuata. Nelle notti d'agosto, alla vecchia casa di Ripetta imposte semiaperte e dilagavano i miasmi: vapori di vino, erbe putride, urina, bulicanti dall'acqua marcia che infettava gli scalini melmosi nell'antico porto.

Cosa non si disfaceva per quel tratto sordido di fiume! Barconi tenuti insieme con spago, carogne d'animali, stracci.

Norcinai e pesciaroli sventravano sul molo capretti, polli, pesci di mare o di Tevere, poi spazzavano a secchi d'acqua, facendo precipitare pei gradini torrenti di rigaije (dicevano così, aveva imparato bene la pronuncia) sanguinolente, pallidi gomitoli di grasso, cordate palpitanti d'intestini.

Ma le piaceva osservare la vita sudicia, clamorosa, di Ripetta, dal balconcino delle sue prime esperienze romane. Di lì vedeva canne e olivastri a riva di Trastevere, le acque finalmente pulite nell'ansa dopo Ponte Sisto.

Verso Ponte Sant'Angelo galleggiava il gran mulino delle sue fantasie, fatto di rami e corde. Era attraccato a un pontile per due gomene sfilacciate. Se il padrone avesse voluto, sarebbero bastati una voce, un frullo degli ormeggi e via: il mulino avrebbe preso a navigare, spinto dalla corrente. Magari verso il mare.

Dal balconcino imparò le prime parole del dialetto, in quel circoscritto osservatorio l'era nata la convinzione un po' paurosa che i Romani fossero attaccabrighe, violenti, nulla al mondo amassero più di carne vino insulti.

Ora, però, contava quasi undici anni. Pensava. E i Romani le parevano pure tribolati da inspiegabili angosce.

Non avrebbe mai dimenticato una sera d'inverno che il padre la condusse in Laterano, con suo fratello José e il cugino Miguelzinho.

Vento pungente scoteva le cime oscure degli alberi intorno la gran piazza sterrata, zeppa di folla urlante nei tabarri. Le torce nella loggia centrale della basilica si scarmigliavano alle raffiche, sommovendo di bagliori e d'ombre il popolo di statue che incombeva dal frontone.

Il papa re non arrivava mai, la folla tumultuava, insultava, provava a spezzare le alabarde dei giganteschi Svizzeri rossi e gialli, luccicanti di ferro. Finalmente ombre nel fosco della loggia: esplose urlo straziante, interminabile.

Si strinse al padre, spaventata. Ma non sarebbe andata via per nessuna ragione.

Il papa bianco apparve. Era grande, massiccio, tra diaconi neri. Le parole che andava pronunziando non s'udivano, per distanza e clamore. Lo vide alzare una manona enorme, nel gesto di benedire, fu allora che si scatenò l'inferno. Uno dei diaconi agitò pergamene, accennando a buttarle. La folla ruggì, si slanciò, travolgendo gli Svizzeri in parossismo di colpi, spinte, mani dibattute nel vento. I fogli ondeggiarono sul tumulto, vennero inghiottiti dalla rissa.

«Olha sò! Eles matam-se... S'ammazzano per raccogliere un pezzetto di quelle carte!» spiegò il padre, scotendo il capo con aria cupa.

«Ma che cosa c'è scritto?» chiese lei, sconvolta.

«Le parole della benedizione. In italiano e in latino.»

Poi conobbe cose più belle, di Roma e dei Romani. Desiderava capirla presto, bene, questa città che l'avrebbe accolta, dal momento che le vicende della vita v'avevano trasportato la sua famiglia, e quella di sua madre. Ed anche questo avrebbe voluto conoscere, con precisione: perché i de Fonseca Pimentel Chaves e i Lopez de Leon avessero dovuto abbandonare il Portogallo. Nessuno della famiglia amava parlarne, da vovó Eleonora a papài, allo zio abate Antonio, il Mentore di tutta la tribù. Un giorno, tuttavia, avrebbe capito, saputo. Per ora stava attentissima, soprattutto alla gente.

Miguelzinho era compagno delle sue esperienze. Si spingevano in ardite esplorazioni della città, per le quali poi venivano rimproverati. Ma così aveva conosciuto l'incantesimo verde e assolato del Pincio, la dolcezza di Santa Maria del Popolo.

Qui, lungo la discesa, avevano incontrato un caprettaro col suo armento bianco nero e belante, in ballonzolio di poppe gonfie che perdevano latte sul selciato. Tal'e quale quello che tutte le mattine saliva i vicoli tortuosi di Ripetta, per mungere a ogni ballatoio.

Amava ficcarsi con Miguelzinho nella folla a Ripa. Negozietti, antri di ciabattini, fabbri, mostre graveolenti di pizzicaroli. Non avevano soggezione di chiedere il nome d'un oggetto, il senso d'una frase ascoltata lì per lì.

«Noi siamo Portoghesi, ma dobbiamo vivere qui. Vogliamo diventare Romani» spiegavano, con infantile malizia e tutti sorridevano, specialmente le donne.

«A'nvedi, core mio, 'sta pupa ch'occhi neri che ci ha. So' de foco. E che bei riccetti mori! È portughesa. Fijetta d'oro! Vor sape' che vor di' "pulentara",[1] innocenza bella! Ma chi è che parla cussì per 'ste contrade? E che vie', da San Michele?[2] No, amore mio, queste nun so' parole da 'mpara'. Devi da 'mpara' li nomi de le chiese, de li posti belli: er Vaticano, Santa Maria der Popolo, piazza Navona... Ce se' ita mai a Piazza Navona?»

2

Via via altro aveva appreso ed amato, in Roma. Vi vedeva spiragli di futuro. Ormai anche lei era passata a studiare con tio Antonio: latino, greco, storia antica.

Una volta titìo la condusse, con Miguelzinho e José, alle rovi-

[1] Ammalata di scolo.

[2] San Michele a Ripa, antico ospedale per malattie veneree.

ne del Colosseo. Credeva si sarebbero trovati dentro un'antica, candida città, simile a quelle immaginate leggendo. E Miguelzinho nominava Cesare, Pompeo, quasi li aspettasse sbucare d'improvviso, in toghe bianche, gladio in pugno. Invece capitarono in una sterminata campagna, fitta d'alberi e canne, tormentata da cicale assordanti. Qua e là immense pozzanghere, verdi di muschio, esplodevano in bolle di ranocchi.

Dovunque pietre chiare: enormi, piccole, seminate fra i cespugli, emergenti dagli acquitrini, ciò che rimaneva di Roma. A fissarle bene si rivelavano pezzi di colonne, capitelli sbreccati, frammenti d'architrave.

S'erano arrampicati per dirupi e sentieri, titìo aveva dovuto chiedere a un contadino il permesso di traversare un orto fitto di cavoli: infine, lontano contro un cielo bianco, il Colosseo. Grande, ferito, indifferente, questo sì un Romano antico. E però lei ebbe pena. Le parve che di lì a poco, nonostante tutto, quel gigante non ce l'avrebbe più fatta. Troppo era sfregiato, divorato da protervi, selvatici cespugli. Un eroe caduto. Ai suoi piedi brucavano vacche bianche, nere, greggi giallognoli di pecore e abbaiavano cani.

Dopo questa visita idolatrò storia antica e latino. Era contenta, anche perché papài, visto che riusciva bene, decise di farle cominciare matematica, storia naturale, botanica, purché si trovasse un precettore valente, cosa poco facile a Roma. Avrebbe potuto imparare il clavicembalo: si progettò di noleggiarne uno, sebbene in casa non ci fosse posto. Invece il marchese di Pombal cacciò i Gesuiti dal Portogallo.

«A unica coisa boa que ele fez» commentarono papài e tio Antonio, la nonna applaudì come una bambina. Intonò *Levantar ferro,* la canzone marinara di Figueira de la Foz che cantava quand'era felice. Poi tutti s'intristirono. Tia Michaela, la mamma di Miguelzinho, secondo il suo solito cominciò a piangere, torcendosi le mani.

«A desgraça nos persegue» ripeteva. Gli altri la osservavano in silenzio, presi dai propri pensieri. Bisognava capirla, però: tio Fernando, il fratello di papài, l'aveva lasciata vedova da poco.

Anche mamãe era in apprensione. Supplicò: «Corri all'ambasciata, Clemente. Informiamoci. Non lasciamoci aggredire all'improvviso un'altra volta».

«Ci sono stato, Catarina» rispose papài, risentito. «Domani verrà emanato l'editto di Dom Francisco che ordinerà a tutti i Portoghesi di Roma di lasciare lo Stato della Chiesa. Per evitare ritorsioni.»

«Que Papa malandro!» s'accese vovó. «Ma sono felice. Non vedevo l'ora d'andar via da questo paese di selvaggi ignoranti e triviali.»

«Mamma» mormorò tio Carlos, con l'espressione infelice, malaticcia, di sempre. «Noi siamo peggio dei Moriscos di Spagna. Non avremo mai pace, scacciati per il mondo.»

«Hai ragione» ripianse tia Michaela. «Mai pace. Dio ci perseguita.»

«Esagerati che siete sempre!» li sgridò papài, infastidito. «Può darsi, invece, che tutto ciò torni a vantaggio della famiglia. Ieri Antonio e io abbiamo avuto la fortuna d'incontrare Sã Pereira, che è addetto all'ambasciata nostra nelle Due Sicilie. Anche Sã Pereira consiglia di trasferirsi a Napoli.»

«Para Nápolis!»

La nonna vaporò di gioia.

«Nápolis è um lugar muito civilizado» esclamò. «Lì i preti li fanno stare al posto loro. Sarà un bene per tutti.»

«Anche per Miguelzinho?» lacrimò, con sospetto, tia Michaela.

«Ma per tutti!» fece papài, incollerito.

Titìo cercò di rasserenare. Si rivolse a sua madre, fintamente risentito.

«Solo per me, quindi, a Napoli ci sarà da preoccuparsi. Dovrò *stare al posto mio*!»

Vovó lo guardò con aria maliziosa.

«Tu sei un abate ben diverso. Sei per Giansenio e Gassendi.»

«Oh, maman» rispose lui, gli occhi divertiti dietro le lenti sottilissime montate in filo d'oro. Parlò in francese, come si faceva in casa quando non si voleva che i ragazzi capissero. «Les écrivains que vous avez nommés ne sont déjà plus à la mode à Naples. Aujourd'hui Genovesi, Galiani sont les écrivains à la mode. Les Napolitains lisent Diderot, Montesquieu, et même, que Dieu les protège, monsieur de Voltaire.»

«Quel pays! Et à Naples il vont au théâtre voir Metastasio! Ils vont écouter Gluck, Paisiello» aggiunse lei, eccitata. «Ils ne craignent pas d'envoyer des danseuses sur scène.»

«Per favore» intervenne papài, un po' aspro. «Intanto sarà meglio che nessuno nutra troppe illusioni, come fa la nonna: anche Napoli ha infiniti difetti. Ad ogni modo Sã Pereira m'ha promesso di parlare con Sua Eccellenza il marchese Tanucci. Lui decideva tutto già quand'era re Carlo, adesso, poi, che il nuovo re è un bambino...»

«Est-il vrai que le fils aîné du roi Charles de Bourbon était un pauvre fou?» riprese vovó. Papài la sbrigò con un secco: «Mais oui» e continuò a spiegare: «L'aiuto che dovrà darci Tanucci è soprattutto quello di far riconoscere al più presto le nostre patenti di nobiltà portoghese e spagnola».

«Tutte, tutte!» stridette tia Michaela.

«Ma certamente, meu Deus! Bisogna ch'io faccia fare estratti dal libro della Fidalgheria. A Napoli badano alla nascita e Miguelzinho, José, Jerónimo, a suo tempo potrebbero entrare nell'esercito del re.»

«Mio Dio, Clemente!» gridò con orgoglio vovó. «Voi Fonseca avete avuto due viceré di Napoli, un consigliere di Carlo V, una Connestabile di Castiglia! Noi Mendes da Silva vantiamo Rodrigo Mendes.»

«Certo, certo» mormorò pazientemente papài. «Ma le nostre patenti non varranno un bel nulla a Napoli, se Tanucci non ce le farà riconoscere. E anche un Grande di Spagna, senza rendite, muore di fame.»

3

La sera, in camera sua, fu agitatissima per il caldo, il brulichio del cervello. Dopo cena avevano mandato a letto i ragazzi, il conciliabolo dei grandi proseguì in camera da pranzo.

Dalle imposte accostate penetrava il solito fiato pesante di Ripetta, stavolta misto all'odore verde delle bucce di cocomero, a quello un po' acre sprigionato dai mucchi di verdura. Entrava anche il chiaro della prima luna.

Le piaceva il tenero crescere lunare su quell'arco di fiume. Quando la luna diventava piena, la gente di Ripetta s'intratteneva per strada, con rabbonito clamore. S'udivano musiche di chitarra e canzoni, che i Romani cantavano con belle voci chiare.

Fra qualche giorno, comunque, tutto questo per lei non ci sarebbe stato più. Provò leggera angoscia. Pensò a tio Carlos, a tia Michaela, alle loro voci querule di sempre. Li comprendeva, adesso: anche in lei si stava spargendo piccolo sentore d'insicurezza infelice.

L'era sempre parso d'essere una bambina abbastanza forte, dignitosa, lo dicevano pure, con orgoglio, sua nonna e sua madre.

«Brava Lenòr» (la chiamavano tutti così da quando, piccolissima, non riusciva a dir bene il proprio nome). «Lenòr tem um bom caracter. Non si scoraggia. Promette bene.»

Suo padre, talvolta, la carezzava, sorridendole nel suo modo parsimonioso: «Muito bem, Lenòr».

Ma adesso... Forse è naturale sia così, quando si cambia vita troppo rapidamente.

Spinse via il lenzuolo. Le dava fastidio la camicina di batista, già intrisa, provò a sollevarsela sulle gambe, ad agitarla. Si scoprì. Contrariata con se stessa, s'obbligò a recitare un atto di contrizione.

«Meu Deus, eu arrependo-me do fundo do coração...»

Nel tenue chiarore s'era soffermata a guardarsi il piccolo ventre, l'attaccatura delle cosce. Bianchissimi, lisci: non avrebbe dovuto farlo. E non avrebbe dovuto indugiare sui bottoni che da un po' le gonfiavano sul petto. Una brutta impurità di pensiero. Come avrebbe potuto confessarla a tio Antonio, raccoglitore dei peccati di tutta la famiglia? O meglio, di quasi tutta, perché papài non aveva abitudine di confessarsi né comunicarsi, sebbene frequentasse con serietà puntuale le funzioni importanti.

Si girò, perplessa. Avrebbe voluto conoscere anche quello: quali fossero le idee di quel suo piccolo padre un po' chiuso e solitario, ma dolce, rigoroso. Un giorno avrebbe parlato con lui. Ed avrebbe voluto sapere di chi erano i nomi detti da vovó, mentre scherzava con titìo. Gassendi, Giansenio le parve di ricordare, nella piccola ma tenace memoria.

Continuavano a parlare, ne udiva le voci smorzate attraverso l'uscio. La vasta famiglia portoghese sballottata per il mondo... Ne soffrivano. E lei pure, nonostante gli sforzi per ambientarsi, capire.

Anzi: doppia fatica la sua. Quella normale d'una ragazzina che sta imparando a vivere, quella d'una persona che deve costruirsi un paese al quale affezionarsi, dove disegnarsi un futuro. Poi, mentre stai facendo tutto questo, te ne devi *nuovamente* andare. Per forze ignote che decidono di te.

Stranamente le pareva, infatti, d'esser già partita, nella sua minima esistenza, sebbene il Portogallo non lo conoscesse che dalle canzoncine della nonna, da timide rimembranze della mamma, da qualche abbandono di suo padre. Il grande respiro di Lisboa sull'acqua del Tago, lo scintillìo nel sole della torre di Belem... In fondo solo parole e suoni che destavano immagini fantastiche.

Vovó pareva, nella famiglia, la più gelosa del passato, conservava, riproponeva i ricordi. Recitava antichi versi galleghi, astrusi pezzi di cantigas del re Dom Alphonso o Sabio, si commuoveva alle vuote sonorità di Camões, descriveva città giardini case.

Ed ora bisognava andare via. Verso una città sconosciuta, nella strana Italia diventata la patria. Come sarà questa Nápolis in cui fra poco ci trasferiremo?

Sospirò, si strinse con le braccine che cominciavano a tornirsi. Non ne sapeva molto. Pensava, chissà perché, fosse grande e bianca, con mille cupole verdi di ceramica, forse aveva sentito dirlo da qualcuno. Si provò a figurarla. C'era anche un monte, il famoso vulcano Vesuvio, che sputava lava, fuochi, ceneri.

Le risultava una curiosa immagine: tutta gobbe verdognole, tra esse quella bruna d'un monte, in cima al quale guizzavano linguacce di fuoco. Un po' sinistre, agitate dal vento, come le torce in Laterano.

Ricordò che doveva esserci anche il mare. Provò a dilatare nella memoria l'ansa pulita del Tevere, quella al di là di Ponte Sisto, perché lei il mare non l'aveva ancora mai veduto.

Pensò infine che a Napoli esisteva un re, chissà che faccia aveva. Lo figurò col viso gonfio del re portoghese José Primeiro, carico di un'enorme parrucca bianca a buccoli, come nel ritratto che vovó serbava (con stampe colorate di costumi douregni) dentro una lucida cartella in seta viola.

Ma papài aveva detto: «Il nuovo re è un bambino», allora cancellò ogni cosa. Allegramente si disse che le sarebbe piaciuto correre con questo bambino re per un giardino. O giocare a volano.

Per un po' le parve che il piccolo re somigliasse a Miguelzinho, ma biondo. Indossava una giamberghina di velluto rosso, in testa calzava un'enorme corona di latta dorata, che gli traballava, poi gli cadde in terra con rumore. Tutti e due scoppiarono a ridere, fragorosamente.

4

Bisognò prima imballare tutto, dai mobili ai vestiti, e spedirlo per corriere a Napoli, dove s'era già trasferito papài. Una fatica disumana, tra martellare di falegnami e parolacce di facchini, andirivieni allucinante, rimescolio di roba polvere ricordi.

S'andò via all'alba splendida dell'otto di settembre. Eccitati i giovanissimi, un po' svogliati, cupi, i grandi.

Era un po' stordita, per la levataccia, la confusione dei sentimenti, ma pian piano, mentre la diligenza srotolava i cerchioni giganteschi sui ciottoli dell'Appia, strano, sottile entusiasmo d'avvenire, d'ignoto, l'avvivò. Le piacquero lo zoccolare cadenzato e tondo dei cavalli di Francia, il sentore di stalla, fieno, finimenti che impregnava la diligenza. Era bello soprattutto guardar fuori, contro il cielo azzurrissimo, lo sfilare dei grandi pini verde cupo, delle macerie antiche.

I cavalli andavano di buon passo ai fischi del postiglione, nonostante la via s'inerpicasse. Ora si succedevano cipressi, frassini, pioppi, ancora nel rigoglio dell'estate recente. E vecchi casali stonacati, osterie con festoni di salami, formaggi, inghirlandate da curiose pallottole lisce, color del burro.

«A'nvedi li lattarini de Nemi!» esclamò qualcuno nella diligenza.

«Ah! Uh!» gridò il postiglione, e schioccò la frusta. La strada s'era fatta erta, i cavalli avevano rallentato l'andatura.

«State attenti, ragazzi» ammonì titìo. «Stiamo salendo sui

Colli Albani. Tra poco arriveremo in un paese che sorge dov'era l'antica Alba Longa. Ve ne accorgerete da una porta pretoria romana con tre fòrnici all'ingresso.»

Provò emozione. Le avveniva agl'incontri con gloria e antichità: viveva i fatti, vedeva i personaggi. Anche adesso, mentre andavano per le vie percorse dagli eserciti di Roma e d'Alba, l'antichissima madre. Tra quelle schiere marciavano i sei gloriosi, decisivi fratelli, fantasticò, mentre la diligenza traversava il fòrnice centrale della porta. Sobbalzò quando, all'uscita dal paese, titìo indicò una costruzione bianca sommersa da tralci.

«Dicono sia la tomba degli Orazi e dei Curiazi» spiegò, incredulo. Anche vovó si strinse nelle spalle, borbottando: «Como è possivel?».

Provò addirittura astio verso loro: perché non ci credevano? Era possibilissimo, anzi vero. Lo sentiva. Lì avvenne lo scontro dei guerrieri. Si battevano per la patria, è così bello che un uomo abbia una patria da amare su ogni cosa, fino al punto da morire per essa. Mandò un bacio mentale a quel sepolcro, mentre la diligenza rotolava, con orrendi sobbalzi, sull'acciottolato sconnesso.

Alla posta di Velletri, prima di ripartire coi cavalli freschi, il postiglione ammonì: «Nun ve scordate gnente? Ve siete scaricati? Avete fatto proviste? De qua a Teracina nun se potemo ferma' più».

«E perché?» domandò Miguelzinho. Titìo rispose, serio: «Perché dovremo traversare le paludi pontine».

L'avvertimento preoccupò e azzittì i ragazzi. Lei fissava il paesaggio con inquietudine. Non sapeva gran che di queste paludi, ma il nome stesso, forse qualche reminiscenza di cose lette o udite, la tennero sospesa. Quasi di lì a poco dovessero inoltrarsi per lande desolate, paurose, come l'Ade, il mondo dei morti di cui parla Omero.

Paesaggio ed aria, invece, restavano puliti, sebbene qualcosa v'andasse impercettibilmente mutando. Man mano il cielo perdeva un po' dei propri colori, finché divenne bianco, come metallo riflettente il sole.

Respirare fu pesante. Vovó prese ad agitarsi. Sembrava infastidita dalla cascata di pieghe del bandrié che s'andava rassettando intorno alle gambe, sul grembo. Era pallida, cerchiata d'occhiaie. Tutti, nella diligenza, apparivano stanchi, s'asciugavano i volti madidi. D'improvviso le paludi comparvero: all'orizzonte ingrigito si delineò una fascia nerastra di montagne, tra queste e la via una steppa molle, interrotta da greti ciottolosi. Foreste di canne orlavano acquitrini verdastri, spalmati di materia putrefatta. Ne salivano voli neri d'uccelli dalle lunghe zampe che, lamentosi, rigavano la cenere del cielo.

L'aria si faceva fradicia, da sentirsi male. Vovó aveva gettato il capo all'indietro, ansava. Grosse gocce di sudore le colavano sulle guance illividite. Mamãe cercava di rinfrescarla con un panno bagnato.

5

Meu Deus, quanto ancora!

Ormai la scena appariva sempre uguale, monotona, infelice. D'un tratto vide con stupore, fra le canne, una mandra di strani buoi nerissimi, ossuti, dalle corna falcate, incrostati di melma.

«I bufali» spiegò tio Antonio.

«Ma ci sono anche uomini!» gridò lei. Erano apparsi tra i canneti, su cavallucci neri macilenti, due coperti da pelli di capra, gambe e piedi avviluppati in fasce strette da lacci rossi. Con lunghe picche andarono a pungere bufali che s'inoltravano lenti verso gli acquitrini.

«Devono essere marci di febbre» osservò titìo. «Come fanno a vivere in simili contrade?»

Spiegò che dalle paludi si sprigionavano le zanzare anòfeli, il cui morso produce la malaria. Le parve sentirsi ronzare intorno gli spaventosi animali, ebbe persino impressione d'esser punta sul viso, sul dorso delle mani. In effetti da qualche po' nella diligenza stava entrando un pulviscolo d'insetti, leggero ma fastidioso. I viaggiatori si grattavano, qualcuno coprì il viso con un fazzoletto.

Ora la diligenza andava al passo, il postiglione non gridava più. Aveva sfiancato i cavalli e cercava di giungere senza danni alla posta di Terracina.

Presagi del ritorno all'aria sana, alla vita: chiaro del cielo sopra i monti, riapparir d'alberi in cresta alle colline, diradarsi di canne. D'un tratto il sole folgorò nel cielo tornato azzurro, dalla terra riscaturirono belle piante verdi, orgogliosi cespugli.

Finalmente l'odiosa strada dritta curvò, costringendo la diligenza a girare, con stridio di martinicca, in una nuvola di polvere: apparve una striscia di case bianche contro la fascia blu del mare.

S'andava, tra alberi di frutta e siepi di mortella, costeggiando spiagge bionde, ricamate di bianco. All'orizzonte, tra sottili vapori di foschia celeste, navigavano isole. Quali, tio Antonio, Mentore provvidenziale di noi tutti?

«Quella più vicina a destra non è un'isola. È il promontorio del Circeo. Quelle più lontane sono Ventotene, Ponza.»

S'abbandonò all'aria che veniva dal mare, alle fantasie. Cosa c'era nell'isole lontane? Sarebbe stato possibile arrivarci? Al largo pareva ferma una tartana bianca e rossa, più in là, in direzione del Circeo, bordeggiava un grande veliero con le ali spiegate, schiuma candida ai fianchi. Provò stordita gioia senza ragione.

Ma tutti, nella diligenza, parevano rinati. Anche vovó, che respirava il mare a bocca semiaperta. Sulle vecchie guance ricomparsi i colori.

La diligenza abbandonò la via costiera per inoltrarsi in un viottolo sconnesso che saliva fra strane rocce bianche, pinastri, cedri. Lontano luccicò un lago, proprio mentre la vettura frenava con rumore.

«Aoooh!» si stirò il postiglione. Saltò dalla serpa, gridando allegramente: «Sor capora', arieccoce! Co' l'aiuto der Zignore».

Fra pioppi ombrosi una torre, su cui garriva un bandierone bianco, a gigli d'oro. In cima una tabella stinta:

PORTELLA - TORRE DEI CONFINI

Giù pascolavano cavalli, s'intravedevano soldati in calzoni bianchi, giamberghe verdi e rosse.

«Don Nico'!» disse un caporale, avvicinandosi alla diligenza. Portò la mano alla feluca col pennacchio rosso e giallo. «Benvenuti nel Regno delle Due Sicilie, signori» esclamò cortese. «Se vi compiacete di scendere, vedremo i vostri documenti.»

Fu eccitata, attentissima. Si stava dunque a Napoli, nel grande Regno ove sarebbe andata a vivere, quegli uomini erano Napoletani!

Man mano i viaggiatori scendevano. A vovó si piegarono le ginocchia, uno dei soldati si gettò a sostenerla.

«Grazie» disse lei. Un po' mortificata, si giustificò: «Sto seduta da tanto tempo, mi si sono addormentate le gambe».

«Per forza, signo'» sorrise il militare. «Chisto è 'no viaggio 'nfame.»

Questa, dunque, la parlata dei Napoletani, pensò. Ma era chiarissima, si capiva tutto! Provò entusiasmo. Immaginò che l'avrebbe imparata presto, le piacque pure la cadenza dolce, un po' stanca. Mentre il caporale precedeva i viaggiatori al corpo di guardia, lei fissò Miguelzinho e José. Corsero al prato ove brucavano i cavalli.

Qui un soldato, minacciandoli in modo volgare con la baionetta, proruppe in un torrente di torve parole incomprensibili.

Intimorita, delusa, guidò la fuga verso la diligenza. Il caporale salutò con la mano al cappello. E rise al postiglione: «Statte bbuono, Nico'».

"Statte bbuono" rimuginò, mentre la diligenza s'inerpicava ancora. "Statte bbuono."

Così salutano, dunque, i Napoletani. Sorrise. Non era difficile impararlo. Le sarebbe piaciuto ripeterlo a voce alta, per controllare le cadenze: la *s* un po' strisciata di "statte", la *b* tanto rinforzata di "bbuono" e la lunghissima *u* contro quella *o* spalancata che inghiottiva persino la sillaba finale.

"Statte bbuono" ridisse, a mente perché si vergognava. Poi trovò un trucco, esclamò a Miguelzinho: «Hai visto come dicono qui per salutarsi? Statte bbuono».

Marcò le sillabe. Tio Antonio sorrise, Miguelzinho ripeté: «State buono». Ma diceva stretto, senza i toni ingoiati.

Scosse la testa. «Non così. *Sc*tatte *bb*uono.»

Titìo si mise a ridere.

«Non sei nemmeno entrata, già vuoi farti napoletana» osservò. «Tu impari presto, davvero. Specialmente le lingue.»

Fu contenta, continuò a ripetersi in testa quel saluto. Pensò anche ch'era cordiale, di gente con buoni sentimenti. Perché è bello augurare a uno d'"essere buono". O forse voleva dire "Sta' bene, stammi bene": "Cuide-se", non "Fique bonzinho".

Intanto avevano traversato Fondi, poi Itri, un paese arroccato su monti neri, freddi. Era sporco, cadente, gli abitanti guardavano con occhi stolidi e cattivi. Per fortuna si ridiscese verso il Castellone di Gaeta, dove c'erano Formia, il mare e la posta del pranzo.

La locanda vicinissima al porto: una casupola d'assi, tronchi, ficcata sotto l'arco d'un acquedotto romano ricoperto d'erbacce e folgorato da lucertole. Dentro, sudiciume incredibile, mamãe volle si mangiassero solo pane formaggio uva, nonostante l'ostessa avesse buttato i maccheroni e vantasse il pesce fresco.

Brontolando, preparò per gli altri viaggiatori, lasciando, dispettosa, che le signore Fonseca e Lopez si tagliassero da sé fette da pagnotte grandi come ruote di carro. Ma quel pane era magnifico: crosta dorata e croccante, mollica non bianchissima, però soffice, pastosa in bocca. Un po' salato, mentre a Roma lo facevano friabile, sciapo. Ne portarono via per il resto del viaggio.

6

Ci s'arrampicò verso l'interno, fra altopiani selvaggi tanto fitti di vegetazione da inquietare. Per boscaglie e fratte guizzavano fughe d'animali. Tutt'intorno fresco senso d'umido. La campagna andava facendosi bellissima: un'armonia di terre amorosamente coltivate, frutteti, vigneti, con canali d'irrigazione tracciati pazientemente. Ruote d'acqua, mulini, cascinali, pascoli.

«Campania felix» commentò titìo. Lei andava pensando alla curiosa contraddizione fra quelle terre amate, opulente, e i paesi che andavano incontrando, i contadini curvi nei solchi, fermi davanti i cascinali. Miserabili i paesi (niente più che casupole di fango e ciottoli, con coperchi di paglia), non meno infelici gli esseri umani. Scalzi, incrostati di letame nero, occhi fuggiaschi o torvi.

Man mano si proseguiva, le strade si facevano pessime, con

buche, pozzanghere, ciottoloni aguzzi. Da spaccare assi delle ruote, ossa dei passeggeri. A Capua cambiarono cavalli e postiglione, subentrò un grosso, spettinato cocchiere napoletano in farsetto nero e stivali, che sembrava una donna. La serpa scricchiolò quando vi sparse il vasto sedere. Parlò da solo per tutto il tragitto, in modo incomprensibile.

I viaggiatori erano ormai distrutti. Lei non aveva voglia di guardare il paesaggio, sebbene apparisse più lussureggiante che mai, l'aria intenerisse di rosa. Ma a Caserta s'incantò per la fatata apparizione d'un solitario palazzo dalle mille finestre, tra i vapori d'una vallata verdazzurra. Dalla cima d'un monte scintillava il nastro d'una cascata che scivolava, spumeggiando, in vasche, vasche, vasche. Balenii di zampilli, giochi d'acqua, candidissimi marmi.

«I giardini d'Armida» mormorò titìo, scuotendo il capo. «Capricci di re. Questa è, senza dubbio, la famosa reggia estiva di Dom Carlos.»

Il crepuscolo li colse mentre andavano ancora per campagne lavorate, fetidi paesi, boschi e montagne sullo sfondo.

Fu colpita da uno strano riverbero rossastro che da un po' si vedeva all'orizzonte, tra immoti sboffi di nuvole biancastre. Dapprima pensò fosse splendido avanzo del tramonto. Ma la luce solare era svanita tutta nei crepuscoli azzurri. Quel bagliore restava fra le proprie nuvole, invividiva nell'oscurità.

D'un tratto sentì l'avvicinarsi d'un abitato grande. S'addensavano casupole intorno vasti casali sudici donde trapelavano luci, si susseguivano ai bordi della via fosche taverne, infittiva la gente.

Incrociarono carri di campagna dalle grosse ruote, ornati con tralci e foglie appassite. Forse tornavano da una festa, poiché li trainavano cavallacci agghindati di frasche, pennacchi, e recavano a bordo sfatti contadini in vesti variopinte. Notò una donna pericolosamente piegata in fuori, come morta, sulla fiancata d'un carro. Reggeva un tamburello con sonagli d'ottone, nastrini, e l'agitava di tanto in tanto, macchinalmente, producendo spossati fremiti di metallo.

La diligenza dové poi accodarsi a un protervo carroccio che si lasciava dietro puzza di letame e vino. Vi bivaccavano contadini paonazzi. Uno manovrava un curioso strumento: una pentolona di coccio serrata da pelle tesa, entro la quale, per un foro, l'uomo mandava su e giù un tronchetto, con sordo, cupo strofinio.

«Zùghete. Zùghete» urlavano in coro, eccitati, gli altri. Donne corpacciute, sgargianti, agitavano tamburelli a sonagli, crocchiavano nacchere. Ogni tanto levavano cori acutissimi, sguaiati.

Il carro ostentamente non lasciava passare la diligenza. Contadini e donne ghignavano, facendo insulti, sberleffi, gesti molto volgari. Lei ebbe un po' di paura, ma finalmente, in uno slargo, il postiglione strappò rabbioso le redini e schioccò, lacerando l'aria con urlo di spaventoso trionfo.

«Chivemmuortooo! Chivemmuortooo!» ripeté, all'indirizzo del carro sorpassato. Chissà cosa intendeva dire. Forse augurava a quei villani che morissero tutti.

Infine capì l'indelebile lucore rosso in fondo al cielo. Ora tutta l'aria appariva riverbero infuocato, quasi dalle terre celate oltre le piante qualcuno, con gigantesca lanterna magica, proiettasse in su fasci di luce sanguigna. In un luogo del cielo carico di stelle, là dove il fiotto colorato era più intenso, gonfiava un ombrello di grigi vapori, folgorati da lampeggi scarlatti.

Quando la carrozza ebbe doppiato uno sprone irto di pini, videro il Vesuvio rosseggiante, il mare immoto ai suoi piedi, e la grande città.

7

Quella laggiù, dunque, quel vasto presepio di luci sparse tra macchie d'alberi dalle colline al mare, quell'immota distesa d'acqua nel grembo fra edifici e monti, in cui il Vesuvio verberava fuochi e le case barbagli d'oro vecchio, era Napoli.

Provò impulso tenero. Così, senza motivi. All'apparizione del semplice, sereno paesaggio.

I punti luminosi del presepe palpitavano, a volte si scindevano in raggi. Altri scivolavano lenti sopra il mare.

Per l'ombra tra giardini e case indovinò luminescenze curve:

le cupole! Chissà perché, ebbe sensazione che la città non fosse del tutto vera. Ma un pochino fantastica, e potesse sparire da un momento all'altro.

Man mano s'avvicinavano al posto di dogana, traffico e clamore aumentavano. Ormai un inferno di carri contadini, tra i quali si dibattevano carrozze di signori in tricorno e parrucca, dame ben vestite. Galoppò una pattuglia d'usseri dagli alamari argento.

Folla d'uomini, ragazzi, quasi tutti scalzi con camiciotti, brachesse sbrindellate ai polpacci, fusciacche rosse in vita. Alcuni calzavano elmi di cartone dipinto, con pennacchi di carta colorata, altri provavano maschere.

La dogana era un edificio giallo, cinto da cancelli. Sulla facciata lo stendardo bianco a gigli d'oro. Imprecazioni, urla, strazio di lamenti: truppa in giamberga blu e giberne bianche teneva a bada, oltre i ferri, la folla che premeva per entrare.

«Mannaggia. Mannaggia» l'espressione più frequente.

«Fa' ampresso! Fa' ampresso!» gridarono stralunati, grondanti sudore, i soldati, cercando d'aprir strada al postiglione, che spingeva con frustate cieche.

Scesero, frastornati, si strinsero tra loro. Tio Antonio andò a parlamentare con uno di quei militari, il quale ostentava esagerato rispetto: faceva inchini, accennava con la testa. Titìo cavò la borsa.

«Monsignore occellenza monsù» recitò il soldato, raddoppiando riverenze, poi sparve. Di lì a un istante titìo venne assalito da cavalli, vetture e sudici cocchieri in farsetto, nappe rosse ai cappelli. Si dibatté fra gli energumeni. Riemerse, aiutato da uno di loro, mentre gli altri sputavano in terra e minacciavano, con brutti gesti delle mani.

Il vetturino districò una vecchia carrozza da città, verde, con rozzi fregi dorati agli sportelli. Sudato, ansante, tio Antonio urlò: «Facciamo presto, per carità! Cosa sapevo che in questa città indemoniata oggi è la festa della Piedigrotta!».

Si pigiarono. Titìo per lasciar spazio s'avventurò in serpa, accanto al cocchiere. Questi era un vecchio magrissimo, occhi caldi. Gli mancavano quasi tutti i denti, ma sorrideva sempre.

«Jammo, Zizi'» gridò al cavallo, con voce sottile.

Appariva prudentissimo, per la ripida discesa non fece che

dare martinicca. Senza esserne richiesto, offriva continuamente spiegazioni, in tono misto d'orgoglio, cortesia, furbizia.

«Llà 'ncoppa. A mano destra» disse, indicando al sommo d'una collina fitta d'alberi un solitario palazzone bianco, con poche finestre illuminate.

«Capo de Monte. La reggia nuova de Tata nostro.»

Sentì titìo domandare: «Tata? Che? Tata?».

«Tata è... lo pate. Il padre. In una famiglia lo pate comanda e provvede pe' li figli. Dio comanda e provvede per tutte ll'uommene. Lo re comanda e provvede per tutta la gente de chisto casalone. È comme a Dio e comme a lo pate.»

«Ah.»

«Però, monzù» proseguì il vecchio, con amico rimprovero. «Non era la jornata per scendere a Napole!»

La vettura tremò per esplosione di fracasso infernale. Il cocchiere si trasformò, prese a vibrare sferzate a destra e a sinistra, con cattiveria, e a lanciare insulti.

Eran giunti al termine della discesa e lì davvero cominciava Napoli.

Fu terrorizzata. Non aveva mai sentito tanto e così vario clamore, né visto simile folla.

La carrozza faticava a muoversi. S'era in una via larga, fiancheggiata da palazzi di tre, quattro piani, con balconcini illuminati da torcioni, lanterne, mazzi di candele fissati alle ringhiere, e zeppi di gente che si dimenava, cantava, urlava, buttava coriandoli, palle di carta colorata, farina, calava tubi di cartone dipinto sospesi a spaghi, cercando di calzarli in testa ai passanti.

Torcioni ardevano ai portali in pietra dei palazzi e candele, lanterne, danzavano tra la folla che gremiva la via. Carrozze coi fanali fiammeggianti, precedute da servi in livrea armati di fiaccole, tentavano di farsi strada.

Un urlìo continuo, ritmato incessantemente dallo scuotere secco di mille tamburelli a sonagliera, dal soffiare di mille fischietti, dal frenetico strofinio di mille pentole simili a quella vista sul carro contadino, dal picchiare d'altri strani strumenti. Uno ne notò: aste di legno sbattute freneticamente tra loro. Ma sembrava che tutto fosse utilizzabile per produrre rumore:

nacchere, pentole, cucchiai, coperchi. Alcuni soffiavano in grandi conchiglie, ricavandone mugghi. Però il suono più stordente, ossessivo, era quello generato da una quantità inverosimile di trombette di carta, ornate con pennacchi. Tutti ne avevano e vi spiravano dentro, rivolgendole in ogni direzione, puntandole alle facce, alle orecchie dei passanti.

Pattuglie in maschera di giovinastri sciamannati, scalzi, avanzavano ritmando strepito di trombette

Pe-pe perepé
Pe-pe perepé

e travolgendo con insolenza quanti si paravano davanti.

Attonita, affascinata, saltava con gli occhi da una scena all'altra. La strada, senza marciapiedi, era, ai bordi, una serie ininterrotta di banchetti, illuminati da torce e lanterne colorate. Vi si vendeva di tutto a una folla rissosa e ingorda.

Vide un uomo con sudicio berretto bianco e grembiule di cuoio che bolliva maccheroni su un fornello quasi in mezzo alla via. Rimase incantata per la velocità con la quale colui toglieva dal fuoco uno dei pentoloni che vi fumavano, ne rovesciava l'acqua appiccicosa, biancastra, senza far cadere neppure un filo della pasta, che poi serviva, con rapidità impressionante, in piatti di stagno agli avventori che allungavano il braccio nella ressa. Rimetteva la pentola sul fuoco, vi versava acqua da un orcio, sventolava il fornello con una gran rosta di paglia, saltava a scoperchiare i vapori d'un'altra marmitta, gettava il capo all'indietro e, poggiando una mano aperta sulla guancia, lanciava un richiamo acuto, lamentevole, però armonioso.

Da quel banco di maccheroni giungeva odore saporoso e semplice, che andava a mescolarsi ai mille fluttuanti per l'aria. Bruciaticcio delle torce, dolciastro delle cere sciolte, asprigno del sugo di limone, maliziosi fiati d'anice, pizzicore d'aglio, esalazioni grasse d'intingoli, salsedine di roba marinara bollita in lucide pentole di rame.

Ma anche acido di letame cavallino e umano. La strada era cosparsa di escrementi delle bestie. Gli uomini usavano con disinvoltura i muri dei palazzi, gli angoli dei vicoli.

La carrozza avanzava grazie all'insospettata ferocia espressa dal vecchio cocchiere, il quale fustigava, insultava, lanciava strane bestemmie in cui i nomi sacri venivano sostituiti da parole profane, assonanti.

«Mannaggia lo Padreturco. Sangue de la Colonna. 'Nculo a santo Panaro.»

Si procedeva con snervante lentezza. Sentiva le membra addormentate. Vide, in confuso, che la vettura costeggiava una sterminata, rosea costruzione con scalee di marmo nuovo, lucente. E poi chiese, chiese spalancate, inghirlandate, sgorganti luce.

In uno slargo, apparizione di cocomeri verdi, gialli, a cataste. Salivano ai primi piani, rotolavano in strada. E canestre d'uva dai chicchi color miele, fichidindia purpurei.

La carrozza rallentò per l'infittirsi della folla. Talvolta s'udivano strilli di dolore e collera, allora lei si risvegliava. Vide soldati a cavallo che caricavano bande d'energumeni in berretti rossi a calza. Li spingevano verso le fenditure scure, paurose, dei mille vicoli che sgusciavano infidi sulla bella via sfolgorante in cui s'andavano inoltrando e che era la famosa Toledo, come cantò cento volte il vetturino in estasi.

Giunsero dove confusione, chiasso, splendore erano al sommo e la vettura, rassegnata, fermò. Non era più possibile avanzare d'un palmo. Mille carrozze, alcune di gala con stemmi, dorature, cristalli e staffieri in livrea di seta alle predelle, emergevano come scogli dal mare d'una folla in gioiosa tempesta. Que lugar maravilhoso!

Una piazza bellissima. Da un lato vi splendeva, al fulgore di globi di cristallo, una costruzione candida. Intorno le svettavano palme, magnolie dai fiori di panna, pini, scaturiti da prati smeraldini oltre cancelli a gigli d'oro. Accanto, un altro straordinario palazzo di color rosa antico, sfarzosamente illuminato da miriadi di lanterne fisse alle balaustre di marmo. Dominava la piazza, tenuta in parte sgombra da lucenti squadroni di cavalieri bianchi e rossi.

Boschi misteriosi, percorsi da barbagli di luce e canti, ne cingevano il lato dirimpetto. Più giù, come una scena di teatro: un colosso marmoreo tendeva il braccio verso un pendio verde, al mare bruno, quieto, popolato di barche sfolgoranti, luminosi velieri. Sullo sfondo, nero immenso vicinissimo, il Vesuvio intento ai suoi infocati gorgògli.

Chissà perché pensò che tutto, città colori suoni luci soldati popolo, corresse allegramente, cantando, ritmando, suonando, per spinta naturale, a precipitarsi laggiù, verso quella discesa, come risucchiato alla marina, alla spiaggia che s'indovinava tra musica e luminoso fervore. Ne giungeva vento odoroso di rena umida, d'alghe, che scapricciava le torce, incitava a garrire le bandierone a gigli d'oro.

La scosse la vocetta del vetturino, recitante con frenesia: «Lo San Carlo. Lo Palazzo reale. Santa Lucia. Lo Gigante. Lo San Carlo...».

Infine, come Dio volle, la carrozza pian piano si districò, il vetturino la spinse verso un vicolo. S'entrò in mondo diverso.

Dalla luce al buio, dall'aria dolce della piazza a tanfo umidiccio afoso. Dall'aperto al chiuso, dal piano all'impervio d'una terribile salita, un budello tra palazzi in pietra nera attaccati l'uno all'altro. Pendevano, in mezzo, cortine di stracci stesi ad asciugare.

Il cavallo puntava gli zoccoli sul selciato sconnesso, ogni tanto scivolava a causa del rigagnolo melmoso e puzzolente che scorreva al centro, il cocchiere dava disperatamente martinicca.

Vide in un angolo un uomo che vomitava, per un attimo temé le ruote lo travolgessero. Si passava davanti abitazioni spalancate a livello di strada. Ne veniva lezzo. E si scorgeva tutto: giacigli sfatti, stracci, lanterne moribonde. In una, spaventata, intravide su un paglione un vecchio seminudo, bianco, la bocca aperta. Credette fosse morto, ma gli altri della casa mangiavano tranquilli su un tavolino accanto, al lume d'una torcia infilata nel collo d'una giara.

Poi momento drammatico: un'altra carrozza scendeva, con stridore di freni. Finimondo di bestemmie, frustate, nitriti, grida di gente accorsa sui balconcini, schizzata dai terranei. In un attimo s'ammassò un popolo che aiutava, beffeggiava, spingeva. Il vecchio vetturino addossò la carrozza al muro, lei poté toccare con un dito quella pietra nerastra, incrostata di sudiciume antico. L'altra vettura passò pian piano, rasentando paurosamente. La folla si disciolse.

Giunsero a un punto in cui il vicolo ne tagliava un altro. Un piccolo slargo, dove c'erano una chiesa e banchi di mercatino abbandonati. Il tanfo si fece insopportabile: ovunque bucce di cocomero, spine di pesce, mollicci avanzi di maccheroni, ciuffi di finocchi. In quella porcheria guazzavano ragazzi scalzi e seminudi, con trombette. Se le picchiavano in capo, ridevano, emettevano ancora stanchi e rauchi pe-re-pe-pé.

Sulla gradinata davanti la chiesa un uomo scalzo, sbrindellato, fascia rossa alla cinta, andava accomodando uno straccio giallo, come fosse lenzuolo, poi vi si stese, apparecchiandosi al sonno.

«Qua finisce lo vico de lo Sargento Maggiore» comunicò il vetturino. Anche lui pareva stanco, scavato. «'N'ato ppoco e siamo arrivati a Santa Teresella.»

Imboccarono il vicolo trasversale. Lontano, davanti uno di quei foschi palazzi, scorsero un ometto vestito da nobile, calzonetti neri e polpe bianche; un altro accanto a lui faceva luce con una torcia. Capì subito ch'era papài in attesa, il cuore prese a batterle forte. Ebbe voglia di mettersi a piangere.

PARTE SECONDA

1

Giorni e giorni per sistemare tutto negli appartamenti del secondo piano. Il palazzo apparteneva al duca di Lusignano, il quale ne occupava piano nobile e, nel cortiletto, quattro bassi adibiti a rimesse e stalla. Negli altri terranei abitavano e lavoravano un doratore, un tapezziere, un ebanista intagliatore; in quello a fianco del conchiglione in marmo che ornava l'andito viveva il portinaio Minichiello con numerosa e sudicia famiglia.

L'appartamento Fonseca uguale a quello Lopez: cinque camere dai soffitti altissimi, stuccati in bianco e oro, pareti tapezzate da cambrì azzurrino con festoni. Sporco, stinto, chiazzato di muffa.

«Occorrerà ripulire» borbottava vovó.

«Avita porta' 'no cuofano de pazienza. A Napoli la mano d'opera costa e se fa aspetta'» diceva con voce di baritono Minichiello, il quale i primi giorni li accompagnava simile a ombra, mostrandosi servizievole e avidissimo di "vagni", come lei scoprì quasi subito. Dal gigantesco portinaio imparò immediatamente tre espressioni napoletane: "cèveze", che voleva dire "accidenti, ma guarda!", "'no cuofano", cioè "assai, in quantità incredibile", "vagno", che significava "mancia, gorijeta, pourboire".

Ciascuna stanza dava in un ballatoio sul cortile e possedeva un balconcino all'esterno. Dai balconi si scorgeva sprofondare verso Toledo la fenditura del vicolo. Giù giù, oltre i tetti a terrazza, che si chiamavano àsteci, s'intravedeva, in mezzo a ciuffi d'alberi, una delle torri merlate di Castelnuovo.

La mattina dopo l'arrivo s'accorse con stupore che tutto appariva diverso. Uscì dal balcone in una gloria di sole, che fluiva per il vicolo come miele, imbiondiva le facce dei palazzi, i festoni dei panni, che garrivano a un piccolo vento marinaro. La bruna malinconia della sera precedente scomparsa, svaniti sudiciume e puzza. Il rigagnolo correva sempre al centro della strada, i bassi erano aperti, ma la fanghiglia s'andava asciugando sotto il sole, sotto i piedi della gente. L'odore sporco, stantio, era soverchiato da quello fresco, vitale, d'erbe, verdure, frutta.

Vide un continuo, lento salire d'uomini scalzi recanti sulle spalle, in bilico sul capo, cestoni d'uva, fichi. Alcuni reggevano mazzi bruno dorati di sorbe, grappoli di melloni gialli. Arrancavano trabiccoli carichi di broccoli, finocchi, peperoni multicolori, pomodori scarlatti. Salivano carrettini zeppi di ceste: fra trine d'alghe, vi luceva l'argento di cefali, alici, merluzzi. Andavano tutti al mercatino nel largo di Sant'Anna: dal balcone ne scorgeva parte, ma sentiva intero il clamore di voci, richiami, canti.

Uscì con mamãe per la spesa. Chissà perché, dopo il trasferimento, la considerarono ammessa al senato adulto. Apprese che la famiglia Fonseca poteva contare, fin quando non fossero riconosciute le patenti, soltanto sui beni della mamma: la dote, una pensione di centomila reis. Per la famiglia Lopez occorreva perfezionare l'invio da Roma delle rendite Mendes. Così compere, cucina, servizi le donne Fonseca e Lopez se li facevano da sole.

La spesa le piacque, fin da quel primo giorno imbarazzato. I venditori, la gente, non erano sgarbati né protervi, del fatto che fossero signore e forestiere non parevano profittare. Prezzi e qualità migliori che a Roma, specie per il pesce. Di verdure ce n'era da buttare, perfino ignote, come un'insalatina riccia dal cuore d'oro pallido che si chiamava scarola, un'altra dalle foglie come trinette verdi, detta incappucciata. Agli angoli pacchiane in costume, facce rosse, immobili, vendevano grandi ruote d'un pane simile a quello indimenticabile di Formia.

2

S'impadronì via via dei segnali, delle persone, dei fatti che scandivano vita quotidiana in Santa Teresella e dintorni.

Pareva impossibile che in quella confusione, in quel muoversi continuo e disordinato, privo di progetti o intenzioni, esistessero abitudini, norme. S'accorse invece che frastuono, brulichio, agitarsi erano essi stessi norma: si ripetevano uguali a ogni inizio di giornata, per estenuarsi col calar delle tenebre o spegnersi nel buio dell'inverno.

Perché imparò, di lì a qualche mese, che anche Napoli piomba nell'inverno. Il quale v'è tristissimo, nero o grigio senza remissione: baratro d'acque cupe che crosciano torrentizie per le discese dei vicoli, allagano melmose persino la splendida Toledo.

Una volta si trovò con tio Antonio dal marchese Berio di Salza, nel bel palazzo sulla grande strada. Dietro i vetri madidi d'un balcone, osservava il cupo spettacolo d'una fiumana giallastra che, alimentata dalle cascate dei vicoli, irrompeva verso il Largo di Palazzo, brontolando, schiumando, minacciando.

Sotto le pennate, ai lati della via, aspettavano lazzari intirizziti, scalzi, brache rimboccate alle ginocchia. A Napoli li chiamavano così, "lazzari, lazzaroni", alla spagnola. Quando la pioggia scemava, dai portoni sbucavano persone. Dai muri si staccavano di corsa lazzari che, ridendo e tremando, caricavano con delicatezza sulle schiene i viandanti, s'immergevano dentro i flutti di Toledo, per deporli all'altra sponda. Le spiegarono che questo servizio costava solamente due grana.

Mestieri inverosimili a Napoli ce n'erano parecchi. A Santa Teresella ogni crepuscolo passava il latrinaro col suo orribile carro, ch'era poi una gran botte a stanghe e ruote. Emanava lezzo spaventoso, segnava il selciato di chiazze nauseabonde. Un ragazzo sui sedici anni andava scalzo, armato d'un coppino di legno. Dava una bella voce, un po' accorata, modulata sulle vocali: «Latrinàaarooo...».

Uscivano servitori, donne, ragazzi, coi pitali colmi, sciabordanti, alcuni portavano quello di raccolta, ch'era enorme e bisognava reggerlo in due. Il latrinaro vuotava i piccoli in un buco al sommo della botte, per i grandi usava il coppino. Quando se n'andava restava per parecchio, dentro il vicolo, tanfo acre e dolciastro insieme.

Altra curiosa attività quella delle capère. La prima volta che ne vide una fu pochi giorni dopo l'arrivo, in una bella mattinata di sole. Dai bassi erano uscite donne coi capelli sciolti, portando sedie: nell'attesa, mondavano fagioli freschi, cime di broccoli.

Arrivò la capèra, una signora grossa e solenne. Crocchia nera lucida, puntata da spilloni con teste di perla, enormi orecchini d'oro. Lunghe catene pure d'oro le avvolgevano il collo, cascavano sopra il petto grandioso. In cantuscia di seta nera con sboffi ai polsi, corzé bianco e rosso, strascinava con aria da regina la coda del bandrié. L'accompagnavano due ragazzine scalze, con brocche d'acqua, scatoloni.

La maestosa signora s'avvicinò, rise, discorse, acciuffò una banda di capelli corvini. Si mise all'opera con gesti antichi, sicuri.

Dagli scatoloni uscivano via via pettini fitti, fiocchetti di bambagia, bottigline d'olio, spazzolini. La capèra solcava, frugava, arava nella chioma sparsa: d'un tratto levò la mano che stringeva qualcosa tra indice e pollice, la mostrò, ridendo, alla cliente che pure rise. Quando la chioma apparve tiratissima, lucente, cominciò la seconda parte dell'operazione. La capèra pizzicava bande di capelli, attorcigliava, ficcava spille dalla capocchia d'oro, ogni tanto lucidava, disfaceva, ricominciava. Si vide infine un meraviglioso tuppo a cèrcine, picchiettato da spillini lucenti. Scriminatura bianca, perfetta, solcava a mezzo il cranio, le bande laterali lanciavano riflessi nerazzurri.

Le attività nel vicolo erano tante. Nonostante l'atmosfera di perenne disimpegno, si davan tutti da fare.

Altri doratori, oltre quelli in cortile. Nei loro bassi confusione incredibile di barattoli, pennelli, sgorbie, torcieri, teste di letto, paraventi, sedie, da riportare al primitivo nitore. Gli oggetti pronti splendevano d'oro zecchino. Veniva da quei terranei un sentore piacevole di trementina, sangue di bue, colla di pesce fresca. Soverchiava il tanfo d'esseri viventi e roba sporca che stagnava, grasso, nel fondo, dove s'intravedevano il gran letto di tutta la famiglia, le poche suppellettili.

La mattina presto, quando ancora il capraio non aveva terminato il suo giro tra bassi e palazzi, uscivano alla luce gli uomini diretti a Toledo per la campata quotidiana.

I saponari cacciavano a fatica il carrettino per la porta mezzo accostata del basso. Lo caricavano con pentole di coccio, setacci, pezze colorate che avrebbero scambiato con stracci, bottiglie, roba vecchia. E uscivano i venditori di fusaglie, come a Roma (qua le chiamavano lupini, spassatiempo, semmente), i raccoglitori di cicche, i domestici delle case signorili non domiciliati nei palazzi, le cuffiare, le ricamatrici, le stiratrici, dirette agli stanzoni pieni di vapore, soffocanti di varecchina ed acido, che aveva visto alla Platea della Salata, a San Mattia, al Monte di Dio, nel corso delle esplorazioni.

Andava quasi sempre sola. Miguelzinho non si lasciava comandare più: s'era fatto lungo, inquieto, ombrato di peluria al labbro.

Ma qui non era come a Roma. Non aveva paura. La gente non mostrava aria cattiva; nonostante la povertà dell'esistenza, sembrava soddisfatta di stare al mondo. Le pareva, inoltre, di leggere negli occhi, nei gesti, semplice, superiore sapienza.

Aveva imparato la topografia di quella zona dei Quartieri, sulla quale incombeva Sant'Elmo, bellissimo nelle muraglie possenti sulla verde collina del Vomero.

S'era spinta anche a Santa Maria degli Angeli di Pizzofalcone, oltre il Monte di Dio. Era arrivata a Chiaia, fermandosi a contemplare il passeggio elegante. Napoli possedeva nobiltà numerosa, ricca, s'era detta nel veder passare, tirati da cavalli di razza o mule bianche, berline di gala, cab dalle vernici luccicanti, phaeton tapezzati di moerro, con a bordo tricorni gallonati, costosissime cuffie in trine di Spagna.

Un giorno vide il re, in carrozza scoperta, mentre usciva da Palazzo. Era arrivata all'angolo del Gigante, voleva andare alla Rotonda per guardare da vicino il mare. Quella mattina Napoli appariva azzurra e rosa, il Vesuvio color fragola scura.

La carrozza del re, tutta dorature e fregi, stemma gigliato alle portiere, tirata da due cavalli rossicci, girò dal lato del Gigante, per scendere verso la Marina Nuova. Il re era un ragazzo sui tredici anni. Magro, viso e naso lunghi, color mattone sotto la parrucchina candida ad ali di colombo. Indossava una giamberga verde, dal collo ricamato in oro. A fianco gli sedeva un signore grosso, inespressivo, gran tricorno azzurro sul parruccone a buccoli.

Le parve che il re, nel passare, la guardasse. Aveva occhi chiari e indifferenti. Continuò a contemplarlo, il ragazzo mostrò corruccio nella fronte, accennò a voltarsi, mentre la carrozza continuava la corsa. Forse s'era irritato perché lei era rimasta lì, dritta, a scrutarlo, senza neppure accennare alla riverenza, come facevano tutte le persone in cui la vettura s'imbatteva.

Questo incontro con re Ferdinando le rimase impresso anche per un altro motivo. Mentre tornava, avvertì dolori nel ventre, di quelli che, da qualche settimana, ogni tanto l'assalivano. E sentì calore appiccicoso tra le gambe, trepidazione dentro. Si mosse con cautela. A casa s'accorse che per la prima volta da lei sgorgava sangue, il suo sangue di donna.

3

Nel vicolo la popolazione era composta da nobili e popolani. Borghesi niente, tranne pochi impiegati, qualche mercante. Inesistenti persone di cultura, lettere o scienze.

Il primo nobile napoletano che conobbe fu il padrone di casa, duca di Lusignano, e le fece impressione pessima. Un uomo di mezza età, grasso, sporco, d'aspetto e comportamento volgarissimi. Quando parlava col portinaio Minichiello o col proprio cocchiero (che chiamava Strùmmolo, compiacendosi in toni triviali della voce) rideva, scherzava, tirava schiaffi. Ogni mattina, non appena compariva in cima alla scala vestito ancora alla moda spagnola (trine rococò, giambergona alle ginocchia, sudice calzette di raso, parrucca gialliccia nonostante il talco), a Minichiello uscito per ossequiarlo si rivolgeva nella medesima maniera.

«Minichie', oggi come ti senti? Lo culo comme va? L'è miso sì o no l'unguento de la Contessa?»

Questo unguento (come apprese più tardi) serviva per le donne quando perdevano troppo sangue, per gli uomini in caso d'emorroidi.

«Eccellenza, guardateve lo culo vostro» rispondeva Minichiello, con aria familiarmente provocatoria. Il duca schiattava dalle risate.

«Piezzo de fetente, ah!» gridava, tirandogli scoppole sul collo. Poi cantilenava: «La carrozza, Strummulo', la carrozza...» mentre il cocchiere armeggiava trafelato, con vettura e cavalli. Alla fine se n'uscivano, lasciando il cortile sporco di paglia e merda di cavallo.

«Che li possano 'mpennere» bestemmiava Minichiello, al quale toccava ripulire.

Anche la duchessa era grassa, sudicia, sebbene ricoperta d'anelli, ciondoli, brillanti. La domenica mattina andava con le figlie a messa in Sant'Anna di Palazzo, a piedi, e spazzavano scale, cortile, vicolo con gli strascichi troppo lunghi, fuori moda.

Il giovedì e il sabato ricevevano, allora nasceva enorme confusione in tutto il vicolo, perché i cocchieri non sapevano dove posteggiare. Alcuni andavano fino al Monte di Dio, altri fermavano con strafottenza accosto i palazzi di Santa Teresella, bloccando il traffico e provocando baruffe. Del resto ciò avveniva pressoché ogni pomeriggio, in quanto quasi tutti i nobili della zona ricevevano, ossia s'intrattenevano a giocare d'azzardo e in chiacchiere volgari.

Qualche mese dopo il loro arrivo eran giunti biglietti in cui il marchese di Villareale o il marchese di Mazzarotta o il duca di Lusignano avevano l'onore d'invitare il marchese e la marchesa Pimentel de Fonseca a favorire nelle loro dimore per trattenimento. Papài e mamãe c'erano andati, por educação, ne erano tornati carichi di disgusto e disprezzo.

Ben diversi, invece, i primi timidi incontri nel saloncino di casa Lopez. Tio Antonio aveva cominciato a invitare pochi amici, questi ne condussero altri, s'ebbe con regolarità un salotto del sabato. Vovó ardeva felice, dopo tanta astinenza portoghese e romana. Chiacchierava in ogni lingua possibile, con chiunque le capitasse a tiro, su qualsiasi argomento, guance rosse, occhi scintillanti. S'accollava con piacere le spese, in verità modeste: un poco di caffè, biscotti, cioccolata, tabacco d'Olanda o dell'Avana, il vagno pei servitori chiamati nelle occasioni importanti.

Fu contenta di questi salotti Lopez, anche se venne ammessa a parteciparvi dopo qualche tempo. Dopo, cioè, ch'ebbe fatto leggere a tio Antonio i versi migliori fra i molti che da un po' componeva. Già a Roma, nascostamente, aveva osato scrivere: cominciò con favolette alla Fedro, poi un diariuccio che trovò presto insulso. Descrisse allora la visita al Colosseo, con stile grandioso e, al tempo stesso, malinconico. Le sarebbe anche piaciuto raccontare episodi delle famiglie Fonseca e Lopez, svelare il mistero del loro stemma, che partiva in uno lo scudo sannita, inquartando una banda con cinque stelle bianche in campo azzurro, sei fasciole di smalto rosso in campo bianco. Più cinque palle d'oro ripetute in blu.

Nessuno era riuscito a spiegarglielo. Papài aveva risposto che le antiche scritture araldiche s'eran perse da tempo immemorabile. Con uno dei suoi smunti sorrisi aveva aggiunto: «Non vale più la pena, Lenòr. E poi, tu sei troppo giovane per questa sorta di lavoro. Alla tua età si scrivono poesie».

Gli rispose che versi non ne aveva mai letti, se non le cantilene da bimba e i brani scelti dei *Lusiades*.

«Hai ragione. Bisognerà procurarti qualche libro adatto.»

Ma se ne dimenticò, lei non osava rammentarglielo. Un giorno trovò coraggio per parlarne a tio Antonio. Chissà perché pensava potesse trovar sconveniente per una ragazzina leggere poesie. Invece le portò due libretti legati in pelle nera a fregi d'oro: una crestomazia di Vittorelli, Rolli, Frugoni, una scelta dalle opere del signor abate Pietro Metastasio, poeta cesareo alla Sacra Imperiale Corte di Vienna.

Li divorò con intenerito stupore. Quei versi trattavano, con naturalezza, sentimenti che lei pensava andassero nascosti; pareva, addirittura, che i poeti si divertissero a scandagliarli. La colpì il fatto che senza vergogna gli autori si presentassero desolati, sconfitti, non già da tragiche vicende di guerra o di potere, bensì per delusioni amorose. La turbarono galanterie intraviste in brani del Frugoni, del Rolli:

Veggio il candido agitato
colmo petto ascoso invan,
veggio il fianco rilevato,
il bel piè, la bella man.

S'era sbirciata, sempre un po' colpevole. Pareva che il petto crescesse, forse sarebbe diventato "colmo", il fianco s'andava "rilevando". Tentava d'immaginare il volto della dama che incantava il poeta. Le prestò occhi simili ai propri ("So' de foco"), i suoi folti capelli neri, ricci. Il resto no. Non era soddisfatta di come venivano il viso (troppo largo), il naso (grosso).

Quei versi si riferivano, inoltre, ad ambienti che forse lei non avrebbe conosciuto. A casa sua mai concepite certe cose, nonostante i rimpianti di vovó. Nel modestissimo guardaroba familiare non esistevano tupè incipriati, cache-bâtard, bustini a scollo, nèi, ventagli. Quando mamãe e papài dovettero accettare gl'inviti dei nobili napoletani fu una tragedia, alla fine mamãe mise un abito della gioventù, nel quale andava con penoso impaccio.

E però sarebbe stato bello... A Napoli c'era, e come!, un mondo così. Ne coglieva spiragli: il passeggio delle carrozze per Chiaia, certi fulgóri che, al crepuscolo, s'accendevano nei palazzi di Toledo. Forse da sposata, se avesse potuto fare un matrimonio di rilievo... Scuoteva il capo. Difficile immaginarsi sposata. Con chi? A volte meditava su personaggi senza volto, intrisi di dolcezze e premure, come pensava fossero, anche nella vita, i poeti dei suoi piccoli libri.

Stringeva le spalle: in fondo non sapeva nemmeno se desiderava sposarsi. Scrollava tutto con moto del capo, canticchiandosi altri versi più semplici, che davano, però, gran voglia di saltare, correre, danzare. Un'allegra tiritera che lei mescolava apposta, senza che musica e ritmo si perdessero mai:

Mentre folgora e balena
sarò teco, amata Nice...

Passò quel tempo, Enea,
che Dido a te pensò...

Nei giorni tuoi felici
ricordati di me.

4

Dopo quelle letture e riletture, riempì fogli di versi che sgorgavano con facilità, ma apparivano irrimediabilmente imitazioni rolliane, vittorelliane, metastasiane. In un sonetto rievocò il fugace incontro con il re giovinetto alla discesa del Gigante, in altri s'era provata a rappresentare paesaggi e tipi napoletani. Poi distrusse tutto. Aveva preso l'abitudine di rileggere, a distanza di tempo. Salvava solo quanto resisteva almeno qualche settimana. Lo raccoglieva in un quaderno dalla coperta in cuoio verde, su cui pensava di far incidere le proprie iniziali e l'inesplicabile stemma dei Fonseca.

Tio Antonio continuava a impartirle qualche lezione, ma con minore impegno. Le aveva procurato altre opere moderne: un libro della collana "Rime" pubblicata dall'Arcadia, un curioso volumetto dal titolo *La damigella istruita*. Le piacque perché conteneva nozioni di fisica, chimica, economia.

Nel darglielo disse, sorridendo: «Son sicuro che diventerai quel che sognava Vico: "Sabina donna in attiche maniere"».

Si sentì orgogliosa, sebbene non sapesse ancora chi fosse quel Vico.

La damigella istruita le fece trascurare la poesia. Stimolò curiosità forti, perché certe cose v'erano accennate ma non chiarite, come il discorso intorno alla storia naturale: si spiegava il sistema di Copernico, s'esponeva Keplero, ma nulla sull'origine del tutto.

Titìo allora le portò un altro libro, vecchio d'un secolo, ma che l'appassionò più d'un romanzo: le *Conversazioni sulla pluralità dei mondi*, di Le Bovier de Fontenelle. Vi si chiariva, fra l'altro, come si fossero formati i vortici, dai quali quanto è nell'universo ha avuto inizio.

Fontenelle fu responsabile di due infatuazioni: una per l'astronomia, l'altra per la Francia, il paese ove si pensavano certe cose già cent'anni or sono! Ora capiva perché, tra gli amici che venivano in casa, si nominassero ogni momento Parigi e tanti autori che avrebbe dovuto leggere, prima o poi. Sorse la necessità d'imparare il francese. Vovó venne perseguitata finché lei non fu in grado di leggere d'un fiato, come quelli italiani e portoghesi, i libri di Francia.

Giornate intensissime: leggeva, studiava, scriveva, usciva per la spesa, faceva fugaci apparizioni nel salotto settimanale, per servire qualcosa o recar libri.

Una sera titìo venne a raggiungerla nella cucina comune dove, con mamãe e tia Michaela, preparava il caffè in una di quelle ingegnose caffettiere di Napoli che facevano la bevanda più gustosa del mondo.

«Lascia stare, Lenòr» le disse, sorridendo. «Hai quindici anni e sei davvero brava, ormai. È giusto che tu faccia parte del salotto. Fra l'altro,» soggiunse con aria maliziosa «al momento lì non vi sono altre donne che mia madre. No, non è necessario. Così come stai. Non siamo mica una veglia o una colonia d'Arcadia.»

«Ma cosa dovrei fare, mio Dio» mormorò, stringendosi le mani, aggiustandosi macchinalmente i capelli. Era pallida.

«Niente di speciale, Lenòr. Entri, ti siedi, ascolti. Quando ti viene qualcosa da dire la dici. Perché non prendi qualcuna delle tue poesie?»

«Leggerle lì? Mai, non potrei mai farlo.»

«Ma sì che puoi, Lenorzinha. Vem comigo.»

Nel salotto aria un po' pesante per il fumo dei torcieri e quello dei sigaretti che un paio dei convenuti andavano aspirando. Con rapida, nascosta occhiata, riconobbe gli uomini sogguardati altre volte. Accanto l'ingresso l'abate Jeròcades, piccolino, grassoccio, in nero e calze bianche. S'era levato la parrucca, mostrando curiosi capellucci spettinati sulla testa piccola, tonda. Quando lei avanzò dietro tio Antonio si mise ad osservarla, gli occhi ridotti a fessura. S'abbottonò il collarino.

E c'era Vincenzo Sanges, non ebbe coraggio di fermare lo sguardo su di lui. Il più bello: l'aveva notato sin dalle prime, fugaci apparizioni nel salotto. Sedeva accanto la finestra, accavallando le gambe muscolose fasciate dai calzoni a tubo. Parlava fitto con un altro, bassino, rado di capelli, gli occhialetti d'oro, poi seppe ch'era l'avvocato Meola.

Neppure Sanges portava parrucca e sarebbe stato un peccato nascondere i bei capelli biondi, ondulati, che gli scendevano sul collo, formando anche due morbidi favoriti intorno al viso robusto, ben rasato. Doveva essere uno di quei Napoletani d'origine angioina: biondi, gli occhi chiari. Tentò esplorazione velocissima, le parvero sul verde, o verde grigio.

All'altro capo della piccola sala, nel canapè azzurro bianco oro comperato apposta, vovó un po' stanca ma contenta chiacchierava con un giovanotto malvestito, dall'aria proterva, il quale ostentava frangetta alla Bruto. Di lì a poco apprese che si chiamava Gennaro Giordano.

In piedi dietro il canapè un ragazzo smilzo, bruttino, sorriso stento. Capelli rossi, corti. Lì dentro conservavano le parrucche solo titìo e altri due: un abatino magro, silenzioso, un signore anziano, occhialuto. Quando tio Antonio le ebbe presentato la comitiva, imparò che il ragazzo rosso si chiamava Mario Pagano e studiava legge, l'abatino era Domenico Conforti, l'anziano il professor Francescantonio Guidi.

«Miei cari amici» esclamò titìo, sorridendo. «Quante volte vi siete lamentati che a questo nostro salotto fosse mancato il conforto di dame amabili e colte?»

«Fatta salva la nostra cara donna Eleonora Mendes» intervenne Meola con un inchino verso vovó, la quale caricò un sorriso di sussiego.

«Ma certo» approvò titìo. «Bene. Credo sia giunto il momento che faccia il suo ingresso tra noi, benché sia ancora molto giovane, mia nipote donna Eleonora de Fonseca Pimentel, qui presente. Ella mi è cara anche perché ho avuto il piacere d'avviarla agli studi e vi so dire che ne ha fatto buon profitto. Fra l'altro scrive bellissimi versi.»

«Novello Pigmalione!» rise Giordano, alzandosi, e venendo a contemplarla da vicino. Le tese la mano, dicendo: «Siate la benvenuta, Eleonora. Io spero che vostro zio v'abbia nutrita dello spirito che anima, chi più chi meno, quasi tutti noialtri. Sebbene debba dubitarne, essendo egli comunque e sempre uomo di chiesa».

«Eeeh!» rise titìo, minacciando con la mano.

«Giorda'. Non cominciare gli accaparramenti» intervenne Pagano, infastidito. Parlava con accento aperto, poco napoletano. Rivolgendosi a lei spiegò: «Questo è pericoloso. Non bisogna starlo a sentire, perché è del peggiore tipo umano: il fanatico».

«La voce del progresso vi fa sempre paura» ribatté, sardonico, Giordano. «Paga', gratta, gratta, il codino spunta.»

«Uuuuh!» ulularono alle loro spalle. Jeròcades s'avvicinò, le chiese, brusco: «Voi fate versi? Alla maniera di chi?».

«Alla... Alla mia maniera» balbettò lei. Giordano batté le mani.

«Brava! Così si risponde a questi conformisti! Ce li farete sentire subito i vostri versi. Subito» insisté, vedendola impallidire.

«Certo, Lenòr» intervenne titìo. «Questi amici sono intenditori e, alcuni, poeti essi stessi. Il loro giudizio ti sarà prezioso.»

Sanges s'era avvicinato. Le sorrise.

«Lenòr» disse. «È grazioso questo vostro nomignolo. Possiamo usarlo noi pure? Via, Lenòr, non fatevi pregare.»

«Ma no» gli rispose, con durezza improvvisa. L'era parso che posasse, con aria tenera, da conquistatore irresistibile. Decise di fissarlo negli occhi perché capisse che lo valutava, ci riuscì soltanto per un attimo. Scappò a pigliare il suo quaderno.

Aveva il capo in subbuglio. Quali poesie avrebbe letto? Quelle con accenni amorosi no, no e no. Mai lì dentro. Neppure quelle su cose napoletane: puerili. Non restavano che due o tre d'argomento scientifico. Tornò abbastanza calma. Senza esitare, aprì il quaderno, lesse:

A Le Bovier de Fontenelle

Sublime ingegno gallico
che di tanto avanzasti la tua etade,
propagando altresì a piccioli ingegni
il verace saper; tu che mostrasti
come in spazio infinito
emuli in tutto a limpido diamante
vortici senza fine
roteando fra lor spingono il mondo,
anche a me, Fontenelle, illuminasti
il giovanile femminile ingegno
e sitibondo
il facesti di nuove vie più ardite
vittorie del saver che il Cuor sospira.

Mentre s'avviava a conclusione, si sentì nuovamente emozionata. Le labbra asciutte, il cuore a sbalzi.

Un attimo di silenzio. Le pesò. Fu Sanges a intervenire: «Ci avete sorpreso tutti, Lenòr».

«Brava. Molto brava» esclamò Giordano. «Soprattutto perché avete saputo cogliere l'importanza della cultura francese. Oggi la Francia è maestra del mondo. Ma non dovete fermarvi a Fontenelle. C'è un'infinità d'autori moderni da leggere... D'Holbac, La Mettrie, Helvétius.»

«Per carità, Giordano» intimò l'abate Conforti. «Non suggerite queste letture a una fanciulla così giovane. Bisogna avere scrupoli.»

«Ma quali scrupoli!» strillò l'altro. «Noi dobbiamo illuminare le coscienze. Con la storia degli scrupoli s'è rovinato il mondo. E voi preti avete instaurato il vostro disgustoso potere. Li avete inventati voi gli scrupoli.»

Conforti girò gli occhi con disprezzo, Sanges intervenne.

«Giorda', la devi smettere con questi atteggiamenti. Qui, fra noi. Noi rispettiamo te, tu devi rispettare gli altri.»

«Non sei tu che comandi» mormorò, astioso, Giordano. Ostentatamente gli girò le spalle, si rivolse ancora a lei.

«Io insisto perché leggiate gli autori che ho citato. Se volete, vi presterò qualche libro. Non sono libertini né criminali, come vorrebbe far credere l'abate Conforti. Dicono la verità, senza alcun velo.»

«Eh!» commentò Sanges, con divertito fastidio. «La Verità! In assoluto! Critichi i preti, però santoni e dogmi tu pure li hai.»

«Quelle dei preti non sono verità» ribatté Giordano, con stanchezza. «E i pensieri di La Mettrie non puoi chiamarli dogmi. Si tratta d'opinioni che nessuno può confutare, se appena usa la ragione.»

«Per esempio?» s'intromise ironico, Pagano. Continuava a fissarla, si capiva che bramava battersi, figurare.

«Per esempio. Puoi negarmi che tutto quanto gli uomini fanno è dettato u-ni-ca-men-te e sem-pli-ce-men-te dall'egoismo?»

«E allora?» Pagano sollevò le spalle. «Questa la chiami filosofia? È banalità. Tu hai citato La Mettrie e io ti dico: come si fa a sostenere che l'anima è immortale e che però Dio non esiste? L'anima è puro spirito, sì o no? Non è lo stesso che Dio? È una contraddizione in cui manco un bambino cadrebbe. La verità è che gli unici filosofi degni di questo nome sono stati i Greci.»

«Tu non hai capito niente. La Mettrie...»

Il discorso s'accese, coinvolgendo un po' tutti. Jeròcades, invece, si spostò verso di lei. Le borbottò nella sua curiosa parlata stretta, calabrese: «Veramente alla vostra maniera. Io pensavo, chissà perché, che aveste poetato alla maniera di Metastasio».

«Perché la ritenete più acconcia all'ingegno d'una donna» sorrise, meravigliata di trattare tanto naturalmente con quell'uomo.

«Niente affatto. Anch'io scrivo sforzandomi non d'imitarlo, ma di carpire il segreto della sua musica. I miei contenuti son diversi.»

«Fatemi qualche esempio, ve ne prego.»

«Non ora. Un giorno, forse» disse lui, con aria misteriosa.

Andò a sedersi sul canapè accanto a vovó. Guardava, ascoltava, provava sensazioni nuove, belle. In primo luogo era contenta perché si sentiva a proprio agio, in secondo luogo provava un pizzico eccitante di vanità. Al tempo stesso materna propensione, dal momento che quei bambini grandi s'andavano accapigliando più del solito (mamãe s'era affacciata due o tre volte, sorpresa) perché c'era lei, Lenòr. Una ragazza non proprio bella, forse solo i famosi occhi "de foco", i capelli crespi, lucenti, magari quel petto che sì, si stava facendo "ben colmo"... Ma intelligente, colta.

Bussarono alla porta. Apparve un signore di circa trent'anni, alto, elegante, con un bel solino e la giamberga blu notte. Fu colpita dal viso sereno del nuovo venuto, sotto la piccola, impeccabile parrucca ad ala di colombo.

«Ué, Cirillo! Finalmente! Non v'aspettavamo più per stasera. Come sta Genovesi, come sta?»

«Dottor Cirillo» disse titìo, prendendolo sotto braccio. «Ti voglio presentare una nostra nuova amica. Mia nipote Lenòr.»

«Sono lieto di vedervi» sorrise Cirillo. Le baciò la mano come a una regina. Gli altri lo circondarono, qualcuno chiese nuovamente notizie di Genovesi. Scosse la testa.

«Non bene. Non bene» disse. «È troppo gonfio, non smaltisce il siero. E poi è stanco, sfiduciato.»

«Ha ragione» mormorò Guidi, scuotendo il capo anche lui. «Qua, ormai, non c'è da sperare in niente più.»

«C'è la Francia» fece Giordano, Pagano balzò su, seccato.

Fissò lei, proruppe: «Basta, perdio, con questa Francia! Con i suoi... nouveaux philosophes! E che diranno mai di tanto grande? Bisogna guardare agli esempi della storia. Alla repubblica ateniese! Là il popolo eleggeva direttamente i suoi rappresentanti! Senza distinzioni di classe né di censo, come stabilì Clistene. Ai tuoi Francesi, invece, il passato fa schifo. E si trastullano con le utopie».

«Sono le utopie a fare il progresso» ribatté freddamente Giordano. «Ma la gente come te non riuscirà mai a capirlo. Ti rendi conto che parlare oggi, qua, nelle Due Sicilie, d'ordine nuovo, di società giusta, è la massima delle utopie? Eppure anche tu dici di volerli. Ma quelli come te, con la mentalità di leguleio... Questa è una delle poche cose in cui il vostro Genovesi ha ragione: troppi avvocati, a Napoli, troppi preti, niente medici, niente economisti! Troppi sognatori! Ma quale repubblica ateniese o spartana! Qua, a Napoli!»

Alzò la voce perché Pagano, accerrito, tentava d'interromperlo.

«Siete fuori della realtà voi! Qua, come prima cosa, si devono far pagare le tasse! Quanto sborsa il duca di Maddaloni? E quella testa di provola di Sannicandro? Le gabelle che paga pure il lazzarone quando si compra un rotolo di fichi! E Tanucci si vanta di governare senza imposte! I nobili, i ricchi, debbono pagare. Se non vogliono, alla Vicarìa! Meglio ancora, a 'mpennere al Mercato, e se il re e Tanucci li proteggono, a fa' fottere pure loro!»

«E i preti no?» chiese allegramente Guidi. Intervenne Sanges: «Dal '41 le stanno pagando le tasse. Faccio notare che, al momento, questo succede solo a Napoli. Nemmeno nella civilissima Francia».

«Ma Napoli fa schifo lo stesso» strillò Giordano. «Non ci fanno fessi col fumo negli occhi: l'Albergo dei poveri, due o tre gabelle per qualche convento... E poi? Comandano sempre gli stessi.»

«Tanucci l'aveva chiesto l'aiuto degli intellettuali. Delle classi medie. Non è colpa sua se qui non ce ne stanno» obiettò Sanges.

«Come non ce ne stanno?» s'infuriò Giordano. «E noi che siamo? A me m'è mai venuto a chiamare, Tanucci? È andato mai a chiamare Meola, Jeròcades...» Esitò, aggiunse, a fatica: «Pagano, te?».

«Ma voi che avete fatto, finadesso?» disse Sanges, ironico. «A Napoli vi conosce qualcuno?»

«Ci conosceranno» sillabò l'altro, Sanges scosse la testa. «Per me, nonostante tutto, Napoli oggi è la città più libera d'Europa.»

«Cèveze!» gridò Giordano. «Meglio di Parigi?»

«Per certe cose sì. Meglio di Parigi.»

«Qua non ti seguo più, Vincenzo» intervenne Guidi. «Questa è una nazione dove gli intellettuali veri son tenuti da parte. Quale libertà? Dove la vedi? Dimmi che fine ha fatto Giannone. E Vico? Com'è stato trattato lo stesso Genovesi?»

«È roba del passato. Abbiate fede in Tanucci.»

«Sì, Tanucci! E chi mette nell'Università? Nella Consulta? I soliti caproni, capaci solo di praticare quella filosofia dei Domenicani che gli piace tanto.»

«E sarebbe?»

«Facere officium suum taliter qualiter. Sinere mundum ire quomodo vadit. Bene semper dicere de Priore. Alla faccia del governo illuminato!»

Molti risero, si riformarono gruppetti. Cirillo chiacchierava sommessamente con Conforti. Lei vide con sorpresa faticosi sorrisi fiorire sul visino tetro del minuscolo abate.

5

Verso le undici il salotto fu vuoto. Mentre aiutava a ripulire, ancora calda d'eccitazione, trattenne titìo per farlo parlare.

«Giordano è prepotente. Fanatico. Ma intelligente. Pensa ch'è figlio d'un fruttivendolo: oggi esiste, nel popolo basso, chi vuol migliorare. Il bello è che... studia legge! Lui che disprezza tanto gli avvocati.»

Di Cirillo titìo parlò con ammirazione.

«È il migliore. Un medico famoso, nonostante non abbia ancora trent'anni. Eppure l'hai visto: modesto, semplice. Fa visite gratis ai poveri, nei quartieri più infelici, a me piace per questo. Tanti si riempiono la bocca di carità, lui non chiacchiera. Fa.»

«E Conforti?»

Titìo sorrise, un po' evasivo.

«Conforti è scienza e fede. Sta preparando un libro, per la laurea. Si parlerà di lui come il re dei nuovi teologi.»
«Perché nuovi teologi?»
«È un po' difficile spiegarti, Lenòr. Il mondo tende a cambiare. In bene, almeno sembra. La Chiesa, però, non fa il proprio dovere, s'occupa di cose che non le competono, dimenticando che Nostro Signore ha detto e ripetuto "Regnum meum non est de hoc mundo". Troppi uomini di chiesa fan parte dei potenti di questa Terra. Dei privilegiati. Ma è tempo di mutare, anche nel modo di leggere le Scritture. La tesi di Conforti susciterà scalpore: vuol dimostrare quanto siano assurde le pretese temporali di Roma. E la faccenda della chinea, che qua, a Napoli, è importante.»
Mamãe aveva portato via i mozziconi di candele consunte. Restarono accese due torcette di sego nel doppierino sul trumeau.
«Te ne prego, titìo. Rimani ancora.»
«Ma è tornato tuo padre. Vorrà cenare.»
«Sò um istantinho, titìo. Cos'è questa chinea?»
«Bem» sorrise lui. «Ma in fretta. È dai tempi di Carlo d'Angiò che il re di Napoli ogni anno, il 29 giugno, deve al papa, in segno di vassallaggio, il dono d'una cavalla bianca, ingualdrappata, con sopra il basto uno scrigno di denari e gioielli. Ora basta, Lenorzinha. Andiamo a cena.»

I profili un po' agiografici tracciati da titìo vennero poi corretti da Vincenzo Sanges. Tra lei e Sanges era nata gentile, curiosa amicizia. Aveva presto capito che non sarebbero fiorite storie di cuore, perché Vincenzo non la desiderava e lei nemmeno, in fondo, provava avidità di lui, nonostante fosse così bello, grande, forte.
Cercò inutilmente spiegazioni al perché uno, soltanto se lo vedi, ti fa scorrere per il corpo carezze umide, dolci, anche se non è molto attraente, mentre un altro, di cui non ti sazieresti contemplare lineamenti perfetti, grazia vigorosa, ti lascia scabra, indifferente. Con Sanges era successo così ed era stato un bene: si sentirono liberi, sereni, senza turbate ipocrisie. Veri amici uniti da stima, manchevolezze, interessi.
«Conforti lo rispetto perché onesto» spiegò Vincenzo, con

pacatezza. «Ma mi fa paura. È troppo cristiano, mi capite? Dà agli altri, non pensa a sé. Per questo, tuttavia, s'arroga il diritto dell'intransigenza. Come fanno, in fondo, tutti quelli che vogliono imporre libertà, uguaglianza. Non si può dare libertà se si è legati da un'idea, una religione: questo pure è fanatismo. Conforti si farebbe uccidere (forse ucciderebbe) per non mutare una virgola di ciò che pensa.»

Fu stupita per l'ignota maniera d'analizzare le persone, guardò Vincenzo come un mago.

«Cirillo, invece,» proseguì Sanges, allegramente compiaciuto della meraviglia di lei «è soprattutto un debole. Non vuole inimicarsi nessuno, tratta con dolcezza, perché così vuol essere trattato. Non vedete com'è morbido? Di carne tenera? E poi, anche lui ha sensi di colpa. Come, del resto, la maggior parte di certi rivoluzionari che se dovessero vivere per un giorno da lazzari morirebbero di schifo. Cirillo vive da raffinato signore ma si scolpa con Dio e con gli uomini facendo visite gratis ai miserabili.»

Si sentì contrariata per la crudele franchezza. D'impulso esclamò: «Ma anche voi, Vincenzo... Siete nobile e non mi pare che...».

Lui scoppiò a ridere.

«Io son fuori causa. Io sono un nobile morto di fame. Mio padre mancò lasciando debiti. Se mai, il senso di colpa ce l'ho verso mia madre. S'è ritirata nell'unica terra rimastaci, a Sarno, per spremere un po' di rendita e mandarla quasi tutta a me, che non studio nemmeno più. Io sono il marchese del Frustino, sapete. Di quei titoli che non risalgono oltre il XV secolo, gli Aragonesi li regalavano a cani e porci. Magari il nostro capostipite si fece apprezzare come regal cocchiere e meritò l'impresa del frustino. Va beh che pure i Pignatelli... Loro hanno nello stemma tre pignatte. Col manico e il coperchio.»

Gli sorrise, rabbonita: «Siete severo verso voi stesso».

«No, Lenòr. Se così fosse mi disprezzerei più di quanto non faccia. Invece mi giustifico. Sapeste quante giustificazioni trovo! Gli studi di legge sono antiquati, bigotti... Ai corsi di Genovesi non c'è posto... Sono io, in verità, che non so cosa voglio fare, perché non so fare un bel nulla. Allora m'occupo di politica. Mi consolo pensando che non sono l'unico.»

«Vi dò torto. Voi sapete parlare, sapete pensare.»

«Allora ho un avvenire» sorrise. «Mah. Forse finirò per mettermi dietro una ragazza ricca. In fondo non desidero che star tranquillo, nell'aurea mediocritas. È inclinazione borghese e questo sarà il secolo della borghesia. Come vedete, un pregio lo possiedo: quello d'essere obiettivo, anche verso me stesso. Poi ho una quantità di difetti.»

«Ah sì» approvò lei, con allegra aria materna, un po' civetta. «Siete vanitoso, fatuo...»

Lui proseguì, compiaciuto: «Disordinato, pigro... Privo di malizia, accattivante. Ma con voi sincero».

«Grazie» rispose, in tono di sussiego. Improvvisamente domandò, con smorfia puerile di cui sentì vergogna per molti giorni di seguito: «E di Lenòr Fonseca cosa pensate?».

Lui assunse aria seriosa. Sentenziò: «Io penso sia... Sia una signorina gradevole, istruita. Con buone capacità d'esprimersi, soprattutto in versi. Una signorina avida di conoscere. Forse perché qui è giunta da poco: non possiede punti di riferimento, né terra sotto i piedi. Probabilmente si sente anche un po' sola».

Ascoltava raccolta, una ruga sulla fronte. Mormorò: «Dove andrà, allora?».

«Ah, non lo so» sorrise Sanges. «Non lo sa lei, non lo sa nessuno. Questo è il sapore della vita. Verso l'avvenire, l'amore, la gloria. Tutti i giovani sognano queste cose. Naturalmente non tutti le avranno.»

«Ed io?» chiese, stupidamente supplichevole.

«Io non sono né il conte di Cagliostro né la Sibilla di Cuma. Potrei predirvi un brillante avvenire di letterata, se ci sapeste fare: la gente di lettere a Napoli è, in genere, sciocca, infida. Qui è difficile conquistarsi un privilegio. Chi l'ha raggiunto se lo tiene caro. La torta è piccola, Lenòr, non può saziare tutti. È il problema di questo Regno: ha una sola grande città, alla quale accorrono nobili e cafoni, ricchi e poveri, intelligenti e fessi. Adesso vi sfoggio tutto il mio sapere» sentenziò ridendo. «Una città, come dice il signor Adamo Smith e ripete Genovesi, deve produrre beni e servizi in rapporto alla richiesta. Se esistessero varie città in grado di soddisfare bisogni differenti... Una s'occuperebbe di manifattura, un'altra di commercio, una di politica. Invece qui non ce ne sono, Napoli dovrebbe sopperire a tutto. Ma non sa produrre niente. L'unica cosa in abbondanza, qua, son la frutta e la verdura che ci portano dai giardini attorno. E noi ce la mangiamo tutta.»

«È anche molto buona» sorrise. «Ma le città non servono appunto per consumare i prodotti dell'agricoltura?»

«Sì. Ma dovrebbero anch'esse produrre. Per lo scambio. Sapete che a Londra da non so quant'anni usano la spoletta volante nei telai? Fabbricano macchine a vapore, producono chilometri di tessuti. Forse negli Stati del re di Sardegna, o a Milano, con Maria Teresa, si sono accorti che in queste cose sta il futuro. Noi qua pensiamo ancora alla chinea!»

«Lo so cos'è» disse, orgogliosamente.

«La cosa più ridicola del mondo! Nel 1766! È anche per simili idiozie che il Regno soffre. E Napoli non produce beni, né servizi.»

«Per favore, Vincenzo. Spiegatemi cosa intendete per servizi. Dovreste guidarmi nello studio dell'economia. Lo desidero tanto.»

«Non è ch'io sia molto esperto in proposito. Ma qua nessuno ne sa gran che, se si eccettuino Genovesi e l'abate Galiani. Ad ogni modo i servizi sono, come posso dire, delle prestazioni... Non so, l'intervento d'un notaio, le cure d'un medico. Insegnamento nelle scuole, produzione di giornali per l'educazione del popolo. Una grande città moderna dovrebbe offrire queste cose. A tutti. Però occorrono soldi, gente capace: qua, invece, siamo ancora nelle mani dei preti e degl'imbecilli. Sapete quanti preti deve mantenere Napoli? Fate un conto: abbiamo più di quarantamila, fra chiese e monasteri.»

Lei ricordò la sera dell'arrivo: cupole, guglie, tante chiese...

«Per lo meno Tanucci cerca di ridurne il potere» proseguì Vincenzo. «È riuscito, in parte, a fargli pagar tasse, vuole cacciare i Gesuiti. Bisognerebbe appoggiarlo. Questi oppositori, invece, sono fanatici, astratti: tutto o niente, repubblica o morte, eguaglianza e libertà immediatamente. Chiacchiere prive di costrutto, Napoli continua a non servire a nulla. In fondo nessuno sa a cosa debba servire. Forse solo ai ricchi per farci spese, ai nobili per scialacquarvi le rendite, giocando a reversino, correndo dietro le ballerine del San Carlo. Nonostante tutto, non so perché, resta meravigliosa: affascinante, allegra.»

«Sì» disse lei, con sincero trasporto. «E voi dovreste aiutarmi, Vincenzo. Perché io la debbo capire. La voglio conoscere bene. Presto. Non mi muoverò più di qui, lo sento: in questa città mi toccherà vivere, forse vi vedrò nascere i miei figli. Ci morirò, infine, e vi verrò sepolta» aggiunse, con leggera civetteria di tenerezza.

«Amen» concluse lui, in tono sacerdotale.

PARTE TERZA

1

Sanges davvero l'aiutò a conoscere luoghi della città.

Posillipo da mozzare il fiato. V'andarono in una giornata rosa e azzurra di fine inverno. Percorsero a piedi Santa Lucia fino alla chiesa di Santa Maria della Vittoria: per tutta la spiaggia si spiegavano reti rugginose, pescatori dai berretti a calza color castagna, seduti, ricucivano strappi, con curiosi aggeggi di legno bianco in forma d'H, facendosi sfilare lo spago tra pollice e indice d'un piede.

In certe baracchette si friggevano pesci da mettere nel pane, o bollivano polpi. Sulla rena umida, nerastra, barche d'ogni forma e colore: lazzari e ragazzi vi giacevano al sole.

Sanges le mostrò il Pallonetto, in faccia all'arenile: una chiesa grigia, con due scale simmetriche sulla facciata. Aveva l'aria di proteggere l'intrico dei vicoli alle spalle.

«Qua vivono i Luciani. Una tribù nella tribù» spiegò, sorridendo. «Pescatori, contrabbandieri, ladri, morti di fame. Ma più orgogliosi d'un re. Forse perciò vanno d'accordo con Ferdinando. Va a pescare con loro, vende il pesce...»

«Ma no!»

«Dicono. Io non l'ho visto, ma non ci sarebbe da stupirsi. Con l'educazione che gl'impartisce Sannicandro...»

Si guardò intorno, cupidissima di questi esseri straordinari e compagni del re. Chiese d'entrare nel Pallonetto, Sanges disse no.

«Non sopportano intrusioni.»

«Ma dove sono? Voglio vederli.»

Lui rise: «Stanno qua intorno, Lenòr. Tutti quelli che vedi con la faccia intelligente, gli occhi neri e provocatori, sono Luciani».

«Ma questi che vedo sono piccoli, sparuti. Con le gambe storte» si lamentò, delusa, Sanges tornò a ridere.

«Chi credevi di vedere? Giganti? La razza a Napoli s'è guastata da quando sono venuti gli Spagnoli. Una volta Napoli era piena di gente alta, chiara: i frutti svevi e angioini. Poi gli Spagnoli ci han fatto diventare piccoli, storti e, come alcuni sostengono, lugubri, crudeli.»

«Tu no» disse lei, scotendo il capo. «Ma non vale nemmeno per gli altri. I Napoletani li vedo allegri. Magari prepotenti, come bambini.»

«Aspetta a conoscerli meglio» sorrise lui.

La Riviera di Chiaia splendida. Spiaggia lambiva i bàsoli, scendeva dolce verso il mare. La costa di Sorrento, nell'aria tersa, pareva vicinissima, come il Vesuvio verde, crespo di piante. All'altro lato della via magnifici palazzi di nuova costruzione: bianchi a filetti d'oro, rosati, con cornici, timpani, festoni. Vetri, marmi, stemmi scintillavano al sole.

Vincenzo servizievolmente denominava: «Satriano, Bisignano, Carafa, Ischitella, Serracapriola...».

Man mano i palazzi cedevano a muraglie di tufo, donde straripavano chiome di pini, ontani, magnolie: pareva si stesse uscendo dalla città, sabbia divorava il selciato, poi la via si biforcò.

Da una parte iniziava a salire verso le colline. Riconobbe l'aereo castello di Sant'Elmo.

«Lo si scorge da ogni luogo» osservò, Vincenzo annuì: «L'hanno messo apposta lassù. Chi lo occupa domina Napoli. È pieno di cannoni, che sparano quasi fino al mare».

Tornò a guardare il golfo. Solcava l'acqua una banchina con in punta un castello arido, giallo, come fatto di sabbia. Vi sventolavano bandiere bianche e d'oro. Due grandi, minacciosi velieri orlati di rosso sostavano alla fonda, le vele ammainate, sulle maestre garrivano pennoncelli bianchi.

«Quello è Castel dell'Ovo» sorrise Sanges, che le aveva seguito il corso degli sguardi. «E quelle, due fregate da guerra. Ma fra poco saremo a Mergellina, vedrai meglio.»

Una breve discesa alberata, ne giungevano rèfole. Giù c'era il villaggio: case basse, bianche, rosa, azzurre, con buchi per finestre.

La spiaggia s'arcuava in mare. Mucchi di reti, nasse, a una banchina in legno dondolavano barche, specchiandosi nell'acqua verde chiaro. Oltre il pontile, lunga fila di persone, piegate indietro per tirare una sciabica, al grido ritmato: «O-o-o-é».

Erano pescatori scalzi con berretti colorati, fusciacche. Tiravano anche donne scarmigliate, vestite di sacco. Ognuno portava a tracolla una banda di stoffa rossa con un pomo di legno: per colpi secchi avvolgevano il pomo alla fune della rete, puntavano i piedi, s'inarcavano.

Un uomo in berretto azzurro si staccò dal pontile.

«Occellenza. La lanza sta pronta.»

«Baro', vieni tu pure» rispose Sanges. «Con la vela non tengo confidenza.»

«A servi', Monzù.»

Tenne ferma una grossa lancia azzurra.

«Lo bancone di mezzo, occellenza» raccomandò. «Pure la signora», mentre scioglieva la vela rossa, rattoppata: il vento v'entrò con tonfo sordo. L'uomo sedé a poppa, reggendo con una mano il capo della scotta, con l'altra la barra.

«Facimmo lo giro fino a Trentaremi» indicò Vincenzo. Non l'aveva mai sentito parlar tanto in napoletano, chissà perché ciò la divertiva.

La paranzella impennò, la vela crebbe. L'acqua cominciò a scorrere veloce contro la chiglia. Negli occhi le volarono scogliere popolate da gabbiani, cale gialle di tufo straripanti di vegetazione che lambiva l'acqua. Di tanto in tanto, fra gli alberi, candide colonnine di rotonde a mare, pergolati, facciate rosee di ville. Sui terrazzi figurine chiare di donne, signori in seta scintillante. Lanciavano richiami verso barconi dalle sponde d'oro, donde altre persone, non meno graziose ed eleganti, rispondevano allegre.

«Le barche dei Napoletani che sanno vivere» sorrideva Sanges. Lei provò freddo, gli si strinse al fianco. «Il casino dei Caracciolo... Sì, quello con le colonnine corinzie. Laggiù, in fondo, tra i pini: Pignatelli.»

Il barcaiolo mise di bolina, la paranzella scivolò con dolcezza a pochi metri dalla costa. Puntava a una scogliera su cui sorgeva un gran palazzo rosa. I piani superiori, privi d'intonaco, mostravano ragnatele di mattoni, molte finestre parevano vuote orbite nere.

«Cos'è, Vincenzo?» domandò, inquieta. «È abbandonato?»

«In parte. Si chiama palazzo Donn'Anna. Cominciò a costruirlo più di cent'anni fa un viceré, il duca di Medina, per la moglie napoletana, Anna Carafa di Stigliano. Lo rispedirono in Spagna, perché a Napoli aveva rubato troppo e il palazzo restò come lo vedi. Donn'Anna ci soffrì: come tutti i Carafa, era vanitosissima. Lo sai Dio come l'ha punita?» aggiunse, ridendo. «Morì sola, coperta di pidocchi.»

«Meu Deus, Vincenzo!»

«Guarda» disse lui, indicando verdi cale insinuate nel tufo, che spandeva a fior d'acqua tavolati ricciuti d'alghe, ascidie, erbe marine. Scivolava risacca di cristallo. Apparvero spacchi di fiordi in rocce candide: malinconico il vetro d'acqua in ombra, pei fondali fluttuavano capigliature d'alghe.

«La cala di Gielofreddo» spiegava Sanges. «Quella del Portiglione.»

Esclamò, eccitato: «Laggiù, Lenòr. Guarda».

Colavano in mare flussi di pietra bruna incrostati di bianco, l'acqua s'insinuava in anfratti, tornava indietro con schiuma, ruscellava da strani ponticelli di pietra.

«Baro', accosta.»

«'Nce stanno le secche» mormorò il barcaiolo. La barca deviò, lei s'accorse che quei ponti, gli scogli, erano macerie antiche.

«Sotto. Sotto l'acqua, Lenòr.»

Nel verde chiaro tremolavano muri, arcate, fornici, rivestiti d'alghe. Sul fondo di rena candida, punteggiata dai globi neri dei ricci, le parve vedere tessere di mosaico.

«La villa di Pollione» spiegò Vincenzo, un po' stordito anche lui. «Dietro quella scogliera verde ci sono i resti d'una villa di Augusto. Cosa doveva essere Posillipo a quei tempi! Degna del proprio nome.»

«Perché?»

«Perché in greco Posillipo significa "pausa del dolore".»

Annuì, stordita per il vento freddo, per la gran luce negli occhi. La paranzella aveva messo prua verso il sole, contro un promontorio celeste che forse segnava la fine della Terra, l'inizio d'uno spazio senza tempo né suono. La barca doppiò, entrò in un regno di quiete bionda, celeste, verde smeraldo. S'avvertivano appena il fruscìo della carena, gli stridi dei gabbiani. Sanges bisbigliava i nomi che gli uomini avevano dato ai luoghi: «Marepiano, chi dice Marechiaro. La Caiola. L'Euplea».

Giunsero a una grande cala immota, tutta d'oro, scintillante sopra un'acqua perduta in trasparenza. Spossata, chiuse gli occhi. Barone, con abile colpo sulla boma, girò la vela rossa.

2

Al Mercato andarono un'arida mattina d'estate. Si sudava, s'ansava. Costeggiarono muriccioli lungo una spiaggia polverulenta, tanfosa d'orina, pesce morto, immondizia. Dal mare cresceva una foresta: pennoni, maestre, trinchetti d'ogni dimensione, fasciati da vele chiuse, rigati da scalette di corda. Ne giungevano grasse nuvole d'odori: crusca, formaggi, cuoi, verdure, vino, un po' come a Ripetta. Anche qui chiasso, brulichio di gente che caricava, scaricava, nella spiaggia aspettavano carretti, somari dai basti enormi, facchini scalzi e impolverati. Pulviscolo sottile, dall'odore strano, come d'orzo acidulo, si ficcava sotto gli abiti, inaridiva i capelli.

All'altro lato della strada palazzi d'un brutto giallo sbavato, poi una muraglia nera, con merli e cornicioni. Alla loro ombra esigua si riparavano lazzari e viandanti. Infine una porta maestosa, di pietre nere e marmi bianchi: formavano un disegno regolare, possente. Sull'arco uno stemma in granito grande quanto una carrozza.

Da quella porta s'entrava in piazza del Mercato, il reame dei mercanti e dei lazzari, il luogo dove il boia impiccava e decapitava, la centrale d'ogni delinquenza, il quartier generale donde si scatenò Masaniello. Lei non sapeva chi fosse costui, Vincenzo continuò a spiegarle: più di cent'anni prima, strani avvenimenti stupefecero il mondo. I lazzari uscirono dall'estraneità indifferente della loro futile esistenza, giocarono a governare Napoli secondo i loro bizzarri, semplici criteri. Poi, stufi e increduli del proprio potere, spaventati della libertà, preferirono tornare alieni. Ai rituali incomprensibili.

«Ma quando si mossero,» sorrise Sanges «manifestarono energia spaventevole. Come fosse scoppiato il Vesuvio. Almeno così si tramanda.»

Mente e fantasia le s'agitarono. Valicò la porta con animo sospeso: quasi di lì s'entrasse in una cattedrale. O un camposanto.

Una piazza ovale, vastissima, circondata da case, alcune basse e strette, altre più alte, appiccicate tra loro in malandato scenario. Intonaci caduti, chiazze d'umido, balconcini a pezzi.

Vi formavano anello variopinto i teloni dei banchi mercantili. Nel mezzo vagavano bestie d'ogni sorta: s'intricavano fra le persone, squittivano, ragliavano, nitrivano, chiocciavano, starnazzavano, sporcavano. Si camminava su strato molle d'escrementi e fango che il sole, sebbene martellasse, non riusciva ad asciugare.

Sanges cercò riparo dove sorgeva un palco, vestito di lercio drappo nero con filetti argento. Vi tonfavano salti ragazzi mezzo nudi, luridissimi. Dal palco s'ergeva al cielo arroventato un'altissima antenna a forma d'L rovescia, aggrovigliata di funi. Guardò attonita.

«Sai cos'è, Lenòr?» domandò Vincenzo, sorridendo. Lei mormorò: «Credo sia un patibolo».

«Sì. La forca. Qua si fanno le esecuzioni capitali di Napoli. Soltanto questa piazza può contenere tutta la gente che vuol godersi lo spettacolo.»

«Tu hai visto... Qualche volta, Vincenzo?» domandò, sgomenta. Egli annuì.

«Un paio di volte. Vidi impiccare un carrozziere del Pendino che aveva... Aveva abusato d'una bambina. Un'altra volta vidi decapitare un marchese. I nobili han diritto di morire con la testa mozza. Un marchese pazzo: aveva avvelenato la famiglia e bruciato la casa. Ma adesso cerchiamo di ficcarci nel quartiere. Intanto guardati il campanile di Fra' Nuvolo.»

Indicò in alto, da un lato della piazza, un bel campanile bianco e grigio.

«Nella chiesa è sepolto Masaniello. C'è pure Corradino lo Svevo.»
Sgusciarono in un vicolo.

Non come Santa Teresella, pensò impaurita, tenendosi stretta a Vincenzo. Altra gente, altr'aria. Vide ragazzi sudici, coperti di croste, accovacciarsi e scaricarsi, ridendo, sul selciato. Una donna dal busto scoperto si pettinava a una finestra, mostrando seni flosci, con enormi capezzoli neri.
Davanti un basso un calderaio gonfio, sudato, interamente nudo, teneva acceso un fuoco di carbone per stagnare pignatte a colpi di mazzuolo. Puzza orribile, da mal di testa. In un angolo una donna grassa, le gambe simili a colonne di cera, friggeva, dentro una padella poggiata su due pietre, pezzetti di pasta nericcia, fiori di zucca, pesciolini, fette di patata.
«Tengo la patanella e lo sciore» gridava, ridendo in maniera lubrica.
Allibì a un'occhiata nel basso della friggitrice. In terra, sotto la porta, un paglericcio sformato e sporco, all'interno sacchi pieni, mucchi di paglia, tra i quali si moveva una vacca sozza di letame.
«Ma sì» confermò Vincenzo. «Sul saccone dorme la famiglia, nella paglia la vacca. Questi qui sono benestanti.»

Si distrasse per clamore e musica lontani: battere di tamburi, sonagli, zuf-zuf di pentoloni a stantuffo. Ragazzi galopparono verso i suoni, tirandosi dietro cani, galline, un porco. Dalle case schizzarono facce stupide e allegre. A uno slargo folla infantile, proterva, circondava quattro personaggi incredibili.
In principio credette fossero donne, volgari e scostumate, che cantavano e danzavano, poi capì. Uno indossava camiciola rosa, senza maniche, da cui uscivano braccia pelose. Un altro, obeso e basso, portava un cappellino a merletti e sottogola, gonna multicolore da pacchiana. A torso nudo, si reggeva le mammelle grasse, pendule, mostrandole con allegra golosità alla folla che rideva, fischiava, insultava. Gli altri due, pure in abiti da donna, suonavano, passando con rapidità prodigiosa dai tamburelli ai pentolacci della Piedigrotta, a chitarroni dalle pance

larghe, poi tutti e quattro tornavano a cantare, facendo le vocine sottili. La canzone risultava piacevole: i quattro erano intonati, facevan bene controcanto, accompagnamento, persino le loro movenze tanto sconvenienti e ridicole a un certo punto divennero attraenti. La folla provava gusto, ritmava, battendo le mani, il ritornello.

Si la vuo' sana, si la vuo' rotta

le parve di capire, e poi

vieni alla festa de Piedegrotta.

Quello in rosa lanciò uno strilletto. Di colpo alzò la sottana, sporse il sedere nudo e bianco, facendo esplodere la folla.

«Ricchio'! Femmenie'!» si gridava, al sommo dell'allegria. Vide una vecchia sganasciarsi, gettare il ventre avanti con colpo secco delle reni, sollevarsi la veste. Vide anche... Non vide niente più, perché Vincenzo la trascinò via, aggrondato.

«Scusami» disse, un po' ansante. «Volevi conoscer tutta Napoli...»

S'interruppe. Da un lurido portoncino nero su cui pendeva un vaso di gerani rossi uscivano due donne dalle labbra ciliegia. Avevano boccoli lunghissimi, unti, abiti scollati. Una vecchia s'affacciò a un finestrino, gridò: «Tornate ampresso! Ccà vonne mena' la mazza».

Sanges fu quasi sgarbato nel tirarla via, a momenti urtavano un gruppo di militari con giberne bianche che veniva ridendo in direzione dei gerani rossi.

3

Sentì prossima una svolta di vita. Stava per compiere diciotto anni. La persona esteriore appariva compiuta: né bella né brutta, non alta né bassa, un po' forte ai fianchi, nelle gambe. Soprattutto al seno: lo comprimeva in bustini a stecche di balena e domava la massa nera, riccia, dei capelli usando nastrini, pettinesse invisibili, forcelle. Meno male che c'erano gli occhi: grandi, neri, attraenti per stupore infantile, disse un giorno Vincenzo. E la bocca da bambina. Purtroppo il naso... Da maschio. La faccia l'avrebbe voluta più minuta, meno larga al mento, allora sì. Perché la pelle splendeva chiara, liscia, peccato.

Dentro, però, i mutamenti importanti. Forse ora avrebbe potuto rispondere a qualcuna fra le domande di sempre, forse iniziava a comprendere il futuro.

Aveva già conquistato due certezze: il luogo, l'impegno. Da Napoli non si sarebbe più mossa. Vi alitavano savia comprensione, indifferenza gentile, meglio ancora supremo senso della vita, in equilibrio fra pietà e disincanto. Tutto (dal grande e nobile, al futile e meschino) acquistava preziosità inestimabile ma, al tempo stesso, non valeva nulla.

Ciò rendeva liberi, indipendenti. Si respirava in aria, da un capo all'altro della città, anche nei posti brutti, nel clamore inquietante, che s'era rivelato necessario. Di sera, quando restava a leggere e scrivere nella casa dormiente, nel vicolo appagato, quanto orrendo, minaccioso, il silenzio!

La città nascondeva inclinazione pedagogica. Senza volerti insegnare nulla ti costringeva ad apprendere, fra banalità, segreti pregevoli. I Napoletani li succhiavano col latte, ma ce n'era per tutti. Bastava stare attenti, riflettere.

La seconda certezza? Continuare a leggere, scrivere, coltivare idee. A Napoli le avveniva con naturalezza così propizia da pensare al destino.

Non vedeva, però, gran futuro per la vita del cuore. Il desiderio di spartire pensieri, emozioni con un uomo caro, di sperimentare il sapore del sesso, il misterioso aprirsi per un figlio, le pareva tenue.

Forse perché, negli anni della formazione, estenuò in cultura l'energie di donna? La natura si vendicava così? Forse, più semplicemente, non l'era ancora capitato di conoscere l'uomo che l'avrebbe svegliata.

Come sarebbe dovuto essere? Passò in rassegna quelli incontrati fin allora a casa sua, nello straordinario salotto Serra di Cassano a Monte di Dio in cui, da qualche tempo, s'era trasferita la comitiva, a casa d'Angiola Cimino di Petrella, d'Eleonora Fusco...

Gli strani ambienti ove, le prime volte, si sentì amaramente provinciale. Non per sfarzo di sale damascate, ricche di tavoli a intarsio, specchi, lustri clavicembali. La sconcertava soprattutto il fare della gente. Un vivere strano: in bilico fra intelligenza vera e falsa, spregiudicatezza e volgarità, naturalezza e libertinaggio.

Là uomini le dedicarono attenzione. Non l'era mai sfuggito il richiamo esercitato (sebbene riducesse le scollature) da quel suo petto bianco, duro, prominente. Non uno che non vi posasse gli occhi con lampi di ghiottoneria.

Jeròcades la corteggiava, silenziosamente, come ogni tanto sembrava fare Giordano, nelle sue odiose maniere. Meola e Guidi manifestavano rispettosa devozione, né le familiarità del grosso, vanesio duca di Belforte, anziano poeta laureato, eran solo complicità d'artista.

Qualche occhiata la ricevette da Paisiello, il famoso musicista, che però, quando s'aggirava con la sua aria inquieta, guardava tutto e non vedeva nulla. E c'erano i ragazzini, i suoi coetanei. Due o tre volte in casa Serra capitò un piccolo, smilzo cadetto dell'esercito, dalla faccia puntuta, esangue, il principe Gaetano Filangieri. Era cortese, le aveva sorriso, accennato ai propri studi di legge. D'un tratto la piantò in asso per una discussione sulle religioni.

Sguardo intenso l'ottenne una sera da un cadetto della marina reale, il principe Francesco Caracciolo. Alto, svelto, bellissimo nella divisa azzurra, ciocca bionda su un occhio. Poi Caracciolo fissò il maestoso solco in mezzo ai seni, finì tutto.

Chissà come sarebbe andata questa faccenda. Le sarebbe stato possibile vivere da letterata e, al tempo stesso, da moglie, madre? Alcune fra le signore da lei conosciute lo facevano, almeno in apparenza. Appartenevano, tuttavia, a doviziose famiglie. Eleonora Fusco aveva un bel maritone, due o tre figli, ma anche un esercito di camerieri in polpe, un numero indefinito di serventi in cresta e zendado, guardarobiere, balie, cuoche, cuffiare, stiratrici, create.

Papài inseguiva sempre l'improbabile riconoscimento delle sue patenti, avrebbe potuto darle, o lasciarle, pressoché nulla. Era necessario sposare un uomo di posizione ragguardevole. O farsi mantenere: in quegli ambienti nessun problema di nomea. Forse, se fosse riuscita ad emergere, il re le avrebbe assegnato un vitalizio. Occorreva darsi da fare, e tanto.

4

Memorabile primavera 1768! Molte cose concorsero a renderla felice: il tempo dolce che s'andava aprendo agli splendori estivi, la simpatia di nuovi amici, i primi riconoscimenti pubblici della sua poesia.

In aprile fu accolta all'Accademia dei Filaleti, su proposta del duca di Belforte. Una sera, dai Serra di Cassano, Belforte (aveva indossato per la circostanza una giambergona d'azzurrissima seta, con jabot di mussola color tortora, parrucca nuova candida, olezzante, e ostentava anello con diamante a ogni dito peloso) chiamò a raccolta il crocchio dei letterati tenaci. Li radunò nel saloncino d'angolo, quello dei canapè ciliegia, gli arazzi di Beauvais. Dalla balconata aperta sui giardini pensili di magnolie e cedri piantati nei sarcofagi di Ercolano, si vedevano il gioco dei terrazzi, le cupole di Pizzofalcone, Castelnuovo.

Tutti indossavano vesti chiare, lei portava il secondo dei suoi abiti leggeri, quello di seta bianco panna, con pettorina a fiori ricamata. Alle orecchie e al collo la parure prestata da vovó.

Povera nonna. Ora che il salotto Fonseca Lopez s'era disgregato, non le restavano che titìo e i giansenisti dell'Archetto. Le s'erano accentuati i dolori nei lombi, alle gambe. Che peccato: sarebbe stata contenta, qui, adesso, in questa sera odorata, gloriosa per la cara nipote.

La luce del giorno declinava, sfavillarono i lampadari di cristallo. Maîtres preparavano limonate, coviglie, primizie di nespole dorate e ciliege del Monte.

Belforte le stava appiccicato, annusava, guardava senza ritegno dentro la pettorina. Poi le acciuffò una mano e stringeva, mentre proclamava che, per alti meriti letterari, la marchesina Eleonora de Fonseca Pimentel Chaves veniva ammessa all'Accademia dei Filaleti, col nome da lei scelto di Epolnifenora Olcesamante.

S'era rotta il cervello per giorni, fu questo, infine, il nome pàrsole più significativo, a parte il fatto ch'era anagramma quasi perfetto d'Eleonora Pimentel Fonseca.

Dopo gli applausi e la firma nel registro dell'Accademia legato in cuoio vermiglio a nappe d'oro, dové leggere il sonetto preparato per la circostanza, che cominciava

Deh, dolce Musa vieni,
soccorri la tua ancella

e che l'era costato due settimane di fatica, soprattutto nel finale, dove bisognava chiudere dentro un settenario quell'"Olcesamante" che era di per sé un quinario, come "Epolnifenora" un senario. Alla fine aveva avuto l'idea, copiata un po' dal Martelli, di chiudere le lasse con ottonari, così scivolavano lisci sia il "devota Epolnifenora" che il "semplice Olcesamante".

Naturalmente s'eran scatenati a leggere versi tutti quanti, Belforte in testa. Continuava a tenerla per mano, a starle addosso, anche mentre recitava un bel sonetto a coda che finiva

E un dì voi sola mostrerete al mondo
che nel giunger di gloria alle corone
l'ingegno femminil non è secondo.

Ancora applausi, baciamani, Belforte mostrava, occhi unti voce arrochita, di pregustare la riconoscenza della nuova accademica. Lei era un po' preoccupata, si guardava in giro in cerca d'aiuti.

Ma Sanges, dopo il sonetto, se n'era tornato nel gruppo del secondo salone, quello coi marmi ercolanesi e i vasi greci, dove si discuteva di politica. Soprattutto delle prossime nozze del re, del progetto tanucciano d'invadere lo Stato pontificio, a punire il papa per la protezione all'odiosa banda loiolitica.

Tutti in orgasmo: Giordano s'agitava più d'ogni altro, ma anche Pagano, don Michele Serra... Avrebbe voluto raggiungerli. O ficcarsi nel saloncino dalle specchiere veneziane, dove godevano dei pettegolezzi le signore.

Vi teneva banco Chiara Spinelli di Belmonte Pignatelli, con un bellissimo abito di tulle azzurro pastello, la crinolina invece del guardinfante. Splendida nei capelli neri, lisci, bianca scriminatura al centro, come già s'usava a Parigi, buccoli alla nuca.

Un giro di diamanti metteva in risalto il lungo collo. Certo aveva notizie fresche, stuzzicanti: era stata interpellata due giorni prima da Tanucci perché facesse da guida e istitutrice alla giovane principessa austriaca che il re avrebbe di lì a poco incontrato a Portella, per condurla sul trono delle Due Sicilie. Maledetto Belforte!

Movimento per l'arrivo di un ospite importante, tentò invano di profittarne. Belforte e i letterati la tenevano sempre, nonostante avesse fatto il suo ingresso l'abate Galiani. Dovette rassegnarsi a guardarlo passare: era piccolo, nero, le gambette storte. Giamberga violacea stinta, parrucca per traverso. Ma gli occhi infossati sotto la gran fronte brillavano beffardi.

Lo sommersero, anche le dame, poi si trascinò un bel gruppetto nel salone interno, quello dove si giocava grosso.

Gli occhi di lei giravano supplichevoli, posarono stizziti su Sanges che faceva il cerimonioso con Mariangela Carafa, sorella della duchessa di Popoli, una brunetta dai denti bianchi un po' sporgenti, bel petto normale nel tulle bianco coi nastrini rossi.

Fu Jeròcades a venirle in aiuto. Da quando s'era sparsa la notizia del matrimonio regale raggiava, la sua aria cupa appariva stemperata in atteggiamento solenne, misterioso. Non vedeva l'ora che Maria Carolina giungesse a Napoli. Spesso mormorava: «Quando sarà con noi Sua Maestà la regina...».

Gli aveva chiesto un paio di volte: «Cosa succederà?». Lui, sempre più arcano: «Vedrete. Lo vedrete».

Era stato ad ascoltare il sonetto, la proclamazione, poi s'era allontanato. S'avvicinò con aria brusca; gettando su Belforte sguardo di disprezzo chiamò: «Lenòr. Permettetemi un momento, signori».

La guidò nel salone dei politicanti. Disse, secco: «Quali stupidaggini state commettendo?». L'accento calabrese strideva.

«Non dovete mescolarvi con quegli imbecilli» proseguì. «Quei letterati da strapazzo. Che gloria potrete mai ricavare dall'essere accademica di... Di che cosa?»

«Dei Filaleti» esclamò, offesa. Lui ebbe un sorriso stento, ripeté, con tono caricaturale: «Dei Filaleti, ah. A Napoli ce ne sono altre cento, come quella. Fuori di qui non le conosce nessuno».

«Ma ne fanno parte Belforte, Di Martino, Campolongo.»

«Come se aveste detto Rolli, Casti, Metastasio. Questa sì che è una grande organizzazione culturale! D'uomini che l'Europa onora. All'Arcadia voi dovete mirare, mia cara. E se volete...»

«Voi siete Arcade?» domandò, turbata, con guardingo rispetto.

«Certamente» affermò Jeròcades, orgoglioso. «Vi farò entrare io in Arcadia. Nella colonia di Roma, perché quella di Napoli è decaduta. Noi ci riconosciamo partecipi della colonia romana: quella di Metastasio.»

«Ma io ormai sono già iscritta ai Filaleti.»

«Restateci. Cosa volete che importi? Ma state alla larga da Belforte.»

Finalmente libera, si precipitò verso Sanges, il quale le sorrise. Anche Mariangela la salutò. Lui generosamente le pilotò al gruppo delle dame: gustavano sorbetti siciliani dai colori bellissimi.

«Mia cara» esclamò Maddalena Serra. «Vi siete finalmente decisa ad abbandonare le Muse? Avrete le labbra asciutte e il gelato ci vuole. Mon trésor» sorrise a Mariangela. «Toi aussi tu as décidé d'abandonner Orphée? Un sorbetto per rinfrescarti il cuore.»

Le altre continuavano a ridere intorno a Chiara Spinelli. In un angolo vide Pagano, pallido, teso, che non cessava di fissare la leggiadra principessa. Giulia Carafa esplose, la voce ghiotta di bella rossa opulenta: «Dicci la verità, Chiaretta. Le insegnerai davvero proprio tutto quel che sai?».

Chiara strinse le labbra.

«Qu'est-ce que j'en sais? ti dirò come il signor de Montaigne» rispose con rassegnato fastidio. «Le pochissime cose ch'io so sta' sicura che le saprà anche lei. Tutte le donne le sanno: dalla nascita.»

«Elle n'aura pas besoin de maîtresse pour certaines choses!» insinuò la duchessa di Popoli. Era vezzo in quei salotti ficcare nei discorsi mille frasi in francese. «Non sta a Vienna, da quando s'è combinato il matrimonio, Caterina de' Medici d'Ottaiano, come dama della nuova regina?»

«Mon Dieu! Madame de San Marco!» gridarono, ridendo, le altre, Maddalena Serra osservò: «Non siate ipocrite, ragazze. È tutta invidia. Caterina è la più bella biondona di Napoli, lo sapete. Il ne faut pas être jaloux de ses succès».

«Fin quando non rovinano i miei» brontolò, fintamente arrabbiata, la marchesa Angiola Cimino di Petrella. «Caterina di San Marco s'è fatta i più begli uomini di Napoli.»

«Non soltanto i più belli» mormorò la Popoli. Tutte la incalzarono, lei rise, aggiunse: «Domandate a Galiani».

Un coretto schizzinoso squillò: «Mon Dieu, non!».

«Non lo so» riprese Mariantonia Popoli, seria. «Ma c'è una battuta dell'abate. Sentite. Lei lo sfotte su un passo del Nuovo Testamento, mi pare San Marco o San Giovanni, e lui le fa, con la sua aria compunta: "Ah già. Dimenticavo che voi, San Marco, conoscete soprattutto San Matteo".»

Si sciolsero tutte nelle risa, lei rimase perplessa. Chiese all'orecchio di Maddalena Serra: «Perché ridono tanto?».

«Oh, ma avete ragione, mia cara. Vous êtes étrangère» sussultò Maddalena, tenendosi le mani sullo stomaco. Senza preoccuparsi d'abbassare la voce le spiegò: «Nella zona di San Matteo, dietro Toledo, ci sono i bordelli più frequentati di Napoli».

Alla parola grassa, calcata apposta, altre risate, poi il discorso passò sul naturale della nuova regina.

«Dicono sia un caratterino: prepotente, ambiziosa.» «Elle aura le même caractère que sa mère.» «Cosa farà del povero Ferdinando?» «Speriamo gl'insegni a leggere e a scrivere.» «Ma va'! Almeno questo, Sannicandro gliel'avrà insegnato.» «Et qui l'aura enseigné à Sannicandro?»

Si ghignò più forte, poi Chiara Pignatelli raccontò che Ferdinando nient'altro sapeva fare che sparare alle fucétole, baciar la mano ai preti, inseguire le pacchiane dei siti reali.

«Mais il n'est absolument pas méchant» aggiunse, con nervosa sincerità. «Lui soltanto si ricorda del fratello maggiore, il povero deficiente di Palazzo. Lo va a trovare, lo aiuta in una delle sue manie: a ficcarsi un paio di guanti sull'altro. Certe volte arriva a sedici, fa due palloni attaccati alle braccia.»

«Pauvre garçon» dissero alcune, un'altra domandò: «E Tanucci?».

«Eh, mie care. Tanucci ci guazza. Lui è Tanucci proprio perché re Carlo sta in Spagna e Ferdinando è com'è. Lo sapete che il re, anche adesso ch'è uscito di minore età, ha fatto fare un timbro con la firma? Tanucci lo sgrava anche di questo.»

«Tu verras que Marie Carolina y pensera» intervenne, seria, Maddalena Serra. «Ho impressione che con questa austriaca dovremo fare i conti.»

Arrivò Giordano, al seguito d'una biondina senza petto, dai capelli chiarissimi. Era la figlia di Fausta Celebrano Carafa e Giordano la coltivava da un pezzo. Pareva nervoso, per sbalordire ragazza e uditorio proseguì a gran voce un discorso già iniziato: «Certo che no, perdio! Io farei il bagno in una botte di vino per lavarmelo, quello schifo di battesimo!».

Rimase come un cretino poiché non vi furono spavento né orrore. Donna Maddalena quietamente osservò: «Purché il vino sia di buona marca, amico», e la biondina, con sufficienza: «Je préférerais du champagne français. Sai come frizza, sulla pelle nuda!».

Finalmente raggiunse Sanges. Nel crocchio si tabaccava a tutta forza, discutendo della spedizione che Tanucci preparava, d'accordo con Francia ed Austria, per invadere lo Stato pontificio.

«Si fa. Si fa» affermava don Michele Serra. «È già arrivato l'ordine di preparare gli usseri, i reggimenti "Real Farnese", "Regina", "Calabria".»

«Per me va bene solo come prova di fedeltà alla politica concordata» osservò Vincenzo. «Che vogliamo conquistare? Dobbiamo dimostrare che questo Regno è veramente un Regno. Ma non perché fa... la guerra al papa! Bisogna sostenere Tanucci, soprattutto quando emana leggi come quella di ieri sull'ammortamento a favore dei coloni, quando aiuta l'industria, come Maria Teresa fa a Milano. Questa è monarchia illuminata. Le vere rivoluzioni si compiono in silenzio.»

«Che coglionerie vai dicendo, Frusti'!» ululò alle sue spalle Giordano, ricomparso nero per l'avventura con la bionda. «Illuminata o spenta, la monarchia è sempre monarchia! Che ha da fa' rivoluzioni! Le rivoluzioni le fanno i popoli. E fanno ammoìna. Ammoìna assai!»

Giunse Paisiello, mentre dal salone del gioco tornava un gruppo con Galiani e Belforte. Belforte era spiegazzato, gonfio, la faccia sudata. A Galiani che rideva borbottò: «Abba', m'avete pulezzato! A ciacchetto con voi non gioco più. Tenete 'no mazzo!».[1]

Galiani osservò, freddamente: «Vedi chi parla» accennando al di dietro cospicuo del poeta. Scorto Paisiello, gli corse incontro. Il musicista mostrava più che mai aria cupa, Galiani lo sgridò.

«Ma che canchero tieni, Giova'! Dovresti sfavillare di gioia. Tieni la *Luna abitata* al Nuovo, l'*Osteria di Marechiaro* ai Fiorentini, te stai sfondando de ducati e fai sempre 'sta faccia!»

«Questo è 'no paese de merda» rispose Paisiello, strascicando le vocali nell'accento pugliese. «Questa che dici tu non è musica. Io sto aspettando la chiamata. Appena arriva, fujo. A Pietroburgo. Là, forse, si potrà fare veramente musica.»

«Mah!» sospirò Galiani. Cingendogli le spalle, esclamò: «Prima che te ne vai dobbiamo pensare a quella cosa nostra. Secondo me viene sfiziosa. 'Nce voglio mettere una scena addo' se dice ca pure lo cane deve scodinzolare all'uso greco!».

Paisiello accennò di sì, freddamente. Arrivò un suo amico giovanissimo, uno studente del Conservatorio che si chiamava Cimarosa.

«Pure tu si' venuto» osservò, scontento, Cimarosa si strinse nelle spalle. Era grassoccio, dall'aria paesana, un poco addormentata.

Qualcuno cavò argomenti musicali, nonostante Paisiello apparisse infastidito. Giunsero le dame.

«Mo' speriamo che a nisciuna le viene dint'a la capa de canta'» mormorò Paisiello, mentre attorno si discuteva di Scarlatti, di Porpora.

«Morto e buono, io lo dico: Porpora era capace solo d'allevare castrati. Come Farinello.» «Ma perché ve la pigliate con Porpora? Solo lui allevava castrati? Lo sapete che quest'anno a Napoli hanno accapponato più di tremila guaglioncelli?» «Io preferisco Pergolesi.» «Roba per le cameriere.» «Uno solo è ancora e sempre un dio, Piccinni.» «La brutta copia di Gluck.» «Paisie', voi che ne dite?» «E Logroscino?»

[1] Gioco di parole; in napoletano "tenere 'no mazzo" può significare "avere un gran deretano" ed anche "avere molta fortuna", il che spiega la successiva battuta di Galiani.

Paisiello, aggrondato, s'era messo in un canto, Cimarosa se lo studiava, inquieto. Fu Galiani a spingere il maestro verso il clavicembalo, mormorando: «Giova', qua se non suoni qualche cosa si fa notte e ci abboffano de stronzate».

Per dispetto Paisiello snocciolò, calcando la mano sugli accordi bassi, tre o quattro fughe in re minore e due suites di Carlo Emanuele Bach.

Fu verso la fine del piccolo concerto improvvisato che arrivò Luigi Primicerio. La prima volta che lo vedeva. Provò leggero tuffo, del quale restò a lungo scontenta. E che diamine aveva, colui? Un bel niente.

Sui venticinque, bassino, capelli castani spettinati, lunghi sulle spalle, faccia mal rasata. Naso un po' storto, occhi presuntuosi. Indossava un abito troppo elegante, all'inglese: pantaloni tubo verde chiaro, redingote ocra, cravattone bianco ghiaccio con spilla.

Lo guardò mentre entrava a passo di carica, disturbando la musica, lui pure le gettò un'occhiata. Si diresse verso Maddalena Serra, le baciò sgarbatamente la mano. S'avvicinò infine ad Angiola Cimino, che gli fece cenno degli occhi azzurri, un crespo di sorriso.

PARTE QUARTA

1

Nel maggio Napoli sfolgorò di sole e feste. Il re tornò da Portella con la sposa, per la città che tripudiava, in corteo memorabile, che lei applaudì con Sanges e gli altri al Largo di Palazzo. La sera al San Carlo, per il *Peleo* di Bassi e Paisiello, scritto apposta.

La prima volta che vedeva il famoso teatro: splendido nel tepore scarlatto, nello scintillio delle luci, dei gioielli, nel chiaro delle carni. Dava sensazione d'isolare dal mondo, per tener lì racchiusi, tutti insieme, gli *aristòi*, i diversi, i benedetti da fortuna, abilità, talenti, in luogo frutto d'arte, intelligenza, bellezza, che a sua volta rigorosamente chiedeva arte, bellezza, intelligenza.

Ma erano entrati a teatro mezzo vuoto, dopo un po' dové ricredersi. Le dame dalle scollature fulgenti strillavano da un palco all'altro, senza ritegno né eleganza. Non diversamente si comportavano generali, abati, principi, magistrati. Voci, saluti, lazzi, espressioni triviali; c'era addirittura chi mangiava e beveva, con piatti e bicchieri.

«È ciò che mi dà rabbia» disse Sanges, scuotendo la testa. «M'avvilisce. Questa sarebbe la classe dirigente. A Napoli.»

Forse, pensò lei, quando fosse arrivato il re... La venuta del re fu causa, invece, di trambusto maggiore. Gli orchestrali si precipitarono trafelati alla buca, aggiustandosi parrucche e giustacuori. Da una porticina laterale sgusciò Paisiello, rigido dentro una giamberga rossa tutta ricami d'oro. Si gettò al podio per dirigere l'inno.

Fra berci della gente, suoni dell'orchestra, battimani, nel gran palco centrale sormontato dallo stemma d'oro comparvero la figurona di Sannicandro, scintillante di decorazioni (il tosone di Spagna brillava come un sole), la figurina candida di Chiara di Belmonte, con lune diamantine. S'intravidero la chioma bionda e i denti lampeggianti di Caterina di San Marco, il pancione in zimarra braccata del marchese Tanucci. Infine avanzarono Ferdinando e Maria Carolina.

Fu solo a questo punto che il teatro piombò nel silenzio. Tutti studiavano la nuova regina. Maria Carolina era in tulle celeste pallido, reggeva un bouquet di fiori gialli. Di carnagione molto chiara: all'esile collo un monile d'oro bianco e diamanti. Viso lungo, magro, come tutti gli Asburgo, bocca stretta, altezzosa, appena increspata da un sorriso. Certo, bella non si poteva dire: anche lei un fior di naso robusto. Petto piccolo, breve rilievo del corsetto. I capelli gonfiati ad arte, però radi, fragili. Ma gli occhi... Grandi, fermi in triste espressione di comando.

Il re mostrava aria sorniona. Si sforzava di stare impettito nell'uniforme blu col solino rosso e bianco. Sul petto croci d'oro, grumi di smeraldi, stelle. Appariva molto diverso dalla volta in cui lo vide al Largo di Palazzo: ingrassato, gonfio il grosso labbro inferiore, acquosi i tondi, illeggibili occhi chiari.

Dopo un po' ebbe moto di fastidio, agitò verso il palcoscenico la mano guantata di bianco. L'orchestra smise subito, si scatenò nuovamente putiferio. Il re cadde a sedere con un: «Ah!» di soddisfazione, e sedettero tutti. Si rifece silenzio, mentre commessi in livree fogliate d'oro scivolavano a smoccolare. Paisiello attaccò l'ouverture. "Oooh!" generale accompagnò il levarsi del sipario su una scena che strappava applausi. Ma non si poteva se non cominciava il re.

Verde campagna, con rocce, laghetti e fontane veri, alberi veri, sapientemente illuminati. Sulla destra un tempietto dorico dalle misteriose profondità azzurrine. Comparvero ballerine in gonne lunghe di tulle bianco, fiocchi rossi alla cinta. Scivolarono su e giù, braccia guantate in alto, poi s'immobilizzarono al proscenio. Piegarono graziosamente le gambe, nella riverenza verso il palco reale.

Luce dorata al centro della scena: entrarono i protagonisti. La prima donna con meraviglioso abito di broccato azzurro, i cantanti in costumi sontuosi. S'inchinarono.

Silenzio pruriginoso d'applausi trattenuti, di grida represse. Il re faceva apposta a indugiare col binocoletto d'oro sulle persone in scena. Si soffermò sulla Bellucci, sulle danzatrici: pareva soddisfatto, perché menava la lunga testa su e giù. Piano piano, come per scherzo, iniziò a battere le mani, scatenando il pandemonio. Molti gettavano sul palcoscenico confetti, fiori, alcuni gridavano in direzione delle ballerine, che ridevano e rispondevano a tono.

Il re sembrava divertito dalla confusione. Col binocolo studiava persona per persona, ogni tanto si piegava verso Maria Carolina, indicandole qualcuno in sala, nei palchi. La regina faceva "Sì, sì", oppure "No", col capo, senza mai allargare il simulacro di sorriso.

Il salotto Cassano quella sera apparve spopolato: la maggior parte dei frequentatori restò al galà che, dopo il *Peleo*, si teneva fra San Carlo e Palazzo. I presenti si consolarono ammirando i fuochi artificiali nel mare di Santa Lucia. Fontane di cristalli luminosi, girandole rosso fragola si frantumavano in stelle azzurre, d'argento, plananti dolci dolci sul mare acceso da riflessi.

«Maravilhoso» mormorò. Si stupì d'aver pensato in portoghese: da tanto non le veniva più! Molte cose erano cambiate, molte stavano cambiando.

Sorrise, mentre Sanges la incitava: c'era tanto da fare, nel futuro...

«Ma cosa?»

«Hai visto, tanto per farti un esempio, al San Carlo? Che marmaglia? È così dappertutto, in questo Regno. A Corte, nelle Università. Le persone che contano sono ancora loro, capisci, questi nobili, magistrati, preti imbecilli che non valgono nulla. Per di più rozzi, volgari. Dobbiamo venire avanti noi, altrimenti i pochi che capiscono, come Tanucci, non ce la faranno. Tu, per esempio, perché non scrivi un bel sonetto per le nozze del re? Ti fai conoscere, stimare, diventi un altro dei nostri che aiutiamo ad emergere.»

«Io? Con un sonetto? Dove pensi si possa arrivare con un piccolo sonetto, Vincenzo?»

«Ho saputo che il re, cioè Tanucci, pensa a costituire un'Accademia di Palazzo, composta dagli ingegni migliori. Già esistono a Parigi, Vienna, Milano. Se riusciamo a ficcarci dentro un po' dei nostri... Fra poco esce il libro di Conforti, Pagano sta lavorando, Filangieri pure. Sembra abbia cominciato una cosa grossa. Sulla legislazione.»

«E tu?» chiese, un po' polemica. «Tu di che ti stai occupando? D'una piccola principessa che...»

«Ohé» rise lui. «Guarda che con Mariangela è abbastanza seria.»

«E allora perché non me ne hai ancora parlato?»

«Certo che lo farò. Ma non cambiare discorso. Hai capito ciò che ho detto? Dobbiamo mandare avanti i nostri migliori. Lo pensa anche Genovesi. Ecco di che mi vado occupando io, fra l'altro. Allora: tu ti dai da fare, scrivi un sonetto, un epitalamio... E lo mandiamo al re. Liscia la regina più che puoi: il re lo tiene in pugno Tanucci, ma questa figlia di Maria Teresa?»

«A te è piaciuta?»

«Non lo so. Tu che sei donna, che ne dici?»

«È forte. E seria, credo. In questo senso potrebbe andar bene.»

«Se fosse come sua madre... Ad ogni modo è importante che trovi adesso le influenze giuste. Perciò le abbiamo fatto mettere accanto Chiara Pignatelli.»

«Vuoi la verità, Vincenzo? Non capisco la scelta. A me Chiara pare semplicemente una delle belle dame maliziose di questi salotti.»

«Non fermarti all'apparenza, Lenòr. Chiara fa la spregiudicata come tutte, oggi, ma è intelligente, colta. E in grado d'aiutare una regina a far la regina, come intendiamo noi.»

«Sarà. Io continuo a non capire la scelta.»

«È una donna che vale, Lenòr. Quando le diventerai amica mi darai ragione. E tu, non essere tanto giansenista. Lo so che le nostre dame non ti piacciono. Forse è anche giusto, perché profittano dei tempi, ma Chiara è diversa. Fra l'altro, se si lasciasse vivere, ne avrebbe motivo: suo marito, il Sovrintendente al Grande Archivio, è un idiota. Fa persino schifo, ormai. A quarant'anni sta buttato in un dondolo a bere anice nel caffè. Gonfio come una botte.»

Sorridendo, ripeté: «Non fare la giansenista, Lenòr. Certe cose potrebbero capitare anche a te. Come dice Brantôme: "Non v'è grande e onesta dama che non abbia le proprie licenze"».

Vedendola mortificata, la carezzò sotto il mento.

2

Si sentì a lungo scontenta di sé. Meschina, provinciale, arretrata, gran strada avrebbe fatto! Bisognava accettare il nuovo tempo *intus et in cute*, non solo col cervello. Ed il nuovo era anche spregiudicatezza. La Chiesa stessa, su certe cose, lasciava fare, in alto e in basso: con principesse e lazzare non ci poteva nulla.

Anche fra gli umilissimi era grande, infatti, la libertà nei costumi. Forse perché vivevano in venti dentro un letto, o svolazzavano per le vie senza legami. Fin da piccoli.

A volte in Santa Teresella s'accendevano risse, fra urla di donne seminude, balenìi di coltello. Pettegolezzi non mancavano.

«Questo "si tiene" la moglie di quello.» «Quella è "commare" di quell'altro» si raccontava al centro informazioni del mercatino. Avevano voglia preti e monaci a strillare che per la troppa scostumatezza Dio avrebbe fatto esplodere il Vesuvio. Anche di loro si parlava grasso.

Però era un fatto che nella Salata, a San Mattia, a Rosario di Palazzo esisteva un'infinità di bordelli. Non era difficile individuarli: a portoncini loschi pendevano lanterne rossastre con un numero, davanti a molti bassi frasche di cetrangole disposte in certo modo, vasi di gerani scarlatti. Anche in terranei senza contrassegni si doveva fornicare parecchio, a giudicare da madri di famiglia sformate e gialle, perennemente discinte, facce dure, sfrontate, braccia e petti bollati dalle chiazze dei mali imperdonabili.

Nei confronti di queste cose lei provava curioso atteggiamento: di paura e fastidio.

Ma, forse, il giorno che avesse saggiato il gusto del congiungersi a un uomo il corpo stesso avrebbe allegramente cancellato scrupoli, timori, aiutandola, col goloso sapore della vita, a sperdere ripugnanze, a fruttare discolpe. Come avveniva alle dame di sua conoscenza.

Era lei fuori posto, ancora una bambina. Quando sarebbe diventata adulta? Perciò la trattavano col caro, ma distratto riguardo che s'usa pei ragazzi? E avevan l'aria di doverle insegnare, proteggerla, magari profittarne? Rabbrividì, pensando alla grossa bocca di Belforte.

La fulminò un'assurda notizia, sgorgata a tradimento dagli abissi: se sarà, sarà con Primicerio.

Stupefatta s'abbandonò a cattivo immaginare che, per quanti sforzi facesse, non s'interrompeva. Vide il terrazzo dei Cassano, a notte, loro due chiusi fuori, su una delle panche di bardiglio. Lui l'avrebbe baciata. Labbra ficcate nelle sue o viceversa? In circostanze del genere si danno baci alla francese, aveva sentito dire o letto: lingua nella lingua. Poi lui avrebbe dovuto ficcarle le dita in petto... Cosa avviene ai maschi lo sapeva, non avrebbe potuto o voluto ricordare come. E lui avrebbe anche messo le mani sotto la crinolina, sollevato le balze interne. Solo due in primavera, ma, dopo, da slacciare i cordoni alle mutande. Lui pure avrebbe dovuto sbottonarsi: che cosa complicata e ridicola!

Come si fa ad unirsi? Allargò le gambe, provò a immaginarsi un corpo estraneo dentro: così? Deus do Céu, Lenòr, che stupida! Vergogna!

Niente da fare. Provò senso di colpa, voglia di recitare atti di contrizione uno dietro l'altro, scrollò le spalle.

Che piacere poteva esserci in "quello"? Andò ai suoi libri, prese i bei fogli di carta amalfitana sui quali s'era abituata a scrivere, le penne d'oca, il calamaio. Questo era piacere vero, dolce, sottile, anche un po' ansioso: temperare la punta, sentire lo sfaccettio della tenera cartilagine sotto la lamella tagliente, il liscio della carta contro i polpastrelli, quasi pelle di creatura o frutto, prepararsi l'inchiostro... Nel pozzetto di vetro verde pieno d'acqua la polverina sciolse iridescenze violacee, si raddensò.

Mescolò, respirando odore acidulo, come di bacche o foglie.

Lavorò con impegno al sonetto chiesto da Vincenzo. Venne fuori un *Tempio della gloria, epitalamio nell'augustissime nozze di Ferdinando IV re delle Due Sicilie con Maria Carolina arciduchessa d'Austria, di Eleonora de Fonseca Pimentel, tra i Filaleti Epolnifenora Olcesamante*, come risultò impresso in caratteri romani nel bel frontespizio realizzato da Giuseppe Raimondi, che Sanges le portò fresco di stampa.

Anche questo fu piacere vero, grande. Difficile da spiegare. E preceduto da altri, come l'emozione provata quando Vincenzo stabilì che l'epitalamio si sarebbe dato a stampa coi soldi degli amici. O la correzione delle bozze, inquietanti strisce di cartaccia in cui uno sconosciuto operaio aveva storpiato pensieri e sentimenti, divenuti irrimediabilmente cosa altrui.

Provò anche lieve senso d'angoscia. Era come se, con l'atto di far stampare un proprio scritto, varcasse l'arcana linea che, fino a quel momento, l'aveva separata dal mondo familiare, però sempre "altro da sé", dei libri, degli scrittori. Ora stava anche lei "al di là". Consacrata da divinità misteriose, quasi "ferens mystheria". Adesso chiunque aveva diritto a dire (come faceva lei con gli altri, in sciocca sicumera) della sua opera: "Bella. Brutta. Noiosa".

Ora qualcuno avrebbe potuto trarre idee, stimoli a pensare, acquisire convinzioni, da una cosa che aveva scritto lei. Rabbrividì nel riflettere su questa responsabilità che ci si assume stampando un proprio scritto. O è una colpa? Dimenticò tutto nella voluttà di toccare, vagheggiare, leggere e rileggere la prima copia del fascicoletto.

Altre vennero distribuite agli amici e ai Filaleti, con firma dell'"inclita poetessa". Belforte appariva freddino, ma si prodigò. Una copia, legata in marocchino verde con angoli dorati, segnalibro in seta, gigli dei Borboni al dritto, prese la via di Palazzo.

Intanto Jeròcades appariva spiritato. Ogni sera portava nel salotto persone nuove: padre Kilian Caracciolo, un teologo allampanato e grigio, il principe Diego d'Aragona, il giurista Pianelli.

«Tutti massoni come lui» commentò Sanges. «Da quando è venuta Maria Carolina, Napoli è invasa dai massoni.»

Sapeva di cosa si trattava. Nell'aria tenerissima d'una sera di maggio, sul terrazzo grande, Jeròcades s'era rivelato. Come parlasse d'amore, le aveva spiegato la Massoneria: la più nobile fra le associazioni umane, di cui solo spiriti eletti potevano far parte.

«Non m'avevate promesso di farmi entrare in Arcadia?» gli aveva chiesto, ingenuamente.

«Sì, certo. Ma questa è un'altra cosa. L'Arcadia è il meglio solo nell'arte. E domani stesso vi ci farò iscrivere. Avete anche opere a stampa, è più facile. Dovreste pensare al nome pastorale. Che non sia, per carità, quello dei Filaleti.»

Proseguì come invasato, guardando spesso alla giovane falce di luna che s'inarcava nel cielo di Posillipo. Parlò d'un mondo meraviglioso che sarebbe venuto un giorno, quando i fratelli liberi muratori avessero invaso l'universo. Un mondo di liberi ed eguali, non astratto, come quello promesso dai preti nell'al di là, ma vero: da toccare, godere, vivere sul serio, tra i giardini, gli alberi, le spiagge della Terra.

«Sto scrivendo un libro» confidò, con voce bassissima. «Si chiamerà *Paolo, o dell'umanità liberata*. Ci siete anche voi dentro» aggiunse dopo un'esitazione.

Taceva, imbarazzata. Istintivamente si scostò, perché Jeròcades, nella foga, s'era avvicinato molto. Pensò che doveva rispondergli.

«Mi sento onorata» disse. «Dovreste leggermene dei passi.»

Lui la fissò cupo, annuendo appena.

«Sì, certo. Ma non ora. Quando sarà compiuto. C'è una cosa che adesso mi preme più di qualsiasi altra, Lenòr» aggiunse, in tono supplichevole. «Io voglio che anche voi entriate nella nostra società. Una donna intelligente, d'elevato sentire, come voi siete... Nella Massoneria è il suo posto naturale. Anche la regina è iscritta.»

«E cosa fa? Cosa può fare, una dama, in questa organizzazione?»

«Una dama che scrive, come voi, può arrecare servigi inestimabili. Nei suoi versi può infondere lo spirito, le idee, dei fratelli muratori. Può portare nella società la gentilezza delle sue maniere, accrescere la dolcezza che vi regna, con i tesori del suo affetto.»

«Così fa... la regina?» chiese turbata. Jeròcades annuì con forza: «La regina, noi tutti. Perché in noi è il riflesso dello spirito creatore e generoso del Grande Architetto Universale. Perché noi, sia pure in modo imperfetto, vediamo il prodigio del progetto divino. Solo la pochezza degli uomini, di certi uomini, ha impedito, e impedisce, che il meraviglioso disegno si realizzi».

«È come nelle Scritture» osservò lei, Jeròcades tuonò di sdegno: «Oh no, che dite! Le religioni sono ipocrisia, mortificazione. I preti ne celebrano i sinistri misteri, invitando l'uomo al sacrificio, alla rassegnazione, propongono il modello d'un piccolo Ebreo troppo mite, ignaro delle gioie dell'esistenza. Non è questo il mondo che noi sogniamo».

«Ma voi... Voi siete abate!»

«Senza gli ordini maggiori. Il nostro è un mondo in cui tutti gli uomini avranno imparato a godere realmente dei beni innumerabili che il Grande Architetto ha predisposto per loro. Nell'armonia, nella giustizia perpetue, tutto per tutti, non tanto per pochi, niente per moltissimi. Ciò è possibile fare perché è la ragione a dirlo, non le religioni.»

Assumendo aria ispirata, recitò:

E Ragion su le vostre alte ruine
pianterà con la destra onnipossente
l'immobil suo triangolo immortale!

«Versi belli» balbettò, un po' sincera un po' ipocrita. «Nobili.»

Jeròcades s'illuminò.

«Verrete con noi, Lenòr? Ci verrete, non è vero? Ci saranno anche tanti vantaggi materiali.»

«Non lo so, amico. Avete detto cose grandi, mi sento la testa veleggiare in alto. Bisogna ch'io rifletta.»

Ne parlò con Vincenzo, il quale scuoteva il capo. Alla fine osservò: «Lenòr, io non voglio influenzarti, per carità. Ti dirò la mia opinione: questa società dei liberi muratori è una strana cricca che cresce dappertutto. Non so bene donde sia venuta, né cosa voglia. Sì, parlano di libertà, eguaglianza, morte ai tiranni, però si contraddicono. Fra loro ci sono i re: Maria Carolina, la sorella Maria Antonietta, il principe Giuseppe. Odiano i preti, ma accettano padre Caracciolo. Detestano i Gesuiti e ne son pieni. Forse è un'organizzazione messa su dagli Asburgo per domare i ribelli. O raccogliere soldi: è anche piena di banchieri».

«Ma che fanno?»

«Per quanto ne so io, la principale attività esteriore è quella di riunirsi a gran tavolate, divertirsi. Dicono di far beneficenza, ma ci credo poco. Beneficenza a se stessi: fra loro s'aiutano.»

«Ma Jeròcades...»

«Jeròcades è un esaltato. Però affarucci ne combina anche lui! Ma senti un po': ho la sensazione che abbia soprattutto interesse personale a che tu entri nella società. O mi sbaglio?»

«Credo di no, purtroppo» sospirò.

«Ah, beh» sorrise Vincenzo. «La Massoneria potrebbe aiutarti ad avere successo. Avevano proposto anche a me d'entrarci, ma c'è troppa gente che non mi piace. E poi, a me non vanno quelle idiozie delle cerimonie misteriose, i simboli, gl'intrighi. Ricordati che quand'uno entra a far parte di un'organizzazione, una chiesa, di qualsiasi tipo essa sia, come individuo è finito: da libero si fa necessariamente schiavo. E per me non va bene. Proprio no.»

3

"Per me neppure" concluse la mattina dopo, riflettendo.

S'era levata presto. Ormai l'aria si stava facendo più calda, luminosa, anche a Santa Teresella arrivavano aliti dal mare.

Qualcuno fra gli amici cominciava a parlare di villeggiatura. Chi faceva ripulire la villa di Portici, Ercolano, Torre del Greco, chi aveva spalancato il casino sul mare. Angiola Cimino lanciava inviti per la sua villa di Posillipo, dove, senza dubbio, ospite fisso sarebbe stato Primicerio. Per carità! E poi, occorrevano barca o carrozza. Non poteva sempre accettare che Vincenzo pagasse per lei.

In casa non s'andava bene. Le famose patenti di papài in alto mare, titìo meditava di tornarsene a Roma, ora che il papa pareva voler sciogliere la Compagnia di Gesù. Occorreva aiutare Miguelzinho, il quale studiava legge da forsennato, per sistemarsi presto. Per José e Jerónimo s'erano ottenuti i posti nella Paggeria del re, grazie ai Cassano. Mamãe non stava bene. Spesso impallidiva, portandosi le mani al petto, stanca per la fatica della casa enorme. Tia Michaela aiutava quando poteva e voleva. Carlos aveva preso l'infelice abitudine di trascinarsi, spettinato, fino a Santa Lucia: vi restava per ore a fissar l'orizzonte.

Non si poteva togliere dalle già scarse rendite neppure un grano: ecco una lezione pratica su cos'è libertà! Libertà dello spirito va bene, ma prima d'ogni altra cosa libertà dalle pene del bisogno. Qui avevano ragione Rousseau, d'Holbac: come può esser libero lo spirito se violentato dalla necessità? Ma le vie che il mondo ti presenta per liberarti dal bisogno sono, spesso, ugualmente meschine. Guadagni una libertà, ne perdi un'altra.

A casa s'avanzava ogni tanto l'idea d'un matrimonio. Papài ne parlava con titìo, mamãe e vovó sembravano d'accordo: bisognava cercare, trovare un partito qualsiasi. Naturalmente non un borghese, ma a Napoli c'era tanta piccola nobiltà militare, di curia.

«Tu conosci, sei inserito. A te tocca» raccomandavano a tio Antonio. Lui, poveraccio, diceva sì, sì, caricandosi anche questa soma. Così si libera dal bisogno una donna. E si libera pure una famiglia dal peso di mantenerla. Accollandolo a un altro.

Si sentì molto infelice nel pensare ciò. Ma come sarebbe potuta andare in maniera diversa? A nessuna donna nel Regno era aperto il piccolo mondo del lavoro di qualità. Soltanto cameriera, cuffiara, stiratrice, puttana. Non esistevano medichesse, avvocatesse e apparivano mostri Donna Colubrano Pignatelli che studiava matematica o Mariangela Ardinghelli, che aveva scritto su una cosa nuova della fisica, l'elettricità.

Dai libri, inoltre, non veniva un grano: se andava bene si pagavano le spese dello stampatore. E nessuna di quelle signore era ammessa a insegnare, all'Università né altrove. Del resto non ne avevano bisogno perché (tanto per cambiare) nobili e ricche.

Così niente libertà, Lenòr. Ma libertà di che? Di leggere, scrivere, pensare. Ci sono posti dove ciò non è possibile nemmeno ai maschi: nello Stato del papa, per esempio. Ma non basta. La libertà dev'essere intera, deve farti felice, oppure è ipocrisia. Perciò tutti hanno in testa di cambiare il mondo: Jeròcades sogna un pazzo paradiso terrestre, Pagano rimpiange le repubbliche antiche, tutti aborriscono preti, tiranni, e fanno bene. Vincenzo dice che se ti dai a un gruppo, un'idea, diventi servo: ha ragione lui pure. Come si fa, allora?

E se una entra in una setta che vuole il bene universale? Non devo pensare solo a me, alla mia libertà. Come potrei, quando, in questa capitale, nessuno è libero dalla necessità e nello spirito? Forse i lazzari sì, a pensarci bene. Oh no, per carità! Guarda giù: il sudiciume, l'ignoranza, l'Inferno. Si può far bene se s'è perso il proprio? Puoi dare libertà ad estranei se non possiedi la tua?

Una volta chiese a Vincenzo perché a lui, agli altri, piacesse tanto frequentare salotti, discorrere. Fu sincero come sempre: «Perché nessuno di noi ha realizzato il bene proprio. Allora ci occupiamo di quello altrui. È assai più facile. E comodo».

Ma lei, in fondo, si sentiva innocente. Non desiderava che d'esser felice. Non occorreva molto: stare tranquilla ai sogni della mente, ai libri, trasformarsi in piccola, innocua divinità, lieta di governare un mondo da lei stessa edificato, perciò amabile, privo di misteri. Tutto qui. Non ne aveva il diritto?

«Oh, lasciatemi in pace!» supplicò, rivolta non sapeva bene a chi. Poi pensò che non doveva chiedere soltanto, senza dare in cambio. Ma se in cambio chiedono te stessa?

Si considerò ipocrita, anche un po' losca, perché a Jeròcades non disse mai né sì né no, lasciandogli tuttavia immaginare che forse, chissà. Lui la propose in Arcadia, aiutandola persino a fabbricarsi il nome pastorale. Stavolta vennero fuori *Altidora*, in cui figuravano ambizioni d'altezza, nonché assonanza con Eleonora, ed *Esperetusa*, allusione alle due terre di cui si riteneva figlia, Esperia e Lusitania.

L'iscrizione all'Arcadia produsse conseguenze importanti. Oltre alla pergamena con la figura di Gesù Bambino vestito da pastore, tra zampogne e svolazzi che inquadravano il nome pastorale e quello vero, le venne consegnato l'elenco a stampa coi recapiti di tutti gli Arcadi d'Italia e d'Europa.

S'avviò scambio di lettere e versi con tanti amici lontani. La rete dei corrispondenti giunse fino al Veneto, donde le scrivevano amabilmente uomini come l'abate Alberto Fortis, gentildonne come Caterina Dolfin Tron.

Un giorno, in balenìo d'improntitudine, decise di scrivere a

Vienna, al Maestro, inviandogli una copia del *Tempio della gloria,* un mazzo di sonetti. Metastasio, civettone e incauto nonostante gli anni, le rispose.

4

La corrispondenza con Vienna l'eccitava. Era conferma, poiché nelle lodi del vecchio poeta, al di là della consumata cortesia, "sentiva" gl'impercettibili segnali di concordanza tra persone d'ingegno. Era fonte di piacere sottile, nel gioco malizioso e innocente d'allusioni inconsce. Quando s'accingeva a scrivergli provava agitazione, quasi alla vigilia d'un convegno.

Talvolta immaginava il Maestro intento a delibare *Il tempio della gloria,* presso uno scrittoio di Maggiolini. Era giovane, pallido, come lo vide sul rispetto d'un libro. Chissà lui come se la figurava. Nelle lettere faceva trapelare allusioni a se stessa, Metastasio le recepiva subito, col talento che possedeva per quel genere di cose.

Rileggeva infinite volte le lettere di Pietro, specialmente la prima: tutto era cominciato di là, poi lui aveva preso a chiamarla "amabilissima Musa del Tago", e via via "dolce amica". Tra i sogni teneri e impossibili che le preparavano ogni sera il sonno vide spuntare quello arcano d'un viaggio a Vienna.

Giunse, ormai non più attesa, la lettera del re: un plico di pergamena avorio su cui spiccava, in rilievo, lo stemma d'oro coi gigli. Le tremarono le mani nell'aprirlo. Vovó, che sferruzzava stancamente nel salotto vuoto, trepidò, inseguendola con gli occhi.

Le Loro Maestà Ferdinando IV e Maria Carolina ringraziavano la preclara poetessa Donna Eleonora de Fonseca Pimentel per il quanto mai gradito omaggio del frutto del suo ingegno, *Il tempio della gloria,* e graziosamente disponevano che la detta signora pregiasse presentarsi li 20 del giugno prossimo a Palazzo, onde partecipare, all'augusta presenza delle Loro Maestà, a un certame poetico, nel quale sarebbe rifulso senza dubbio veruno tutto lo splendore del di lei talento.

L'invito produsse nervosismo, angoscia: arrivò a maledire vanità e ambizione che procuravano simili tormenti. Strappò, cancellò, riscrisse.

Cosa avrebbe potuto presentare? Con chi avrebbe gareggiato? Perché il re organizzava il certame? Chiese ai Serra, a Vincenzo, a Jeròcades, avrebbe persino fatto il viso dolce a Belforte, ma costui era scomparso. Infine seppe ch'era stato proprio Belforte a organizzare la faccenda, per conto di Tanucci, che voleva fare "un po' di cultura a Corte".

Febbrilmente mise insieme tre sonetti d'allegorie mitologiche, in cui la regina veniva paragonata a Pallade Atena e a Calliope, il re ad Apollo, e s'auspicava, secondo le indicazioni politiche di Sanges, che grazie all'opera dei due illustri personaggi giungesse una nuova età dell'oro, ricca di sapienza, libertà, giustizia.

Altro dramma quello del vestito: dové rinfrescare l'abito bianco panna, senza pettorina, perché faceva molto caldo.

Furono Vincenzo e tio Antonio ad accompagnarla nella sala verde di Palazzo, ove per i poeti era pronto un emiciclo bianco ed oro, con podio, balaustra, sette sedie. Il pubblico in fondo, presso gli altissimi balconi immersi in candido tulle.

Già parecchia gente: riconobbe Meola, Guidi, Caravelli. In un angolo si nascondeva Jeròcades, che le fece un cupo cenno di saluto.

I poeti cominciarono ad occupare l'emiciclo. Arrivò Belforte, in seta nera e giustacuore chiaro. Le sorrise con bonomia, quasi a dire che aveva perdonato l'Arcadia. Vide zoppicare Campolongo, giungere De Rogatis, il duca Domenico Perrelli, infine Baldassarre Papadia.

Con raccapriccio s'accorse d'esser l'unica donna del certame. Ebbe moto di rabbia verso Belforte: l'aveva fatto apposta, per metterla a disagio! Lo guardò in modo così feroce che il poveraccio s'avvicinò, mormorando: «Siete l'unico fiore tra i rovi. Splenderete di più».

Avrebbe voluto rispondergli, ma entravano le Loro Maestà, seguite da Tanucci, Sannicandro, la San Marco, Chiara Pignatelli, Domenico Cirillo, nuovo medico di Corte, il duca Marullo d'Ascoli, gentiluomo del re.

La regina era incinta: una piccola pancia sotto il vestito in seta rosa di San Leucio. Pareva affaticata, si rinfrescava agitando un ventaglio veneziano. Il re sorrideva, compìto, in sciamberga blu mare e calzonetti bianchi. Rispose con lieve, un po' goffo inchino all'applauso dei presenti, poi sedette e tutti fecero altrettanto. Tanucci accennò a Chiara Pignatelli, la quale, con voce limpida, lesse un preambolo sul significato della gara, i nomi dei poeti. Avvertì che si sarebbe giudicato dall'intensità degli applausi, sebbene l'ultima parola spettasse al re. Ferdinando con leggero cenno del capo dette inizio. Appariva diverso dal grossolano personaggio visto nel San Carlo: più giovane, con aria stanca, distratta, quasi inseguisse proprie fantasie dietro la musica dei versi. Era Papadia che leggeva, un bel canto su Posillipo, forse il re contemplava nella mente lo stupendo paesaggio.

In verità il re si stava annoiando. Già prima di scendere dall'appartamento aveva sbuffato contro le manie di Tanucci. Al duca Marullo d'Ascoli, bel giovanotto nero, riccio, compagno d'infanzia e gentiluomo di camera, aveva detto: «Maru', oggi ce 'nguaiammo la giornata. Sai quanto me ne fotte delle poesie? Io una sola poesia saccio, la diceva 'no viecchio de Persano. Siente, siente, Maru':

Quanto è bello lo cacare,
meglio assai de lo mangiare.
A mangia' se fa fracasso
co' criate e co' vaiasse;
a cacare sulo sulo
te la vide tu e lo culo».

Scoppiò a ridere, Ascoli si torceva.

«Dici la verità, Maru', non è una bella poesia? Mah. Jammo a 'nce ammoscia'.»

Mentre entrava nella sala si fermò, strizzando gli occhi. Fece segno ad Ascoli d'avvicinare l'orecchio.

«Maru'» sussurrò. «Guarda che zizze tiene la poetessa. Due caciocavalli.»

Papadia finì, tra gli applausi, attaccò Campolongo. Il re s'agitava sulla poltrona, cominciò ad osservarla. Andava dal petto agli occhi, a un certo punto le sorrise e ricominciò. Lei divenne pallida. La regina seguiva il gioco d'occhi del re, con aria seria.

La testa le girava un poco, respirò profondamente. Avrebbe voluto esser fuori di lì, subito: a casa, in strada. Non osava sollevare gli occhi, li teneva in terra, anzi su un piolo della balaustra che mostrava una piccola crepa. "Sentiva", però, che il re continuava a perlustrarla. Le parve addirittura d'avvertirsi, sul petto seminudo, un fiato tiepido. Azzardò mezzo sguardo obliquo: Maria Carolina la fissava.

Finalmente venne il suo turno, avrebbe voluto nascondersi, coprirsi. Aveva la sensazione vergognosa di stare ignuda al podio. Il re sorrideva, ogni tanto parlava all'orecchio di Marullo.

Improvvisamente ebbe émpito d'orgoglio, furore, voglia di sfida. Sollevò gli occhi in faccia a tutti: alla regina, al re, l'incrociò con quelli preoccupati di Chiara Pignatelli. Non le importò più di niente. Teneva i suoi versi davanti, i bei versi sui quali aveva faticato, migliori di tutti quelli sentiti prima, la sua ricchezza, la sua gloria. Li lesse con guance calde, bocca rossa, petto palpitante.

Il re applaudì senza ritegno. La regina era pallida, con le occhiaie. Volle andarsene prima che distribuissero i lauri d'oro e d'argento.

PARTE QUINTA

1

Se ne stava dietro i vetri a guardare Santa Teresella spazzata da vento, pioggia, grandine. "Sentiva" alle sudice impannate, alle finestre, occhi infelicemente puntati, come i suoi, sul grigio-piombo universale.

Da parecchio non andava al salotto dei Cassano. Ma non aveva neppure molta voglia di scrivere, di leggere. La casa trasudava umido, le antiche chiazze s'allargavano. Dagl'infissi sconnessi penetravano rivoli, bisognava continuamente asciugare. Mamãe non poteva più fare questo. Non poteva fare più nulla. Se ne stava a letto, in silenzio, facendo scorrere il rosario. Papài sedeva sulla sponda zitto, gramo, rugoso. Vovó spasimava per i dolori artritici: prendeva gocce di laudano, imbacuccata accanto al braciere d'ottone che andava alimentato di continuo.

Adesso toccava a lei provvedere. A ogni cosa. Periodo, brutto, sì, sotto molti aspetti.

Due settimane prima era morto Genovesi. Nei gruppi, nei salotti, s'era sparsa ambascia.

«Tanto era quell'uomo» dicevano. «Ora ce ne accorgiamo: siamo orfani suoi.»

Chissà perché nelle circostanze infelici sgorga tanta retorica. Ci fu chi scoppiò in lacrime, chi prese lutto intero e chi a metà, chi corse all'Università, dov'era esposta la gonfia salma gialla. I funerali riuscirono straordinari. C'erano tutti: Tanucci in rappresentanza del re, l'arcivescovo Zurlo, ch'era giansenista dell'Archetto. E i cervelli di Napoli. Lei pure andò, con un piccolo crespo nero al cappello, si commosse.

Periodo brutto anche per gli studi. Vincenzo le aveva procurato le *Lezioni di commercio* di Genovesi, Giordano il *Contratto sociale* di Rousseau: giacevano, intonsi, nello scaffale.

Nemmeno comporre le riusciva. Forse anche perché sentiva dentro mutamenti gravi, profondi. Come si può perdere la fede, Lenòr? domandava a se stessa, con angoscia d'incamminarsi per vie ignote, senza più appoggio o protezione. E le si rivelava, disumano, il dovere di decidere sola: in deserto di segni ai quali riferirsi, con in più il brulicare dei rimorsi.

Ma non era avvenuto a causa dei libri, né per influenze degli amici. Forse tutto cominciò, nel profondo, dalla scarmigliata sera in Laterano? Oh no. Era sicura di no. Anche a Napoli ne aveva visto, d'innocui riti pagani...

Una volta, a Pasqua, si trovò alla Cesàrea appartata nel sole, tra giardini e conventi. L'aggredirono clamori. A un quadrivio sbucarono figure terrificanti: uomini neri, con cappucci a punta, precedevano un gruppo vociante e sciamannato di lazzari, che reggevano sulle spalle una strana Madonna. Dipinta in bocca e sulle guance, parrucca gialla a buccoli, dominò rosso col guardinfante di broccato. Dietro schiamazzavano donne, altri lazzari, preti, animali, ragazzi.

I portatori presero a dondolare, fissando avanti come cercassero qualcuno.

«Non ce sta! Jammoncénne, non ce sta!» gridarono. Incappucciati, statua, codazzo presero la corsa, infilandosi per un vicolo in salita. Da un altro vicolo sbucò nuovo corteo. Inalberava la statua d'un barbuto, zimarra rossa e polpe bianche, dietro la nuca imparruccata il cerchio d'un'aureola.

«San Giova', jammoncénne! La Madonna non ce sta» strillarono e sparirono. Sbalordita, vide arrivare un terzo corteo, con un Cristo conciato in maniera inverosimile. Al piagato torace un giustacuore ricamato in oro, sulla testa coronata di spine un berretto scarlatto. La folla vociava indicazioni.

«Signo', la Madonna e san Giovanni te so' venuti a trova'.»

«E addo' so' gghiute?» gridò un prete grasso, in cotta bianca.

«Da llà, da ccà...»

Anche Gesù se ne andò. Dopo un istante ricomparvero, quasi contemporaneamente, i trafelati cortei di san Giovanni e Madonna.

Uno spettacolo straordinario. I portatori movevano le statue come se queste discutessero fra loro; due preti fornivano la voce, quello della Madonna la faceva sottilissima: «San Giova', l'hai trovato lo figlio mio?».

Il pubblico partecipava, quasi tutto fosse vero.

«Se n'è gghiuto da llà. Pe' lo vico de le Nocelle!» strillò un giovane in berretto a calza verde. Le statue s'avviarono. Ma Gesù si divertiva a far disperare sua madre e san Giovanni, perché ricomparve da un'altra parte. Però san Giovanni, di sorpresa, fra il delirio della folla, tornò indietro, lo incastrò nello slargo.

«Ah, qua stai! Màmmete sta in pena per te e tu te ne vai fujenno.» «Ma io pure la cerco» dialogavano i preti. «Allora jammola a piglia'.»

Le schiere sparirono nei vicoli. La gente si torceva nell'ansia, non gridava più, bisbigliava. D'un tratto l'epilogo felice: i tre cortei comparvero tutti assieme, provenendo da tre vicoli diversi, le statue si toccarono, in lacrimante tripudio.

Sbigottita, vide uno dei preti issarsi alla Madonna, spinto da cento mani, sollevare la gonna di Maria. Squittio, battere d'ali come scariche di fucileria: un volo schizzò dalla sottana della Vergine, scontrò gli stormi sprigionati dalla zimarra di san Giovanni, dal giustacuore di Gesù.

La gente urlava, piangeva. Vide un signore accanto a lei sorridere, un lazzaro enorme contrasse il volto lacrimoso.

«Se ridi 'nfaccia a la Madonna, io te 'mparo a chiagnere» disse. Una molletta gli brillò nel pugno.

Una volta sfilò per Toledo un corteo con un uomo appeso ad un'enorme croce, rosso, gonfio per dolore e sforzo. Lo seguivano Madonne e Maddalene che si strappavano capelli, vesti, mostrando le carni, poi un corteggio spaventevole di ciechi, zoppi, storpi. Monchi su tavole a rotelle arrancavano, spingendosi con le mani in zoccoli di legno. La processione arrivò al Largo di Palazzo, il re e la regina, chiamati da un impressionante concerto di mugolii, urla dolorose, litanie, uscirono sul balcone, s'inginocchiarono a lungo. Poi gettarono manciate di monete, provocando l'inferno.

Feste si celebravano sotto i tabernacoli sistemati da padre Rocco, predicatori urlavano dovunque. Ne vide uno spaccare la sua grossa croce di legno sulla testa d'uno spettatore distrattosi a guardare una ragazza. E le strabilianti mostre dei casadduogli per sant'Antonio! A Santa Teresella s'esponevano un sant'Antonio e una santa Chiara con teste e mani di legno, corpi di formaggi e prosciutti. Il petto di santa Chiara provoloni, la collana salsicce, gli orecchini taralli. Lazzari e pezzenti inebetiti salivavano.

«Io me strafocasse la panza de sant'Antonio.»

«Io le zizze de la mogliera.»

Aveva sentito parlare del miracolo di san Gennaro, dei mille altri che avvenivano in certe chiese nascoste, dei misteriosi riti nelle Fontanelle, al Purgatorio ad Arco... Ma non era per questo.

S'era proprio spezzato qualcosa dentro, non avrebbe saputo dire in qual momento, né perché. Come quando finisce un amore, ti pare impossibile esser stato così fuori del senno.

La ragione faceva la sua parte. Se Dio può tutto, perché non ferma il male, il dolore, la morte? E se non può, è ancora Dio? Per qualche tempo l'era piaciuta un'idea strana. Che Dio fosse una povera, volenterosa forza del bene, la quale faceva del proprio meglio per contrastare quella proterva del male, ma spesso ne veniva sconfitta. Le pareva che Dio, così, acquistasse aspetto più caro, più umano: vero padre, fratello, amico, anche se non più onnipotente. Confortava lo stesso, perché sapevi che, se avesse potuto, avrebbe fatto. Con tutto il cuore.

Questo Dio impoverito aveva sempre la faccia dolce, un po' triste, di Gesù. La terribile figura canuta, estranea, in cui prima l'aveva immaginato, svaniva pei cieli senza tempo dei pittori e dei preti.

In definitiva, che senso aveva tutto? Niente. Forse esisteva davvero soltanto quel che capirono gli antichi: il Fato, il destino, al quale Giove si doveva inchinare, contro il quale non si poteva far nulla, perché tutto era scritto.

Avevano ragione i Napoletani, che dai Greci antichi discendevano, quando, di fronte alla sventura, al dolore, borbottavano rassegnati: «Accossì adda ì», ben sapendo che nessuno, nulla modificano il corso delle cose. E che però niente al mondo dura un'eternità. Ogni fenomeno deve per forza generarne un altro, che gli somiglia perché è figlio, ma è pure diversissimo. Così dopo la pioggia viene il sereno, dopo il brutto il bello. Se non ci fossero dolore, brutto, pioggia, come gusteresti il contrario? Tu aspetta e ciò che deve avvenire avverrà. Se agisci per cambiarlo o evitarlo, vuol dire che doveva andare in questa "nuova" direzione. Il destino non puoi mai farlo fesso.

2

Sospirò, allargando le braccia. Provò a darsi frustate. Così non è morale, si giustifica tutto! Si dà ragione a Leibnitz che un mondo diverso, migliore dell'esistente, non può darsi. E la miseria? Le ingiustizie, la tirannia, la morte?

«Non lo so. Non lo so» concluse triste, vuota.

D'istinto ricorse all'unico sostegno. Volle scrivere, progettare: un sonetto, una cosa qualsiasi. Soltanto fare ciò le dava un senso, quelle cose stavano in cima ai suoi pensieri, solo in esse trovava piacere, speranza, aiuto. Senza, era nulla. Peggio che morta: insignificante.

Religione anche questa? Si strinse nelle spalle. Così facciamo tutti. A quanto pare, senza una religione non si può proprio andare avanti.

Si diresse in cucina, verso un'altra piccola cosa religiosa che le dava soddisfazione, sicurezza, come tutti i riti. Riattizzò la brace, si preparò il caffè. L'odore che gonfiò dal becco della caffettiera snebbiò l'anima ingrigita. Gustò il caffè caldo, denso, ingolosito dalla schiuma.

Rintracciò un'altra golosità sottile, un poco riprovevole: scrivere a Metastasio. Dalla penna le uscì tanta civetteria che Pietro si sarebbe contorto. Scrisse che voleva raggiungere Vienna, magari a cavallo, sebbene la gonna potesse rappresentare un impaccio. Esisteva una metafora, in questa storia della gonna?, si chiese, rileggendo.

Quando migliorò il tempo, ritornò dai Cassano. Rèfole violente strascinavano per il cielo le nuvole, aprendo squarci azzurri che si riflettevano sul mare, nel cuore della gente. I servitori tenevano accesi giganteschi bracieri d'ottone, cinti da predelle in legno levigato. Vi buttavano polveri odorose, scorzette d'arancio. Alitava profumo caldo d'agrumi e vaniglia.

Mancavano in molti e c'era un po' di stanca. Pagano raccontava della tragedia che intendeva scrivere, tanto per cambiare, su argomento greco, gli *Esuli tebani*. Ma appariva distratto, inquieto: Chiara Pignatelli si faceva aspettare. Jeròcades giocava a scacchi con un vecchietto. Era palesemente arrabbiato, non la guardava neppure.

Le signore pettegolavano stentate. Niente fatti nuovi, eccetto la seconda gravidanza della regina. Mariangela Carafa cercava Sanges che tardava, Angiola Cimino volgeva sguardi azzurri. Che bella donna, lei pensò, avvilita. Chissà a che punto stava con Primicerio.

Costui infine comparve, lei divenne pallida. Cercò sostegno. C'era Pagano a due passi, gli chiese come andassero le cause.

«Uno schifo» rise lui. «E dicono che Napoli è paradiso per i legulei!»

«Potete sempre sperare in un appannaggio del re» sorrise, per provocarlo.

«Zitta voi, che ormai a Corte ci siete arrivata. Prima o poi voi sì che l'avrete, l'appannaggio.»

«Magari» sospirò. «Almeno eviterei di farmi cedere a un marito qualunque.»

«Quand'è così, ben venga l'appannaggio. Ma poi cercate di non vendervi al re, che è ancora peggio. Un marito si può tradire...»

«Anche il re, se si comporta male» fece, con dispetto; Primicerio e la Cimino frascheggiavano forte. Pagano sollevò un sopracciglio, chiese, stupito: «Non mi direte che state diventando estremista. Pure voi volete la Repubblica?».

«Ma no. Ho detto: se si comporta male. Per ora...»

S'accorse che lei parlava, ma aveva altrove occhi e pensiero. Seguì lo sguardo, giunse a Primicerio. Sorrise.

«Ah! Venite» esclamò, cingendole le spalle. «Desidero presentarvi un amico. È poeta, insegna, scrive per il teatro. Ama la musica, le donne intelligenti: Luigi Primicerio.»

Fu così che fecero conoscenza.

3

«Stamattina andiamo a trovare Bonito nello studio al Vomero» decise Luigi, col suo fare sbrigativo. Annuì, in silenzio.

Era ancora spenta dopo il litigio dei giorni precedenti, l'ennesimo. Più che mai scontenta con se stessa, stracciata dalle contraddizioni: com'erano riusciti a tirare avanti per un anno? Faceva proprio un anno da quando, dopo la presentazione di Pagano, s'erano messi insieme.

Perché Luigi l'aveva sopportata tanto a lungo? Scrollò la testa. Lo seguì, obbediente, sulla vettura di piazza, accomodandosi al suo fianco.

«A la 'Nfrascata» ordinò lui, allungando le gambe sotto il sedile davanti. Si mise a fumare, senza guardarla.

L'amore è malvagio. Non esiste nulla al mondo, né malattia né morte, che valga a dare sofferenze così angosciose. S'era un po' assuefatta, ma nei primi tempi... Notti trascorse a logorarsi, cercando colpe, fustigando se stessa, insultando e giustificando lui.

Corrugò la fronte, mentre la carrozza passava nel solito fragore di Toledo. Con una mano scacciò il fumo che le veniva addosso.

«Scusa» disse lui, sgarbato. Buttò il sigaretto dal finestrino, tre o quattro lazzari s'accapigliarono per prenderlo.

Luigi ebbe uno scatto. Si volse, brusco, le strinse un braccio.

«Senti, Lenòr. Per l'ultima volta, te ne prego. È meglio che parliamo, tiriamo fuori tutto. Tutto tutto.»

Diceva spesso così, nei momenti difficili. Lei s'irrigidì. No, no e poi no. S'opponeva come bambina irragionevole a difendere l'intimo: non intendeva farsi denudare fin lì. Ed era stanca.

«Non c'è più niente da dire» mormorò. Lo vide tendere i muscoli del viso, in sforzo per restare calmo.

Si girò dal finestrino, ma non vedeva. Provava voglia di cattiveria, punizioni, libertà.

Luigi aveva ragione. Lei restava non adulta, immatura, piena d'incoerenze irrisolte. Assolutamente incapace di ciò che ognuno faceva, senza tante storie: lasciarsi andare, decidere lietamente di sé. L'aveva fatto morire, certe volte. Ormai era un anno: un anno è lungo, molti mesi, molti giorni, molte sere, molte occasioni d'abbandono.

Mentre la vettura andava per lo Spirito Santo, ripensò all'inizio. Due settimane dopo il primo incontro.

Stavano in Santa Teresella a notte tarda, lui l'accompagnava a casa. Il vicolo ronfava negli odori grassi della notte, inazzurrato di luna, Luigi l'aveva attratta a sé. Era stata lì, gli occhi chiusi, avvolta da tepore sereno, grande, sicuro. Mai aveva provato in vita sua sensazione così bella: da bimba e donna insieme. Lui aveva mormorato: «Lenòr» e basta. Ma non era necessario parlare, poi l'aveva baciata sulla bocca. Niente a che vedere con le ridicole scene immaginate: un bacio lento, asciutto, labbra e labbra. Era stata lei, senza volerlo, a schiudere un po' le proprie, sino ad accogliere il labbro superiore di lui.

Niente più era successo, dopo. Sì, aveva avvertito, contro il ventre istintivamente proteso, l'indurirsi di lui. Ma Luigi le sorrideva, nel suo modo strano, tutto a lato, bocca un po' dolente.

La ribaciò, disse: «Buonanotte, Lenòr. Domattina passo a prendervi».

Meu Deus, perché non era andata avanti sempre in questo modo?

S'erano rivisti ogni giorno, di mattina, nel pomeriggio. Lui allegramente comunicava: «Oggi salto la lezione di rettorica, la faccio fare a Gaudiosi». «Tre giorni di libertà: mi son dato ammalato», e se ne andavano in giro, nella città che si risvegliava alla primavera imminente. Parlavano, parlavano, allora sì che parlavano: di libri, versi, sogni, di speranze.

Stordimento favoloso: mai aveva incontrato qualcuno con cui potesse aprirsi tanto, senza vergogne, senza ombrosità.

Le pareva di vivere in dimensione diversissima da quella della vita comune: preziosa, delicata, quanto l'altra banale, volgare. S'arricchiva, cresceva. Luigi aveva molti interessi: gli piacevano musica, pittura, talvolta provava a comporre o dipingere, ma affermava, con lealtà: «Solo per diletto. So l'arte che significa».

Anche delle poesie diceva: «Le faccio per la gente. Ma di qui al dirmi poeta...».

Lei le trovava più belle delle proprie. Metastasio v'era appena reminiscenza musicale, i contenuti maschi, privi d'allegorie forzate.

«Non sono belle» ripeteva Luigi. «Belle sono le poesie di

Young, di Ossian. Ma noi non potremo mai scrivere roba come quella: siamo fradici di classicismo, gesuitismo, Arcadia.»

La prima sera che s'abbandonarono fu terribile. Erano andati alla Rotonda di Santa Lucia, dove scintillavano le porcellane bianche nei caffè, i vetri sfaccettati ai ristoranti, sotto i lampioncini veneziani. Avevano mangiato cozze al pepe e limone, vongole saltate, bevuto vino, poi, come altre coppie, scesero alle banchine vecchie della Marinella. Luigi trovò un posto appartato, dietro una baracca. Sull'acqua nera scivolavano barche illuminate, in fondo palpitava il sangue vesuviano.

La strinse, la baciò, stavolta da mozzarle il fiato: le ingombrò la bocca con la lingua. Denudò il seno, che dondolò bianco e grande nel buio. Lo reggeva nelle palme aperte, ne stringeva i capezzoli. Poi lei intravide l'ombra violacea che emergeva dal ventre di lui, la fissò come incantata, incapace di muoversi. Era lui che faceva tutto. Ne sentì le mani alle cosce, dove finivano le calze di seta, seguì lo sciogliersi affannoso dei cordoni. Provò freddo al ventre. Poi la stretta al sesso, umido e caldo, lui si levò, ansimante, minaccioso. Fu allora che qualcosa le scattò dentro, cancellando ogni piacere, piombandola in vergognosa angoscia.

«No. Ah no! Não! Deixe-me, lasciami!» ansò. Lo spinse, serrò più che poteva le cosce, che lui invano forzava con le mani. Infine si mise a piangere, a dirotto.

Lui fu stranamente dolce e sgarbato. Le aveva rificcato i seni nel corsetto, s'era rassettato, dicendo: «Non devi aver paura. L'amore non esiste senza questo».

Sì, sì. Era vero, lo pensava lei pure. Ma non poteva farci niente se aveva provato terrore. Come precipitare in un baratro, brulicante di colpe spaventose.

Questa, forse, la cosa intollerabile, non l'attimo dell'abbandono cui il sesso gonfio, intriso, era disposto. Il sudicio senso di peccato che *dopo* le avrebbe avvelenato l'esistenza.

Ma se Luigi fosse stato suo marito? Pian piano i singhiozzi si spensero. Diede un bacio sul dorso della mano di lui. Quella mano bruna, senza peli, solcata da tendini e vene: la faceva un po' pensare all'artiglio d'un falco.

Alla stessa maniera le altre volte, Luigi arrivò al punto di colpirla con uno schiaffo. Inutile.

Invano si diceva che così l'avrebbe perduto. Doveva ringraziare soltanto la curiosa testardaggine che innervosisce gli uomini quando non vincono, li strega. Lui l'aveva detto, un po' per scherzo, un po' sul serio: «Ti prenderò. Anche se tu non vuoi».

«Ma io vorrei, Luigi...» gli aveva pianto sul petto.

«E allora che diavolo ti succede? Ti faccio schifo? O sarà l'educazione dei preti? Paura dell'Inferno? Parliamone.»

«Non lo so. Se mi vuoi bene, non mi tormentare.»

Una sera lui chiese: «Se fossimo sposati, avresti ancora tanta repulsione?».

Gli sorrise, stringendosi nelle spalle dubbiose.

«Lo sai che non si può» proseguì, brusco. «Che ho una moglie e due figli in qualche parte.»

A volte urlava: «Ma se volevi rimanere vergine te ne andavi in convento! Non puoi pretendere che faccia san Luigi Gonzaga!».

Le voleva bene, nonostante tutto. Talora rideva, scuotendo il capo: «Meriteresti un monumento! Sei incredibile, fra tutte queste zoccole! Di questi tempi. A Napoli!».

Tornava a prelevarla, la portava ai "Nuovi Febi Armonici" dal duca di Maddaloni, dove davvero si faceva musica.

«Altro che quel trombone di Paisiello!» diceva. Gentiluomini compiti, tutti in bianco, eseguivano divinamente con archi e clavicembali le aristocratiche musiche di Domenico Scarlatti, di Haydn.

La conduceva in certe cantine degli Incurabili, al Pendino, dove incontrava amici pittori, poeti, che lo prendevano in giro con affetto.

«Fai il doppio gioco» dicevano. «Un piede qua, uno nei salotti.»

«Devo arrivare all'Università» rispondeva burbero. «Se non m'arruffiano chi può, non ci arrivo mai.»

«Va', che alla fine arrivi a Corte!»

«E di' di no! Perché mai i ducati del re se l'hanna mangia' li fessi e le puttane?»

All'altezza della caserma di cavalleria Luigi licenziò la carrozza. Aria di campagna aperta. S'inoltrava fra piante un tortuoso sentiero, uomini reggevano alle briglie grassi muli grigi, bardati con coperte rosse, selle tintinnanti di sonagliere.

Lei ebbe un po' paura, ma il mulo andava piano, il mulattiere guidava alla cavezza. Salirono al villaggio, procedendo fra giardini ed orti, traversavano casali popolati da ragazzi, galline, maiali, cani. Odore di letame, verdura, paglia.

Man mano si scopriva il paesaggio oltre le piante: tutto il golfo, celeste, da Posillipo a Sorrento. In altre circostanze sarebbe stata felice, adesso accompagnava il dondolio dell'animale con sbiadite intermittenze del cuore, della mente. Pensieri stinti, appena abbozzati, che svanivano prima di prender corpo.

Il villaggio del Vomero era abbastanza grande: case non molto alte, piazzette con fontane, qualche villa.

Bonito aveva studio in una vecchia casa colonica, accesa da gerani rossi, eliocrisi. Dentro era moderna: pavimenti di marmo chiaro, tapisseries celesti a fili d'oro, mobili di valore. Lo studio bianco, zeppo di tele vergini, pennelli, copie in gesso di statue mutilate. Sul cavalletto un abbozzo: Colombina, pomelli scarlatti, labbra ciliegia, ballava scrollando tamburelli; accanto a lei un funereo Pulcinella bianco e nero agitava le pieghe del camicione troppo largo.

Bonito si pulì le mani in uno straccio, venne loro incontro. Radi capelli bianchi un po' sporchi gli spiovevano dalla nuca. Era magro, pallido, l'aria scontenta d'uomo senza qualità, eppure figurava tra i pittori di Corte.

«Tutta fetenzia» diceva, a ogni quadro che mostrava su richiesta di Luigi. «A Napoli nessuno sa più pittare. Da cent'anni.»

«Ma tu sì. Pure l'abate Ciccio.»

«Siamo tutti 'na chiavica. Invece di colori mettiamo sciacquatura sulla tela. Dopo Caravaggio e Micco Spadaro, la pittura qua è morta.»

Finalmente uscirono. Una strada in discesa, fra campi d'insalata e finocchi. Poche case intorno una chiesetta gialla: Antignano. Giravano animali e pacchiane, che reggevano in testa balle d'erba.

«Vuoi mangiare? Hai fame? Io sì» disse Primicerio. La guidò a una tavernella segnata da una frasca. Una gran pergola, tavoli con panche, alcuni già occupati.

«Don Luigi, vi faccio la zuppa di fave, carcioffole, piselli» propose alacremente il giovane cantiniere accorso. «Poi, se li volete, due conigli alla procidana. Vi porto lo perettiello annevato?»

«No, Vosti'. 'Na giarra d'acqua.»

Sperava d'allontanare i ghiribizzi, ma lei s'accorse d'ardori che gli passavano per gli occhi. Si rassettò lo scollo, abbozzò chiacchiere diversive.

«È vero che in America, a Boston, gl'Inglesi han massacrato i coloni?»

«Non lo so. Chi te l'ha detto?»

«L'ho letto su un "Mercure", da Coppola.»

«Finiranno in guerra, se non gli daranno libertà.»

Mentre mangiava quella roba buonissima, avvertiva il viso avvampaɾsi. Luigi, fronte corrugata, le fissava occhi, labbra, che lei sentiva un po' unte, solco in mezzo al petto.

Azzardò, a fatica: «Ho anche letto che la Dubarry ha fatto scacciare il ministro Choiseul».

«Quella zoccola tiene in mano la Francia come tiene...»

Luigi s'interruppe. Respirò forte. Di scatto le posò sul braccio nudo una mano bollente.

«Ieri ho scritto un sonetto nuovo» lei balbettò. Lui batté un pugno sulla tavola, senza curarsi della gente intorno urlò: «Va' all'inferno. Con quello schifo di poesie che fai».

4

E finì veramente. I muli scendevano piano, una zampa dietro l'altra, come andassero a un'esequie. Così lei pensava, raccolta in sella, occhi chiusi. Non vedeva l'ora d'arrivare giù, nella città rumorosa ma familiare.

Ebbe émpito di rabbia. Saettò sguardi di disgusto verso Primicerio, i mulattieri, le persone in giro: le parevano tutti laidi, cattivi, dediti avidamente a ogni oscenità. Sì, anche in lei s'erano accesi i fuochi. Ma per attimi, in circostanze speciali: se non vi fossero mai stati, se non dovessero esservene più, la sua vita avrebbe avuto ugualmente significato.

Per settimane stette in casa. Non intendeva uscire né vedere nessuno, persino a Vincenzo fece dire di sentirsi male.

L'assalivano vampe al viso, al torace, tremava da battere i denti. Si facevano strada dalle viscere gonfiori di pianto, orribili sensazioni di soffocamento.

Mamãe chiamava a raccolta le povere forze. Pallidissima, mano al petto, si trascinava per bussarle all'uscio.

«Lenòr. Meu Deus, Lenòr. Cos'hai? Aprimi, per favore.»

In quei momenti la detestava, poiché la costringeva a schiacciarsi in gola i "Deixe-me você tambèm! Lasciami anche tu!", a muoversi dal letto, a fingere salute.

Ma come poteva fermare mani e labbra che tremavano per loro conto? Il cuore che batteva? Mamãe la guardava spaurita, facendole montare colpe. Perché non la lasciavano in pace? Vovó voleva parlarne con titìo, chiamare il medico.

«Não, ah não. Lasciatemi! Non voglio nulla.»

Anche questo finì. Non avrebbe saputo dire per qual motivo e come.

Era ormai venuta l'estate, coi vapori e l'afa, ma anche con i venti del mare. Una mattina si destò con voglia d'andare in barca. Come quella volta, con Vincenzo, per volare sul mare azzurro, verso il misterioso silenzio di Trentaremi.

Si vestì, fu contenta perché mamãe sembrava lievemente rosata, meno smunta. Anche vovó stava meglio coi dolori. Dal vicolo giungevano rumori vivi, canti.

Chissà dov'era, Vincenzo. Sentì rimorso per averlo scacciato. Certo se ne stava con la sua Mariangela, forse proprio in barca, a Posillipo. Non avevano problemi, quei due. E lei che ne sapeva? Si strinse nelle spalle. Corse finalmente ad aprire il pacchetto della posta che giaceva, sigillato, sul trumeau.

Una lettera di Saccenti da Lucca, un biglietto di Fortis, un avviso di Coppola che dichiarava aperte le sottoscrizioni per l'*Encyclopédie* di D'Alembert e Diderot, in trenta volumi, una lettera da Vienna, vecchia di tre mesi. Metastasio rispondeva alla missiva della gonna bamboleggiando, ma allarmato. Strano come ora riuscisse a vederlo ridicolo. Provò compatimento per il vecchio infreddolito, lontano, ma proprio lui aveva destato le immagini impietose. «Perché dovreste correre dal tepido Sebeto all'agghiacciante Danubio solo per esaminar da vicino una misera anticaglia romana che casualmente vi si ritrova?»

Ai primi di settembre, quando molti rientravano dalla villeggiatura, trovò la forza di tornare dai Cassano. Vincenzo era libero lui pure, fu lieto di vederla.

«Sei guarita, Lenòr, non è vero?» domandò, calcando le parole.

Sorridendo rispose: «Sì. E tu?».

«Ah, ma io non sono mai stato ammalato.»

«Non è vero, bugiardo. Tu stesso avevi detto ch'era una cosa seria.»

«Lo è stata, e come. Fin quando è durata. Nessuno fu più sincero di noi due, in quel periodo.»

«E allora, perché è finita?»

«Perché mai sarebbe dovuta durare per l'eternità? Anche gli Dei dell'Olimpo non riuscivano a durare.»

«Ma noi siamo mortali» osservò, con serietà improvvisa. «Abbiamo necessità di credere che qualcosa di noi persista.»

«Forse» rispose lui, incupendosi un poco. «Ma bisognerebbe esser molto forti. E nobili di cuore. Non è da tutti.»

Proseguì, ostinata: «Se ti vengon meno convinzioni immortali, come puoi continuare a vivere?».

«Ah!» esclamò lui, stizzosamente allegro. «Qualche cosa da considerare eterna la si trova sempre. E, se proprio non trovi nulla, rimane la politica.»

Col passare dei giorni si rividero gli amici: Pagano, Belforte, Jeròcades, Paisiello. Tornò un paio di volte Cirillo, adesso ch'era medico di Corte aveva poco tempo. Ricomparve Giordano (cominciava le prime cause, roba da bassifondi, in uno studio al Pendino), più scontento che mai. Presenti quasi tutte le signore, tranne Chiara Pignatelli, che ormai viveva a Palazzo, e la Cimino, ancora in villa. Magari Primicerio era da lei.

"Che me ne importa" dichiarò a se stessa, scrollando le spalle.

Una sera scoppiò una bomba. Comparve Chiara di Belmonte, bellissima e infuriata, Pagano imbiancò come un foglio di carta.

«Mon Dieu, ma chère! À la bonne heure!» gridò Maddalena Serra, gettandole le braccia al collo. Tutte si fecero attorno gorgheggiando. Lei cercava di trattenersi, ma esplose: «Incroyable! Incredibile quel che succede in questo Regno! Son sicura che non mi crederete».

«A te crediamo sempre» sorrise Giulia Carafa. «Ma non farci morire, Chiaretta.»

La voce s'era sparsa, nel salotto delle dame accorsero tutti. Sfolgorante, Chiara informò che dalla sera prima non era più istitutrice della regina di Napoli.

«L'ordine l'ha dato lei stessa. Su istigazione della San Marco. Vanno troppo d'accordo, quelle due!» proseguì, con disprezzo. «Le jour et la nuit. Elles s'aiment beaucoup. Sapete con qual pretesto ufficiale Maria Carolina mi manda via dalla Corte?»

«Ah, pour des raisons politiques, sans doute» sorrise Maddalena Serra.

«Mais non. Perché io avrei civettato col re. Vous comprenez?»

«Non ci sarebbe stato nulla di tanto grave» obiettò la ragazzina che un tempo piaceva a Giordano, Chiara s'incendiò.

«Moi! Avec le roi Ferdinand? Il me dégoûte d'ailleurs!»

Pagano passò dalla tensione al sorriso. Molti risero.

«Avrai comunque fatto in tempo ad approfondire i segretucci di Corte. Non è vero, tesoro?» chiese Giulia Carafa.

La Pignatelli parve infastidita, ma sorrise, con cortese eleganza.

«Se è per questo...» disse. «Posso fare come Sheherazade: raccontare una storia ogni sera e ne avrò almeno per un anno.»

«Eh bien! Quelle aimable Sheherazade nous avons ici!» proruppe Belforte, col suo orrendo accento. Chiara lo guardò appena.

«I problemi gravi sono altri» osservò, seria. «Quest'austriaca è tremenda. Furba, avida di comando. State attenti a cosa vi predico: farà fuori anche Tanucci. Ha eliminato più Napoletani che può, la Corte è piena d'Austriaci. Sapete chi prenderà il mio posto?»

«Madame de San Marco, bien sûr.»

«Mais non!» s'irritò Chiara. «L'Ottaviani il posto l'ha dentro il letto di Maria Carolina.»

Mormorio robusto, Chiara proseguì, seccamente: «La nuova istitutrice è la contessa di Fremdel».

«Bon, ce n'est pas notre amie, mais c'est une dame aux idées modernes. Amie des Filangieri.»

«Se è per questo,» intervenne Giulia Carafa «dicono sia già pronto il suo matrimonio con Gaetano.»

«Vuol dire che pure i Filangieri sono entrati in Massoneria» concluse, ironica, Chiara. «La Corte è zeppa di tal gente. E Maria Carolina guadagna. C'è un andirivieni di banchieri massoni, a Palazzo...»

«Questo poi no, signora. Non posso permettervelo» intervenne con aria truce Jeròcades, ch'era stato ad ascoltare sempre più aggrondato. «Non potete parlare così di Sua Maestà la regina. Tanto meno della Società dei liberi fratelli muratori.»

Chiara lo guardò con alterigia.

«Io parlo di quel che so e che vedo, come mi pare e piace, senza dover chiedere il permesso a nessuno. Tanto meno a voi, abate.»

Pagano fece il viso dell'armi. Affrontò furiosamente Jeròcades.

«Taci tu! Non sai niente di certi imbrogli all'ombra del triangolo!»

Ci volle l'intervento di tutti per sedare il principio di rissa. Jeròcades sbatté i pugni per aria. Se ne andò a passi concitati, gridando in calabrese: «N'avita a pagari tutti, 'nu juornu. 'Nu juornu chiangiarriti».

Maddalena chiamò per i gelati, il caffè, i datteri di Tunisi ch'erano di moda, la calma tornò pian piano.

Si continuò a parlare degli Austriaci a Corte. «Ha chiamato la pittrice Kauffmann, pure Bonito sloggia.» «Verrà un generale di suo padre a comandare l'esercito.» «Intanto è giunto il teologo Münster.» «Allora se ne va padre Caracciolo.» «No, quello è furbo. È massone da un pezzo.» «Don Luigi Medici Ottaviani farà una carriera vertiginosa.» «Ormai lui corre con le gambe della sorella.» «Avec les jambes de sa soeur? Avec le con de la marquise de San Marco!»

Quest'ultima battuta fece ridere tutti. Qualcuno sfoggiò cultura, proclamando: «Oui, le bijou indiscret!».

Pagano teneva gli occhi fissi su Chiara, la quale appariva infelice, assente.

5

«Non restare qui. Vieni. Bisogna ti faccia forza. Che riprenda a vivere. So ch'è stato durissimo, ma non puoi andare avanti così.»

Vincenzo era sinceramente addolorato, posò una mano sul suo braccio.

«Vieni via di qua» ripeté, indicando le stanze quasi buie. Nessuno si prendeva più cura d'aprire le impannate, dopo la morte di mamãe.

Vovó trascorreva la giornata nell'appartamento Lopez, con i suoi sventurati. Papài si tratteneva a Roma per periodi sempre più lunghi, tio Antonio veniva quando poteva. Le aveva depositato su un Banco la piccola somma ereditata dalla disponibile: ogni due mesi portava gli interessi.

Era rimasta sola. Doveva provvedere a tutto: ripulire la casa, uscire per la spesa, cucinarsi, lavare, rammendare. Meno male che non c'era più molta roba. Mamãe aveva voluto lasciarle il baule con la biancheria, le sei posate d'argento, il lavamani e la brocca di rame, la coperta di damasco cremisi, il materasso. Tutto il resto venduto, compreso il gran letto d'ottone. La casa era rimasta quasi vuota, smisuratamente infelice. E tanfosa di chiuso, di sporco.

Non aveva voglia né forza di pulire. Qualche volta ci aveva provato, gettando in terra secchiate d'acqua che poi spargeva con uno straccio. Dopo fatica immane, sudata e bagnata, s'accorgeva che il pavimento restava a macchie sudice, peggio di prima. E poi, andar su e giù alla fontana nel cortile, ridiscendere a rovesciare i secchi sporchi nel fognolo, cucinare, cucire... Nessuno le aveva mai insegnato, né lei per tali cose aveva provato interesse. Forse una donna dovrebbe riuscirvi per istinto. Lei, evidentemente, non ne aveva: perché le cuciture risultavano sbilenche, maldestre, in cucina sapeva preparare il caffè, scaldarsi il latte, far bollire un uovo.

Era diventata smunta, pallida, coi capelli opachi. Solo il gran petto non aveva perso volume, anzi sporgeva odioso dalla figura dimagrita.

Spesso le capitava che mani e braccia riprendessero a tremare, in modo logorante. Gli occhi s'infiammavano. Ed ora Sanges voleva si facesse forza, uscisse, tornasse fra gli amici, per chiudere, nel conforto del loro affetto, quell'orribile 1771.

«Non puoi restare qui da sola, stasera. Questa notte. Già hai trascorso il Natale così.»

Erano cari, le volevano bene. Nella casa infelice, in cui alitava l'odore dolcigno della morte, eran venuti quasi tutti. Cirillo non l'aveva lasciata nei tre giorni che precedettero la fine di mamãe. La sera del primo attacco avevano mandato Minichiello a chiamarla dai Cassano, Cirillo corse con lei, il bel viso sinceramente rattristato. Organizzò cure, assistenza.

Anche "dopo" si prodigarono. Maddalena l'abbracciò dicendo: «Venite a starvene con noi per qualche tempo», Belforte pianse. Vincenzo l'accompagnava come un'ombra, forse temendo qualche gesto terribile.

Un giorno tornò Cirillo. Le prese le mani, guardandola negli occhi.

«Non dovete far così» le disse. «V'ammalerete seriamente. Allora sarà difficile curarvi. Intanto dovreste alimentarvi meglio. Siete diventata anemica. Ascoltate Sanges, tornate fra gli amici: avete dovere di riguardarvi.»

Dovere... Per chi? Aveva trascorso i primi giorni in stordimento immobile, su una sedia o sul letto, mentre sensazioni, immagini, turbinavano.

Il volto di cera sudaticcia che mamãe assunse a sera, bucato dalle occhiaie. L'odore delle candele. Nessuno aveva avuto forza o idea di smoccolare i ceri, che man mano si trasformavano in colaticci fumosi, maleolenti, gettando sempre più la camera nel buio.

Quasi non si vedevano più le facce: quella spiegazzata di papài, stretta fra i pugni, quella attonita di titìo, il volto scorzoso di vovó, i visi infantili, nonostante le uniformi militari, dei ragazzi. Barlumi rossastri guizzarono, cedendo a greve notte: fu tio Antonio a levarsi, cercare candele nuove, accenderle.

Nel volto di mamãe spirata sembianze ignote di ferma, protettiva dolcezza. Imparò allora che la natura autentica, segreta, d'un essere umano gli affiora in viso solo dopo morto.

Aveva pensato molto, cercato libri. Tante cose banali, sempre le stesse. Forse aveva ragione il signor di Voltaire, quando diceva: «Oh uomo! Dio ti ha dotato dell'intelletto perché tu possa ben governarti e non affinché tu possa penetrare nell'essenza delle cose ch'egli ha creato». Ma lo pensavano anche Gassendi, Locke: l'unica conclusione possibile.

Quale certezza che mamãe l'avrebbe attesa nei giardini del cielo? Mamãe non ci sarebbe stata mai più lì, in giro per la casa, ad assicurare l'indispensabile ritmo della vita. MAI PIÙ. Questo era un fatto.

Un altro fatto, l'importanza di quelle cose piccole, sciocche, fastidiose, senza le quali, però, è assai difficile esistere. Ora si domandava se avessero più valore libri, studi, versi o l'opera nascosta, umile, serva, d'una donna che distrugge sporcizia, disordine, programma nutrimenti e benessere, assicura che domani si potrà vivere ancora. Questo aveva fatto mamãe: adesso se n'accorgeva, provando rimorsi, pochezza.

Pian piano, tuttavia, un altro sentimento si fece strada in lei, dolceamaro. Dalla perdita immensa stava nascendole un guadagno: doveva interrogarsi, riflettere bene sulla propria vita, senza riferirsi soltanto alla cultura, al successo, bensì, e molto, alle cose reali. Ai problemi della vita vera, col loro volto brusco e saggio. Avrebbe dovuto pensare seriamente a sposarsi: per nutrirsi, disporre d'un alloggio. Le contraddizioni psicologiche e sessuali sarebbero dovute scomparire, il corpo si trasformava in merce per lo scambio. E se doveva vivere da sola, del suo lavoro, tanto più occorreva farsi decisa, senza scrupoli.

Ma come avrebbe potuto? Con rabbia smantellava se stessa, si frugava, nella ricerca della misteriosa forza che l'impediva d'essere normale, le rendeva l'esistenza difficile. Donde veniva? Cos'era? Religione no. Ormai... Etica, allora? E cosa mai è l'etica? Chi l'ha inventata? Dio? Perché certi la sentono e certi se ne infischiano? Forse è soltanto amore. Amore sviscerato, orribile, di sé, schifosa venerazione del Santo Graal che tu ritieni d'essere. La storia di Narciso: quelli sani, forti, n'escono presto, si guadagnano il mondo. I deboli, i perversi, ne restano infettati per sempre.

Decise di parlarne con Vincenzo. Ripulì la casa; spalancò perché entrasse il vento, cercò di pettinarsi, aggiustarsi. I capelli! Una fatica spazzolarli, ripulirli con ovatta intrisa d'olio al benzoino. E un po' di rosso al viso, gocce di profumo alle orecchie, nella scollatura. Il vestito, sempre quello invernale di velluto viola, chissà quando avrebbe potuto farsene un altro. Mise i gioielli lasciati da mamãe: una collana di perle assai minute, due orecchini d'argento in filigrana, un anello.

Sarebbe stato necessario un pellicciotto, poté soltanto chiedere in prestito lo scialle spagnolo di vovó. Questa si scosse, sulla sedia appiccicata al braciere, la guardò, intorpidita. Tia Michaela, che cuciva attaccata alla finestra, levò gli occhi infelici.

«Meu Deus, Lenòr. Che è successo? Dove vai, così?»

«A passare la notte dai Cassano. Sanges verrà a prendermi. Avrei bisogno d'uno scialle. Quello nero di Spagna, se puoi prestarmelo.»

Vovó la fissava sempre. Mosse la mano a una carezza.

«Povera la mia Lenorzinha» mormorò. «Tienilo. Tienilo tu» aggiunse, mentre tia Michaela lo traeva dal canterano con gesti incolleriti.

6

Come tante altre abitazioni di Napoli, ricche o povere, casa Serra di Cassano era pronta dal mattino per la veglia di Capodanno. Quasi tutti i saloni sgomberati per le danze, a disposizione persino il salottino cinese della vecchissima principessa Armida Carafa di Maddaloni, lei compresa, in quanto nessuno sarebbe mai stato capace di sloggiarla di là. Ma non dava fastidio: era una piccolissima vecchia sepolta dentro un abito cangiante nero e viola, in testa una cuffia spagnola epoca Viceré d'Ossuna. Se ne stava in un angolo, sferruzzando, se qualcuno l'interpellava, biascicava proverbi. Come profezie.

Nel salone coi marmi d'Ercolano, i tavolini per la cena, ognuno a quattro posti, un bel vaso di cristallo zeppo di fiori sulla tovaglia in Fiandra merlettata, posate d'argento massiccio, piatti Capodimonte, bicchieri di Sassonia. Tutto lustro, pulito. Ammirò le parrucche immacolate dei servitori, il cui numero era quasi raddoppiato. In un angolo della sala coi divani ciliegia l'orchestra e il clavicembalo.

Venne abbracciata, salutata, compatita. Aspettò Primicerio, per mettersi alla prova: quando lui giunse, provò un piccolo tuffo. Fu persino capace di sorridergli.

«Lenòr» le borbottò. «Ho saputo. Mi spiace. Ma sono anche contento di vederti. Stai bene. Molto bene.»

«Ti ringrazio.»

Si rinfrancò, le baciò la mano. La Cimino non c'era.

Man mano le sale andavano riempiendosi, il vocio salendo, l'aria riscaldandosi. Scoprì nuove sensazioni, quasi vedesse tutta quella gente da lontano. Un agitarsi di stoffe, colori, gioielli, carni, senza significato né valore, povero esercito di scontenti, ognuno fuggito da qualcosa che procurava tedio, dolore.

Ma lei pure portava a bruciare, nel falò della fittizia allegria, la propria solitudine. Alzò le spalle.

Sorrise a Belforte, fece leggiadri inchini a tanti nuovi amici che le presentarono (il professor Cestari, l'archeologo Mazzocchi...), scherzò con Sanges, ascoltò i pettegolezzi delle dame. Si parlava di tutte e due le sorelline Asburgo, pareva che Maria Antonietta non fosse migliore di Maria Carolina. Saltava da un amante all'altro, però aveva attenuanti: suo marito, il Delfino di Francia, non poteva consumare il matrimonio. Forse arrabbiato per quanto gli avveniva in famiglia, re Luigi aveva sciolto i Parlamenti, provocando putiferio.

«La Francia finisce male» commentavano molti. Giordano dichiarò che il re aveva firmato la propria condanna a morte.

«Se avessi i mezzi per andare in Francia,» gridava «sarei il primo ad accopparlo, quel maiale. Solo così il popolo si scuoterebbe.»

La sera avanzava. Dall'esterno giungevano vampe, botti, suoni, all'interno l'atmosfera s'eccitava tra champagne, asprino annevato, rosoli. L'orchestra accordava, molti sollecitarono le danze.

«Bien!» gridò Maddalena Serra, rossa in volto. Era straordinaria in un vestito all'ultimissima moda parigina, di lanetta bianca, col cantusce stretto, scollatura all'ombelico. «Bien! Vous voulez la ciaccona?»

«Mais non!» gridarono in tanti. I giovani ulularono, pestando i piedi e battendo le mani. «La cracovienne! Nous voulons la cracovienne.»

«Mon Dieu» bofonchiò Giulia Carafa. «Je n'aime pas du tout cette danse vulgaire.»

«Messieurs!» urlò Maddalena, cercando di farsi sentire. «Nous aurons la cracovienne ensuite. Maintenant nous danserons la passacaille. D'accord? Monsieur le duc de Belforte, voulez-vous guider la danse?»

Tra fischi e applausi l'orchestra attaccò le note un po' severe della passacaglia di Buxtehude. Belforte si precipitò, infervorato; col suo grasso vocione napoletano intimò: «Mesdames! Messieurs! La première figure est le salut. Je vous en prie».

«Quel dommage!» mormorò, contristata, una vecchia dama dipinta, in un gruppo d'antichi signori. «Les temps ont irrémédiablement changé. Cette danse incompréhensible à la place du menuet.»

«Madame» esclamò un uomo dall'immensa parrucca ad ali di colombo. «Il minuetto è considerato "aristocrat". Ed essere "aristocrat" non è più di moda.»

Si fecero alcune passacaglie, due tremende cracoviennes, infine contraddanze a volontà. La contraddanza era quella che le piaceva di più. Un ballo come racconto: di garbati corteggiamenti, fra saluti, inchini, passeggiate, infine l'abbraccio nel vortice finale. Il bello era che cambiavi molti cavalieri nel corso della danza: ciò appariva malizioso, sebbene in fine ritrovassi colui col quale avevi incominciato. Piacevoli anche i movimenti degli uomini, il loro punta e tacco, e il garbo delle donne nel reggersi il lembo del bandrié.

Le capitarono due giri di petite-promenade con Primicerio, si sorrisero. Al primo lui sussurrò: «Lenòr. Conservo i tuoi versi scritti per me. E tu hai i miei. Vuoi che te li renda?». «E tu?» «Mi farebbe piacere.»

Al secondo giro lei disse: «Sarebbe meglio li bruciassimo, io l'ho fatto. I posteri non dovranno sapere. Ti pare?».

Annuì, un po' accigliato.

Ancora passacaglie, ciaccone, persino due tarantelle e una giga, ma le ballarono in pochi. Ci si avvicinava alle undici: si capiva dal crescere del clamore esterno, dall'aumentare dei botti, dai lampi artificiali che coloravano il cielo. Fu il momento della tavola, mentre i servitori preparavano graziosi cesti di vimini pieni di coriandoli, fiori, palle di carta variopinte.

Sedette con Vincenzo, Pagano, Chiara. Pagano era accerrito, i capelli rossi scompigliati, e parlava, parlava: di Muse, ninfe, recitava Anacreonte, Catullo. Chiara l'osservava divertita, un po' ironica.

«Une petite cochonnerie de Fragonard» sentì dire al tavolo vicino, dove una tabacchiera dipinta girava di mano in mano. Un uomo cercò di sollevare la gonna d'una dama, un altro emise rutti. Qualcuno strillò: «Dansons! Il sera minuit dans un quart d'heure!».

Parapiglia indescrivibile: l'orchestra riprese con una sarabanda velocissima, volarono i primi coriandoli, le palline, i fiori.

Desiderò uscire dalla calca. Si scivolava sul pavimento coperto da melma appiccicosa di champagne, pan di Spagna maciullato, coriandoli. Provò a sfilare lungo i muri, finì nel salotto cinese. Da un uscio semiaperto vide i servitori che correvano a vuotare i pitali riempiti dagli ospiti.

L'antica principessa Armida sembrava dormire nella sua poltrona, solo le zampette s'agitavano frenetiche nello sferruzzìo. Al rumor della porta socchiuse occhi e bocca. Scuotendo il capo, parlò.

«L'àsteco chiove, la casa scorre. Tu che 'nce puo' fa'?» credé d'udire, nel frastuono che straripava anche lì. Fece una riverenza, un sorriso stremato.

"Io che 'nce posso fa'" pensò, in napoletano lei pure. Come dicevano i napoletani per significare "nulla, proprio nulla, nada de nada"?

"Ah sì. Il resto di niente."

PARTE SESTA

1

Con lei mutavano le cose del mondo. Com'è strana la Storia, a un tratto t'accorgi che respiri aria diversa. Non sai dire in che: tutto va come prima, però senti che le abitudini han preso confortevole, smorta eternità. Frizza irrequieta attesa d'avvenimenti ignoti.

S'erano trasferiti in un'abitazione più piccola alla Platea della Salata, di fronte al consolato portoghese, un palazzotto del duca di Villareale, su uno slargo tranquillo. Dai balconi si vedeva la torricella rossa di Palazzo contro lo sfondo azzurro del Vesuvio.

Occuparono insieme quattro stanze al piano nobile, per unire le forze. Un giorno vovó suggerì l'assurdo progetto di sposare Lenòr con Miguelzinho. Lei pensava a quella nipote rimasta sola, il padre quasi sempre a Roma per le maledette patenti: prima di morire avrebbe voluto saperla sistemata. Lenòr come donna di casa non valeva molto, ma per il resto aveva mille doti. E Miguelzinho s'era laureato, stava facendo pratica, forse sarebbe entrato in un Banco. I ragazzi respinsero il progetto, un po' ridendo un po' inquieti, come per l'idea d'un incesto.

Lavorò molto, in quegli anni. Non più in disordine, senza finalità: bisognava rendersi conto della situazione, capire in quali direzioni si movevano il Regno, il mondo. Per individuare forze cui potersi appoggiare.

Studiò finalmente Giannone, Genovesi, lesse giornali forestieri, gli opuscoli di Filangieri sul diritto pubblico, i primi saggi di Pagano. Si procurò testi d'economia politica, persino di matematica, e si sentì diversa: più matura, più forte. Il piccolo bagaglio culturale con cui era partita le appariva ridicolo. Quella storia antica appresa nelle gesta dei grandi, quella storia sacra ineluttabile...

Ora cominciava a vedere dentro i fatti, le persone. La perdita della fede, ad esempio: fu istintuale avvisaglia dell'intima visione del mondo che andava maturando. Adesso era razionalmente chiaro: la religione non è che un drammatico bisogno, nato dall'ignoranza, alimentato da chi presume di svelare i misteri. Così i preti hanno conquistato potere, perpetuando quell'ignoranza collettiva che è causa prima della loro forza. Ecco perché i signori del potere materiale, nobili e re, s'alleano col clero. Cesare, instaurando la propria dittatura, non pretese anche il titolo di Pontefice Massimo?

Esistono, al contrario, uomini i quali non derivano potere da ignoranza o debolezze altrui. Credono nell'intelligenza, nella ragione, nella scienza. Ecco perché loro tutti, lì a Napoli, e mille altri in Francia, Inghilterra, Olanda, avversavano preti, troni, nobiltà parassita. Ecco dove doveva andare il mondo: verso una storia nuova, guidata non più dai sinistri despoti delle coscienze e dei corpi, ma dalle menti illuminate.

Tale sogno covavano, in maniere diverse, quelli che aveva conosciuto, da vicino o attraverso i libri. Unico vero santo ideale possibile, questa sì religione da celebrare, diffondere. Umiliava davvero, e sulla Terra, i superbi, esaltava gli umili, consolava gli oppressi. Ma bisognava esser saggi, attenti, altrimenti si sarebbe caduti nei foschi entusiasmi parolai di gente come Giordano. Il mondo costruito dai re, dai nobili, dai preti, era ancora saldo, da millenni. Il numero d'uomini nuovi minimo, l'ignoranza dei popoli massima.

Occorreva lavorare con intelligenza, infiltrarsi nel sistema. Piegarsi con subdola, paziente sapienza a cedere particole della propria forza, aprirvi contraddizioni. Ora capiva certi discorsi di Sanges, Pagano, sulla necessità di sostenere le monarchie europee che, per consolidarsi, miravano a distruggere il potere di nobili e preti. Esse avevano necessità d'alleati, avrebbero potuto trovarli negli uomini nuovi. Certo, un compromesso. Ma la vecchia società, i suoi re, si sarebbero scavati con le proprie mani la fossa.

Era piena d'entusiasmo. Tutto quanto leggeva, vedeva, le sembrava incastrarsi perfettamente nello schema che spiegava ogni cosa: la politica degli Asburgo a Vienna e Milano, la guerra dei coloni inglesi d'America contro la madrepatria... Vincenzo le aveva prestato, con mille raccomandazioni, un opuscolo francese stampato in Olanda. Riproduceva un documento nel quale riconobbe, commossa, tante fra le sue nuove idee: la Dichiarazione dei diritti del popolo americano.

Importante anche quanto avveniva in Francia. Luigi XV era morto, lasciando nei guai il nuovo re, il ridicolo Delfino cornificato da Maria Antonietta: il popolo s'agitava contro preti e nobiltà. Gli uomini dell'intelligenza, della luce, lavoravano bene: erano loro a manipolare le coscienze, non più i preti.

E lì, nel Regno, che sarebbe successo? Dipendeva da quanto si sarebbe fatto per influenzare, sostenere il re, anzi Tanucci, nell'ammodernamento. Da quanti fra loro raggiungevano posizioni di prestigio, a Palazzo e fuori, dall'intelligenza con cui avrebbero tenuto i rapporti con la monarchia.

Vedeva, infine, la propria condizione giustificarsi nell'opera più grande. Conquistarsi prestigio, rispetto, non aveva soltanto valore personale: serviva un progetto generale, il comune benessere. Quali il compito, il dovere, di loro che capivano, se non preparare la trasformazione del mondo? Educare i potenti, anche il popolo, a conquistare vera verità.

Primicerio era entrato nell'ambiente della duchessa Goyzueta di Lusciano, che andava a letto col re. Stava a un passo dalla nomina a poeta di Corte: giunto in vetta, non l'avrebbe aiutata? Si riparlava dell'Accademia, con appannaggio. Forse anche il lunatico Jeròcades, ora che i massoni erano forti, avrebbe fatto qualcosa per lei. E Cirillo...

Sorrise, ricordando quanto si diceva in giro: Cirillo s'era innamorato. Pareva strano pensarlo così: lui riservato, paterno. E però era ancora un bell'uomo, scapolo, appena quarantenne. Pettegolavano perché lei era giovanissima, una delle Tedeschine chiamate a Napoli dalla regina, la pittrice Angelica Kauffmann. Bianca e rossa, latte e miele.

Pagano pure avrebbe potuto aiutarla. Era divenuto una celebrità: stampava libri, scriveva su giornali esteri, la gente correva a sentirne le arringhe. Aveva chiuso con Chiara Pignatelli, sussurravano fosse diventato pure lui massone. E Sanges... Ma era sparito. Verso di lui si sentiva colpevole. Non lo aveva visto bene, negli ultimi tempi. Smagrito, appannati l'aria sicura, il fare un po' vanesio.

«Cos'hai, Vincenzo?» gli domandava, a volte. Lui dava risposte generiche, poi spariva a lungo. Avrebbe dovuto cercarlo, come lui aveva fatto con lei nei momenti difficili.

Lavorare, prepararsi, produrre. Per la nascita della seconda figlia del re, Luisa Amalia, scrisse un bel sonetto, che inviò a Corte. Per la nascita del principino ereditario (che portava i nomi significativi di Carlo, il primo artefice della nuova monarchia, e di Tito, la delizia del genere umano) compose una cantata, *La nascita di Orfeo*, venuta benissimo.

Era divisa in due parti. Nella prima, la favola d'Orfeo mandato da Giove a trarre gli uomini dalla barbarie. Alla civiltà creata da Orfeo seguiva corruzione, allora gli Dei spedivano in Terra (quest'era la seconda parte) il neonato Carlo Tito di Borbone, figlio del divino Ferdinando e della divina Maria Carolina, affinché operasse meglio d'Orfeo, sotto la guida dei genitori illustri.

Magari l'avesse voluta musicare Cimarosa, astro nascente poi che Paisiello se n'era andato a Pietroburgo. Ma anche Cimarosa non s'incontrava più: troppi impegni fra Napoli e l'Europa.

Si rassegnò a farne da sé una diligente copia, su carta pergamena. Di lì a una settimana le arrivarono da Palazzo un piattino d'argento con le cifre regali, i confetti azzurri del bambino, un biglietto di ringraziamento. Altro che far da soli! Se non ti metti in un gruppo, un partito, una setta, nessuno ti protegge. Non avanzi d'un passo.

2

Tornò svogliatamente a studiare, leggere, visitare i Cassano. Anche il salotto di Monte di Dio stava cambiando: molti s'erano trasferiti nei cenacoli che sfruttavano le tendenze di moda, l'antitanuccismo, la simpatia pei franchi muratori. Erano spariti Belforte, Jeròcades, Primicerio, Pagano. Vi si incontravano parecchi dei Pignatelli e dei Caracciolo, compreso Francesco, bellissimo nell'uniforme di capitano di vascello. Un grande marinaio: il re, nonostante Caracciolo gli soffiasse regolarmente le "seppie" più affascinanti, non si fidava che di lui per mare.

Conobbe anche il duca di Ruvo, Ettore Carafa, un giovanotto grande e grosso come il Gigante di Palazzo. Naso a becco, aria di guappo. Vestiva sempre da cavallerizzo, gli stivali rovesciati all'inglese, odorava di selleria e tabacco.

«Questo verrebbe pure qua dentro a cavallo» sorrideva Maddalena Serra, che gli era parente. «Sapete che ha addestrato la sua bestia a salire le scale?»

«A salirle, a scenderle, a gira' per la casa senza rompere niente. E senza sporcare» confermava lui, con allegra vanità. «I cavalli possono fare tutto. Basta saperli prendere, come s'adda fa' con le donne. Un paio di pàccheri qua,» indicava il sedere «e fanno chello ca vuo'.» Poi scappava nella saletta del gioco, l'altra fra le sue passioni.

Una volta le chiese: «Nemmeno voi sapete cavalcare? Chissà perché, qua a Napoli alle donne non piace. Ma nemmeno agli uomini. Gli unici due veri cavalieri siamo il re Ferdinando e il sottoscritto. Anzi il sottoscritto e il re Ferdinando. Qualche giorno vi voglio *imparare*».

Disse proprio così, confondendo "imparare" con "insegnare", come succedeva ai Napoletani poco colti. Gli sorrise.

«Ve ne sarò grata.»

Dopo un po' ebbe lei pure voglia di lasciare i Cassano, sebbene le paresse vigliaccheria, tradimento. Non ci provava più gusto né tornaconto. I pettegolezzi s'eran trasformati in triviale ferocia, diretta solo per un verso: Maria Carolina. Le dilaniavano le carni. Eran giunte a sostenere che a sera la regina e la fedele compagna d'ogni sua nefandezza, la San Marco, uscivano da Palazzo nascoste in ampi cappucci per sostituirsi alle professioniste nei postriboli della Cagliantesa.

«Ma...» azzardò. «Una cosa così l'ho letta in Giovenale. Lo diceva di Messalina. "Ausa est"» cercò di rammentare «"sumere nocturnos meretrix augusta cucullos."»

«Che Giovenale e Giovenale!» rise acidamente la Popoli. «È cosa appurata.»

Poteva pure darsi, ma ormai non parlavano che di questo e prendevano in giro la nobiltà pidocchiosa che accorreva a Palazzo. Cominciò ad annoiarsi, anche a preoccuparsi: da chi aveva sentito dire che la regina teneva in giro spie fidate, travestite alla perfezione?

Per qualche po' si distrasse chiacchierando coi nipotini di Maddalena, Gennaro e Giuseppe Serra, tornati dal collegio di Parigi. Bei ragazzini, intelligenti, educatissimi. Avevano imparato economia, astronomia, chimica, conoscevano Voltaire, Condorcet, l'Enciclopedia.

Il giovane Gennaro davvero bellino. Occhi neri a mandorla, ciglia lunghe, bocca piccola, leggermente amara, ciocca nera sulla fronte pallida. La guardava con stima e ammirazione, un giorno le disse, gravemente, che la trovava diversa, "molto diversa", dalle altre signore napoletane. Si commosse e, quando il ragazzo le chiese d'istruirlo sulla vita del Regno, fu per abbandonarsi. Anche stavolta l'etica intervenne: è schifoso indottrinare un ragazzo vergine, disponibile. Però occorre pure che i giovani crescano alle idee nuove: finì per consigliargli la lettura di Giannone, Genovesi, Pagano.

«Cercherò io di chiarirvi i passi più difficili» soggiunse, con soddisfatta dolcezza.

Nonostante Gennaro, diradò le visite al salotto. Perse, così, l'esultanza di quando Tanucci sferrò offensiva aperta contro la regina, ordinando l'arresto dei massoni in una loggia di Capodimonte. Vi si trovò a subirne la disperazione quando Maria Carolina trionfò, costringendo il re a liberare i prigionieri (Jeròcades scrisse una poesia che diceva: «Carolina riporta la palma / ché dell'empio sconfisse il furor») e licenziare Tanucci.

Un terremoto per tutti. Il salotto Serra era quasi vuoto, le signore tramortite, sfatte, s'interrogavano con gli occhi. Gli uomini trascuravano persino il gioco, nonostante gl'inviti di Ruvo.

«E va beh, vi mettete paura d'una femminella? Tutto sommato, Tanucci s'era fatto vecchio. E se moriva? Ué, qua stanno i Carafa, i Caracciolo, i Cassano. Fossimo diventati moniglia da braciere? Il Regno l'abbiamo fatto noi, prima che questi Borboni nascessero, Ferdinando non se l'ha da scordà. Non è morto nessuno e il tavolo del "faraone" aspetta.»

Nessuno, però, si moveva. Alla fine don Giovanni Minutolo, un anziano Capece del Seggio di Nido, tossì tre o quattro volte, si levò pigramente.

«E va bene, don Ettore. Forse avete ragione. Non la facciamo più nera della mezzanotte e ghiammoncenne a ghioca'.»

Non erano superficiali? Non avevano, invece, ragione le donne, con la loro strana sensibilità per le sventure? Lei pure provava fastidio. Non premonizioni, per carità: senso del precario, timore sottile. Provò desiderio di vedere Sanges. Perché non veniva?

Michele di Cassano e gli altri discorrevano del Sambuca, il nuovo ministro nominato dal re.

«Qua cambia tutta la politica del Regno. Dalla Spagna e dalla Francia passiamo all'Austria e all'Inghilterra. Il colpo è stato progettato a Vienna, ve lo dico io.»

«E proprio male non sarebbe.»

«Voi che dite! L'Inghilterra non vede l'ora di zucarsi la Sicilia.»

«E se la zucasse. Ci ha sempre combinato solo guai.»

«Sambuca è 'no fesso. Un uomo di paglia. Serve per coprire la regina.»

«La putain couronnée a gagné sur toute la ligne» intervenne, gelida, Chiara Pignatelli. «Sapete che la povera Goyzueta ha dovuto abbandonare Napoli, per chiudersi nel suo feudo di Lusciano?»

«Un vrai absolutisme!» strillò Giulia Carafa.

«Torniamo ai tempi di Ferdinando d'Aragona» sospirò qualcuno. Ruvo, ricomparso, gridò, facendo un gesto volgare col braccio: «Siete pazzo? Lo re l'ha da mettere a posto, regina e buona. 'Nce ha da fa' una buona mazziata. La prossima volta che c'esco a caccia insieme glielo dico. E, se non provvede, ci penseremo noi».

«E che volete fa', neh, duca? La guerra de Masaniello?»

«Perché no? I lazzari li conosco: con un fischio, qualche tornese e due male parole ce li portiamo tutti quanti appresso. Pure ai tempi di Masaniello intervennero i Carafa.»

«Sono cose di cento e più anni fa. Voi, duca, credete ancora che i lazzari siano come gli staffieri di casa Carafa.»

«Oggi, caro Ruvo, i lazzari sono culo e camicia con il re. Ferdinando è 'no turzo, ma in quanto a questo ci sa fare.»

3

Una mattina s'arrampicò fino all'Imbrecciata dei Sette Dolori, per cercare Vincenzo. Erta straduccia di pietre taglienti: da un capo sbucava su Toledo, presso la Pignasecca, dall'altro saliva tortuosa verso il Vomero. Anche lì bassi, panni stesi, clamore. Ci volle tempo per scovare la casa di Sanges, in quella zona ancora non avevano applicato i numeri civici. Infine giunse a un palazzuccio fumoso, scale doppie alla Sanfelice ma strettissime, puzzolenti di gatto e cavolo cappuccio. Salì all'ultimo piano. Vincenzo non v'abitava più da parecchio, forse era tornato a Sarno.

"Sarà per la madre. Magari non sta bene" pensò, con preoccupazione sincera.

Restava Primicerio. La divertì l'indifferenza con cui lo pensava.

Primicerio aveva fatto appena in tempo a diventare poeta di Corte, prima dell'esilio imposto alla sua protettrice. Dové cercarlo a Palazzo, dove gli avevano assegnato due stanze bianche piene di libri, a piano terra sui giardini. Sedeva a un tavolo intagliato, carico di carte. Era costretto a vestire in giamberga, calzonetti di seta verde, polpe, parrucca. Sorrise, un po' maligna. Lui non pareva mortificato. Aveva, anzi, aria meno brusca: se mai sussiegosa, leggermente ironica.

«Sei finalmente arrivato» esclamò, guardandosi intorno. Luigi scoppiò a ridere nel suo modo nervoso.

«In cima a una montagna di merda» rispose. «Ma adesso mi fa comodo.»

«Adesso sei potente.»

Scosse la testa: «Quando mai. Ad esempio per te non ho potuto far nulla».

«Lo credo» disse beffarda. «I miei versi fanno schifo, no?»

«Non essere sciocca, Lenòr. Quella cantata non era male, invece. Ma anche in queste cose comanda la regina. Sai cosa m'ha detto? "Ah, è di quella Spagnola...", "Portoghese, Maestà", "Dal petto grosso", perdonami, ha detto proprio così, "Cette espagnole avec ses gros tétons...", "Un bigliettino con tante grazie e basta".»

Lei ebbe un'idea improvvisa. «Scusami, Luigi. Posso domandarti una cosa?»

«Ma certo.»

«Ti sei fatto anche tu libero fratello muratore?»

La fissò, con sorriso arcano, senza rispondere.

Dunque Primicerio era diventato massone, uomo della regina. Si sentì avvilita. A chi rivolgersi, allora? Chi le restava amico? Forse avrebbe dovuto frequentare il consolato portoghese. Col Sambuca i rapporti fra Napoli e Portogallo sarebbero migliorati, visto che il Regno si staccava dalla Spagna. Pensò di scrivere qualcosa per leccare il signor De Pombal, il potente ministro del suo ex paese. Mah.

A casa trovò suo padre, tornato da Roma, e tio Antonio, che l'aspettavano. Sulle facce l'aria delle notizie speciali.

«Seja bem vindo, papài. Benvenuto.»

Ancora più magro e smunto, quasi calvo.

«Lenorzinha, tio Antonio s'è occupato di te. Forse ha una proposta.»

Titìo sorrideva, un po' incerto. Accennò a un discreto matrimonio. Un ufficiale del re, nobile, sebbene non di rango: un po' anziano, ma di buona famiglia. Abitava vicino, nella Pignasecca.

«Qual è seu nome?»

«Chama-se Tria. Dom Pascual Tria. Sua madre era una De Solis Y Gorabito. Suo zio è monsignore il vescovo di Larino.»

Qui tio Antonio, eticamente, sospirò, aprì le braccia. «Quello che condannò Giannone» aggiunse. «Ma vive a Roma.»

Nuova esitazione. Comunicò: «Ci sono altri due ecclesiastici nella famiglia. Uno zio di don Pasquale, ch'è prelato di camera del pontefice, una sorella suora a Napoli».

«Bom» rispose, con istintiva ironia. "Uma familia santa. E proprio adatta a me" aggiunse, col pensiero.

4

Una settimana a Natale. Si sentiva contenta. In casa non si parlava più del matrimonio e, dopo giorni arroganti di pioggia e vento freddo, era tornato il sole. Napoli appariva ripulita, tersa come un'immagine di vetro. Oltre il mare turchese, il Vesuvio e la penisola sorrentina nitidi nei dettagli: pieghe rosate della terra, valli, case. All'orizzonte si stagliava Capri, col suo regale profilo di bella dormiente a filo d'acqua.

Passeggiò, da sola, tra la gente. Odore di mandarini, castagne arrosto, cigoli fritti. A Santa Lucia rimontavano le banche dei pescivendoli, sulla Rotonda i tavolini dei caffè. Pian piano tornò verso Palazzo, fece una smorfia al Gigante, costeggiò il San Carlo, accompagnata dalla musichetta che in quei giorni si sentiva cantare, suonare, fischiettare per Napoli: un facile motivo ritmico, dall'*Armida* di Gluck.

Si fece largo davanti la chiesa di san Ferdinando, imboccò un tratto di Toledo, dov'era calca indescrivibile.

Si fermò a guardare, all'angolo del Sargento Maggiore, la mostra di «La femme chic» con vestiti che mozzavano il fiato, uno aveva il bandrié di seta bianca a balze adorno di perline. C'erano anche guanti lunghissimi di pelle tenera, bastoncini d'avorio, orologini preziosi appesi a catenelle adorne di ciondoli. E occhialetti, ventagli di Venezia, scatoline d'onice, collane scaramazze.

Le botteghe alimentari traboccavano di noci, mandorle, castagne dure, datteri africani, lardo, prosciutti, sottaceti variopinti. Picce di fichi secchi di Calabria dal profumo intenso pendevano da un capo all'altro delle mostre. Un negozio aveva costruito un castello con fichi bianchi spolverati di zucchero, un altro straripava dei dolci napoletani di Natale: mostaccioli, sosamelli, paste reali, rococò.

La confusione maggiore nei vicoli, ai mercatini sommersi da broccoli, cavolfiori, mele annurche, arance, pigne, davanti ai pescivendoli che maneggiavano anguille vive e sguscianti, orate, dentici, facendo grondare acqua ed erbe di mare. Nella melma guazzavano coi piedi nudi, sudici, ficcati in grossi zoccoli di legno.

Odor d'incenso dalle chiese parate con immense tende di velluto verde, viola, giallo. Dentro ogni chiesa un presepio, tra fiori, ori, candele, mandarini.

Presepi straordinari. Aveva già visitato quelli di Sant'Anna di Palazzo e di San Pantaleone. Il presepe di Sant'Anna occupava mezza la navata di destra. Contro uno sterminato fondale in seta azzurra, sul quale splendevano mille stelle d'oro e sfavillava una gran cometa incrostata di gemme, s'ergeva un eccezionale paesaggio: colonne mozze, casolari, scorci di città, montagnole di muschio. Tra le chiome degli alberi uccelli dal piumaggio colorato. In ogni direzione si spingevano strade, viottoli, ricoperti di ghiaia: su di essi, immobile, un fitto popolo di pastori, alti come bambini. Nella patina levigata della porcellana i colori dei volti, degli occhi, splendevano misteriosi. Quei pastori indossavano abiti d'autentica stoffa. Una pacchiana che ballava al suono di chitarre e tamburelli teneva un poco sollevata una gamba: sotto la gonna di teletta azzurra con bordure in raso ricamato, si vedevano i merletti delle tre sottovesti. Merletti veri, come vere le calze verdi e gialle, i calzonetti di velluto nero del sonatore di tamburo, il giubbone in cuoio rossiccio del chitarrista.

Saltava con gli occhi da un punto all'altro della fantasiosa nazione costruita sotto la navata, le girò la testa.

Qua, sotto una pergola, un fornaro con camiciotto bianco, coppola di sacco, impalava candide forme di pasta, mentre una maliziosa mugnaia dal corsè a quadrettini ben scollato si chinava a raccogliere panelle, mostrando la bella carne morbida del petto.

Là avanzavano, aria stolida e buffa, cafoni dai pomelli di fuoco, orecchini ai lobi. Il serra serra dei pezzenti e dei malavitosi: piagati, monchi, storpi con stampelle, bende, ferite suppurate, croste. Lì, invece, festa dell'Oriente: ammirò a bocca aperta il corteo dei Re Magi rutilanti di zimarre d'argento, d'oro, stendardi purpurei.

Paggetti in turbanti di seta recavano pappagalli iridescenti, gabbie con uccelli del Paradiso, guidavano levrieri dai fianchi di porcellana bionda. Zariffi musulmani con lucide mani di ceramica impugnavano minacciose scimitarre. Elefanti con baldacchini d'ebano, d'ambra, gualdrappe di broccato, passavano accanto un gruppo di bricconi che scassinavano scrigni, facendone straripare peltri, cascate di diamanti.

Da dimenticare il Bambino, la Madonna, san Giuseppe, alla fine li scoprì in alto, fra colonne spezzate, sotto un volo d'angeli nudi dalla pelle di smalto. Quasi nascosti da pastori sanniti vestiti di spago e pelli, carichi di zucche secche, agnelli sanguinanti. Le restò impresso il piede bellissimo di Maria, nudo, unghie rosate.

E le dissero che quel presepio era niente. Bisognava vedere quello di Palazzo: cento volte più grande, lo mettevano su gli scenografi del San Carlo.

Al mercatino di Sant'Anna quasi impossibile fermarsi. Pazientemente arrivò alla banca di zi' Rosa, una vecchia pacchiana baffuta, tutta nera, dal fazzoletto del capo alle grosse calze. Comprò una testa d'aglio, friarielli, aranci. Poi si diede una botta sulla fronte: mancavano conserva di pomodoro e la cena. Da parecchi giorni papài si tratteneva a Napoli, spesso veniva anche titìo. Che cosa si poteva cucinare? Pesci no, sotto le feste salivano di prezzo. Un po' di carne.

Sospirando, ridiscese per Santa Teresella. Le ci volle mezz'ora per acquistare un piccolo coppo di conserva, due capperi. Chissà quant'altro tempo avrebbe perso alla chianca: meglio tornare indietro, da Musciariello alla Salata, dove la carne non era buona come al vicolo delle Chianche a Toledo, però c'era meno gente. Invece trovò calca anche lì. Il vecchio Musciariello, frastornato e stanco, faticava a tener dietro ai clienti, anche sua moglie donna Violante si dava da fare, ansimando dal petto, dalla pancia enormi. Era tutta sporca di sangue, grasso, grumi appiccicosi.

Mentre tia Michaela mondava i friarielli, preparò il sugo. Ormai aveva imparato: olio, cipolla e conserva, poi il lacerto di carne fatto a pezzi. Dentro la pentola di coccio bolliva l'acqua per i maccheroni. Pensò di buttare quelli di zita, a papài e titìo piacevano. Grattugiò pecorino di Gaeta, apparecchiò. L'odore era buono: annusarono, fecero occhi ghiotti.

La fulminarono a tavola.

«Lenòr. Ci siamo» disse titìo, sguardo fisso sul piatto dove assorbiva il sugo con un pezzo di pane. «Credo proprio che la tua sistemazione sia cosa fatta. Dopodomani verranno qui don Pasquale Tria con suo padre, don Francesco, a conoscerti e stendere i capitoli per il matrimonio.»

5

Due giorni nervosissimi, tesi. Dové badare da sola a tutto. La notte dormì poco, la mattina si levò prestissimo. Si precipitò alla Carità, dove vendevano un buon caffè verde levantino. Pensò anche di prendere dei fiori, ma costavano troppo: avrebbe rimediato lavando i fiori di stoffa di vovó.

Sudò tutta la giornata a ripulire la stanza per ricevere, quella dove lei studiava, meno male che lì, alla Salata, era piccola, con pochi mobili. Lavò in terra, spazzolò il divanetto spelato, pulì i vetri dei quadri, spolverò il lampiere, vi mise le candele nuove. Sbatté le tende del balcone, sprigionandone nuvole di polvere, lucidò le maniglie. I fiori di vovó, purtroppo, non vennero bene: s'asciugavano a chiazze. Ne salvò tre o quattro, che dispose in un piccolo vaso di cristallo al centro della tavola grande. Spolverò, aggiustò i libri nella scansia presso la finestra. Dentro il calamaio ficcò una penna d'oca nuova, bianca e svettante come una bandiera.

All'una fece mangiare tio Antonio, papài, tia Michaela, tio Carlos, portò il brodo a vovó che ormai non si moveva più dal letto, rigovernò, pulì. Sempre sudata, ansante, mise il tostino sul fornello. Stette tre ore a rigirarlo, mentre l'odore del caffè si spandeva per casa.

Passavano, intanto, nella testa, frantumi nervosi di pensieri, non riusciva a rincorrerli. Una sensazione la dominava, sin da quando titìo annunciò la visita dei Tria. La propria esistenza le sembrava prossima a chiudersi. Per riprendere poi, immediatamente, ma diversa. Come Lenòr fosse sul punto di salutare garbatamente e andar via (quasi attrice dal proscenio), per cedere il posto a un'ignota signora a lei identica solo nell'aspetto esteriore. L'osservava nell'immaginazione: le pareva avesse aria risoluta, adulta. La signora contessa Tria.

«Contessa Tria. Eleonora Tria. Lenòr Tria» si ripeté, più volte. Non suonava male, sebbene fosse meno di marchesa.

Ma, mio Dio, com'era questo Tria? Titìo l'aveva definito un po' anziano. Quanti anni? Lei ne aveva, al momento, ventisei. Se Tria (anzi Pasquale, Pascual: sonava meglio così, alla portoghese)... Se Pascual fosse stato più anziano d'un lustro ne avrebbe avuti trentuno, di due trentasei. Beh, a trentasei anni un uomo non è vecchio, specie un militare.

In fondo anche i suoi amici invecchiavano. Vincenzo... Perché era sparito? Più che mai, adesso, avrebbe avuto bisogno di lui, amico, fratello. Le venne da piangere. Vincenzo doveva andare sui trentaquattro. E Primicerio... Come passava il tempo. Persone conosciute giovanissime, sembrava ieri, eran divenute più che adulte: Filangieri con la faccina magra, un po' foruncolosa... Era diventato un filosofo famoso anche all'estero, stava per sposarsi con la contessa Fremdel. Vecchio pure il re, che lei aveva conosciuto ragazzina, proprio il giorno in cui ragazzina non sarebbe più stata. E la regina... Certi sfioravano la senilità: Cirillo meno di quarantacinque non poteva averne, così Jeròcades. I decrepiti, come Belforte, almeno sessanta. E le belle signore... Sorrise al pensiero che la splendida Chiara di Belmonte stava toccando i trenta. Maddalena, Giulia anche di più: non le vedeva da parecchio, però gualciture sotto creme, ciprie, rossetti ne aveva già notate.

Spaventata, posò il tostino ardente sul focolare. Scappò a guardarsi nello specchio: era sciamannata, sudata, senza trucco, i capelli un inferno. Ma non sembrava che la pelle stesse avvizzendo. Oh sì, due tagli piccolissimi ai lati della bocca, un'incrinatura sottile nel bianco spazio della fronte. Poi scoprì, in un riccio, impercettibili riflessi d'argento.

Il pomeriggio della visita tremava. A scacciare ogni cattivo odore aveva tenuto spalancati a lungo finestre e balcone, nonostante le proteste di tia Michaela e tio Carlos. Aveva acceso il braciere, spargendovi granellini d'incenso, bucce di mandarino, come si faceva dai Serra.

S'era truccata con cura, ma poco. L'eterno vestito "di nobiltà" in velluto viola, con la pettorina per nascondere il maledetto seno. Mise un giro-collo di velluto nero, i suoi poveri gioielli.

Anche titìo e papài parevano nervosi. Riflettevano in silenzio, a ogni rotolio di carrozza giravano gli occhi verso l'uscio. Finalmente una scrollata energica alla nappa in velluto da cui pendeva il campanello d'argento portato da Ripetta ruppe la difficile attesa.

Il caffè era venuto bene. Ne aveva pressato molto nel serbatoio, con poca acqua. «Saporito» aveva detto Pascual, con la voce grave, l'accento napoletano marcato, simile a quello di Belforte. S'era anche leccato le labbra. Avevano scambiato qualche parola, infine lei aveva fatto la riverenza, gli uomini s'erano alzati a salutarla: dovevano restar soli a discutere i capitoli.

Si mise in cucina, su una seggiola, guance bollenti, testa in volo. Ripassò le scene.

Papài era andato ad aprire. Ingombrò il vano della porta un vecchio in parrucca da cerimonia a riccioli barocchi. Basso, la pancia sporgente avvolta nell'enorme jabot d'uno sparato bianco, secondo l'antiquata moda di Spagna. Giamberga nera, come i calzonetti, scarpe a fibbia grossa. Teneva in mano un fazzoletto, che si portava alla bocca mentre parlava e tossiva con grassi rantoli catarrosi.

Dietro di lui un militare, in divisa elegante: colletto a foglie d'oro, alamari d'argento, stivali gallonati. Pascual Tria era in parrucca a codino: sotto un braccio reggeva la feluca blu a coccarda bianca e d'oro, con l'altro teneva aderente al fianco la sciabola. Le piacque il suo incedere un po' brusco.

Mentre don Francesco salutava rantolando, Pascual batté i tacchi. Era ben rasato e, contrariamente a suo padre, dava impressione di pulito. Spandeva leggero profumo d'acqua francese e cuoio.

Lei abbassò gli occhi. Lasciò che lui le baciasse la mano, riverì, corse a preparare il caffè. Ainda bem, meno male... Giovane non era, forse oltre i quaranta, ma aveva aria ancora fresca, occhio vivo. Color delle castagne, l'era parso. I capelli, purtroppo, non si vedevano sotto la parrucca. Strano, strano come le ricordasse Primicerio. Forse perché bassino, brusco nel fare. Ma era più bello di Luigi: il naso l'aveva dritto, le sopracciglia fitte. E i denti sani. Una cosa attraente il mento: con fossetta marcata, una bella fenditura, tenera e virile insieme. Ainda bem, meu Deus! Sarebbe potuta andare peggio.

Era tornata col caffè, s'era trattenuta per brevissimo scambio di frasi. Quel "Saporito" fu la prima parola di lui.

Don Francesco tremava nella grossa mano pelosa, a momenti si buttava tutto addosso. Poi tossì, fece: «Brava, brava. Ve siete 'mparata a fa' lo cafè a la napolitana».

Avrebbe voluto rispondere qualcosa di brillante. Le eran venuti subito in mente i versi del Parini «la nettarea bevanda onde abbronzato / fuma ed arde il legume a te d'Aleppo / giunto e da Moca», cui magari aggiungere un elogio di Napoli, ma sentì che sarebbe stato meglio di no. Sorrise, mormorando quietamente: «Cerco di far bene».

Poi Pascual disse che il suo reggimento, il "Sannio", s'acquartierava in città. Definitivamente.

«Non ne potevo più» osservò «di quella vita randagia.»

La guardò con aria un po' rozza, allusiva, che le diede fastidio. Come già la tenesse per moglie, svago, serva.

«Certo» rispose sorridendo. «Napoli è un'altra cosa. Una città molto viva, bella. Io me ne sono innamorata da tempo.»

Le parve che a quell'"innamorata" Tria avesse aggrottato un po' le sopracciglia in cui, a ben guardare, v'erano spruzzi grigi. Anche don Francesco girò il capo, poi Pascual, con aria tollerante, esclamò: «Davvero. Tutti i forestieri trovano Napoli bella. Vedi Napoli e poi muori».

Per restituire la cortesia aggiunse: «Ma pure voi venite da un paese che descrivono bello. Lisbona, l'Ebro...».

Ebbe un sussulto, non osò guardare né titìo né papài.

«Va bbuono» tossì, spazientito, don Francesco. E questo fu il primo scambio di discorsi con i Tria.

Quando gli ospiti se ne furono andati, ricomparve a sparecchiare. Titìo e papài la studiavano, sollevò le spalle.

«Non sembra molto istruito» fu la prima cosa che le venne. Tio Antonio sorrise.

«È militare» disse, conciliante. Fattosi serio, aggiunse: «L'interessante è che non ti dispiaccia, Lenorzinha».

«Mah» fece. Vedendo papài assumere aria disperata, esclamò: «Ma no. Non è che mi dispiaccia».

Titìo e papài parvero sollevati.

«Senti, Lenorzinha. I capitoli risultano soddisfacenti. In fondo siamo cascati bene. Ascolta: noi gli diamo mille trecento ducati, tuo padre farà un sacrificio, venderà qualcosa. Poi c'è la disponibile di tua madre. In tutto avrà più di tremila ducati. Trecento li dovrà investire in qualche appartamento da rendita. La casa della Pignasecca è di loro proprietà e passa subito a lui. Don Francesco vive in un appartamento attiguo con le quattro figlie zitelle, non ti darà fastidio. Inoltre hanno due cameriste, una donna di fatica, un volante. Lui s'è impegnato a comprare una carrozza nuova. Dovrà infine farti lucrare sulla dote una periodica di cinquanta ducati l'anno, per lacci e spille.»

«Io voglio danaro per libri, carta, penne» disse, imbronciata. «E chiedo una scrivania molto, molto grande.»

«Eh!» sorrise titìo. «Non ne abbiamo parlato, ma non sarà un problema. È rimasto soddisfatto di te.» Aggiunse: «Ascolta: metterà a nuovo la casa, comprerà altri mobili».

«E pagherà le spese per il ricevimento» spiegò papài, eccitato.

«Sono gente ricca, Lenòr» riprese titìo. «Hanno un palazzo fittato alla Duchesca, una masseria in campagna a Fuorigrotta, un erbaggio di pascolo a Lucera, per eredità della madre. Tieni presente che zio vescovo è vecchio, possiede terre a Larino, a Nola.»

«Non ha altri eredi che don Pasquale» rise papài.

Titìo, un po' brusco, precisò: «E le quattro sorelle di don Pasquale. Lenòr, ora bisogna darsi da fare. Abbiamo fissato per la fine di gennaio. Devi prepararti: il corredo, tutto il resto, capisci. Più di ottanta ducati non possiamo, ma son sicuro che saprai fare la tua buona figura. Ah, dopodomani è vigilia. Andremo a fare gli auguri dai Tria. Così le tue cognate ti conosceranno».

«Meu Deus, Lenorzinha» concluse papài, quasi piangendo. «Finalmente ti vedrò sistemata. È un peso che mi son tolto dal petto. Quanto tempo potrò ancora vivere?»

PARTE SETTIMA

1

Brutti segni intorno al matrimonio di fine gennaio. Dalle colline tramontana gelida spazzava d'infilata, spandendo immondizia dappertutto, il cono del Vesuvio, la cima del Somma erano bianchi di neve, come i Lattari fino alla punta della Campanella. Il mare azzurro cupo s'arricciava di pizzi.

Uscì di casa imbacuccata nel mantello viola nuovo che copriva l'abito nuziale. Si stringeva, rabbrividendo, fra papài e tio Antonio.

Nell'atrio del palazzo titìo aveva fatto collocare qualche pianta, ma la gente occhieggiava alle finestre. Fuori della chiesa manco un'anima. Non solo per il freddo: si parlava d'un ritorno del vaiolo.

Da parte Tria non c'era alcun familiare. Don Francesco stava a letto, sconquassato dalla tosse, affogato nel catarro, le quattro sorelle non s'erano volute muovere. Per fortuna c'erano i commilitoni di Pascual in uniforme di gala, con le mogli: i colori delle divise, il luccichio degli alamari ravvivarono un po' l'aria malinconica della chiesa. Scarsi i fiori ma, con quel freddo, i garofani bianchi costavano un occhio.

Pascual, in alta tenuta blu e d'oro, aspettava sull'altare, accanto a un piccolo vescovo scarlatto, verso il quale mostrava venerazione. Era monsignor Rossi, il vescovo che aveva sostituito a Nola don Alfonso Maria de' Liguori, il poeta santo, sussurrò, orgoglioso. Lei sorrise, con sforzo.

«Brava. Brava» disse monsignore, tendendole le mani mollicce e bianche. Dovette baciarle. «Sapevo che siete una letterata, ma vedo che siete anche piacente. Però prima di tutto la famiglia: il marito, i figli. Non è vero?»

«Sì» mormorò, inginocchiandosi accanto a Pascual.

Si sentiva vuota, amara. La sera prima aveva dovuto confessarsi, mormorando banalità a un'ombra dietro una grata. Pensò con apprensione che, di lì a poco, avrebbe dovuto comunicarsi. Antichi terrori la ripresero: da bambina sentì dire che in bocca ai miscredenti l'ostia fiammeggiava.

La messa cominciò. Con sorpresa udì le note d'un organo, che si spiegarono solenni: non conosceva quella musica, poi seppe ch'era la tradizionale messa nuziale del Durante. Aveva patina antica, ma era bella. A tratti malinconica, o era sempre lei che provava tristezza?

Fino a quel momento era stata, libera, nella propria casa. Ora doveva abbandonare tutto: abitudini, ritmi della vita, amate-odiate solitudini, ore leggiadre spese senza controllo sui libri. Per entrare in chissà qual mondo obbligatorio, accanto a gente ignota.

Le balzarono in mente i volti sgradevoli, ostili, delle quattro cognate, come li vide a Natale. Isabella, la più anziana, era malata di mente: pareva un grasso e basso fantoccio che qualcuno, con malagrazia, avesse ficcato dentro un antico abito di gala. Fissava immobile, sbattendo in maniera parossistica le labbra.

Scosse il capo sotto il velo bianco. Risentì il fastidio di quel piccolo, incessante rumore. E riprovò la dolorosa impressione destatale dagli sguardi sardonici delle altre tre, Grazia, Rosa, Benedetta: tutte uguali, basse e larghe, coi doppi menti, infagottate in vecchi abiti provinciali.

Infine ebbe rimorso. Per non esser stata forte, capace di resistere e salvare la propria libertà. Ma come avrebbe potuto? *Davvero* il terrore d'un futuro indigente la piombava in angoscia. E papài avrebbe sofferto troppo.

Con la coda dell'occhio lo guardò in prima fila: in ginocchio, risecchito nell'antica giamberga da cerimonia ormai cascante. Sospirò, mentre l'organo s'impennava nelle note del *Gloria* e monsignor Rossi iniziava a salmodiare, seguito in coro da tutti. Anche Pascual cantava, sommesso. Lo guardò. Prono, compunto come un bambino al catechismo, mani giunte, moveva le labbra con tanta diligenza che vi si distingueva ogni parola.

Poi tutti di corsa, tra zaffate di gelo, alle carrozze, che li scodellarono di lì a poco a casa Tria.

Nonostante gli sforzi della servitù, non erano sparite le tracce di vecchio, trasandato, banale: i mobiloni pesanti, lugubri, di gusto spagnolo, i decrepiti arazzi. Al sentore muffoso di sempre si mescolava grassume di ragù, d'olio pesante.

I servi schierati nell'ingresso, con parrucche, livree celestine, guanti, le donne in vecchi guardinfante: le parve la osservassero con aria strana, mista di salacità e compassione.

Ci fu la visita ai regali, su un tavolo nero dai piedi di grifo. Pascual rideva, sollevava gli oggetti, soppesava.

«Questo vale almeno settanta ducati» commentava. Oppure, con disprezzo: «Ha fatto lo sforzo, la signora».

Quando giunse ai doni dello zio, il prelato del papa, ch'eran poi una spillina a girasole con smeraldo e una toletta inglese di metallo Sheffield, assunse aria commossa, fiera.

«Questi so' regali» esclamò. «Eleono', dite la verità: l'avevate mai viste, cose come queste? Vengono da Roma.»

Lei rispose con un cenno del capo, reprimendo la stizza. Con gesto brusco sollevò la collana di perle che vovó aveva voluto donarle, esclamò: «Questa è bella. Per chi ne sa capire».

Il marito la guardò, serio, stringendo le labbra. Gli restituì un'occhiata di sfida. Lui tirò avanti, si mise a vantare gli spilloni, le rosette, l'anello che troneggiavano su un velluto al centro della tavola. Con ironia domandò: «E questi vi piacciono? A voi che ne capite?».

«Sì» rispose seccamente. Ma solo perché erano i doni dello sposo alla sposa.

Il regalo dei Cassano (un anello coi brillanti), quelli del re e della regina: due braccialetti sottili, coi ritratti a smalto dei sovrani. Pascual li fece notare con vanità e rispetto.

«Lo re sta diventando pirchio» rise una grassa signora in giallo, lui fece una brutta faccia. Esclamò: «Donna Margherita, se lo re e la regina vi mandassero li càntere ch'usano pe' la notte, li mettereste sotto una campana di vetro».

La donna non s'offese, anzi rise più forte.

«Sciù, pe' la faccia vostra, don Pasquale. Quanto siete antipatico.»

Antipasto di mellone, uova sode, salame, olive di Gaeta. Il cameriere Procolo e sua moglie Tanella, due piccoletti dall'aspetto maligno, corsero tra salone e cucina un'infinità di volte: il vassoio di portata si svuotava in un attimo, dal momento che ogni commensale se ne scaricava sul piatto più di mezzo.

In fondo alla tavola, fra due vecchie dipinte e quattro preti, le sorelle Tria, Rosa e Benedetta, mangiavano, bevevano, ridevano, si sgomitavano. Le osservava, stupita: non pensava che le arcigne, taciturne cognate conosciute a Natale potessero trasformarsi a quel modo. Gorgogliavano risate chiocce, proprio di cuore, senza ritegno la fissavano, si voltavano a chiacchierare fitto, ridevano, tornavano a fissarla.

Anche Pascual diventava più allegro. Beveva, vociferava in ogni direzione. Lo sentì rispondere a una donna che gli stava di fronte: «Donna Filome', pensate alle decorazioni vostre!».

Più tardi lo vide sussultare, in risata tremenda, a momenti s'affogava nel vino. Farfugliò, strozzato, al vicino: «Quella lo juorno, questa la notte, Ruscia'. Io ce la faccio sempre».

«Tu farai la fine de Janne lo purpo» l'ammonì l'amico. Lui strillò: «Quanto ti giochi?».

«Quello ca vuo'.»

«I regali dello sposalizio!»

Pascual gesticolò, poi si ricordò della moglie al suo fianco.

«Eleono'» disse. «Ma che canchero, tu non dici niente. Stai sempre zitta. E che litterata si'?»

Divenne premuroso.

«Non ti senti bene?» domandò, prendendole una mano. «Non mangi, non bevi... Non ti piace? Che c'è?»

«Niente, Pascual» mormorò. Lui sorrise.

«Mi piace che mi chiami Pascual.» Allargando le sillabe gridò: «Sapete? Eleonora non mi chiama Pasquale, ma dice Pas-cual. Alla portoghese».

Tutt'intorno fu uno schiamazzare di Pas-cual, Pas-cual, caricato, turpe. Vide le cognate torcersi: la indicavano e facevano anche loro Pas-cual, spalancando le boccacce grasse.

Dovettero poi andare a salutare don Francesco, in una stanza semibuia, puzzolente d'orina e malattia. Il corpaccio del vecchio si gonfiava a cupola sotto la coperta grigia chiazzata di macchie. Su una sedia la cognata Grazia, non si volse neppure.

Pascual andò a scostare un lembo del lenzuolo, scoprendo il volto fuligginoso di don Francesco. Ininterrotto il rantolo grasso.

«Papà. Siamo tornati. Qua sta Lionora.»

Il vecchio non apriva gli occhi.

«Papà» insisteva Tria, don Francesco emise un rantolo più forte.

«Lascialo stare» sibilò Grazia. «Non lo vedi ca non sente cchiù?»

«Hai chiamato Calvizzano?» chiese Pascual. La donna ebbe scatto viperino, che le fece paura.

«E come potevo, ca tutte quante stanno impegnati pe' tte! Pe' lo sposalizio!» aggiunse, sgangherando le parole in modo volgare, cattivo.

2

La camera nuziale era stata ripulita: tende nuove, di batista bianca, con soprattende in calicò giallino. Il letto monumentale: testiera a scudo di ferro blu, con angioletti e fiori di smalto, corona comitale. Due grandi armadi neri, seggiole, una toilette nuova, rivestita di tulle.

«Qui metterai il servizio di zio Nicola» disse Pascual, ansando. Si sbottonò il colletto, sospirando di sollievo: «Ah! Non ce la facevo cchiù!».

Di fronte, su una consolle di legno, un grosso, nero lume a petrolio, Tria andò ad accenderlo, serrò le imposte.

Lei rimaneva, ferma, al centro della stanza. Frastornata, pallida. La stava ripigliando tremito alle mani: cercava di reprimerlo, serrando i denti.

«Tu stai morendo di freddo» esclamò Pascual. «Hai ragione. Io me so' 'no poco fatto de vino e non lo sento. Ma tu non hai mangiato, non hai bevuto niente. Aspetta.»

Tirò il cordone di velluto accanto al letto, roco scampanellio rotolò lontano. Dopo un po' comparve Tanella, sbracata, sfatta.

«Tane', porta 'no braciere» ordinò Tria. Sorrise alla moglie. «Così ti puoi spogliare pure tu.»

Riprese a sbottonarsi. Sempre ansimando si levò la fascia, sganciò la pettorina con gli alamari, sfilò giamberga, stivali, calzonetti. Rimase in maglia bianca e mutande lunghe. Un po' lente, sul davanti il gonfiore del sesso.

«Scusami, ma io non ce la faccio più» disse. Andò ad aprire il comodino dal suo lato, ne cavò un orinale nuovo, di smalto bianco, si girò.

Sentì schizzare, lo scorrere. Infine Tria rimise il vaso a posto, si voltò. Disse, indicando l'altro comodino: «Il tuo sta lì, se ti serve. È nuovo nuovo pure quello».

Arrivò Tanella, recando a fatica un braciere rosseggiante, Pascual l'aiutò a sistemarlo.

«Qua. Dalla parte della signora contessa, ca se more de friddo.»

Quando Tanella fu sparita, si cacciò nel letto, disse, sorridendo: «Mo' ti puoi spogliare, Eleonora».

Non la lasciò nemmeno entrare dentro le lenzuola di ghiaccio. Subito le fu vicino, le mani sotto il camicione nuovo: palpeggiava, strizzava, proprio come aveva fatto Primicerio, il respiro sempre più frequente. Prese a baciarla con la lingua che sapeva di vino. Improvvisamente, con violenza estrema, strappò i cordoni delle mutande a calzonetto, gliele scese. Lei chiuse gli occhi, nelle orecchie il cuore picchiava.

"Meu Deus" pensò. "Ora succede."

Sentiva i muscoli delle cosce indurirsi per lo strano rifiuto. Ma Tria era energico, esperto, prepotente. La divaricò con un solo movimento della mano e del braccio, in un attimo le fu addosso. Lei provò trafittura sottilissima: un bruciore che, però, durò poco. Presero a rimbombarle dentro, sempre più frequenti, le spinte dure di lui.

Seguì tutto con gli occhi della mente. Era strano come procedeva "quella cosa", ora che finalmente avveniva e diventava banale.

Poteva "vedere" tutto. Aprì gli occhi contro la volta a cupola che biancheggiava nella semioscurità. "Vedeva" quanto avveniva in basso, tra i loro organi genitali. Forse sgorgava un rivolo di sangue: quel calore che avvertiva colare lungo l'intimo solco.

E "vedeva" se stessa intera, stesa, apertasi con inattesa docilità al gesto prepotente di Tria. Continuò a interrogarsi, mentre lui le si squassava addosso. Cosa provava, in verità? Dal punto di vista fisico, subito dopo quella trafittura, niente, se non meccanici riflessi ai colpi dell'uomo. Poi, pian piano, venne su leggero senso di liquefazione umidiccia: nelle fibre intorno al sesso, alle cosce, anche nel seno. O, meglio, ansioso, piccolo, ma costante vibrare.

L'angoscia era scomparsa: nell'attimo della trafittura. Al suo posto, un sonno del cervello. O curioso benessere mentale, nato dal soggiacere in vittoriosa sconfitta? Provò tenue slancio verso il piccolo uomo che s'accaniva su lei. Mugolava corrucciato, un po' infelice, le parve. D'un tratto egli emise un mezzo rantolo che la spaventò, proprio mentre avvertiva un urto molto doloroso. Sentì tiepido fluire allagarla e provò mite piacere. Cinse con le braccia Pascual sopra di sé, lo attrasse. Ma lui le giaceva addosso, ansante, quasi inerte, nell'interno di lei andava afflosciandosi pian piano. Attese, vibrando leggera, che ricominciasse. Pascual, invece, scivolò al suo fianco. Sorrideva. Le denudò il petto, prese a giocare con le punte durissime, quasi indolenzite.

«Eri vergine» disse, malizioso, orgoglioso. «Vergine proprio. Domattina Tanella stenderà il lenzuolo alla facciata.»

Lo guardò, stupita. Le spiegò che a Napoli s'usava, dopo una prima notte: il sangue sul lenzuolo testimoniava l'illibatezza della sposa.

«Meu Deus, no. Che vergogna!»

«Non è vergogna per te. È un onore. Eleonora!»

Non sapeva se ridere o continuare a protestare. La tensione del corpo e della mente era svanita, lasciandole spossatezza un po' delusa ma, al tempo stesso, remissiva. Desiderosa di dolcezza.

«Perché mi chiami Eleonora?» mormorò. «Mi sono sempre chiamata Lenòr. A me piace di più.»

«Oh no» rise lui. «È più bello Eleonora. Donna Eleonora. Lenòr è da creaturelle. E tu ormai sei una signora, fai figura, sei distinta. Donna Eleonora Tria. Domattina ti porto a vedere la carrozza nuova, che ho preso apposta per te. È bella: a quattro posti, fuori è pittata d'orletta, con lo stemma, dentro tutta velluto in seta verde. Faremo il passeggio di Chiaia. Quando il re dà il ricevimento per gli ufficiali andiamo a Corte. Tu sai giocare? No? Ti imparo io. 'Nce avimma diverti', donna Eleonora.»

Gli toccò una spalla, con amicizia.

"Cercherò di amarlo" si disse. Ripeté dentro: "Eleonora. Donna Eleonora Tria. Lionora" come pronunziavano i Napoletani.

Lenòr, dunque, doveva scomparire, uscir di scena. Per sempre?

3

Invece è ritornata. Dopo quattro anni. Lenòr è qui, in una piccola camera a Sant'Anna di Palazzo, illuminata da un lumicino a petrolio, accanto a un letto nero nel quale papài sta per morire.

José è col reggimento in Abruzzo, Jerónimo in Calabria. Li ha fatti avvertire tramite Palazzo, chissà quando arriveranno. Son venuti Miguelzinho e sua moglie, ora s'agitano sulle seggiole, capisce che vorrebbero andare.

«Sai, Lenòr, i bambini son rimasti soli.»

«Sì, certo, Miguelzinho. Grazie. Grazie, Anna.»

La baciano, le guance di Miguelzinho un po' ispide, ossute.

«Se hai bisogno, manda ad avvertire.»

«Certamente.»

Chi potrei mandare? Sono qua, sola, io e questo moribondo. Non conosco nessuno in questo palazzuccio, ci siam venuti da tre settimane.

Torna a sedersi, resta immobile a guardare il labile segno che papài traccia nel letto. Esiguo, un nulla: quanto peserà? Il respiro è appena percettibile, ormai lei ha esperienza di certe cose.

Papài è l'ultimo nella serie di morti in quei quattro anni spaventosi. Si può bruciare un'esistenza in soli quattro anni? E come se si può.

Si raccoglie sulla sedia, per il freddo. Sulle imposte scrosciano raffiche di grandine, poi i duri colpi dei chicchi cedono al monotono, intenso gocciare della pioggia. Occorre uno scialle. Leva gli occhi all'unico mobile della stanza: il grande stipo riportato dall'ultima, miserabile casa Tria. Coi pochi libri rimasti, tre settimane prima quando, sorretta da papài, aveva abbandonato il marito.

Ha un guizzo di commozione verso quel minuto avanzo d'uomo nel letto. Giunta a Roma la disperata lettera, era piombato da Tria, l'aveva affrontato agitandogli contro le braccine ossute.

«Siete l'ultimo dei mascalzoni, conte Tria. La pagherete. Intanto Lenòr viene via con me. Poi interverrà la legge.»

Scaccia con moto di disgusto il ricordo della faccia di Tria, sardonica e beota. Lascia riaffiorare soltanto la memoria dell'infelice sollievo provato nel discender quelle scale, nel varcare quel portone, stretta al braccio sottile di papài. L'aveva salvata: era l'unico sostegno rimastole. Ora va via lui pure, non le resta più nulla. Tutti sono morti. Tutti e tutto.

Ma già tutto era morto allora, in quel settembre del '79, il vero istante in cui per lei l'esistenza s'era fermata.

Serra gli occhi. A chiamare il grande sonno, unica difesa contro il ritorno di *quelle* immagini, cui ha proibito disperatamente il riapparire e che, invece, si ripropongono tenaci, cogliendo con perfidia i momenti nei quali lei meno si guarda. Ansa, annaspando, emettendo mugolii di sofferenza.

"No. No. Ti prego, amore mio, ti prego" singhiozza senza lacrime a quel bambino che torna a lei, con la sua estrema immagine, tanto simile a questa di papài. Segno sotto una coltre. C'erano pochi fiori bianchi allora, qualche cero. Quando succederà, qui non ce ne saranno. Metterò quattro steariche. Fiori, oh no, riuscirò appena a pagare la Confraternita.

Indugia su questi pratici pensieri, supplicandoli di restare, per impedire il sopravvento a *quelli.* Che annullano in un attimo il tepore vuoto nel quale si difende e devastano, straziano. Intollerabilmente nitidi, immagini perfette d'una realtà che fu tutto: felicità, futuro. Proprio felicità: può usarla, la gran parola, perché lei era stata felice, nonostante ogni cosa, quand'era nato il suo bambino, il piccolo Francesco.

Trema tutta. Le difese vacillano, il mare di *quei* ricordi la sommerge.

4

Era l'alba di Natale quando avvertì trafitture nel ventre, poi caldo scorrere di liquido. Una fiumana. Provò beatitudine per tutto il corpo gonfio, pesante, per il ventre a cupola, teso. Un piacere che la ripagava di molte cose. Dio, a questo figlio quanta gratitudine doveva.

Si carezzava la pancia, dentro la quale non sentiva più movimenti, solo gorgoglìo leggero. Col fiato sospeso, quasi ad ascoltarne un segnale, uno fra i tanti che da cinque mesi per lei non avevano segreti: questa puntatina qui, all'angolo in alto, vuol dire che è allegro, sta bene, gode dentro me suo rifugio. Questo colpo duretto quasi all'inguine è qualcosa che non va: forse non sta bene, ha assorbito un veleno da me.

Uno fra gli infiniti veleni che la gente di quella casa faceva infracidire nel suo sangue, sebbene lei, da quando s'era scoperta incinta, cercasse di star calma per salvare il bambino.

Lascia dilagare i ricordi delle cose infami: meglio questi. Scacciano le immagini intollerabili: il corpicino appena nato, rosso fuoco, umidiccio, la tenerezza degli occhietti serrati su cui pesava misteriosa fatica, i capellucci radi incollati alla testa tonda, non più grande d'un pugno. Scacciano il ricordo infelice della sterminata dolcezza provata quando quel grumo vivo uscì da lei. S'era fatto vedere: il misterioso compagno dei dialoghi segreti, di confidenze senza inibizioni, di puerili richieste: «Tu m'aiuterai, bambino. Ti farai grande e mi proteggerai».

Aveva finalmente un volto, dai tratti minutissimi, chiuso in un arcano silenzio, forse tuttora un po' partecipe del mondo sconosciuto dal quale era appena giunto.

"Il mio bambino. Il mio bambino" si ripeteva, allora, sorridendo nonostante le dolenzie nel ventre, nel sesso devastato. Sette ore di travaglio e d'urla. Ma era valsa la pena, meu Deus, oh sì. Si sentì trionfante al centro del letto monumentale sporco di sangue e, accanto, quel batuffolo che odorava di secrezioni, vita, tenerezza.

Guardava sempre e solo lui, ogni tanto, vagamente, passava gli occhi sulla gente malvagia che intorno al letto taceva, abbozzando colpevoli sorrisi, gesti insinceri di premura.

Papài improvvisamente apre gli occhi, emette un gemito.

Ormai non parla più. Qualcosa gli s'è spezzato dentro, da quella sera ch'era caduto in terra, mugolando. Tutto il lato sinistro del corpo gli s'era rattrappito, divenendo insensibile. Di sicuro la rabbia immensa provata contro i Tria: un altro regalo di quella famiglia infernale. Poi la tensione contraffatta dei muscoli s'era lievemente allentata, ma la bocca emetteva suoni inarticolati.

Lei cercava d'interpretarli. A volte non riusciva, allora fissava gli occhi gialli, venati da trame di cispa, ripetendo dolorosamente le domande.

«Cosa desideri dirmi, paizinho? Vuoi bere? Vuoi la medicina?»

Lui accennava di no. O piombava in sonno lontanissimo.

«Farà così, sempre più a lungo. Fin quando non si desterà più» spiegò il dottoruccio che la portinaia era corsa a chiamare, agli strilli disperati di lei.

Ha impressione che la bocca rigida si pieghi, in accenno di sorriso. Papài cerca di spingere la mano destra. Tende la propria, gliela stringe: è fredda, le nocche dure, come nodi di pianta.

«Diga-me, paizinho» mormora, cercando di non piangere. «Dimmi.»

Lui inizia tentativi di parole. Lo fissa nelle labbra per decifrare, tende l'orecchio ai mugolii.

«Des-cul-pe, mi... Minha filin-ha» crede di capire. Ha un brivido, si mette a piangere.

Lui la fissa, contraendo appena i muscoli nella mano ferma in quella di lei. A chiedere risposta.

«Che stai dicendo, paizinho? Ch'io dovrei perdonare te?»

Luce lieta gli passa sotto il velo degli occhi.

«Oh papà, noh! Tu sei il padre migliore del mondo...»

Si mette a baciarlo piano sul volto rigido, freddo.

5

Rassicurata dal vederlo in sonno senza affanni, cade in dormiveglia sulla seggiola. Dormiveglia di ricordi, perfido momento: l'attenzione non più vigile cede ai flussi dell'inconscio.

Ha visto il bambino. Con verosimiglianza incredibile: lo teneva al seno, lindo, odoroso di latte e cipria alla violetta, nel suo bel camicino ricamato, dai cordoncini azzurri con le nappe. Come succhiava da quel petto grande, che s'era fatto ancor più gonfio! Dolce sentirsi defluire il succo pei capezzoli avvolti dalle labbruzze tenere, stretti da gengive durette. Aspettavano ansiosi, lei e il piccolino, l'ora del latte. Quando s'appartava per unirsi con lui in reciproco calore, dimenticava tutto... La stolida volgarità di Tria. S'era rivelato presto: dopo due settimane di forzate attenzioni, passeggiate a Chiaia per vedere i lavori della Villa Reale alla Riviera, decise di vender la carrozza.

«Ti dispiace, Liono', se la togliamo? È nuova, ci ripiglio quasi tutti i soldi. Mo' sto radunando le forze. Una speculazione che, se viene... Ci facimmo cchiù ricche de li Carafa.»

Avrebbe già dovuto capirlo allora. Ma lei era portata a fidarsi: gli onesti pensano gli altri onesti, gl'imbroglioni imbroglioni. Tria si giocava tutto. In poco tempo diede fondo anche alla dote di lei, era carico di debiti. A volte non tornava nemmeno per il pranzo. Meu Deus, il pranzo! Un tormento anche quello, fin dai primi giorni. In quella casa mangiavano e bevevano in modo disgustoso: ragù, pignati maritati, maiale. Lei usciva nella Pignasecca con Tanella, comprava, cercava di cucinare meglio che poteva. Per sentirsi proclamare: «Liono', che hai fatto? Questa è sciacquatura».

«S'adda tirà, la conserva. 'Ncoppa lo fuoco lento!» stridevano le cognate, un giorno perse la pazienza, strillò: «E allora ve la fate da voi».

Successe l'inferno. Lui era saltato su, feroce: «Non ti permettere. Non mancare di rispetto alle sorelle mie».

«Le puzza il naso perché è litterata» bofonchiavano le megere. Se ne sentiva gli occhi addosso persino quando, prima che nascesse il bambino, si chiudeva a leggere, a scrivere, in camera sua. Spiavano, riferivano.

«Oggi ha mandato Gaetanino da lo corriere con tre lettere. Una per Roma, 'n'ata per Vicenza. Chi sarrà? Qualche amica sua, questa Vicenza. 'N'ata litterata. E una lettera addirittura a Vienna.»

«Non va mai a la chiesa. Non vo' dicere lo rosario.»

Spifferavano a voce alta, per sfregio. I primi tempi lei s'inferociva e Pasquale osava gridarle: «Qua si spendono troppi denari a lettere, libri, po' se magna 'na fetenzia! Basta co' sti ccarte inutili».

«Ho diritto ai miei soldi per i lacci» gli aveva urlato. «Non voglio lacci né spille, voglio la carta, i libri, la posta.»

«Ve li potete scorda', donna litterata. Non vi servono in questa casa, che è onorata.»

Un giorno non trovò più i primi dieci volumi dell'*Encyclopédie* ordinati a Coppola. Andò su tutte le furie, alla fine Pasquale gridò che in casa sua libri come quelli non li voleva vedere. Li aveva rivenduti.

«Ma io devo pagare le rate di sottoscrizione!»

«Peggio per voi.» Eran tornati stabilmente al "voi". «Chi v'ha detto di farlo senza il permesso di vostro marito?»

Coppola mandò un usciere giudiziario con mandato di pignoramento, Tria ebbe un accesso di rabbia terribile. Voleva bastonare l'usciere, corse in camera, buttò all'aria i cassetti della moglie. Restava la collana di vovó. Lei strillava, disperata, cercando di sottrargliela, lui l'acciuffò alle braccia, le fece male. Mollò uno schiaffo, lei cascò sul pavimento.

Poi s'era accorta d'aspettare il figlio, le cose parvero andare più serenamente. Le cognate tacevano, in casa faceva tutto Tanella. Tria comprava, vendeva, un giorno pareva contento, un altro indiavolato. Il battesimo venne meschino, frettoloso. Pasquale era torvo: non scherzava più nemmeno col figlio, nonostante avesse lodato Dio a gran voce, perché gli concedeva di ripetere Francesco Tria. Il vecchio era morto un mese dopo il matrimonio. Il primo della serie: due mesi dopo la nascita del bimbo era morta vovó, la seconda.

Il terzo fu lui, il piccolino.

Quell'orribile settembre, dai segni infausti. Un mese prima era esploso il Vesuvio: aveva visto bene le terribili fontane rosse dalla piccola casa a San Carlo delle Mortelle, fuori mano. Tria aveva ipotecato il palazzo della Pignasecca.

Ma lassù era libera, con il suo bambino, tra gli alberi di olivo, le mortelle. In quell'estate cocente il piccolo respirò aria buona.

Quanto era bello a otto mesi: paffuto, roseo, i capelli gli s'imbiondivano via via. Sul volto finalmente leggeva somiglianze. Con gioia notava quasi nulla dei Tria, forse solo l'abbozzo di fossetta sul mento. Per il resto era Lenòr, era Fonseca: gli occhi neri, "de foco", la bocca, il naso, meno male più fine, come l'ovale del viso. Avrebbe dovuto fargli fare una miniatura. Se fosse rimasta in contatto con gli amici... Ma con quel marito...

A volte Tria non tornava neppure per la notte. Si presentava gonfio, gualcito, verso mezzogiorno. Pretendeva mangiare, andava a letto, manco si curava del bambino, quasi lo sentisse già estraneo, ostile, come certamente sarebbe diventato verso lui, da grande. Schierato a fianco di sua madre. Già adesso, guai se lei s'allontanava: pianti, strilli, poi cinguettava: «Mamãe. Maezinha» e si sollevava, desideroso di provar la forza delle belle gambotte.

Che delizia di figlio. Come ascoltava, gli occhi fissi, le storie, vere o inventate, che lei gli raccontava, in portoghese. Chissà perché l'era tornato amore per l'antica lingua, specie col bambino. Una volta Tria si mise a sbraitare perché il piccolo chiedeva "o leite".

«Lo metti sempre contro a me! Manco la parlata mia 'nce vuo' 'mpara'! Chisto è napolitano. Guaglio', tu devi dire lo latte!»

Il bambino si mise a piangere. Lei se l'abbracciò, continuando con triste voluttà nella provocazione: «Filinho, vem com a maezinha. Nao fica com medo, non aver paura».

Al cambio di stagione, le grandi piogge insane, il freddo fuori tempo, la "grippe" che falcidiò Napoli.

Aveva tentato tutto, serrato la casa. Una fatica provvedersi sempre d'acqua, bollirla, lavarsi le mani ogni momento: per difenderlo, salvarlo. Ma come si poteva, con quel pazzo ignorante che arrivava chissà da dove sudicio, infangato, si buttava sul letto con le scarpe, non si lavava, urlava se lei implorava: «Almeno le mani, te ne prego. È per il bambino».

«Le stronzate ca' leggi 'ncoppa a chilli libri de merda! A Napoli i figli se so' cresciuti sempre de 'na manera! Chi ti credi d'essere?»

6

Si sente venire meno sulla seggiola: mucchio d'ossa, sacco vuoto, straccio.

Il petrolio nel lume è diminuito, il guizzo della carsella ballonzola svogliato, stento. Non ha forza per alzarsi a rifornire il serbatoio. Getta un'occhiata stanca a papài, che dorme sempre: nella scarsa luce le pare sereno. Forse, sebbene devastato, sopravviverà. Gli si dedicherà, per lui, forse, ritroverà amore, slancio.

Ne ha tanto poco adesso. Anzi niente. Chiude gli occhi, tappa le orecchie con le mani. Quasi a non risentire gli urli che straziarono la casa alle Mortelle: quelli per la morte del bimbo, quelli degli infelici rinfacci fra due disgraziati che la sorte aveva pazzamente destinato a farsi male.

«Tu l'hai fatto mori'! Tutte le fisime tue, le tue manie! Cento volte al giorno a lavarlo. Tutta quell'acqua in faccia...»

«Mascalzone, idiota! Tu, tu sei stato! Col sudiciume che porti, chissà da dove vieni! Quelle mani sozze! E poi, quale diritto hai di parlare? Che padre sei mai stato?»

Le provocò lividi sulle braccia, alle guance, se ne andò senza lasciarle un soldo. Meno male che il medico fu comprensivo: sospirando disse che, per l'onorario, sarebbe ritornato.

Risente, ansando come a un incubo, le note fonde, paurose, della *Messa da requiem* di Mozart, alle Mortelle l'aveva quasi resa pazza. Dopo una settimana dalla morte del bambino (l'andava a trovare quotidianamente nella parrocchia di San Carlo, dove un quadratino di marmo grigio sul pavimento, all'angolo della navata sinistra, ne segnava il nome e la fredda dimora sotterranea), due volte al giorno, pomeriggio e sera, dalla chiesa giungevano, puntuali, i funebri accordi d'organo. Poi seppe ch'era morta l'imperatrice Maria Teresa: re Ferdinando aveva proclamato lutto grande, ordinando alle chiese, parate in nero e argento, di suonare quella Messa.

Cominciò allora a diventare vecchia: grigia nelle tempie, scavata nelle guance, curva, smagrita, l'odioso petto cascante, vizzo. Restava giorni senza mangiare. Trovava forza il pomeriggio, per andare in chiesa, al quadratino. Un giorno persino Tria sembrò averne compassione: restò a casa, le rivolse la parola.

«Vuoi morire pure tu? Vuoi lasciarmi tu pure? Io sono solo.»

Certe sere piangeva, disperato.

«Tutti mi stanno abbandonando. Se Sua Eccellenza Acton viene a sapere come sto ridotto, mi cacciano dall'esercito del re.»

Fu allora che apprese di Acton, un ufficiale irlandese – spiegò Tria – venuto a sistemare esercito e flotta e che aveva preso il posto di Sambuca. Faceva tutto lui.

«Mo' la politica estera cambia. Mo' siamo amici dell'Inghilterra, dell'Austria, del Portogallo, e nemici co' la Francia e la Spagna. Tu non potresti parla' pe' mme al console del paese tuo? Una parola buona...»

Anche a letto si riavvicinava, riprovava a toccarla, dopo tanto tempo. Lei provava repulsione, vergogna. Fra l'altro era diventata orrida, che aveva mai da offrire a un uomo?

Lui si arrabbiava, una notte strillò: «Io so' marìtete! Tengo la necessità, tengo lo diritto».

La sera dopo mormorò, con serietà affettuosa: «Possiamo averne un altro. Un altro figlio. Forse ci aiuterebbe».

Perché, perché? Perché fu ancora una volta debole, sciocca?

Digrigna i denti, si torce sulla seggiola.

Un po' di vita meno grama: Tria sembrava più pulito, si riprofumava, era paziente. Quando lei fu di nuovo incinta, le procurò una donna di servizio, una pacchiana d'Avezzano forte e scema che si chiamava Angela. Forse stava recuperando soldi, chissà in qual maniera.

In quel periodo si sentiva stanchissima, infelice. Piena di rimorsi, incapace di speranze: quello che le avveniva dentro per la seconda volta lo avvertiva indifferente o colpevole.

Tria se ne stava in casa, scherzava con la pacchiana, le faceva i complimenti quando cucinava bene. Sorrideva alla moglie. Una volta disse che, se nasceva un maschio, l'avrebbe chiamato Francesco, lei ebbe una crisi, urlò: «No, no, no!» per un intero pomeriggio.

Una notte avvertì fitte terribili all'inguine, si svegliò sudata, ansante. Un violento conato di vomito, ma non riusciva a sputar fuori se non fili di bava gialla e verde. Balzò a sedere nel letto. Al suo fianco Tria non c'era: lo trovò in cucina, sulla pacchiana mezzo nuda nella sua brandina. Lui si volse a guardarla, acceso, ansante, senza smettere.

Svenne, chissà perché. In fondo non gliene importava molto e chissà perché poi, quando si ritrovò in camera, sul letto, con

Tria accanto, si mise ad agitarsi, a gridargli di cacciare via quella puttana. Lui stava zitto, poi la pacchiana venne sotto l'uscio con la faccia insolente, allora Tria si montò, corse a frugare dentro un ripostiglio. Cacciò un fascio di lettere, l'agitò per aria.

«Non parlammo di puttane, sa'!» gridò minaccioso. «Tu manco ne sai niente! Guarda quante corna, guarda! Tutte a me!»

Si mise a leggere, con tono disgustato, ironico: «"Lenòr cara. Dolce amica... Come compiango la vostra sofferenza di vittima d'un bruto..." Io, io sono il bruto! L'è andata a dire a tutto il mondo, la litterata. M'ha messo la merda 'nfaccia».

Proseguì nella lettura: «"Beatamente passereste i giorni, tra noi!" La signora onesta, ca chiamma puttane all'ate e tiene amici carnali da tutte parte! Chisto chi è? Don Alberto Fortis. E chist'ato? Pietro Metastasio».

Era rimasta allibita, poi comprese: intercettava le lettere, l'infame! Fu questo a imbestialirla più d'ogni altra cosa. Si gettò in terra, urlò per ore, picchiando i pugni sopra il pavimento, d'un tratto le sprizzò sangue nero, denso. Fu la pacchiana a correre per un chirurgo.

Il dottor Pean riuscì a salvare lei. Era dolce, risoluto, ricordava Cirillo. Venne a visitarla altre volte, portò medicine, quando Tria, malfermo nella voce, gli balbettò che non poteva pagarlo, sorrise.

«È stato un dovere occuparmi della signora marchesa de Fonseca.»

Tria se ne andò, furioso, portandosi dietro la pacchiana. Poi la lettera a papài, il suo arrivo, lì s'era chiusa l'infelice vicenda.

Sarebbe stato meglio che Pean non fosse mai venuto.

Incredibilmente le riaffiora un verso sepolto. Dalla *Danza* di Metastasio: «Son secoli i miei pianti...».

Meu Deus, anche quello le avevano tolto! Le innocenti lettere del vecchio, dolce, un po' vanesio amico. Se n'era andato lui pure, povero Pietro. Proprio tutti morti.

Un sobbalzo, si getta al letto di papài. Lo tocca sulla fronte, tende l'orecchio ad ascoltarne il respiro tenuissimo. È tiepido, l'alito appena percettibile, ma regolare.

«Meu Deus, fa' che almeno mi resti lui.»

È accontentata fino all'alba.

PARTE OTTAVA

1

Un giorno della primavera nuova tornò a vivere. O, meglio, capì che non si rifiutava più di vivere. S'alzò presto. Dalle imposte filtrava sole bianco: spalancò, facendo brillare i vetri, palpitare la casa. Venticello innocente sventolò la vestaglia sulle gambe nude. Sospirò. Andò a prepararsi il caffè.

La cucina era buia, tanfosa, trasandata. La trovava così tutte le mattine e non gliene importava niente, ora avvertì fastidio. Aprì i battenti, le vecchie mattonelle a fiori verdi sul focolare schiarirono. Caricò la caffettiera con cura, desiderava il caffè venisse vigoroso. Lo assaporò a lungo e si sentì colpevole. Ma meno che in passato, quando ogni operazione della vita le pareva furto, privilegio immeritato da scontare.

Si puniva in modi meschini. Cos'era il non voler prendere in mano un libro, un giornale, una penna? Il tenere i capelli sporchi, nascosti sotto una cuffia o un fazzoletto? Il portare sempre lo stesso vestito a lutto? Il tenersi la biancheria fino a quando non fosse insopportabile portarla? Il non voler parlare con nessuno?

Vincenzo era tornato, smagrito, triste, dopo la morte della madre. Ora insegnava storia a Cappella Vecchia, in una delle scuole aperte dal re per i ragazzi del popolo grasso. Amico caro, fratello: ma lo stancava con silenzi caparbi, piagnistei stizzosi.

Scosse la testa, andò a lavare, nel bacile di rame, tazzina cucchiaio caffettiera, sprecando acqua più del solito. Dava due carlini al giorno alla portinaia perché le mandasse il figlio piccolo con due secchi attinti in cortile. Avrebbe pagato doppio, ma d'acqua ora ne voleva di più. Sentiva desiderio di pulizia, limpeza, deterse viso, collo, braccia. I capelli, ispidissimi, non mandavano buon odore.

«Eh no!» disse, con energia. Colmò d'acqua una pentola grande, rinforzò i carboni, preparò sapone di Marsiglia. Lavò i capelli strapazzandoli, risciacquando con quanta forza aveva. Coprì le spalle con l'asciugamano, si mise su una sedia al balcone.

Il sole era tenero, ci vollero ore prima che l'acqua sul capo prendesse a vaporare. Ma non aveva niente da fare, per la spesa sarebbe scesa dopo, forse no: c'era pasta avanzata, anche sugo.

A finestre, balconi, terrazzini, donne e ragazze asciugavano le teste lucide, si pettinavano, sfregavano. Provò nuovamente curiosità per le persone. In tutti quei mesi gente ne aveva vista poca: la mattina alla spesa, nel pomeriggio quella che incontrava andando verso il suo quadratino alle Mortelle.

Era lontano di lì. Doveva arrampicarsi per Rosario di Palazzo, aggirare la stamperia reale, ficcarsi per le macchie dietro il convento Mondragone, salire gli scalini erbosi dietro la fabbrica d'arazzi, costeggiare il monastero di santa Caterina. Se pioveva flottava giù dal Vomero gialla, rotolando ciottoli tronchi, rottami, la lava del Petraio. Allora giungeva tardi, il cuore in gola, zuppa fino alle midolla.

Ebbe un piccolo brivido. Toccò i capelli: abbastanza asciutti, tornati soffici sebbene più scapricciati che mai. Andò allo specchio. Per un attimo ci vide un barlume di mamãe, forse anche di vovó. Una donna vecchia, grigia.

Continuò a studiarsi. Ma, forse, alcune di quelle pieghe non erano definitive: rispecchiavano semplicemente vizzità dell'anima; in fondo due settimane prima aveva compiuto trentadue anni.

Decise di cambiare camicia, mutande, di mandare dalla lavandaia il busto diventato di colore incerto. Ma uno nuovo avrebbe potuto comperarlo.

Dopo la morte di papài, titìo che, con l'avvento di papa Braschi era tornato alla curia di Roma, aveva incaricato un suo amico di Napoli, il consigliere Tontulo, di seguire le complicate faccende della separazione. Il Sacro Regio Collegio riconobbe le colpe di Tria, al quale fu intimato di restituire l'antefato, di pagare le annate di lacci e spille, nonché gli assegni di sostentamento. Senonché Tria era carico di debiti, solo dopo che il Collegio ebbe messo all'asta quanto gli restava fu possibile assegnarle centocinquantasei ducati l'anno, ossia tredici al mese. Tio Antonio aveva spiegato, inoltre, che la faccenda delle patenti stava per concludersi. «Succede sempre così. Pover'uomo, non è vissuto per vederlo!»

Si tolse tutto. Prima d'indossare biancheria pulita volle considerarsi. Era diventata più bianca, il seno lento, pendulo. Scoraggiata, sedette sull'orlo del letto: le grandi mammelle si poggiarono su una piega dell'addome. Nelle gambe risecchite la carne pallida dei polpacci dondolò, come staccata dall'osso.

Vergognoso lasciarsi andare così. Ma perché avrebbe dovuto riguardarsi? Nutrirsi con raziocinio, rifiorire? Per chi? Uomini, amori, figli non ce ne sarebbero stati mai più. Né vanità, né illusioni. Forse ancora scrivere, leggere, studiare: di queste cose aveva provato nostalgia, e se n'era punita.

Per esse ricominciare? A che pro? Fra un certo numero d'anni sarebbe giunta la morte. Forse suo fratello José, o Jerónimo, avrebbero continuato la stirpe dei Fonseca. Ma a lei cosa importava? Tutta la vicenda sua, e l'universo, finiti con lei. Cosa poteva rimanerne? I versi? Se proprio non "facevano schifo", come disse Primicerio, erano nulla in paragone a quelli di Metastasio, Rolli, Parini. Di costoro, forse, qualcosa resterà. Fra cent'anni, duecento: nel 1983, meu Deus! Ma di me? Nada de nada. Il resto di niente.

Ebbe voglia dolorosa di ripigliare libri, carta, penne. Forse per vergogna: si può star così a guardarsi vivere? A vegetare, senza coraggio, senza zelo? Senza devozione neppure per te stessa?

Probabilmente anche in questo caso ha ragione il signor di Voltaire, quando sostiene che comunque dobbiamo coltivare il giardino. Un giorno, grazie al nostro lavoro, spunteranno fiori, frutti, i bambini mangeranno. Se nessuno s'occupa del giardino il mondo finisce. E con ciò?

Mah. Forse, semplicemente, era la sfida della primavera.

Si cambiò, indossò il solito vestito nero. Si spogliò di scatto, cercò l'abito di lanetta color pesca. Aprì il cassetto dei soldi, fece i conti: sì per il busto nuovo, anche altre piccole cose necessarie. Mise al collo un nastrino di velluto giallo, cercò uno scialletto, se ne uscì.

2

Una mattina che Vincenzo era libero, andarono alla Villa Reale. Ricordò quando scarrozzava con Tria e vedeva gli operai intenti a spicconare, alzare muri, pilastri.

Era venuta proprio bene. Una plaga verdissima, fresca, di quiete e decoro. Alte cancellate, con volute e arabeschi, la separavano dalla Riviera di Chiaia: le chiome fitte dei tigli, dei platani, le vette delle palme ondeggiavano oltre le cuspidi dorate. Nell'interno, filari d'alberi perfettamente allineati sagomavano cinque larghi viali che correvano verso Mergellina, bianchi di ghiaietta. Quello centrale, più vasto, era riservato al re e al suo corteggio: vi splendeva al centro l'enorme blocco di marmo dal quale si slanciavano, avvinti in sforzo poderoso, Ercole nudo ed il Toro farnese.

Nei viali laterali grandi piante incurvate ad arte disegnavano cupole verdi, trafitte da pulviscoli di luce.

Zampillavano scenografiche fontane con figure di marmo. Ovunque cespi di palmette, anfratti muschiosi, vasche trasparenti in cui nuotavano pesci. Al di là di marmoree balaustre frusciava la maretta.

Sedettero su un sedile di bardiglio, sotto una quercia enorme. Guardarono con piacere la gente ben vestita che passeggiava su e giù. Nella villa non potevano entrare che persone eleganti, per bene: usseri rossi e argento facevano severa sorveglianza.

Vide graziose figurine gialle, celesti, rosa, verdi. Per la mattina andavano tessuti a righe, molte le gonne corte sulla caviglia, alla francese, le pettinature caprice. E sopravvesti alla polacca, cuffiette in tulle bianco con fiorellini e frutta, giacchini tagliati di sbieco. Persino i primi vestiti senza panier ma con tournure.

Anche per gli uomini la moda stava cambiando. La seta non andava più, quasi tutti indossavano abiti di panno, con redingotes rigate dalle falde sfuggenti. Alcuni già calzavano i leggiadri cappelli all'androsmane, rialzati davanti e di dietro. Abolite le parrucche, per incipriature grige.

Vincenzo indicò, sorridendo, un paio di damerini abbigliati alla Werther: marsine in panno blu con collo rovesciato, calzoni al polpaccio, stivaletti, cravattone invece di jabot.

Sanges teneva in mano il libro.

«Sai che forse il signor Goethe verrà a Napoli? L'ho saputo a casa Filangieri, Gaetano gli è amico. Tu dovresti riprendere a frequentare, Lenòr. Dai Filangieri adesso c'è il fior fiore.»

«Lo farò. Ma dammi un po' di tempo. Sapessi come mi sento strana dentro. Provo desiderio di ricominciare, ma non più come prima.»

«Siamo cambiati tutti. Anch'io non sono quello d'una volta. Veder cadere le persone care segna, come no. Ti cancella per sempre l'infanzia che, nonostante tutto, ti portavi dentro; ti spegne e ti matura.»

«Dev'essere così. Per esempio, io non riesco più a scrivere versi. In fondo i versi appartengono all'infanzia. All'adolescenza.»

«Lo diceva anche Vico.»

«Ho provato a fare dei sonetti dedicati al... Al mio bambino. Li ho buttati via. Fra l'altro mi sono accorta che il modo di poetare finora usato non può rappresentare i sentimenti. È falso. O si trova un modo nuovo... Forte, drammatico, se vuoi, oppure è meglio che la poesia venga considerata morta.»

«C'è Alfieri» suggerì Vincenzo. «Ma forse questo è tempo di prosa, Lenòr. Di riflessione. Perciò vanno i romanzi.»

Aprì il *Werther* legato in teletta rossiccia. Anche i libri stavano cambiando: edizioni meno costose, niente più marocchini né fregi.

«Ho segnato dei punti che volevo leggerti: dicono cose che mi stanno dentro. Senti qui, per esempio. "La maggior parte degli uomini consuma quasi tutto il suo tempo per vivere, e quel poco di libertà che ancora le resta la spaventa tanto che cerca qualunque pretesto per liberarsene."»

«Ha ragione» mormorò lei. «Penso che qui "vivere" voglia significare "sopravvivere, vegetare". Procurarsi il cibo.»

«Sì. Io trovo importante quel concetto che gli uomini hanno tema della libertà. Tanto da volersene liberare: i Romani vollero Cesare, non Bruto.»

«La libertà costa molto cara» lei disse. «Io adesso sono libera. Posso vivere dove mi pare, fare ciò che voglio. Ma son sola. Non ho più nessuno. Questo è il prezzo della libertà che mi ritrovo.»

«D'altra parte non c'è scampo, Lenòr. Non sei tu che decidi. Non sei tu che scegli. Noi viviamo in un caos, del quale non comprendiamo né sappiamo nulla.»

Riaprì il libro a una pagina segnata: «"Il cielo e la terra e le loro forze che turbinano intorno a me! Non vedo null'altro che un mostro il quale eternamente rumina ciò che ha divorato." Noi facciamo parte di questo tritume cieco. Senza sapere cos'è. In certi momenti darei ragione a Werther, alla sua risposta tremenda a questa condizione intollerabile, poi penso: proprio perché so che non possiamo scegliere, anche quella sarebbe una sconfitta. Ennesima obbedienza alla forza misteriosa che ci governa. Mi ribello e non credo più nemmeno al suicidio».

Pausa. Lei era seria, rifletteva. Mormorò: «Ci ho pensato anch'io, almeno un paio di volte. Ero disperata, intrisa di dolore, ritenevo non avrei potuto provarne di più. Invece l'idea di quella cosa me ne procurò ancora. Provavo una sorta di terribile pietà universale: per me stessa, per tutti, perfino per Pasquale Tria, suo padre morto, mia madre, il mio bambino, addirittura per gente vista in un lampo. Quasi tutto dipendesse da me, avesse vita perché ero viva io. Non riesco a spiegartelo».

«Tu sei donna, Lenòr. Una donna non può sentire che così. Perché essa è la vita. Deve dare vita.»

Rispose, un po' dura: «Adesso io vita non ne posso più dare».

«Ma l'hai data. Il tuo misterioso dovere l'hai fatto.»

«E allora, potrei chiudere? Magari imitare il signor Werther?»

«Perché? Ora puoi fare come gli uomini. Che partoriscono con la testa. Con la bocca: parole. In mancanza di meglio.»

Commentò, ironica: «Sarà per ciò che i versi non mi piacciono più».

Vincenzo le accarezzò il mento.

«Però stamane ti sei data rosso alle guance, alle labbra. O è per questa bell'aria marinara?»

3

Trovò una nuova casa, sempre a Sant'Anna. Giù, verso Toledo, nel palazzotto del marchese Sifola, un edificio grigio chiaro, decoroso. Nel cortiletto un piccolo giardino che il portinaio curava con assiduità. Anche l'appartamento al piano nobile in buone condizioni: parati azzurri quasi nuovi, pesanti tende di velluto giallo, porte a cristalli smerigliati pitturate di fresco.

Fece togliere l'uscio tra le due camere grandi, per ottenere un saloncino, nella zona più stretta sistemò l'angolo di lavoro, con stigli in noce pei libri, un tavolino bianco a fregi d'oro, tappetini d'Oriente, il baule delle carte. Nell'altro vano un divanetto, sedie. Quando fosse stata liquidata la sua porzione ereditaria per le patenti di papài ci avrebbe messo un trumeau, magari un clavicembalo. Fece incorniciare ritratti tolti ai libri: Metastasio, Genovesi, Alfieri.

Nella stanza rimanente il letto, un tavolino, cianfrusaglie. La cucina tutta mattonelle bianche della Cava: c'era posto per il lettino di Graziella, in un angolo.

Graziella era una ragazzina magra, spettinata nei capelli biondicci e radi, la faccia piena di foruncoli. L'aveva trovata grazie a una sensale di Sant'Anna. Per trattare con la madre dové arrivare fino a San Matteo, in un basso-bordello, dove vivevano nel sudiciume un vecchio, una vecchia, tre o quattro ragazzini e cinque zoccole, una delle quali, detta Naso de Cane, era la madre di Graziella. La Naso de Cane s'accontentò d'un ducato e mezzo al mese, alla figlia il mangiare, qualche vesticciola. Graziella avrebbe dovuto fare la spesa, cucinare, pigliar acqua in cortile, pulire.

«Io non saccio fa' niente. Io non ci vogl'ì» dichiarò subito, nel basso, con aria torva. Sua madre strillò, poi minacciò. Lei scappò pei veicoli. Tornò perché la Naso de Cane spedì un ragazzino col messaggio: «Se non vieni prima de mo', te faccio piglia' da lo Spino».

Lo Spino (come appurò più tardi) era il ricottaro della Naso de Cane e d'altre due. Non ci avrebbe messo niente, informò tranquillamente la donna, a intaccare la faccia di quella "latrina".

«Non te la devi pigliare con me, Graziella» aveva cominciato, con pazienza, mentre quella si rannicchiava contro i muri. «Che avresti fatto in quel basso? Qua starai bene, pulita.»

Graziella non rispondeva, torva. D'un tratto scappò in cucina, si buttò sul lettino preparato per lei e singhiozzò a dirotto.

«Chella zoccola de merda» sussultava, mostrando i pugni. «Chillo muorto de famme. Ma io li vado accidere.»

Provò a carezzarla, schizzava come una serpe. La guardò con odio, schiumando: «Va' fa' 'nculo pure tu».

D'istinto le tirò uno schiaffo bello forte e provò rimorso. Ma quella s'era calmata di colpo: s'alzò, rimase a testa china.

«Dimme, signo'. Ch'aggia fa'? Non me paccaria' cchiù. Io t'obbedisco.»

Non ci voleva credere, poi capì che Graziella era stata cresciuta a suon di pàccheri e solo quelli capiva. Le parlò nel curioso napoletano che riusciva a mettere insieme.

«Tu piano piano t'impari» disse. «Lo lietto lo sai fa'?»

«'Gnora no. Nuie tenimmo lo saccone.»

«E qua te impari a fa' lo lietto con le lenzuola. Poi vai a piglia' l'acqua abbasso, la porti 'ncoppa. Due volte la settimana lavi in terra. Ogni mattina vai a fa' la spesa e poi ti metti a cucina'.»

«Tu si' scema, signo'. Io non saccio manco vòllere l'acqua.»

«E a la casa tua come mangiavi?»

«Cucinava zi' Vicenza. Tenimmo a magna' pure li signure.»

Idea improvvisa. Afferrò Graziella per un braccio.

«Grazie'» disse, con imbarazzo. «Di' la verità a la signora tua. Tu... tu già avisse accominciato?»

«A fa' la vita?» esclamò la ragazza, con naturalezza. «No ancora. Non tengo li zzizze e sti' frùngole in faccia fanno avota' lo stommaco. Mammà 'nce mette la merda de jatta, ma non se levano. Se no, sai da quando avevo accominciato!»

Rabbrividì, la guardò, con aria dolce. Davvero brutta, secca, sgraziata. Ora i foruncoli li notava meglio: rossi, gonfi sulla pelle bianchiccia. Segni di peste ereditaria? Per un attimo le venne idea di restituire Graziella alla Naso de Cane. Scosse la testa.

«Grazie'» disse. «Con me starai bene. Però m'hai da fare contenta. Ogni mattina ti lavi le mani, la faccia.» Le guardò i piedi scalzi, neri di croste. «E i piedi. Così li frùngole te passano.»

«Ma tu me fai torna' ogni tanto dint'a lo vascio mio?» piagnucolò la ragazza. Sospirò: «Eh sì. Una volta la settimana».

4

Vennero giorni intensi. Ritrovò molti amici: adesso s'incontravano nel magnifico palazzo Filangieri al Largo d'Arianello.

Gaetano sempre bassino, smilzo, appena irrobustito. Aveva perso molti capelli sulla fronte e mostrava aria stanca. Era ormai un grand'uomo, un punto di riferimento: i suoi amici fuori del Regno si chiamavano Goethe, Franklin, Diderot, la zarina Caterina. Proprio in quei giorni era uscito il terzo volume della *Scienza*, che Roma aveva immediatamente posto all'indice, per via della polemica contro i beni ecclesiastici.

A palazzo Filangieri reincontrò Jeròcades, Pagano, Cirillo, Conforti, Meola, Guidi, conobbe Astore, Delfico, Lauberg e un gruppo di ragazzi appassionati e inconcludenti: Manthonè, Marra, Ciaia.

Jeròcades s'era stempiato assai, ma continuava a non usar parrucca. Si mise ad agitare su e giù la testa, il suo modo di manifestare emozione. Le sorrise perfino, senza denti. Prendendola a un braccio, bofonchiò: «Avete fatto male. Male, male a privarci tanto».

«Non è stata colpa mia» sussurrò lei. Egli scosse il capo.

«Non siete sola, Lenòr. I vostri amici vi vogliono bene. Ora che siete padrona di voi stessa potete più che mai dedicarvi alle cose grandi.»

«Voi...» esitò. «Voi continuate ad esser fratello muratore?»

Jeròcades s'incupì.

«Nel cuore, sempre. Ma le cose cambiano. Gli uomini non sono perfetti. Gli ideali del Grande Progetto son vivi più che mai, ma i mezzi per conseguirli appaiono diversi. L'ho detto nel mio libro: sapete che finalmente *Paolo, o dell'umanità liberata* è uscito?»

Moriva dalla voglia di dirlo. Per farlo lieto, mormorò: «Sono molto contenta. Ci sono sempre io dentro, come mi diceste?».

Lui fece gli occhi lucidi. Deglutì.

«Lo vedrete voi stessa. Domani ne avrete una copia.»

La prese di nuovo al braccio, mormorando: «Io non v'ho mai dimenticata. Nonostante tutto».

Lei increspò le labbra in sorriso malinconico.

«Sono sempre la vostra amica. Le nostre menti, i nostri cuori s'incontrano di nuovo, certo. Ma come donna non esisto più, mi capite? Guardatemi.»

«Voi continuate a mostrare esteriormente la bellezza rara dell'ingegno e dell'anima» disse, traendola in un canto. «Io non sono mai riuscito a trovare una donna che avesse questo.»

Con aria un po' torva, continuò: «Sono sempre solo. Costretto ad abbozzare, in una realtà che non si presta, e non mi piace, i grandi sogni dell'avvenire. Con voi troverei conforto inestimabile».

Le stringeva le mani, tremando, d'un tratto bisbigliò cupamente, senza guardarla: «Io non ho mai avuto una donna, Lenòr».

"Cosa gli dirò, meu Deus?" Si sciolse, con dolcezza.

«Ho sofferto molto, in questi anni. Nel corpo, nella mente. Per ora non riesco neppure a scrivere, sapete. Ci vorrà tempo: molto tempo.»

Lui annuì. Pareva stanco, corrucciato.

«Vorrei che aveste bisogno di me, per tutto questo.»

«Di voi, di tutti gli amici. Ve ne ringrazio dal profondo del cuore.»

Rivide anche Primicerio, ch'era diventato grasso. L'aria decisa s'era trasformata in atteggiamento gonfio, presuntuoso, forse perché mai le cose gli erano andate così bene: continuava a fare il poeta di Corte, ma aveva anche aperto, in società, uno studio legale al Ponte di Tappia. Un'opera scritta con Cimarosa era stata data con successo al San Carlo. Pubblicava versi su versi. Lo attorniavano giovanotti in cerca di protezione, adulatori, ammiratori.

Le tese le mani con fare untuoso, che la stupì. Come la sorprese il modo di parlare: falso, "politico", da vero cortigiano.

«Cara marchesa de Fonseca.»

Il codazzo si fermò a rispettosa distanza.

«Lenòr. Fatti vedere.»

Esitò, sorrise.

«Sei un po' sciupata. Ma ti vedo bene.»

«Tu stai bene» fece allegramente. «Solo che sei ingrassato parecchio.»

«Si vede, eh?»

Appariva sinceramente seccato, ma riprese subito il tono fatuo.

«Il fatto è che, a una certa età, i sogni, gli entusiasmi, quelli di cui ti nutri in gioventù, se ne vanno. E allora non puoi che nutrirti per davvero: di costolette, timballi. Rimane questo. Qualche volta vieni a pranzo con me: sai che Napoli è una delle capitali europee dove si mangia meglio?»

«Lo credo. È così piena di forestieri...»

«Ah, un incanto. Scrivi ancora, Lenòr?»

«Poesie, vuoi dire? Poesie "schifose" no.»

«Mon Dieu!» ridacchiò in tono frivolo. «La tua memoria non perdona. E io che volevo farti una proposta!»

«Se è per farti perdonare, dilla.»

«Non desidero nulla più che farmi perdonare da te» ripigliò, in tono sempre più galante e distratto. Divertita, stette al gioco.

«Come potrei non farlo, se me lo chiedi così?»

«Allora sta' a sentire. Tu scrivesti, una volta, una bella cantata per le Loro Maestà. Vedi che ricordo? E che non giudico male le tue poesie?»

«Acqua passata. Però ti ringrazio.»

«Bene, ascolta. Fra sei mesi verrà in visita a Napoli la zarina di tutte le Russie. Sì, l'imperatrice Caterina II. A Corte s'intende farle accoglienze straordinarie. Tu capisci, anche per via dei nuovi accordi con Pietroburgo. Io pensavo d'inserire nei festeggiamenti una bella cantata. Tua. Potrebbe musicarla Paisiello: lui c'è stato in Russia, conosce i loro gusti.»

«Oh, grazie! Ma perché non vuoi comporla tu? Sei tu il poeta di Corte.»

«Lenòr, mia cara! Io non so più dove sbatter la testa. Appena t'ho vista, l'idea m'ha folgorato. Del resto, ci pensavo anche prima. Mi domandavo: "Cosa farà Lenòr Fonseca? Dove potrei rintracciarla?". Sarebbe una buona occasione per inserirti di nuovo. Anche a Corte.»

«Con la regina che non mi perdona "les gros tétons"?»

Primicerio sorrise, le guardò il petto. Divenne improvvisamente brusco, come un tempo.

«Son cambiate tante cose. La regina adesso se ne infischia del re, delle sue donne, purché lui se ne stia fuori dalle faccende del Regno. Vedi, Maria Carolina con gli anni ha precisato la vocazione. A lei piace regnare, comandare: come sua madre. E poi, ha incontrato un uomo eccezionale, adatto a lei, sebbene sia più giovane: anche sir Acton è libidinoso del potere. Senti a me, Lenòr, che ti sono amico. Fra l'altro penso che, nella situazione attuale, tu possa avere... Necessità di guadagno. D'aiuto.»

Divenne dura nello sguardo. Lui riprese: «Non voglio nulla in cambio. Desidero semplicemente che tu non abbia più risentimenti. E mi ritorni amica».

Con mesto sorriso, un po' vero un po' falso, concluse: «A quest'età, certe cose riacquistano malinconico valore».

PARTE NONA

1

Filangieri è malato. Ha chiuso il bel palazzo del centro, per trasferirsi a Vico Equense: nel castello Fieschi, tra limoni e aranci, a picco sul mare cristallino dello Scrajo.

Rammenta il giorno in cui Gaetano s'accomiatò dagli amici, nel grande studio coi soffitti in legno: tanta commozione intorno al piccolo principe pallidissimo, dalle nari smunte, le mani fredde. Gli stavano accanto sua moglie la tedesca (non più istitutrice a Corte), i bei figli, due biondi, fieri bambini. Gaetano tossiva, respirava con difficoltà, ma volle salutare uno per uno, stringer tutte le mani, dire a ognuno qualcosa.

«State salda» le mormorò. «E rammentate che il nostro compito rimane quello di preparare idee per chi governa.»

Adesso in molti vengono da lei. A volte c'è da impazzire, con Graziella che pulisce quando vuole, ogni tanto scompare, diretta all'amato basso di San Matteo. Ha cominciato a prostituirsi: glielo fece confessare al ritorno da una delle sparizioni.

Era contenta, le brillavano gli occhi acquosi. Rise nel suo modo convulso: «Signo', ma che ci sta di male? Chesto ha da fa' la femmina. Perché l'ommo chesto vo'. Lo fanno tutte quante: tu non l'hai fatto mai?».

Vampa di sdegno. Stava per gridarle: "Tu sei pazza! Una donna non deve darsi per compenso!", invece tacque. Che aveva fatto, in fondo, la marchesa Lenòr Pimentel Fonseca? Non s'era data per compenso al signor conte Tria? Il meschino compenso di casa, vitto, compagnia?

Più tardi le osservò: «Grazie', tu vuoi fare con la capa tua? Te ne vai, torni dopo sei giorni, te ne vai 'n'ata vota? E se mi porti qualche bel "regalo"?».

La ragazza si mise a ridere. Disse, con aria saccente: «Signo', quando una è fresca, non s'impesta. S'impestano li vvecchie».

Rabbrividì. Come avrebbe potuto toccare senza schifo né paura piatti, bicchieri, cibo maneggiati da Graziella? Respirarne il fiato?

«Nossignora, Grazie'. Ti pago e te ne vai.»

Di soldi disponeva: dopo il successo della cantata per la grande Caterina al teatrino di Corte (peccato che la zarina non venne, ma c'erano i granduchi e l'ammiraglio Potëmkin) il re le aveva concesso un sussidio. Era anche arrivata la sua parte per le patenti di papài.

Graziella s'aggrappò a una porta: «Non me ne voglio ì».

«E invece te ne vai.»

Si mise a singhiozzare, si buttò sul pavimento, si stracciava le vesti: «Io voglio sta' ccà».

«E allora non ti devi muovere più.»

«Non me ne vado cchiù. Giuro 'ncoppa a la Madonna. Arrassosìa.»

Per qualche giorno rimase. A volte lei l'osservava, chiedendosi come quel fuscello, esile e storto, potesse partecipare a fatti sessuali. Tentò di domandarle: «Grazie'. Ma... a te ti piace? Ti piace quando...».

Non la fece finire.

«A le vote sì. A le vote no. Ma tu, signo', veramente non lo sai?»

«Io sono stata sposata. Ho avuto un figlio. Che è morto» mormorò.

«Allora lo sai pure tu. Che me lo spie a fa'?»

Di lì a tre giorni se n'andò di nuovo, per ricomparire dopo due settimane singhiozzante. Si strappava i capellucci, gridava di non voler tornare a San Matteo, giurava sulla Madonna, Gesù Cristo, san Gennaro. Non ebbe coraggio di mandarla via. Ci vollero giorni perché tornasse calma: quando le chiedeva cosa fosse successo, Graziella alzava gli occhi al cielo, soffiava: «Uuuh!» con terrore. Una sera scoppiò a piangere, andò ad abbracciarla, gridando: «Signo', non me lassa'. Se me ne voglio fui', accideme co' chesta».

Cacciò dal corsetto una molletta lunga.

«Chi te l'ha data? Dove l'hai pigliata?»

«L'aggio arrobbata a lo Spino. Se me ne vado, accìdeme, ca è meglio.»

Ci volle tenera e un po' malata pazienza per farle dichiarare: «No. Quelle cose llà no. Io me so' fatta zoccola, no femmena perduta».

Non volle mai spiegare "quelle cose". Tuttavia ricominciò a sparire. Tornava abbastanza serena, aveva preso l'abitudine di portare regalini (un fazzoletto nuovo, della frutta), lei strillava, raccapricciata, li buttava, ma si dovette rassegnare.

Una mano la dà, anche se squadra con aria un po' sfrontata gli uomini del salotto. La sera tardi, quando tutti sono andati via, domanda: «Signo', perché non ti aggarbi lo rosso? Perché non ti tieni lo frangese? Perché fai veni' pure li ricchiune? Perché cheste se vestono da puttana?».

"Lo rosso" è Cesare Marra, cadetto d'artiglieria, alto due metri, capelli scarlatti pettinati alla Bruto, "lo frangese" è Manthonè, giovanissimo ufficiale artigliere dalla faccia furba, cotta dal sole, "li ricchiune" sono i poveri poeti De Martino e Campolongo, che si muovono col garbo dei gentiluomini formatisi in società al tempo dei tupè, del minuetto. "Puttana" è qualche dama che osa vestirsi all'ateniese, seconda l'ultima moda di Milano: corsetto alla Ninon, scollatura invereconda.

In verità non sono molte, stasera soltanto Luisa Molino Sanfelice di Lauriano. Chissà come son capitati qua lei e suo marito Andrea: due matti, scapestrati ragazzi. Pare li vogliano interdire, spedire lei in convento ad Agropoli, lui a Roccamonfina. Ma se ne infischiano e folleggiano. Così belli, d'altra parte! Lui ha solo vent'anni, lei meno. Uno splendore: boccoli corvini, pelle di magnolia, occhioni neri e profondi. Le sta bene sì il vestito neoclassico che scopre le belle spalle, il seno perfetto. Vanno via presto: c'è da annoiarsi per loro, coi poeti che parlano in latino, i ragazzi impazziti per quanto avviene a Parigi, i "vecchi" criticoni e diffidenti. Jerròcades ha assunto aria da nume tutelare: vigila come un mastino napoletano, sgrida Graziella che non lo può vedere e lo chiama "zi' prèvete".

È contenta del suo salotto intelligente. È riuscita ad aggiungervi due trumeaux, stampe di Germania, una bell'arpa d'oro, che illeggiadrisce un angolo.

La nuova condizione le procura tanto impegno da stremarla, senza un minuto per abbandonarsi ai ricordi. La cantata per Caterina di Russia l'ha resa importante: la fecero salire sul palco, con i cantanti e Paisiello; stordita, logora, dové salutare re, regina, pubblico, con infiniti inchini. Se ne parlò in giro, oltre che sulle gazzette. Persino Graziella, il giorno dopo, chiese: «Signo'. È vero che stanotte hai ballato 'ncoppa a lo triato?».

2

È così strano diventare "pubblici"! Ricorda le emozioni provate quando misero a stampa, per la prima volta, cose sue. Ma allora era bambina. E poi, è diverso. Con una poesia stampata, un piccolo libro, passi sì dall'altra parte, ma puoi anche smettere, se vuoi. Non stampare più niente: i pochi che aspettavano dimenticano. Sparisci: sei un nome e cognome, un po' di carta, un fantasma. Per quest'altre cose no: ti vedono, sei un corpo, una persona. Occupi una serata, i discorsi del giorno dopo, le gazzette, i salotti. Puoi andartene anche di qui, se vuoi, ma poco facilmente. Il re, la regina, domanderebbero: "Che è successo? Perché è scomparsa la Fonseca?".

Stai nel mondo che conta, un tuo silenzio è politico: t'ascoltano, si fidano di te, delle tue parole. Sei un punto di riferimento: come Genovesi, Filangieri, Pagano, si licet parva componere magnis.

E ci sono gl'impegni ufficiali. Quando s'inaugura qualcosa a Corte, ti mandano a chiamare. Arriva il bel foglione di pergamena con lo stemma d'oro a rilievo, devi andare. Anche se stai male.

C'è in programma una cantata per il viaggio che il re e la regina faranno, prima a Vienna, poi in Italia. Sarà eseguita al San Carlo. È piacevole lavorare con Paisiello: t'aiuta con pazienza a studiare i ritmi, modificare sillabe, drammatizzare. È diventato un Dio. Dopo il trionfo della *Nina pazza per amore,* in tutta Napoli si canta *Il mio ben quando verrà.*

E c'è da studiare, approfondire argomenti scientifici, economia: queste cose adesso hanno per lei fascino singolare, occuparsene significa capire i segreti del mondo. Con la poesia intuisci. E basta.

C'è da collaborare ai giornali e questa pure è cosa straordinaria: anche così partecipi al gioco adulto. Offri idee che potranno germinare.

C'è la corrispondenza con gli amici d'Europa. Oh, non più le puerili lettere scambiate con Metastasio, Saccenti: queste vanno pensate, calibrate, son rivolte a uomini come Gorani, Münster.

Inforca gli occhialetti, guarda con orgoglio sul tavolo la pila dei libri arrivati di recente. Occorre dar notizia che sono usciti i *Nosologiae methodicae rudimenta,* il *Trattato sulla lue,* l'*Entomologia* di Cirillo. Quest'ultima è bellissima, non sapevo che Cirillo disegnasse tanto bene. Ma forse le illustrazioni sono opera di Angelica.

C'è da scrivere a Spallanzani che può venire, gli amici sono a sua disposizione per le ricerche sui Campi Flegrei. Da rispondere a Fortis, che ha preannunziato il suo arrivo, deve compiere studi sul nitro al Pulo di Molfetta.

Guarda con un sospiro la cartella di tela verde che giace da parecchio sul tavolo. Contiene i primi fogli del lavoro cui s'è accinta e che ritiene importante. Per la gente, per sé. Patente della funzione pubblica che adesso le compete.

Le persone di lettere non possono baloccarsi con giochi, magari raffinati, di sentimenti e parole, sebbene con essi pure conquistino potere. Ma è potere immorale, conseguito su inermi. Occorre, al contrario, rendersi utili, illuminare. Le sono così chiare, adesso, le parole di Locke, Voltaire, quelle piagnucolose di Rousseau! S'accendono le frasi della *Dichiarazione americana* che Sanges idolatra.

«Noi riteniamo queste verità siano di per se stesse evidenti:

che tutti gli uomini siano creati uguali e che essi siano stati dotati dal loro Creatore di alcuni diritti inalienabili, tra cui la vita, la libertà, la ricerca della felicità. Che per garantire questi diritti vengano istituiti i governi, i quali traggono i loro giusti poteri dal consenso dei governati. Che ogni qual volta una forma di governo divenga distruttrice di tali fini, il popolo ha il diritto di modificarla o di abolirla.»

Tocca agli uomini colti capire se i governanti procedano lungo queste linee e, se no, ammonirli, contrastarli. Come sta succedendo in Francia, come han fatto quegli Americani i cui nomi cominciano ad esser noti fra salotti e gazzette: Jefferson, Washington, Franklin. Hanno costruito una nazione attuando le idee dell'Europa migliore, dimostrando che SI PUÒ, che le voci sincere di letterati e scienziati non si perdono al vento.

Dentro i miei fogli nella cartella verde non ci sarà un mondo nuovo, ma nel Regno siamo indietro. Anche la semplice traduzione d'un vecchio libro scritto in latino qui può diventare un'arma. In quel *Nullum jus pontificis maximi in Regno neapolitano* del povero Caravita, che nessuno ha mai letto, si trovan cose straordinarie.

«Un regno è amministrazione e difesa dei diritti pubblici della nazione, conservazione e difesa dei diritti privati del cittadino»: queste parole lei ha scritto nella prefazione. Così s'insegna al Principe.

3

I ragazzi e i "vecchi" fanno chiasso infernale. È arrivato anche Ciaia, che Graziella chiama "lo bello". Gli ronza intorno incantata, quando però lui allunga una scherzosa carezza si fa brutta e scappa.

Effettivamente Ignazio è bellissimo: ha profilo greco, i capelli castani pettinati a colpo di vento. Osa portare i favoriti, cravatta bianca fino al mento. Scrive poesie, canticchia con voce da tenore motivi d'opera. Sta con la Coltellini, l'acclamata interprete della *Nina* di Paisiello.

Si passano con entusiasmo il «Moniteur», che arriva con sette giorni di ritardo: non esiste censura per libri e stampe forestieri.

«Anche questo è da tener presente» ammonisce Sanges. «Sono pochi i paesi dove c'è tanta libertà. Stiamo attenti a non farcela togliere.»

«Monsieur!» ride Manthonè, che parla italiano benissimo (nonostante il cognome, è abruzzese di nascita) ma più degli altri insiste nel francese. «Vous vous contentez de peu de choses!»

«Une liberté accordée ne vaut rien!» aggiunge, enfaticamente, Marra. «C'est le peuple qui doit conquérir la vraie liberté. Come succede in Francia. Il re ha trasferito il Parlamento e il popolo gli ha insegnato la modestia: ora deve riportarlo a Parigi.»

«E deve convocare gli Stati Generali!»

«Non crediate che gli Stati Generali possano risolvere gran che» interviene quietamente Astore. «Dal punto di vista giuridico non hanno poteri. E il problema della Francia è, soprattutto, quello di far leggi nuove.»

«Leggi e non re!» grida, ridendo, Ciaia, che adora Alfieri. «Questa è la ricetta per le malattie dei popoli.»

«Io pure vi rispondo con Alfieri» sorride Sanges. «Di libertà maestri i Galli? E a cui? / A noi, fervide ardite itale menti, / d'ogni altra cosa insegnatori altrui?»

I ragazzi sghignazzano. Marra rimbecca, beffardo: «E quali sarebbero queste ardite itale menti, qua da noi? Il signor Acton, Maria Carolina, lord Hamilton, che è ormai padrone a Corte?».

«Si trattasse della sua amica, lady Emma...» sorride, fatuo Ciaia. «Non sarà né itala né mente, ma ardita sì. Comunque un bel pezzo di...»

«Putain» completa Manthonè. «Come se alla Corte di Napoli non ce ne fossero abbastanza.»

«A proposito» interviene lei, lasciando il tavolino delle carte. «Sapete che m'ha scritto Gorani? Ma non andate in giro a dirlo, per carità. Et, sourtout, n'allez pas raconter que vous l'avez su chez moi.»

«D'accord» ride Manthonè. «Nous serons muets comme des tombes!»

«Ha scritto che Napoli ha tre re: il primo è un être nul, la seconda una comédienne lubrique, il terzo un gredin. Un furfante!»

Risate. «Il a raison.» «La situation est parfaitement représentée.» Tentennamenti di Sanges, Jeròcades, Meola. Delfico osserva, pizzicando dalla tabacchiera: «Dal punto di vista umano potrebbe anche esser così. Dal punto di vista politico ed economico non sono d'accordo. Io dico che le linee tracciate da re Carlo e Tanucci sono state seguite e sviluppate: il Regno si sta modernizzando. Se guardiamo lo Stato della Chiesa...».

«Bella forza!»

«... i piccoli Ducati, il Regno di Sardegna...»

«Lo Stato sardo è misterioso» interviene, serio, Sanges. «Confesso che ne ho un po' di timore. Noi qua facciamo i filosofi, abbozziamo riforme, ci occupiamo solo dei casi nostri...»

«Ma così dev'essere. Quando re Carlo disse: "Non abbiamo ambizioni", aveva in mente un Regno che per prima cosa risolvesse i problemi interni.»

«Quelli, però, se ne infischiano della filosofia. Pensano all'amministrazione, alle fabbriche. Sapete qual è la mia teoria? Un giorno o l'altro qualcuno dovrà pur provarsi a fare quello che è avvenuto secoli fa nelle altre nazioni e che da noi non riesce, grazie all'opposizione della Chiesa.»

«Vuoi dire l'unità?»

«Certo. Oggi due sole potenze potrebbero provarci: noi e la Sardegna. Noi ancora discutiamo della chinea, dei feudi. La faranno quegli altri.»

Ha seguito attenta, esclama: «Mio Dio, Vincenzo! Anche il regno sardo è pieno di problemi. Ci sono feudatari anche lì. Forse un po' meno preti».

«Ha un esercito potente, sta creando a forza un'industria.»

«Io non credo al successo delle cose forzate. Specie in economia» riprende Delfico, ripizzicando tabacco. «L'economia è specchio della vita. In economia, come nella vita, occorre lasciar libero il gioco naturale delle forze. Vedete in Francia? Gira e rigira, se intendono risolvere i problemi d'un'economia forzata, devono fare appello ai "physiocrates".»

«I quali non risolveranno un bel niente» s'accende Manthonè. «Ce n'est pas un problème économique, mais politique. Politico e sociale. Il popolo è tenuto fuori. Produce ricchezza, i parassiti se la mangiano. C'est tout.»

«Pour l'Italie c'est pareil» rincalza Marra. «L'unità d'Italia è possibile, ma non con le armi del re di Sardegna, del re di Napoli o di un altro re. Bisogna eliminare i parassiti italiani, compresi i re, e liberare il popolo. Qui sera le seul à former la nation.»

«Su questo potrei concordare. Almeno in parte» dice Vincenzo. «L'unità non dovrebbe farla nessuno con la conquista militare. C'è una strada diversa, la storia recente l'insegna.»

«I tuoi carissimi Stati Uniti d'Italia!» sorride lei. «Come in America. Tante belle repubbliche democratiche federate...»

«Mais l'Italie n'est pas l'Amérique!» grida Manthonè.

«D'accordo. L'America ha avuto la fortuna di nascer senza storia, senza tradizioni, né inceppi sociali, tutta libera subito. Noi dobbiamo, invece, andarci piano. Se cambiassimo di colpo, ci troveremmo di fronte a plebi ignorantissime, miserabili, che non capirebbero nulla. Finirebbero per respingerci. Per odiarci.»

«Oui, naturellement il faudra attendre...» commenta, ironico, Manthonè. «Deux ou trois siècles! Ma a voi piace questa città sporca, ignorante? Non ne avete schifo e vergogna? Quanto tempo ci vorrà per cambiarla?»

«No che non mi piace» replica Sanges, serio. «Ma non voglio prenderla in giro. Né sedurla con promesse impossibili. Voglio aiutarla a liberarsi da sola.»

«Smettiamola d'aspettare che lo faccia gente forestiera!»

«Ah, oui» commenta, beffardo, Manthonè. «Et les Anglais?»

4

Caldo da crepare in questo scorcio di luglio. Le persone importanti, tuttavia, non vanno ancora in vacanza. Il salotto Cassano è di nuovo affollato: i rapporti con Palazzo sono tornati buoni, nonostante le dame di casa non cessino di detestare Maria Carolina. Ma adesso la regina ed Acton, con Ferdinando al rimorchio, sono latte e miele con tutti.

«Hanno paura che a Napoli si faccia come a Parigi» sostengono, malignamente, i ragazzi.

«Fanno il loro dovere» dicono i saggi.

Fatto è che il povero Ferdinando è costretto a Palazzo, in

quest'afa, disertando le cacce di Persano, la fresca villa della Favorita, la pesca di ricciòle al Granatello.

Le ultime notizie dalla Francia sono importantissime.

Dai Serra balconi spalancati, ma le candide ali delle tende immobili. Servitori boccheggianti nelle accollate livree agitano strani flabelli, distribuiscono bibite annevate, cercano di creare correnti, sistemando strategicamente porte e battenti. Niente da fare; si soffoca, si suda a goccioloni. Le dame, molte delle quali insistono con le vesti neoclassiche, sono imperlate sulle fronti, sotto i nasi, sui seni generosamente imbanditi.

Beati i lazzari e il popolo che non sanno niente. Se ne infischiano di Turgot, di Necker, e guazzano mezzo nudi a Santa Lucia, a Mergellina, a Coroglio. Tornano a notte, sazi di mare, sole e melloni d'acqua.

Si chiacchiera stancamente, gl'impenitenti giocano, in attesa che Marra e Manthonè tornino dalla posta del Molo Beverello con le copie del «Moniteur» appena sbarcate dal postale di Marsiglia.

Don Michele Serra domanda a Caracciolo, elegantissimo nella divisa bianca e oro, se per aver notizie fresche la marina possa adoperare il telegrafo ottico. L'ammiraglio scuote il capo.

«Non ci sono stazioni alle quali collegarci fuori del Regno.»

«E le vostre? Non possono collegarsi con le navi in arrivo?»

«Si guadagnerebbe ben poco, amico mio. E poi, qua ormai non arrivano più che navi inglesi. Uh che caldo!»

Una mosceria davvero. Meno male che la signora Celeste Coltellini (non è bella ma spicca, mezzo nuda com'è) gorgheggia e si dimena, facendo ingelosire Ciaia. Le danno mano tre virtuose del San Carlo. Ruvo si diverte: s'è impadronito d'una canterina tutta bianca, se la trascina dappertutto.

Anche lei è in bianco, il colore di moda. Ma niente vestiti all'ateniese, per carità! Coi capelli ormai tutti grigi... Va bene che adesso usa pure per le donne l'incipriatura argento. In bianco Chiara Pignatelli, Giulia Carafa, Maddalena. Non osano il neoclassico: han trovato una via di mezzo, con tuniche indossate senza panier su leggere sottovesti inamidate, che sul petto s'intersecano a V. Non più fresche e levigate neanche loro: borse sotto gli occhi, grinze al collo, nonostante pomate e ciprie. Chiara quarantadue, quarantatré? Giulia e Maddalena di più. Saranno il caldo, i tempi... Non frizzano. Svogliate, parlano di villeggiature, figli.

Chiara trascura letture e amori. Al momento la corteggia, con scarsi risultati, Carlo Lauberg, un pezzo d'uomo stempiato, dai favoriti spruzzati di grigio. Indossa redingote all'inglese di nanchino azzurro, pantaloni a tubo. Insegna chimica all'Università, possiede un laboratorio in Santa Caterina. Dicono sia agente dei rivoluzionari di Francia, un ex prete o un ex galeotto. Appare, in verità, un compito gentiluomo, dagli occhi un po' inquietanti. Discorre d'una novità: il pallone aeronautico del signor Lunardi.

«Beaucoup plus moderne que les Montgolfier» spiega, mangiandosi le sillabe. «Le valvole sono ottimamente calibrate. Il faut simplement perfectionner les systèmes de direction.»

«Io sarei morta di paura» osserva Chiara, annoiata. «E poi, avete un bel dire, voi. Ils l'ont retrouvé à Capodrise! Più lontano di Caserta.»

«Appunto perché i congegni di direzione sono imperfetti, madame. Ma dev'esser delizioso staccarsi dalla Terra, dalle sue noiose fatuità!»

Nel suo gruppo l'aria è più frizzante. Grazie ad Alberto Fortis. È davvero straordinario: non avverte stanchezza, caldo, noia. Piccolo, grassoccio, sgraziato nella redingote color pulce, affascina ugualmente.

Saranno il tono un po' frivolo con cui dice le cose, anche quelle importanti, il morbido "cantato" dell'accento, l'arguzia degli occhietti neri. O il vaporarne sessuale malizia, che richiama le donne, incuriosisce i maschi.

S'era appiccicato subito. Restava a pranzo, a cena, incurante degli sguardi d'odio, delle scortesie di Jeròcades. E parlava, rideva, accarezzava mani, braccia, spalle, guardava come se gli occhi riuscissero a cacciarsi sotto gli abiti.

Una sera (Jeròcades se n'era andato sbattendo la porta) riuscì a farla rimescolare. Era serio, sembrava cantasse nel mormorio della parlata forestiera.

«Lenòr, mia cara» diceva. «Lo so che non dovrei parlarvi in questo modo. Ma vi amo. Soffro tanto, nel vedervi cussì. Se quela canaglia del vostro marito non avesse nascosto le mie letere, sapreste che già mi preoccupavo di voi in quegli anni. No ghe xe nula che me dia maggior dolore quanto il veder una creatura gentile, delicata come voi siete, sfiorire a 'sta maniera. Per partito preso. Eppure siete ancora giovane, Lenòr, siete bella. Perché vi mortificate? Ho visto done che no le val la metà de voi e che, tutavia, sanno così deliziosamente mettersi in mostra, sfavillare! Da attirare su sé ogni desiderio. No, lasséme far. Da quanto tempo un uomo non vi caressa questa bella chioma fitta, queste belle mani? Non vi fissa in questi occhi intensi, che nascondono fuoco...»

Non riuscì a lavorare né a dormire, quella notte. Diede colpa al caffè di Graziella: aveva imparato a farlo carico, denso. Le ordinò una camomilla forte, quella la guardava con aria maligna.

5

Fortis veniva a prim'ora. Come diamine faceva così presto dalla locanda del Mercato in cui alloggiava? Al Pulo di Molfetta ci sarebbe andato, sì, con calma. Tanto pagava l'Academia de le siense de Padova.

Una sera gli parlò chiaro.

«Alberto, anch'io vi voglio bene, perciò posso parlarvi apertamente. Voi siete fatto a modo vostro, siete incorreggibile. Una donna, qualsiasi donna, per voi non può andar perduta: una moglie scontenta, una vedova... Non ve ne voglio, sapete. Siete come un bambino incapriccito. Tutti gli uomini sono un po' bambini. Però, voi Veneti! E poi dicono che i meridionali... Il signor Casanova è vostro conterraneo, no?»

Lui rise. Le afferrò le mani per baciarle.

«E chi vi dice di no, Lenòr? Non sono però un putelo. Sono un uomo, e un uomo savio. Che sa vedere la verità e comprende l'odiosa stupidità delle remore morali, dei sensi di colpa, delle orribili cose inventate dai nemici della felicità: i filosofi, i preti, i padri di famiglia, che i possa andar a ramengo. Cosa c'è di più utile, di più bello, per un omo e una dona, de lasciarse liberamente andar a lo slancio dei sentimenti? Verranno poi, i verà, i giorni de l'ira, quelli dello sfacelo, de la morte. E allora? Ogni momento in cui si potrebbe godere della vita e non si coglie resta irrimediabilmente perduto. Lo capite questo?»

Accennò macchinalmente di sì, molto turbata, lui cercò di baciarla.

«No, per carità. C'è Graziella.»

Le parvero tornati gli orrendi e cari giorni vissuti con Primicerio.

Proprio in quel periodo, due avvenimenti clamorosi. Il re finalmente mandò a quel paese il papa, chiudendo la storia della chinea. Firmò inoltre i decreti per la colonia di San Leucio.

Momenti d'entusiasmo incontenibile. Sembravano impazziti tutti, perfino Jeròcades, nonostante le amarezze che gli procurava Fortis, e i giansenisti, i repubblicani, peccato che Filangieri fosse morto pochi mesi prima.

Chi scriveva saggi, chi lettere bellicose al papa, commoventi al re. S'esposero nei salotti, per le strade, i ritratti di Ferdinando e Carolina, quando la carrozza regale passava per Chiaia o andava alla Villa c'erano sempre gruppi di giovanotti e dame che applaudivano. Pure i lazzari berciavano, sebbene non capissero niente. Il re s'affacciava, petto gonfio aria smargiassa, quantunque avesse solo messo la firma sui dispacci.

La voce di Lenòr Fonseca doveva farsi sentire. Del resto era contenta davvero, specie per San Leucio: un'idea magnifica, del futuro. Questa colonia di lavoratori liberi ed eguali!

Chissà perché il sonetto le venne in lingua napoletana. Lo portò lei stessa a Palazzo. Primicerio l'accompagnò dal re, il quale non mostrò di riconoscerla. Diede una scorsa al foglio e rise, approvando col capo.

Disse: «Brava. Brava signora marchesina. Chisto lo facimmo stampa'. Adda gira' per Napoli. Va bbuo' ca ccà nisciuno sape leggere...».

Dopo un istante di cogitazione, aggiunse: «Questa è un'altra cosa in cui voi ci dovete aiutare. A 'mpara' a leggere e a scrivere a tutti 'sti bazzariote de Napolitani. Era l'idea fissa di Sua Maestà don Carlo, pace all'anima sua».

Abbassò il capo, lei e Primicerio s'inchinarono. Re Carlo era morto, quasi negli stessi giorni di Filangieri.

Ferdinando sembrava davvero contento. Non li congedò.

«V'aggia fa' vede' un'altra cosa» disse. «Venite.»

Li guidò in un angolo dell'enorme studio d'oro, dove un tavolo straripava rotoli.

«Napoli si sta facendo grossa. Ci viene troppa gente, alla fine non ci si potrà più vivere. E allora noi ne facimmo 'n'ata. Che ne dite?»

Srotolò il foglio maggiore: una vasta mappa di città.

«Questa è Ferdinandopoli» disse il re, gonfiandosi. «Don Carlo Vanvitelli l'ha disegnata qua, proprio come la voglio io. Questa è un'altra delle cose belle che si fanno a Napoli sotto re Ferdinando.»

Certo, il napoletano del sonetto mostrava qualche imperfezione: glielo fece notare Vincenzo, il quale le disse pure: «Non t'arrogare mai il diritto di parlare a nome del popolo. A me fan sempre paura quelli convinti di rappresentare tutti».

Va beh, solo perché era scritto, nell'intestazione, «A lo rre nuosto Ferdinando IV / Dio 'nce lo guardi e mantenga / a nome de lo fedelissimo puopolo napoletano». Ma forse Sanges aveva ragione. A rileggerlo appariva un po' servile, specie nei versi piaciuti al re:

> E biva lo re nuosto Ferdenanno,
> guappone, che sa fa' le cose belle,
> ma vace cchiù de tutte l'aute chella
> della ghinea...

Eppure c'era un programma politico: espresso in maniera semplice, chiara. Il bello fu che Fortis s'eccitò come un bambino, scrisse egli pure un sonetto per il re, nonché una pasquinata contro il cardinal Borgia, che difendeva la chinea.

Adesso dai Cassano sta raccontando del marito di donna Caterina Dolfin Tron, l'uomo più cornuto di Venezia. Imita i sospiri da gatto innamorato che l'abate Giuseppe Parini emetteva, strisciandosi alla gonna di donna Cecilia Zeno Tron, altra egregia fabbricante "de serenissimi corni de Venesia".

«Chisto è peggio de 'no Napolitano» osserva Ruvo, ridendo. Gli chiede se sa andare a cavallo.

«Sior sì. Ma che no se trati de una chinea!»

Finalmente arrivano trafelati i ragazzi con tre numeri del «Moniteur». Manthonè è pallidissimo, agita i giornali, urlando: «Signori! La nazione francese è in rivolta!».

Lo sommergono, infine gli permettono di leggere. Scorre febbrilmente i fogli, smozzicando le parole in francese.

«Le rapport de Necker... Non... Oui... Voilà: le troisième État s'est constitué en Assemblée. No, questo è più vecchio. Vediamo. Ici! Le roi fera fermer la salle sous prétexte de travaux de maçonnerie.»

«Che mascalzone!»

«Un momento! Con ordine. L'assemblea s'è riunita... dans la salle voisine, qui servait au jeu de paume! Resteranno in seduta permanente... jusqu'à ce qu'ils n'auront pas donné une Constitution à la France!»

«Ma leggete gli altri! I più recenti!»

«Oui. Mon Dieu! Ils ressemblent aux héros de la Grèce, de la république romaine! Ascoltate: il re ordina di separarsi. Écoutez la réponse du Président Bailly: la Nation en Assemblée ne reçoit aucun ordre!»

«Stiamo vivendo momenti storici!»

«Il y a des scènes épiques! Il re ordina alla Guardia di sciogliere l'Assemblea. Les nobles, autour du Marquis de Lafayette et en tête le Duc de Rochefort, dégainent leur épées en barrant le passage à la Garde du roi!»

«Questa è la vera nobiltà!» vocia Ruvo, eccitato.

«Vi prego!» grida Manthonè, quasi piangendo. «Questa è la notizia più grande! Avant hier» legge, con solennità «le peuple a pillé les armureries et les Invalides. Hier, une énorme foule a attaqué la Bastille, l'horrible prison d'État. Le gouverneur De Launay a refusé de libérer les prisonniers politiques. A été décapité.»

Brivido corre fra gli ascoltatori, Manthonè prosegue, spiccicando le sillabe: «Le citoyen Bailly a été nommé Maire de Paris. Le citoyen Lafayette commandant de la Garde Nationale. Tous à Notre-Dame pour le Te Deum qui sera célebré par le citoyen archevêque! Tous avec la cocarde tricolore! Vive la Nation!».

«Vive la France! Vive la Révolution!» gridano i ragazzi, impazziti. Da far tremare i vetri dei balconi, gli specchi.

A lei, per le spalle, corre, inaspettato, uno dei brividi antichi: quelli che l'arricciavano, bambina, al cospetto della gloria.

PARTE DECIMA

1

4 novembre 1791: san Carlo, onomastico della regina, del re di Spagna, dell'Infante. Stavolta, però, la festa a Palazzo rappresentava una verifica. Qualcuno affermò trattarsi d'un momento storico: si sarebbero viste novità decisive. Altri scherzò: «Non esageriamo. L'unica cosa nuova che vedremo sarà la sposina di quel vecchio insalanito di Lord Hamilton che fa i quadri viventi mezzo nuda».

In calce all'invito si comunicava che Lady Hamilton si sarebbe esibita in "quadri viventi" (non "tableaux vivants": il francese era ormai bandito a Corte) con il commento del maestro Cimarosa al clavicembalo.

Faceva freddo, ma dalle impannate filtravano riverberi. Quelli della mattina eran gli unici momenti sereni: tornava sola, in casa sua.

Rovesciò le coltri, di scatto, buttò giù le gambe, nonostante i brividi. Sollevò la camicia: su cosce e polpacci si diramavano venature bluastre, nodulate. Chiazze vinose sotto pelle. Sospirò, prese dal comodino gli occhiali, il vasetto di pomata datole da Cirillo. Spalmò, smise. A che pro? Corse a prepararsi il caffè.

Da qualche settimana Graziella se n'era andata. Tremante d'emozione aveva confidato: «Signo'. Io stasera me ne vado. Non posso torna' cchiù».

Con orgoglio spiegò che un ricottaro chiamato lo Sórice l'aveva scelta, perciò era diventata "sirena" e poteva indossare calze rosse. Parlava come si fosse iscritta a una congrega, o si fosse sposata. Lo Sórice le aveva fatto giurare sui quindici Santi di Napoli di rispettare "lo frieno". Alla fine capì che si trattava d'un patto solenne, con cui la ragazza forniva al protettore tre vestiti nuovi l'anno, tre convegni la settimana e, se finiva in carcere, da mangiare, fumare, l'avvocato.

Girò la caffettiera, che sbuffava il solito odore amico. Tac, e poi lentamente tac fecero le prime gocce dentro, sul metallo. Scosse il capo. Che squallore il "lavoro tra le masse", come lo definivano Lauberg, De Deo, Vitaliani, Lomonaco, Giordano (era riapparso, sdrucito, rauco, più torvo che mai), Marra, Manthonè, Russo: quelli del gruppo scalmanato insediatosi in casa sua. Eran riusciti a coinvolgerla, e l'avevano isolata dai vecchi amici. Vincenzo non veniva più, dopo che lei ne aveva rifiutato l'aiuto. Jeròcades era stato arrestato, con altri massoni. Come cambia il mondo! Adesso Maria Carolina perseguitava persino i fratelli muratori.

Si strapazzò con l'asciugamani. Se lo meritava: era nient'altro che una stupida, debolissima donna, senza cervello né carattere. Non sapeva ribellarsi. Mai s'era saputa ribellare. Giusto, allora, che ne profittassero. Tutti.

Spalancò le finestre sul gelo. Non riusciva a tener dietro alla casa. Quelli la lasciavano ridotta un porcile: carte in terra, cenere, puzza di liquori. Meno male che c'era il coprifuoco e dovevano andarsene alle sette. La pretesa di restare a dormire ancora non l'avevano avanzata...

Si versò un bicchiere di caffè. Quand'era tesa ne beveva molto, sebbene poi venissero acidità di stomaco, palpitazioni al cuore. All'inferno! Andò a mettere in ordine le carte sullo scrittoio. Nuovo fastidio. Ormai non lavorava quasi più: anche quello le avevano levato!

«Sono tempi d'azione» esclamava quell'invasato di De Deo, il più innocente. Un ragazzino pallido, foruncoloso, ciuffo alla Werther, favoriti esilissimi che ostentava come una bandiera, sebbene ormai bastasse una cosa del genere per farsi sbattere a Sant'Elmo.

Tempi d'azione... Tempi delle perdite di tempo, questo sì. L'azione vera la facevano in Francia. Ma qua...

Non era facile seguire gli avvenimenti francesi. Non arrivavano più libri né giornali, sorveglianza e censura asfissiavano. Bisognava attenersi alle notizie che dava Lauberg, il quale ogni tanto cavava «Les révolutions de Paris» di Prudhomme, «L'ami du peuple» di Marat. Il «Moniteur» lo sprezzava, in quanto organo della cricca realista di Mirabeau. Quand'ebbe notizia che il Presidente della Costituente era morto durante un'orgia, commentò, disgustato: «M'aspettavo che Mirabeau crepasse così. Questi sono i moderati».

Fissava negli occhi, con strano sguardo che aveva potere d'intimorire, far sentire in colpa. Un po' tutti, nel gruppo, ne subivano il misterioso dominio: Lauberg era l'unica persona in collegamento coi gruppi che, in Francia, intendevano trasformare la rivoluzione in estremista, possedeva informazioni, materiali, che gli giungevano attraverso ignoti canali. Ne conobbe uno quando il gruppo si recò al fondaco Visitapoveri, nella zona del porto.

2

In un pomeriggio autunnale Lauberg intimò: «Cominciamo a far qualcosa di pratico. A lavorare per il popolo. Sarebbe ora, citoyens».

I ragazzi furono entusiasti. Erano inferociti perché in Francia la Costituente, diretta dai moderati, aveva votato la divisione fra cittadini attivi e passivi, nonostante le proteste di Robespierre e dei giacobini. Il più contrariato appariva Vincenzo Russo. Quando si parlava di proprietà privata, i suoi occhi celesti diventavano bianchi, vuoti sotto la fronte corrugata. Uno strano ragazzo. Studiava medicina, ma all'Università non andava mai. Pallido, magro da far paura, i neri capelli lunghissimi, sporchissimi, gli cadevano sul colletto imbiancato di forfora della vecchia giamberga nera. Nelle scarpe ficcava i piedi nudi.

In genere ascoltava, ma se apriva bocca bruciava. Gli amici sorridevano ai suoi discorsi. Le prime volte ne restò colpita: v'erano, in lui, dissennata innocenza e infinita nostalgia, che un po' facevano pensare a Rousseau.

«Ha sempre in testa i ruscelli, i nocciòli e le colline donde viene» scherzavano gli amici, quando lui profetizzava il futuro assetto della Terra: piccoli villaggi agricoli, in cui ciascuno avrebbe posseduto unicamente gli attrezzi per lavorare i campi. Senza padroni, preti, danaro, commercio.

«E le città? Le strade, le industrie, le nazioni?» gli aveva chiesto una volta, sconcertata.

«La città è la morte» aveva risposto, con freddezza. «È il luogo dove germinano potere, corruzione, vizi. Le città vanno distrutte.»

«Naples aussi?» chiese, beffardo, Manthonè, gli altri risero.

«Soprattutto Napoli. Dove nulla v'è più di umano, giusto, semplice.»

«Allora sopravviverà solo Palma Campania, il tuo villaggio.»

Russo rispose, con sprezzo: «Fin quando Sparta spregiò lusso, mollezze, fu grande e virtuosa».

«Tu non puoi pretendere si ritorni a Sparta! Non dovresti più leggere le fesserie di Maubly. Credi davvero che si possa far la rivoluzione dicendo al popolo che gli faremo fare vita da Spartani? Qui, a Napoli? Ce qu'il faut dire au peuple c'est que nous voulons lui donner la liberté, l'égalité, et surtout le bonheur. Beaucoup de bonheur!»

«Libertà, felicità, uguaglianza consistono nell'assenza di proprietà, di vizi, d'inutili ambizioni» replicò seccamente Russo. Ostentamente non usava mai il francese. «Tutto ciò genera corruzione, miseria, violenza.»

«Ma come potreste imporre il mondo che prospettate, senza usare a vostra volta violenza?» lei gli domandò.

«Una sola volta la violenza è necessaria. Per distruggere il marcio, preparare il nuovo: poi non ve ne sarà mai più bisogno.»

«Quelle tristesse, dans votre société! Elle ne me plaît pas du tout» commentò Manthonè.

In quella prima uscita Lauberg guidò De Deo, Vitaliani, Lomonaco, Russo, Marra, Manthonè, lei e Gennaro Serra.

«Vestitevi con sobrietà» aveva consigliato. Lei indossò la redingote di panno beige smessa da tempo, lasciò a casa il cappello.

Aveva smesso di piovere, faceva freddo. Il gruppo s'avventurò per la scesa del Gigante lucida, sdrucciolosa, percorse la Marinella plumbea, la Marina. Infine Lauberg lo pilotò per un intrico di vicoli infangati, scuri budelli fra altissimi palazzi. Si fermarono in mezzo a due nere muraglie che quasi si chiudevano alla cima, lasciando una fettuccia livida di cielo tra grovigli di pertiche, corde, donde pendevano laceri trofei.

«Manthonè» ammonì Lauberg. «Parliamo sempre e solo in napoletano.»

«Bien» annuì l'altro. Tutti risero, tranne Russo.

Spiccicando le scarpe da fanghiglia pastosa e puzzolente, entrarono in un immenso portone fumoso, oltre il quale vide, stupefatta, case, vicoli, piazze, come un'altra città. Una città cadente, fatta di misteriose interiora, slarghi lutulenti, pozzanghere donde emergeva sudiciume: verdura, stracci sporchi di sangue e d'escrementi, paglia lercia, cocci, carogne. Galline, cani, maiali, asini s'aggiravano dappertutto. Il tanfo era terribile: esalava dal terreno, dai buchi delle case sgretolate. Vapori d'umido gonfiavano nel fondo.

«Ma perché non c'è nessuno, qui?» mormorò, inquieta.

Lauberg, di rimando, chiese: «Non avete sentito, quando siamo entrati?».

Passando sotto il fòrnice aveva udito come un lungo lamento, poi trepestio lontano, del quale pareva restare un'eco dietro la muraglia.

«Credono che siamo "feroci", perciò si sono trincerati. Il lamento era un avviso: sapete che diceva?»

«No di certo.»

«Oi ne', traseténne ca chiove. Li gghiatte.»

Si strinse nelle spalle. Non capiva. A tradurlo significava: "Ohi ragazza, entra in casa che piove". Domandò: «Li gghiatte vuol dire "i gatti"?».

«Sì. Ma per loro significa gli sbirri. I "feroci". L'altra cosa è l'invito a nascondersi.»

Russo si guardava intorno con aria sardonica, le mani nelle tasche.

«La grande città» disse, con sprezzo, sputò a terra.

Lei aveva impressione che infiniti occhi nascosti la fissassero. Colse lo sguardo attento di Gennaro Serra, gli abbozzò un sorriso. Doveva essere la prima volta che all'onesto e sensibile giovane aristocratico si schiudeva quell'aspetto della città. Capì che il cervello di lui stava lavorando, inseguendo ardue corrispondenze tra fantasie retoriche e realtà. Gennaro s'era staccato dalla bella casa a Monte di Dio, frequentava con tenace discrezione il salotto di lei.

«Preferisco starmene qui. Con voi. Con i vostri amici» aveva spiegato. «Non sopporto più l'aria che tira in casa dei miei zii. È divenuta eccessiva: vi si ripetono le medesime cose, senza più intelligenza o novità.»

Dal salotto Cassano erano emigrati in parecchi. Non si potevano occupare invariabilmente le serate nel ciacchetto, nelle ciance su Maria Carolina.

«Voi siete stata il mio primo stimolo a uscire da una certa dimensione» aveva confessato Serra. Lei aveva sorriso, preoccupata.

«Mio Dio, Gennaro. Non vorrei queste responsabilità. Vedete quali tempi si profilano.»

«Non datevi cruccio, Lenòr. Sapete quanti anni ho, adesso?»

Gennaro s'era congedato dall'esercito col pretesto della salute cagionevole. Senza la divisa sembrava più giovane. Il bel viso liscio, sereno, sempre un po' pallido, sulla fronte la ciocca dei capelli neri.

«Siete ancora un ragazzo.»

«Ho ventinove anni» dichiarò, divertito, lei provò sincero stupore.

«Mio Dio! Avrei dovuto fare i conti... Eh sì, impossibile!» mormorò, scuotendo il capo. «Sapete che continuavo a pensarvi come ne aveste avuti, che so, sedici, diciassette?»

«Come quando ci siamo conosciuti. È un fenomeno naturale che, nella memoria, le persone restino fisse all'attimo del primo incontro.» Dopo un'esitazione, proseguì: «Anche per me voi restate ferma alla prima impressione. Ricordate?».

Accennò di sì.

«Una donna diversa. Molto diversa» sillabò, serio, lei non rispose.

«Lo penso tuttora, sapete» aggiunse Gennaro. «Più che mai.»

«V'ho messo per la prima volta tra le mani qualche libro» disse, un po' smarrita. «E continuo a non darmi pace per queste responsabilità.»

«Io, invece, ve ne sarò sempre, sinceramente, grato» sorrise, accennando al gesto di prenderle una mano.

Aveva ripensato alla cosa incredibile. Quel ragazzo che *improvvisamente* rivelava ventinove anni! Un uomo! E lei lo conservò in memoria come ne avesse avuti sempre sedici. Una volta s'arrabbiò con se stessa. Di sera, a letto, non riusciva a prender sonno: mentre pensava a tutt'altro, si sentì gli occhi di lui puntati addosso. Sul petto. Ebbe un sobbalzo, come davvero Gennaro fosse lì, presente. La liseuse bianca s'era aperta sul solco dei seni, una delle grosse, pallide mammelle ne sgusciava. Esitò a toccarsi, poi si rassettò, sfiorandosi appena, quasi commettesse un peccato.

3

Non era successo più nient'altro. Ora il ragazzo era lì, in quell'orrendo fondaco, con lei, la fissava. Gli si avvicinò, mostrandosi disorientata: per donargli conforto, destandogli dovere di proteggerla. Lui, infatti, scattò affettuoso a darle il braccio.

«Non temete, Lenòr» sussurrò. «Non credo ci sia da aver paura.»

«Venite» ordinò Lauberg. S'arrestò davanti la porta sudicia d'un basso. Bussò tre volte, mormorando: «Mandrie', aràpe. So' don Carlo».

Una voce pesante dietro l'uscio intimò: «Lo santo. Dice lo santo».[1]

«Ma si me stai smiccianno da tre ore!» sbuffò Lauberg. «E va buono. Lo sciore.»[2]

Dopo un attimo la voce domandò: «Chi so' 'sti jamme a ca vuto?».[3]

«Amici, Mandrie'. La roba è assai. Io solo non ce la pozzo fa'.»

[1] La parola d'ordine. Di' la parola d'ordine. (In queste pagine si tenta d'adombrare certo "argot" malavitoso napoletano del passato. Per l'inesistenza di documentazione, l'autore è stato obbligato a "costruire" un gergo d'invenzione, mescolando forme note, antiche e recenti.)

[2] Ma se mi stai spiando da tre ore! E va bene. Il fiore.

[3] Chi sono questi uomini che ti porti dietro?

«Li bbane li tieni?»[4]

«Addo' va e famme trasi'.»[5]

L'usciaccio s'aprì, piano. Zaffata di sudicio, vino, escrementi, sudore: si fece indietro, spaventata, Gennaro la sostenne.

«Ma che te puorte? La tenna a ca vuto?»[6] gridò la voce, Lauberg rise.

«Non è pecora. È de lo bottone.»[7]

Bisognò scendere scalini. Non vide che ombre e tremolii rossigni di candela saltellare sotto una nera cupola di fumo, poi distinse chi parlava, l'ambiente. Dappertutto sacchi, barili, balle strette da corde. L'uomo che aveva dialogato con Lauberg era bassissimo, con faccetta aguzza. Pareva impossibile gli appartenesse una voce tanto profonda.

«Assettàteve» disse, mostrando i sacchi, Lauberg scosse il capo.

«La roba, Mandrie'.»

«Caccia li bbane.»[8]

«Quanto si' bacone! Tie'.»[9]

Cavò un sacchetto, contò dieci ducati. L'uomo fece cenno di no.

«Don Ca'. Accossì non te pozzo mettere li lluce.»[10]

«Tu si' bachene, Mandrie'. Chisto era lo punto.»[11]

«Don Ca', a porta' sta rrobba s'arrìsecano dieci cucuzzune. Stavota aggio avuta fa' 'n'arta troppo tegnosa. So' bbinte.»[12]

«Cèveze! Io te la meno pe' ddoie e tu rispunne pe' quattro! Addò va e miette li lluce.»[13]

«Don Ca', siénteme bbuono. Chesta è l'urdema vota. Ccà tutta la compagnia non se fida cchiù. Vuie v'arricciate e lo Casalone s'è rignuto de jatte. Cca' nisciuna franzeia: sirene, puparuo-

[4] I soldi li hai?

[5] Basta e fammi entrare.

[6] Ma che ti porti? La donna appresso?

[7] Non è un'estranea. Fa parte dell'organizzazione.

[8] Fuori i soldi.

[9] Quanto sei cattivo! Tieni.

[10] Don Carlo, così non possiamo concludere.

[11] Tu sei in malafede, Mandriere. Questo era l'accordo.

[12] Don Carlo, a portare questa roba si rischiano dieci anni di galera. Stavolta ho dovuto affrontare difficoltà troppo grosse. Fanno venti.

[13] Accidenti! Io cerco di concludere e tu raddoppi! Basta e chiudiamo.

le, cammesielle. Cca' si li guagliune smicceiano ca' sto jamme se 'mbruscìna co' bbuie, 'nce sfónnano la cascia.»[14]

«Aggio puniato, Mandrie'. Mo' caccia lo porciello.»[15]

L'uomo andò ai sacchi, sbuffando e imprecando ne aprì uno. Dallo zucchero cavò rotoli di giornali legati con lo spago, pacchetti di libri e d'altre carte, che ammucchiò sul pavimento. Lauberg si precipitò, facendo segno d'aiutarlo, il Mandriere allungò una gamba.

«Li bbane 'ncoppa a lo cinche de lo jammo, don Ca'.»[16]

Lauberg, contrariato, cavò altri soldi. «Ce li rimetto di mia tasca» bofonchiò.

I ragazzi, intanto, si ficcavano i pacchetti sotto le redingotes, nei calzoni. Anche lei dovette nascondersene addosso.

«Allora? V'avite puniato?» ripeté l'uomo, aprendo la porta. «Chesta è novanta.»[17]

«E tu si' sittantuno»[18] esclamò Lauberg, con disprezzo. L'altro ebbe negli occhi un lampo, ironico e cattivo.

Trovarono il fondaco improvvisamente ripopolato, sonoro: la gente era sortita dalle tane, i ragazzi scorrazzavano nel fango. Il gruppetto venne attorniato.

«Andiamo» borbottò Lauberg. «In fretta. Non dimenticate cosa portiamo addosso.»

La folla s'addensò. Bambini scalzi dalle gran teste rapate, tignose, occhi rossi di tracoma, donne dall'aria dolente e spiritata presero a chieder soldi, prima lagnandosi in maniera generica, poi, eccitandosi del loro stesso implorare, eseguendo strazianti pantomime. Inseguivano soprattutto lei, acciuffan-

[14] Don Carlo, sentimi bene. Questa è l'ultima volta. Qua tutta la gente non ce la fa più. Voi fate i vostri intrighi e Napoli s'è riempita di sbirri. Qua nessuno lavora: prostitute, borsaioli, contrabbandieri. Qua se i ragazzi appurano ch'io lavoro per voi mi sfondano il petto.

[15] Ho capito, Mandriere. Tira fuori la roba.

[16] I soldi sulla mia mano, don Carlo.

[17] Allora? Avete capito? Questa è la conclusione.

[18] E tu sei un uomo di merda.

dole le falde della redingote, le braccia, nonostante Gennaro cercasse di difenderla.

«Damme 'no calle, damme due calli... 'No grano, signora bella. 'Nce morimmo de famme, 'nfrisc'all'anema de li muorte tuoi.»

I miei morti, pensò, corsa da un brivido. Fu colpita dall'accorata tenerezza con cui le evocavano i defunti. I Mani. Vera, finta? A Napoli non si poteva mai capire. Pensò alla protervia con la quale i Napoletani sanno anche bestemmiarli, i morti. Cercò nel borsellino: Lauberg la trattenne.

«Smettetela. Se date, li avremo tutti addosso. Dobbiamo far presto.»

Ma i ragazzi non erano d'accordo: volevano discorrere con quella gente, Gennaro aveva gli occhi lucidi.

Erano arrivati dei lazzari, Lauberg li osservava preoccupato. Ce n'era uno smilzo, senza berretto, capelli sudici sulle spalle. Stranamente portava baffi spioventi, come un mongolo. In genere i lazzari si sbarbavano, specie adesso che baffi, barbette, favoriti eran segni giacobini. Il baffuto indossava un gamurrino verde, sporco, aperto sul petto nudo, magro e senza peli. Gli altri lo trattavano con un certo rispetto.

De Deo attaccò discorso col più vicino, uno grosso, nero, stomaco straripante dalla fascia rossa.

«Amico. Siente» disse, dando al suo pugliese-napoletano da ragazzo per bene le inflessioni più volgari possibili, rendendolo, così, buffo, sguaiato. Il grasso interrogò con gli occhi il gamurrino.

«Parla con me, cavalie'» intervenne quest'ultimo, facendo un passo avanti. «Che ti serve?»

«Niente» mormorò De Deo, sconcertato. «Volevo fare qualche domanda.»

«Falla a me.»

«Amico» proruppe il ragazzo, aggrappandosi all'entusiasmo. «Simmo napolitani pure noi. Simmo fratelli. Lavoriamo per darvi la libertà.»

«La libertà?» fece il lazzaro, con aria falsamente interessata. Si volse ai compagni, serio: «Guagliu'. Lo cavaliere 'nce vo' da' la libertà».

Ebbe inizio una recita sconvolgente. Si strinse al braccio di Gennaro, come presagendo pericolo.

«Overo?» risposero in coro i lazzari, simulando interesse straordinario. Le donne ascoltavano in silenzio, ridendo negli occhi e nelle pance. D'improvviso il tono mutò: il baffuto si fece sotto De Deo, fino a respirargli in faccia.

«Cavalie',» disse, martellando le sillabe «tu vuoi da' la libertà a me? Tu si' cchiù libero de me? Cavalie', mo, te 'mparo 'na cosa: Napoli sai de chi è? Primma de san Gennaro, poi de lo rre, e poi è d'a mia.»

De Deo avvilito, anche spaventato, non riuscì a rispondere, Russo sogghignava. Fu Lauberg, nonostante la fretta, a intervenire, accavallando le sillabe per il nervosismo.

«Tu tieni la libertà de te mori' de famme, guaglio'.»

Il lazzaro s'irrigidì. Guardò i compagni, rispose, con sprezzo: «Cavalie'. Io te dongo a mangia' a te, a tutta la razza tua».

«Overo?» chiese, ironico, Lauberg. «E comme fai? Tu faticasse?»

«Io non fatico. La fatica la lasciammo a te e alla gente comm'a te. A Napoli sai chi è che non fatica? Lo rre, li signure e li lazzare. Tu lo sai chi è il padrone mio, cavalie'? È Aniello.»

I lazzari attorno risero forte, anche le donne e i ragazzi.

«E chi è Aniello?» domandò ingenuamente Lauberg, nonostante l'esperienza, provocando sghignazzare clamoroso.

«Aniello songh'io» annunziò con degnazione il baffuto, puntandosi un dito al petto.

«Ma tu chi sei!» sbottò Lauberg, irritato, i lazzari divennero cupi. «Che vita fai! Dint'a la fetenzia, senza sape' niente!»

S'accese, prese ad arringare.

«Chisto è lo male vostro. Vi credete liberi, padroni, ma di che? De la famme? De la monnezza? Lo rre, li signure, li prievete se spartono la grascia e vuie tenite li ppanza azzeccate co' li rine.»

«Cavalie', vatténne» lo interruppe il gamurrino, cattivo. «Tu non me piace. Dici ca nuie simmo niente e nisciuno. E allora perché 'nce vai cercanno? Nuie stammo bbuono accossì. Che si' venuto a fa' da lo Mandriere?»

«Non ti riguarda» borbottò Lauberg, il lazzaro l'afferrò per un braccio.

«Non ve facite vede' cchiù da chesti pparte.»

Volendo stravincere, gridò: «La libertà ve la tenite pe' vvuie! Sai addo' l'avita mettere? Dinto a lo mazzo de màmmeta!».

«Lo mazzo de màmmeta! Lo mazzo de màmmeta!» fu il terribile, spernacchiante coro che li accompagnò mentre uscivano precipitosamente.

4

Altra esperienza di "contatto col popolo" la fece per proprio conto, una volta ch'ebbe necessità d'uno scaffaletto per i libri. Si rammentò d'un falegname di Santa Teresella al quale, tanti anni prima, vovó aveva commissionato tavolini a tre gambe. Ci tornò, anche per rivedere la contrada dei suoi primi anni napoletani. Il falegname aveva perso i capelli, il suo volto a zigomi sporgenti, guance risucchiate, s'era incavato un po' di più.

La riconobbe quando lei s'affacciò alla soglia del basso-bottega zeppo di cavalletti, odoroso d'anilina e colla.

«Signora marchesina» disse, sollevando gli occhialetti e abbozzando un sorriso. «Come state? Vi siete fatta i soldi, come diciamo a Napoli.»

«Magari!» esclamò. «Ma è successo ben altro.»

«State una bellezza» commentò lui, scrutandola.

«Anche voi state bene, don Eduardo.»

«Come vecchierelli» rise l'altro, increspando il labbro superiore. Fattosi serio, aggiunse: «Io ricordo benissimo la buonanima della vostra mamma. Che signora: riservata e gentile».

«Grazie» mormorò. Spiegò il lavoro che voleva. Le venne desiderio di conversare con quell'uomo: perché appariva saggio, cortese, forse l'avrebbe aiutata a capire.

«Don Edua'» disse. «Posso farvi una domanda?»

«Ai vostri comandi, signora marchesina.» Continuava a chiamarla così, quasi la vedesse giovane come allora. «Purché sia capace di rispondervi.»

«Ne sono sicura» esclamò, sorridendo. «Ditemi. Voi qui, gli altri di Santa Teresella, i lazzari... La gente, insomma: con chi sta? Voi sapete quel che succede. Io terrei a capire come la pensa il popolo di Napoli.»

Don Eduardo sospirò. Scosse il capo.

«Mi chiedete una cosa difficile, signora marchesina. Napoli

è complicata. Vi risponderò con una storiella che ho imparato da mio padre e che lui, forse, aveva appreso dal suo. Napoli è come una vipera: la testa è velenosa, la coda non serve a niente, la parte di mezzo è buona. Si vende dallo speziale come rimedio per le malattie.»

Spiò la perplessità sul volto di lei, fornì la spiegazione.

«La testa della vipera, scusate se mi permetto, sono i nobili. La coda i lazzari. La parte di mezzo siamo noi: il popolo che lavora, gli operai delle manifatture, gl'impiegati. I medici bravi e buoni come il dottor Cirillo. Me lo ricordo quando veniva a visitare la buonanima della vostra mamma e i poveri dei bassi.»

«Ma voi, la parte di mezzo, con chi state? Che volete?»

«Voi dite nella politica? Niente. Con Sua Eccellenza Tanucci eravamo contenti. Non mise tasse, stavano bene tutti. C'era vita, i signori dovevano abbellirsi le case per non sfigurare. E noi lavoravamo. Adesso paghiamo le tasse, Napoli s'è fatta pericolosa, si lavora poco.»

«Perché Napoli s'è fatta pericolosa?»

«Non lo so. Forse perché certi, che non son nobili né lazzari né popolo, creano confusione.»

«Come in Francia?»

«Eh. Forse vorrebbero fare come in Francia.»

«Don Edua'. Ma a voi piacerebbe se venisse una repubblica, a Napoli?»

«Una repubblica? No.»

«Perché no?»

«Perché non ci sarebbero più nobili né ricchi. Ci sarebbero solo persone più o meno appariglìate: in basso, non in alto. E noi potremmo pure chiudere bottega. Per chi dovremmo lavorare più?»

«Mah, non so... Per la nazione: uffici, scuole, ospedali.»

«E io per gli uffici pubblici farei questo bel piede?»

Accennò a uno dei lavoranti, un ragazzo sui vent'anni dalla faccia intelligente, una massa di nerissimi ricci.

«Pòrtami lo pede de lo principe Gallo.»

Il ragazzo recò a fatica un'enorme zampa di tavolo: massiccia, intagliata in maniera mirabile, a grifi, ancora da scartavetrare per le dorature.

«Bella» esclamò lei, don Eduardo annuì.

«Vi pare ch'io possa fare questo per un ufficio? Una scuola? E poi, marchesina bella: io mo' lavoro quando come e perché dico io. Se deve venire qualcuno a dirmi il come, il quando e il perché, mi passa lo genio, come diciamo a Napoli. Mi viene lo schifo di lavorare.»

«Come pensano i lazzari» rifletté ad alta voce, don Eduardo la fissò.

«In questo forse sì, siamo come i lazzari. Ma solo in questo. Ascoltate cosa dice Michele, che lazzaro è stato fino a poco fa. Miche', vieni.»

Il ragazzo riccio s'avvicinò, osservandola senza timidezza. Si soffermò anche lui sopra il famoso petto.

«Tu non sei lazzaro, tu?» scherzò don Eduardo, quello sospirò.

«Ero lazzaro. E tengo sempre nostalgia. Mo' aggia veni' ccà tutte le mattine. Prima ero libero.»

«E allora perché sei venuto a la potéca?» chiese don Eduardo, l'altro crollò il capo.

«Non lo saccio. E non è per la campata. Io tengo tre figli, comm'avimmo mangiato io, li fratelli miei, avessero mangiato pure loro: Napoli è grande, c'esce sempre qualcosa.»

«E allora?»

«E allora non lo saccio. È destino. Io so' stato pure aiuto de cammesiello» ("contrabbandiere", tradusse premuroso don Eduardo). «'Na vota me pigliaieno co' 'na vranca de zuccaro. Pàcchere, pugni: tenite mente.»

Spalancò la bocca, indicò un vuoto tra due bianchi molari.

«La vernata de tre anni fa,» proseguì «pe' lo friddo se 'nfracedaie 'no dito de' sto piede. Signo',» aggiunse, guardandola con aria grave, un po' sfrontata «la libertà è la più bella cosa. Ma si paga con la vita. E addo' sta scritto? Io tengo vent'anni. Li lazzare so' comm'a li ccreature: cape toste, non vonno arraggiuna'. Moriranno piano piano tutti quanti, comm'a mmosche.»

5

Altri "bagni di popolo", come s'esprimevano i matti di casa sua, non ne volle più. Lauberg e i ragazzi si scatenavano di concerto con le vicende di Francia. Dopo la Costituzione civile del clero si ficcarono in testa di spopolare le parrocchie con sfrenata propaganda anticlericale: le persone, come li vedevano, scappavano, facendosi la croce.

Dopo la fuga di Luigi XVI, il suo arresto a Varennes, l'elezione a sindaco di Parigi del giacobino Pétion, parevano ammattiti. S'appellavano sempre e solo "citoyens", accentuavano il loro febbricitante gergo fatto d'espressioni come "Dans la mesure où", "Grande Nation Mère", "Grande Révolution". Anche lei, ormai, non era che la "citoyenne" Lenòr Fonseca. Le avevano riempito la casa di giornali, opuscoli, fogli di propaganda, le spillavano soldi. S'era stabilito che i "citoyens" si quotassero, in ragione delle sostanze: lei tirava fuori otto ducati al mese, Gennaro Serra di più.

Quando giunse l'opulento cartone con l'invito per il galà del quattro di novembre, dové parlarne con tutti. S'era costituita, di fatto, una vera e propria "société fraternelle", un "club sans compromission", notava compiaciuto Lauberg: una sorta d'arida famiglia senza amore, ma possessiva, intrigante. Discussero accaniti se Lenòr e Gennaro dovessero presentarsi a Palazzo. I più duri De Deo, Vitaliani, Giordano.

«Aller honorer Capeto et sa vache! Jamais!»

Russo era indifferente, Manthonè, Marra, Lomonaco per il sì. Lauberg rifletteva, d'un tratto sobbalzò.

«Ci devono andare! J'ai une idée magnifique! Attendez.»

Corse al baule dove aveva nascosto il materiale del Mandriere, cavò l'opuscolo con la Costituzione del '91.

«Non è proprio quella che piace a noi,» rise «ma in Napoli, al momento, va bene. Manthonè,» ordinò «tu la traduci subito, in italiano. Ne facciamo stampare da Guaccio mille copie. Il quattro novembre, mentre la Corte si diverte, la distribuiamo per Toledo. E Lenòr ne lascia qualcuna addirittura a Palazzo.»

I ragazzi esplosero. Lei guardò Lauberg, spaventata, quello sorrise.

«È facilissimo, cittadina. In un'anticamera, un gabinetto, su un divano. Bastano due o tre copie: te le nascondi nel corsetto, in una manica.»

Gennaro ascoltava, contratto. Esclamò: «Nossignore, cittadini. Non Lenòr. Lo farò io».
«Tutti e due» borbottò Lauberg. «Lo farete tutti e due. Marra, pensa a Guaccio, non appena Manthonè avrà terminato.»
«Je serais comme la foudre!» gridò Manthonè, ridendo, dallo scrittoio dove s'era già installato a tradurre.

Tremava all'idea dell'intollerabile impegno. Maledisse se stessa, la propria dappocaggine, le venne nostalgia per Vincenzo, i cari amici di prima: i "moderati inutili", come li schernivano quei pazzi.
Sanges aveva cercato d'aiutarla. Ricordò una serata in casa Delfico: c'erano Pagano, Astore, Meola e uno nuovo, un ragazzo molisano di pelo nero, pelle olivigna. Intelligentissimo, saccente: si chiamava Cuoco, Vincenzo Cuoco. Le riuscì simpatico, nonostante gl'innumerevoli tic degli occhi, del capo.
«Il re ha sbagliato nell'irrigidirsi» diceva Delfico. «Col suo comportamento farà scoppiare la rivoluzione. Come in Francia.»
«Ma quando mai!» rideva Cuoco. «Per far le rivoluzioni occorrono soldi e intelligenza. Qui, a Napoli, ci vorrebbero almeno trenta milioni di ducati. Chi li caccia? In quanto all'intelligenza, poi...»
Disse anche un'altra frase, che la colpì: «A Napoli la rivoluzione pochi la capiscono, pochissimi l'approvano, quasi nessuno la desidera».
E Pagano aggiunse che incuteva paura proprio perché nessuno la capiva: incomprensibile, diventava mito.
«Più che mito, moda» ribatté Cuoco. Fissò l'uscio donde entrava, splendida, Luisa Sanfelice, in compagnia di un uomo che non era il marito.
«E poi, non è incomprensibile» proseguì, torvo, in girandola di tic. «L'idiozia dei nobili, del re, in Francia non poteva non scatenarla. È più idiota voler far lo stesso in condizioni diverse: le rivoluzioni non s'esportano.»
Sanges godeva.
«Vedete? Cuoco è giovane, ma dice cose ch'io sostengo da sempre. Le opinioni di Genovesi, in fondo. Qui a Napoli molti sciocchi, superficiali, frustrati, si fanno trascinare dalle mode.»

Sciocchi, superficiali, frustrati: valeva anche per lei?
Provò collera infantile, colpevole. E rispose male quando Vincenzo le chiese: «Davvero sei dalla parte di quei cialtroni che t'hanno invaso la casa? Come puoi trovarti con loro? Ti faranno correre dei rischi. Ma, se vuoi, te ne libereremo».
«So badare a me stessa.»

PARTE UNDICESIMA

1

Nel tardo pomeriggio del 4 novembre s'avviò verso Palazzo, in compagnia di Gennaro Serra. A Toledo folla, carrozze, luci.

In casa eran rimasti Lauberg e gli altri, a preparare la diffusione degli opuscoli, fissata per le nove, ora in cui il galà sarebbe terminato: ormai feste, teatri, incontri, morivano presto, poi la città restava in balia dei lazzari, dei preti e degli sbirri.

Erano imbottiti d'opuscoli, Gennaro sotto i ricami d'oro della giamberga a falde lunghe, lei sotto le stringhe del corsetto.

Palazzo splendeva nei balconi per torce e candele protette da paraventi di cristallo. Tutti gli ingressi chiusi, salvo quello principale: montavano la guardia gli Svizzeri, con pennacchi e alabarde.

«Guarda» mormorò Gennaro, additandole il Largo. All'angolo del Gigante un battaglione di linea, lungo la strada della Paggeria un altro, e un altro ancora allineato contro i conventi del Santo Spirito e della Santa Croce.

Masnade di lazzari affluivano, chiassose e turbolente, dal Largo del Castello, dai vicoli di Santa Brigida, dei Polveristi. Mescolati alla folla, "feroci" in redingote nera, stivali, cappelli duri, randelli.

Il galà si teneva nei saloni azzurri. Tutto curato, splendente: i grandi arazzi di Francesco I alla battaglia di Pavia, i cristalli dei lampadari fiammeggianti, gli argenti. E i canapè, i broccati delle tende, i cespi delle ortensie turchine: come in passato.

Ma le parve di notare (o era prevenuta impressione?) che vibrasse in aria pulviscolo di circospetta stanchezza. Forse per gli abbigliamenti: sembrava che il tempo fosse tornato all'indietro, nonostante le dame avessero rinfrescato, con cauti tocchi di modernità, l'obbligato démodé di vesti e acconciature. Qualcuna aveva ornato di fiori la capigliatura incipriata d'argento. Una dama, non potendo esibire girocollo à la victime, secondo la recentissima, un po' macabra, moda di Francia, aveva ripiegato su nastrini di rose scarlatte nelle chiome. Ugualmente imprudente; tutto il rosso (fuorché quello dei prelati) era bandito: colore giacobino. Altre, in onore di Lady Hamilton, osavano colori inglesi: bosco, sottobosco, brume.

Gli uomini avevano, più semplicemente, riesumato gli abiti di qualche anno prima: tantissimi i solini immacolati, le parrucche tonde, le giamberghe. Eran ricomparse le tabacchiere e, sui petti, le decorazioni. Qualche antico signore ostentava l'unghia lunghissima, laccata d'argento, al dito mignolo della mano sinistra. Ed erano tornati preti, cardinali, vescovi: neri, violacei, purpurei, bianchi, color caffè. S'accalcavano intorno al Nunzio Pontificio, riapparso alla Corte napoletana dopo tre anni. Monsignor Busca protendeva l'enorme ventre fasciato di rosso e rideva di gusto. Ormai il papa era ridiventato importante, il re aveva addirittura promesso di restituirgli le chinee arretrate!

Gennaro sussurrò: «Il cardinale Zurlo non c'è. Vuoi vedere che non viene? Forse è l'unico che se lo può permettere...».

«Mah» fece lei, ansando.

In quel momento arrivò il cardinale, entro un nugolo d'abatini con enormi jabot. Si fece largo svelto, scansando i baciamani. Tutti sospesi, aspettando l'incontro con il Nunzio: Zurlo era stato giansenista, contrario alla chinea, lettore di Genovesi e Filangieri.

I due prelati si tesero le mani, sorridendo, la pappagorgia pendula di monsignor Busca oscillò. Poi Zurlo volse le spalle, si mise a conversare col Balì di Malta, bellissimo in cappa bianca, gran croce rossa e azzurra.

Man mano arrivavano diplomatici e ambasciatori, che un maestro di casa cercava di disporre lungo una parete del salone, per il baciamano alla regina.

Vide il segaligno inviato del re di Sardegna, il conte Piosasco di None, un signore nero e bianco, con codino inizio secolo, pareva uscito da un quadro. Il barone Thugut, ambasciatore di Vienna, in uniforme da maresciallo bianca con spalline d'oro, chiacchierava tronfio coi ministri Corradini e Simonetti, che mostravano molta deferenza.

Gennaro le indicò il cardinale Fabrizio Ruffo di Calabria, intendente di Sua Maestà a Caserta: un ometto tarchiato nella mantella rossa e d'oro. Parlava col dottor Cotugno, nuovo medico di Corte al posto di Cirillo, alto, curvo sotto l'enorme parrucca bianca a riccioli. Il cardinale sorrideva, con aria malinconica, Cotugno gli puntò un dito minaccioso alla pancia.

«Ho sentito dire che Ruffo sarà il nuovo ministro degli Interni» spiegò Gennaro. Lei sorridendo debolmente, osservò: «Ora che han fatto pace con il papa...».

D'un tratto lui, eccitato, le strinse un braccio.

«Attenzione, Lenòr: stiamo a vedere.»

Fu annunziato l'ambasciatore di Francia, il signor Cacault, con la moglie. Brusio si sparse, si spense: la folla s'allargò, ad evitare ogni contatto.

Monsieur Cacault era pettinato alla Bruto, con frangetta scomposta sulla fronte; per il resto, abbastanza in regola: marsina blu a fiori d'oro, calzonetti, polpe. La moglie, una bella bionda dai buccoli sparsi di polvere d'oro, sfavillava di diamanti.

«Però, questi rivoluzionari!» commentò qualcuno.

L'ambasciatrice vestiva bianco, senza panier, con leggero soprabito violaceo. Scollatura infinita sopra la carne latte e miele.

La coppia passò senza dar mostra di disagio: si diresse al gruppo dei diplomatici nel quale, dopo qualche incertezza, fu assorbita.

2

Il re, la regina, Acton, Lord e Lady Hamilton si facevano aspettare. Lei guardava Gennaro, sempre più preoccupata: avevano concordato di liberarsi degli opuscoli alla fine della festa, ma già, ciascuno per proprio conto, andavano studiando angoli, mobili, divani. Era rimasta affascinata da un tavolo che mostrava, intarsiata con marmi variopinti, una rosa dei venti. Al centro, s'ergeva una statuina in bronzo raffigurante Ferdinando nudo, da Dio greco. Reggeva le briglie d'una biga, tirata da bellissimi cavalli rampanti. La biga era cava, un buon nascondiglio.

L'odiosa idea dell'operazione da compiere la tormentava sempre più: la sua stupida etica schifosa, per cui un dovere, grande o meschino che fosse, diventava ossessione.

Gennaro pareva meno preoccupato: sorridendo, indicò in un canto una piccola sedia azzurra che, chissà perché, restava vuota.

Se rimane libera fino all'ultimo, io li scarico lì.

La guidò nel salone adiacente, dove trovarono i Cassano, altri amici e l'orchestra che Cimarosa, in codino bianchissimo, giamberga azzurra e d'oro, aspettava di dirigere. La faccia tonda, gli occhi obliqui del musicista sembravano più cupi del solito: ogni tanto tornava a esaminare partiture, redarguiva i cantanti, che andavano su e giù nervosamente. In programma brani del *Flauto magico* di Mozart, il successo europeo dell'anno.

In quel salone c'erano un po' tutti: la vedova Filangieri, Chiara Pignatelli, Maddalena e Michele Serra, Giulia Carafa... Intravide Primicerio: ingrassatissimo, un tondo paio d'occhiali sul naso. Le fece un imbarazzato, guardingo cenno da lontano, scomparve.

Smagrito, stanco, s'aggirava solitario Cirillo. In un angolo Ruvo parlava con ufficiali in alta uniforme, tra i quali Gennaro salutò i tre giovanissimi fratelli Pignatelli di Strongoli e il principe Girolamo Pignatelli, nella divisa biancazzurra del "Regina" Cavalleria.

Arrivò Caracciolo, bianco e d'oro, bellissimo nel vigore dei suoi abbronzati quarant'anni. Tutti lo festeggiarono: due giorni prima aveva acchiappato quattro sciabecchi barbareschi.

Moliterno rise: «Ciccio, di là ci sta lo visir del sultano Selim. Che dici, lo andiamo a salutare?».

Caracciolo sorrise, scuotendo la testa.

«Non mi pare un'idea gentile, Giro'.»

Le signore un po' spente, represse negli abiti antiquati, si salutarono con distratti baci. Verso lei apparvero freddine, Maddalena Serra la minacciò col dito.

«Lenòr Fonseca, il ne faut pas exagérer. Il faut s'arrêter au Marquis de Lafayette.»

Fece uno strilletto, tappandosi la bocca con la mano.

«Mio Dio! Ho parlato in francese!» osservò, caricando il disappunto e guardandosi intorno circospetta. «Speriamo non m'abbiano sentito. In che lingua si dovrà mai parlare, adesso?»

«In latino, in latino» rise un giovanotto, indicando, oltre la porta spalancata, il gruppone dei preti.

«Nossignore!» intervenne Giulia Carafa. «Non sapete che adesso le divinità di Corte sono inglesi?»

«Preferisco parlare napoletano» borbottò Maddalena. «Io dell'inglese non ne saccio niente.»

«Ma è facile, darling.»

«Come?»

«Darling: significa "cara". Basterà tu stia dietro Lady Hamilton, allora impari "darling" e "my love", cioè "amore mio".»

«È maestra di parlata amorosa» ghignò Maddalena, suo marito le dette sulla voce.

«Sta' zitta. Non è il caso.»

Si scostò, in compagnia di Gennaro, per ascoltare Ruvo che, scarlatto in volto, raccontava qualcosa ai Pignatelli. Aveva fatto lo sforzo di calzar la parrucca, ma la teneva storta sui capelli rossi, e indossava con rabbia spiegazzata giamberga, calzonetti, polpe.

«Sai che m'ha detto l'altro giorno, poi che m'ha invitato a caccia negli Astroni? Ha chiesto di giocare a reversino. Ti riferisco le battute, tali e quali. Io stavo perdendo, lui m'ha guardato negli occhi: "Duchi', vi sto fottendo". Io gli ho risposto: "Maestà, mio nonno don Tiberio Carafa...". Lui s'è messo a ridere verde: "'E ditto ammennole! 'No bello fetente lo nonno vostro, con rispetto parlando". Io cercai di rimanere calmo, ripigliai: "Don Tiberio Carafa, quello che facette tremma' lo re de Spagna. Mi diceva: 'Non parla' se non tieni lo purpo in mano'". Lui s'è stato zitto, poi gli è venuto il punto, ha strillato: "Duchi', lo purpo sta ccà! Lo sapete come s'uccidono li purpe? Co' 'no muorzo 'ncapo".»

«E tu?»

«Che gli dovevo dire? "Ci stanno purpe co' la capa cchiù tosta de 'na preta. Se uno li mózzeca se po' rompere li diente"» ho detto.

«È chiaro che alludeva, Ettore» fece Moliterno, serio. «Ma tu parli troppo, tieni il brutto vizio di dire quello che pensi.»

«Sape tutte cose» brontolò Ruvo. «Qua ci stanno spie pe' tutte parte.»

«E allora statti zitto e pensa a li ffemmene» concluse Moliterno, con ostentata disinvoltura.

Si verificò animazione, Cimarosa corse all'orchestra, alzò la bacchetta. Si levarono le note ampie e gioiose dell'inno borbonico.

Tutti accorsero nel salone grande, dame da un lato, uomini dall'altro, mentre apparivano il re, la regina, Acton, accompagnati dal ministro Castelcicala, Caterina di San Marco e suo fratello Luigi de' Medici, reggente della Vicarìa. Seguivano Lord e Lady Hamilton, più un ufficiale di marina inglese, carico di decorazioni, cupo in volto. Benda su un occhio, manica destra della giacca blu chiusa all'imboccatura: il famoso Nelson.

Il re appariva invecchiato, la pancetta gli tesava lo sparato di seta. La regina era incinta per la dodicesima volta. Molto guasta lei pure: borse sotto gli occhi, viso gonfio. Reggeva a fatica l'altissima parrucca rococò, si moveva lenta nel vestito in seta di San Leucio, allargato da un inverosimile cache-bâtard.

3

L'attenzione di tutti era su Lady Hamilton. In verità non sembrava tanto bella come si diceva. Piccoletta, senza particolare eleganza: un abitino azzurro con fisciù blu scuro al collo, scialle grigio. I capelli color miele, lisci, lunghissimi, le giungevano ai fianchi, certamente una delle sue attrattive maggiori. A prima vista, il viso niente d'eccezionale: minuto, pallido. A esaminarlo bene, però, emanava fascino, per l'espressione da bambina nella piccola bocca un po' imbronciata, per la luce innocente e provocante insieme dei grandissimi occhi bruni.

Lord Hamilton era vecchio, ma imponente nella giamberga

di seta nera con una sola decorazione a sinistra. Il suo collo rugoso affondava dentro uno jabot gigantesco. Guardava in giro con aria sprezzante.

Caterina di San Marco appariva ingrassata, però maestosa nello sfavillio dei gioielli. Veramente bello suo fratello Luigi de' Medici, il nuovo astro di Corte: altissimo nella divisa da ufficiale degli usseri, il volto da Romano antico. Tra lui e Caracciolo... Colse improvvisamente giochi di sguardi che la incuriosirono.

Caracciolo era venuto avanti, fra le autorità, per il baciamano alla regina. Non appena lo vide, Maria Carolina smise l'aria disgustata, sofferente, che teneva in volto da quando era apparsa: per un attimo s'illividì, volse gli occhi. Li posò su Lady Hamilton, la quale, a sua volta, stava contemplando Caracciolo senza ritegno. L'ammiraglio le rendeva appassionatamente lo sguardo, mentre Nelson fissava tutti e due, fra il sarcastico e il cupo.

Il baciamano iniziò. Sfilarono il re, gli ambasciatori, i prelati, i ministri, gli ufficiali. La regina con certi si comportava in modo strano: mentre quelli si protendevano, mostrava di sentirsi male, rovesciava la testa, lasciandosi andare nelle braccia pronte di Caterina di San Marco. Così il baciamano veniva evitato. Avvenne con l'ambasciatore di Francia, con Caracciolo, con Moliterno.

Stette sospesa mentre veniva il turno dei cavalieri e delle dame. A chi ancora? La pantomima si ripeté per Ruvo, il quale si risollevò dalla riverenza senza nascondere la stizza, per Gennaro Serra, per Chiara Pignatelli. Tremò un poco nell'avvicinarsi. Maria Carolina non le usò neppure la cortesia della finzione: si volse indietro, ritraendo la mano, per porgerla alla dama che seguiva.

Il galà si frantumò. Il re si divertiva molto a comportarsi secondo precise sue finalità. In primo luogo studiò con occhio indagatore tutti gli abbigliamenti, senza nascondere compiacimenti o fastidi. Fece un sacco di smorfie plateali contemplando Ruvo.

Si diresse poi verso Caracciolo, prendendolo sotto braccio. Ammiccò verso l'ambasciatore turco, un omaccione in vestito rococò, magnifico turbante azzurro in capo. Parlottava col legato di Russia, facendo finta di non notare i lazzi di Ferdinando. Questo era contento, e per la cattura delle galere barbaresche, e perché, come si diceva, Caracciolo aveva lasciato cadere certi approcci di Maria Carolina.

Lasciato l'ammiraglio, il re passò, con aria sprezzante, davanti l'ambasciatore di Sardegna, se ne andò dal Nunzio Pontificio, ostentando amicizia e riverenza. Disse forte: «Monsignore bello! Preparatevi li ssacche! V'avimma da' 'no cuofano di denari arretrati!».

La sua tappa successiva fu Lord Hamilton, al quale parlò di caccia con voce altissima, vanesia.

«Credete che scherzo?» urlava. «È pura verità: quattrocentosessantotto beccacce in un sol giorno, trentacinque fucetole e sei volpi, amico mio. V'aggio fa' ave' la pelle de 'no lupo che ho ammazzato l'altro ieri a Persano.»

La regina voltò le spalle, s'indirizzò a Lady Hamilton, disegnando il primo sorriso della serata.

«Darling» pronunziò, a fatica. «I wish... On dit comme ça?»

Con scatto di rabbia si corresse, borbottando nel suo italiano non meno stentato: «Occorre mi facciate lezioni di vostra lingua».

«Oh! Io posso anche comprendere italiano, Maestà» sorrise Lady Hamilton. Aveva una bella vocina sottile, un po' leziosa.

«Bene. Quando farete vostri quadri? Siamo desiderosi d'ammirarli.»

«Quando piacerà alla Maestà Vostra.»

Il re, che la contemplava con ghiottoneria, propose: «Mo' facimmo canta' li guagliune de Cimarosa ampresso ampresso».

Si sparsero le note frizzanti e lucide di Mozart. Papageno cantò *Io son l'uccellatore*, poi volò l'aria di Figaro *Non più andrai farfallone amoroso*, Despina gorgheggiò *Una donna a quindici anni*, indi divenne Susanna delle *Nozze* e cantò in maniera assai dolce *Deh, vieni non tardar*. Avrebbe continuato se il re non avesse cominciato a fremere, facendo gran cenni a Cimarosa. Il maestro infine capì e, sull'ultimo trillo della virtuosa, trinciò imperiosamente l'aria con la bacchetta.

«Lassa fa' la Madonna» esclamò Ferdinando.

Gran movimento di valletti, che spostarono sedie, misero traversine colorate, al posto dell'orchestra comparve un piccolo palcoscenico in velluto azzurro, illuminato da torcieri. Nel buio, Cimarosa al clavicembalo. Il re fece un gran cenno con le braccia, tutti tornarono a sedersi, in religiosa attesa.

Cimarosa modulò note un po' stridule, dolenti, un valletto, fulmineo, sistemò sul palco una bianca colonnina di legno.

4

Si presentò Lady Emma. Brusìo d'ammirazione e sorpresa: indossava un peplo candido, trasparente, sotto il quale s'intravedeva il rosa delle carni e si movevano agili, flessuose, le belle gambette. I capelli, sparsi di polvere d'oro, inondavano spalle, braccia.

Recava una coppa di cristallo. A piccoli passi concitati raggiunse la colonna, vi poggiò una mano, poi si piegò, affranta, osservando con angoscia il calice: esitava, lo avvicinava, lo respingeva. Cimarosa traeva lugubri suoni dal clavicembalo.

Sul bel piccolo volto di Lady Emma si dipingevano via via disperazione, rassegnazione, infine, con moto risoluto, accostò le labbra alla coppa, bevve. Grida di sgomento del pubblico, mentre la coppa cadeva. Gran sospiro dolente accompagnò il lento scivolare di Lady Hamilton lungo la colonna. Quando fu in terra, prese a torcersi in convulsioni sempre più orrende, accompagnate dal trepestio di Cimarosa: le belle cosce nude sfolgoravano allo splendore dei torcieri. Infine s'inarcò, si stirò, rimase immobile, mentre il fragoroso applauso del re dava il via. A momenti neppure si sentiva Cimarosa comunicare il titolo del quadro: *Morte di Sofonisba.*

Lady Emma si levò, ansante ma giuliva. Fece una bella riverenza che smosse il peplo tra i seni, corse via con passetti leggiadri.

Sbirciò verso Gennaro, preoccupata: le andavano crescendo angoscia, nervosismo. Dovevano essere ormai quasi le otto, di lì a poco Lauberg e gli altri avrebbero suscitato il putiferio a Toledo. Anche Gennaro appariva teso, le fece un piccolo cenno d'attesa.

Lady Hamilton riapparve, stavolta indossava una mantella bruna, aveva annodato i capelli sulla nuca, in opulenta coda di cavallo.

Cominciò col simulare resistenza a qualcuno che voleva trascinarla chissà dove, la mantella s'aprì, cadde. Lei apparve in tunichetta bianca più trasparente del peplo. S'inginocchiò, posando il capo su un immaginario altare, poi Cimarosa attaccò un tema festevole e Lady Hamilton si sollevò: incredula, salva. Nel pubblico si sussurravano interpretazioni, alcuni mormoravano: «Ifigenia, Ifigenia», il re zittì, con sgarbato sibilare. Era proprio *Ifigenia in Aulide,* confermò Cimarosa, tra gli applausi.

Gli uomini apparivano eccitati, le dame turbate, Caracciolo aveva occhi lucidi, aguzzi, la bella bocca tirata. Nelson pareva dormisse, ma l'unica mano, sul bracciolo della poltrona, era contratta.

Improvvisamente vide Gennaro alzarsi, fu invasa dal panico. Lui le fece cenno d'aspettare, scivolò via destramente, mentre i valletti levavano di scena la colonna e il pubblico si rilassava in commenti.

Si sentiva male, impietrita. Gli opuscoli eran saliti su, la urtavano sotto le mammelle, quasi a segarle. Fissava la porta spalancata della sala: Gennaro non tornava, meu Deus.

Finalmente riapparve, con aria compunta, la guardò accennando di sì, se ne andò nuovamente. Toccava a lei: si sentì morire.

Fra l'altro, poteva levarsi, andarsene proprio mentre Lady Hamilton stava per riapparire? E se avessero notato il suo dileguarsi subito dopo quello di Gennaro Serra? E però, se a una le veniva bisogno impellente? Dopo tanto tempo ferma... Affettando disinvoltura, si levò. Corse alla saletta circolare dov'era il servizio di toilette, un valletto sollevò cerimonioso il pesante tendaggio di velluto.

Tanfo acre d'orina l'assalì alla gola. Nonostante la velocità con cui i servitori venivano a ritirare i pitali, ce n'erano ancora parecchi pieni. Liquido sciabordato formava pozze appiccicose sulle mattonelle. Prese a slacciarsi febbribilmente le stringhe del corsetto, cavò di furia i tre opuscoli gualciti, si guardò intorno, smarrita. Dove, dove? Non avrebbero dovuto trovarli subito.

Accanto a bellissimi porta bacili in smalto bianco con brocche c'era, sopra una cassapanca, una pila d'asciugamani di bucato. Quelli usati s'ammucchiavano in terra. Ficcò le carte tra pila e legno, mentre la testa le girava. Si rassettò alla meglio.

Gennaro aspettava, teso, all'imbocco del salone. La prese sotto braccio, cercò di rallentarne l'impeto, con una stretta.

«Piano, Lenòr» sussurrò, mostrando ampio sorriso. «Disinvoltura.»

Dieci minuti dopo, mentre giungevano all'angolo di Sant'Anna, per Toledo iniziò la confusione. Urla, fischi, richiami, rotolio di carrozze spinte all'impazzata, secchi comandi militari.

Vennero quasi travolti da un riflusso di gente che scappava e strillava. Le parve sentir gridare: «Li Giacobbe! Li Frangise!».

PARTE DODICESIMA

1

Dopo una sequela di giornate umidicce, nebbiose, tetre, il vento: ulula pei vicoli, strappa persiane melloni e mazzi di pomodori dai balconi, getta in aria lenzuola.

Gelata su una sedia, dietro i vetri, guarda volteggiare polvere, carte, foglie verso gli astici di Sant'Anna. S'è alzata da pochi giorni, è pallidissima, debole.

Dopo la scriteriata impresa del galà si sentì male. Le tornarono contrazioni nervose, palpitazioni, dolori al ventre la piegavano. Non riusciva più a mangiare, dormire. Le fu accanto Gennaro, il quale chiarì a Lauberg e compagnia ch'era il caso di sloggiare.

«Immaginate cosa proverebbe se venisse anche qui una perquisizione?»

Fu duro con il gruppo.

«Non è questo il modo giusto d'utilizzare i compagni.»

Cirillo la visitava spesso. Appariva smagrito, stanco, più vecchio dei cinquantacinque che contava. Le aveva portato il suo ultimo libro, *Sulla materia medica del regno animale*, fresco di stampa.

«Lo leggerete quando starete meglio. Per quanto... Neppure all'Università l'hanno lasciato entrare.»

Veniva due o tre volte la settimana. Non solo per le cure: per bisogno di presenza umana. Il matrimonio improvviso d'Angelica Kauffmann col pittore Zucchi gli aveva fatto assai male. Evitava l'argomento. Una volta osservò che esiste divario fra realtà e sogno, per cui sarebbe molto utile alla salute umana vivere sempre e solo nell'una o nell'altro. Senza sconfinare: pena la malattia, la morte.

«Lo dite per me?» chiese, cupa, lui scosse il capo.

«Per voi, per me, per la gente come noi. Viviamo in sogni assurdi, malati. La realtà è differente: la miseria degli uomini, la pochezza delle donne. E prevale sui sogni, a lungo andare. Più elevato il sogno, più fiera la sofferenza.»

«Io non ho più sogni. Da un pezzo» insisté.

«Non lo credo. Non avete *consapevolezza* di sogni. Ma ancora qualcosa v'alita nell'anima, altrimenti non sareste sopravvissuta. Con decoro.»

Gli guardò il volto sul quale sottile velo scuro mostrava che non si radeva più due volte al giorno. Aveva perso l'aria pulita, profumata.

«È problema d'igiene» rispose, testarda.

«No» sorrise lui. «È proprio morbo. Io credo, ad esempio, che il nostro popolo ne sia affetto. Conosco la plebe di Napoli, sono andato a visitar malati nei luoghi più sordidi. Ora non lo faccio più. Perché, forse, sono ammalato anch'io: della stessa malattia.»

«Ma quale malattia?»

«Vedete, Lenòr. Vi sono settori della medicina nuovi, misteriosi. Ma sono i più importanti, forse potrebbero aiutarci a capire gli uomini. Curare i corpi va bene, ma esistono malattie che non riguardano i corpi. Non ne sappiamo nulla, eppure sono decisive. Spingono gli esseri umani a comportarsi in un modo o in un altro, a disegnare le società, a disfarle.»

Le nacque timoroso interesse.

«C'è un medico a Vienna, un certo Gall. Ha una maniera nuova di studiare le persone: ne esamina i crani, dalle protuberanze crede di capire se possiedano alcune facoltà. Ma non è questo. Le malattie di cui parlo si celano nel profondo. Si possono riconoscere, talvolta, da uno sguardo, dal portamento, da un grido. Più spesso sono così lente, sottili, che diventano un modo d'essere. Allora non è più possibile identificarle, forse non sono più nemmeno malattie.»

«Voi avete parlato del popolo. Avete detto che ne soffre.»

«Quando una persona non ha scopo per vivere, spegne lentamente la fiamma dell'animo. La riduce all'essenziale. Ma il fenomeno veramente strano è un altro. Questa persona avvertirà, pian piano, disgustoso piacere, forse l'unico che ne accompagni la squallida esistenza: il piacere della degradazione. Gusto di sporcizia, abbandono. È difficile spiegarlo, ma l'ho notato nella gente che vive nei vicoli, nei fondaci. Come se, nell'infimo, si sentisse ad agio: senza responsabilità superiori.»

«Ma facciamo tutti così» mormorò lei. «Ci lasciamo andare. Perché nessuno decide della propria vita. Non sa scegliere. O non può. Scelgano gli altri, le cose, al posto nostro: questa pure non è degradazione? E però, se scegliessimo, che ne conseguirebbe? Avventure dolorose, angoscia.»

«Ne varrebbe sempre la pena. Perché l'angoscia è segno di vita, è indizio che ancora si desidera futuro. È quando s'è sicuri di non averlo che ci s'infetta. Voi avete reagito alla malattia misteriosa ammalandovi d'una malattia vera. Del corpo. Continuate le gocce di valeriana e, quando la tachicardia sarà finita, uscite: prendete aria, respirate, riscaldatevi al sole che verrà.»

2

Da ieri piove ininterrottamente: l'onnipotente pioggia lustrale napoletana che segna il passaggio da una stagione all'altra. Fra due giorni Napoli apparirà nitidissima, luminosa, tiepida, già verde. Tutta un profumo di fave fresche, mimose, vento del mare.

Anche le persone, per qualche po', sembreranno rinnovate. Persino in sé avverte indizi dei detestabili ritorni della vita.

Gira per casa, trascinando le gambe. Bisognerà ripulire, hanno lasciato uno schifo. Dovrà cercare aiuto, ripensa a Graziella: un attimo di nostalgia. Tocca qualche oggetto, sposta a fatica una sedia. Non osa andare allo scrittoio, sul quale s'ammucchiano carte e polvere. Come si farà a togliere le sedie, le scrivanie portate lì da Lauberg? Pregherà Gennaro d'occuparsene.

Riflette sul curioso fenomeno che ha accompagnato la sua vita. In fondo, sempre qualcuno s'è occupato di lei: mamãe, vovó, papài, titìo... E gli amici, chi più, chi meno: Belforte, Jeròcades, Primicerio, Cirillo, Sanges, Gennaro. Non è mai stata veramente sola. Negletta. Non era questo che, inconsapevolmente, aveva chiesto? Fin quando da piccina fiduciosa garbata girava per le vie romane, chiedendo alle persone che l'aiutassero a inserirsi nel mondo? E cioè che l'amassero?

Com'è strana la vita. Adesso è qui, coinvolta nella Storia, dentro intrighi di cui non s'intravede l'esito. E questi che si credon protagonisti! Di cosa? Tutto dipende da quanto succede a migliaia di chilometri, in paesi noti soltanto dai giornali, dove gruppi di scalmanati cercano d'imporre a milioni di persone ciò che essi ritengono sia felicità.

«Tu devi essere felice» recita burlescamente a un immaginario interlocutore, al di là della finestra. Chissà perché le si proietta l'immagine baffuta del lazzaro-mongolo di Visitapoveri.

«Devi essere libero. Chiamarti "cittadino" e imparare il francese.»

Poi le viene in mente l'ex lazzaro Michele, l'aiuto del falegname don Eduardo. Ne immagina il dito mozzo nel piede, ha un brivido.

«Dovrete anche mettervi le scarpe» ordina, all'ignoto popolo lazzaresco oltre i vetri. «Così sarete felici. Ci sarà la guerra?» si chiede, ricordando le notizie che Gennaro le ha riferito i giorni scorsi.

Austria, Prussia, Sardegna sono alleate per battere la Francia. Sconfitti i disordinati eserciti di Luigi XVI, sono straripate in terra francese. Il caos regna a Parigi. Nemmeno il marchese di Lafayette è riuscito a formare un governo, giacobini e girondini accusano di tradimento, ghigliottinano, chiamano il popolo alla leva di massa, guidati da Robespierre e da Brissot. Come andrà a finire?

Gennaro teme che neppure l'entusiasmo popolare salverà la Francia. I re d'Europa vinceranno e, usciti dalla gran paura, si sfogheranno: il progresso conquistato in anni di pazienti fatiche andrà in fumo. Anche Ferdinando e Maria Carolina si comporteranno così. Si dice che Acton stia preparando navi e truppe per unirsi all'alleanza contro la Francia.

«Ci sono tre reggimenti in assetto di guerra, a Pietrarsa costruiscono navi da battaglia. Forse l'Europa torna ai piedi dei troni e degli altari. Vedessi come esultano i preti.»

3

Aveva raccontato cosa succedeva in città. Frati, preti parevano moltiplicati per mille, a ogni angolo ce n'era uno che infiammava lazzari e popolo.

«"E che," gridano» riferiva Gennaro «"'nce volimmo fa' accidere da 'sti Frangise? Da 'sti Giacobbe figli de lo dimmonio?". Spargono voce che Dio farà scoppiare il Vesuvio, venire peste, colera. Per la città c'è aria cupa, tesa. Non mi piace.»

Raccontò ancora: «Fra l'altro si son formati due o tre gruppi di pazzi. Uno si chiama "Re-o-mo", repubblica o morte! De Deo, Vitaliani, Lomonaco si son fatti coinvolgere, pare vogliano preparare un attentato al re. Lauberg è furibondo, dice che rovineranno ogni cosa, con questo terrorismo. Ora cerca di collegarsi ai moderati. Viene a casa di mia zia, propone una Società Patriottica che raccolga tutti. Ah, sai una cosa? È ritornato Ciaia».

«S'è stancato della Coltellini?»

Ciaia era partito dietro la sua cantante in tournée per l'Europa.

«Non stanno più insieme. Sai con chi sta, adesso, Ignazio? Una passione travolgente. Soprattutto da parte di lei.»

«Lei chi? Dimmelo!»

«Chiara. Chiaretta Pignatelli.»

«Meu Deus! Ha almeno vent'anni più di lui...»

S'interruppe, un po' turbata, Gennaro la fissò, sorridendo.

«Non sono venti, Lenòr. Quattordici. Chiara è impazzita per Ignazio.»

«E lui?»

«Anche» continuava a fissarla. «Ci sono giovani per i quali l'amore d'una donna un po' più grande di loro può essere dolcissimo. Io credo sia meraviglioso sentire contemporaneamente una donna protettrice e protetta, forte e fragile, esperta ed innocente.»

Lei tremava un poco. Si sentì debole, cercò di sviare il discorso.

«Come fanno per la politica? Per le idee, voglio dire? Chiara era legittimista.»

Gennaro scoppiò a ridere.

«Sapessi che repubblicana è diventata! Lei e Ignazio girano tutti i clubs di Napoli: per conto di Lauberg.»

«E gli altri? E Sanges?»
«Ah, Sanges ha preso le distanze. S'è formato un grosso gruppo moderato, che comprende lui, un ragazzo molisano...»
«Cuoco?»
«Cuoco, Moliterno, Astore, quasi tutti i massoni, i giansenisti, Meola, Guidi, Farao... Persino gli scribacchini: Papadia, Campolongo.»
«Il caro vecchiume» disse lei, con dolcezza.
«Bah, non solo. Ci sono tanti studenti ed io lo trovo strano. È difficile che i ragazzi siano moderati. Quest'ultima generazione, invece...»
«I ragazzini son meglio di noi» sospirò. «Può darsi che, in tanta confusione, abbiano ragione proprio loro.»
«Non hanno ragione, Lenòr. Credono ancora che un imbecille come Ferdinando, una pazza come Maria Carolina, possano governare questo paese, sia pure con l'aiuto di qualche persona intelligente. Siamo nel 1792! Sta per aprirsi un nuovo secolo ed è ora di creare un sistema diverso. A me non piacciono certe frenesie di Francia, però qui tutto va cambiato.»
«Ma Sanges è per la repubblica. All'americana. Anche gli altri.»
«Credo abbiano fatto passi indietro. La loro sarà, al massimo, una repubblica aristocratica. Senza il popolo.»
«Il popolo...»
«Lo so a che pensi. Magari a ciò che vedemmo quella volta con Lauberg. Anche quelli sono popolo, Lenòr. Non ci capiscono perché vivono nell'arretratezza, nella sporcizia. Ci odiano. Hanno paura anche di noi. Ma noi dobbiamo lavorare per loro: noi abbiamo avuto tutto, loro niente.»
«Dobbiamo farli felici.»
«Non scherzare: io provai vergogna laggiù. Ci son tornato spesso.»
«Tu non hai colpe.»
«Io forse no, ma Ferdinando, Maria Carolina, il sistema sì. Perciò bisogna abbatterlo. Ora possiamo farlo solo se verrà un aiuto esterno.»
«E se i Francesi ci abbandoneranno?»
«Resteranno i re. Ma noi avremo, comunque, fatto il nostro dovere.»

Ed ecco il maggio napoletano: irresistibile, specie per chi sta male, pensa, mentre rimette in ordine la casa, inondata di sole.

Il salone è tornato sgombro. Gennaro ha mandato una donna di pulizia, la poveraccia ha sgobbato una settimana, buttando per aria opuscoli, bottiglie. Meno male che non sapeva leggere.

«Porta le carte in cucina» le raccomandò. «Per il fuoco.»

Così bollì la pasta bruciando la Costituzione del '91.

"Ben ti sta" pensava, con divertito rancore, del maledetto opuscolo, e agitava la ventola di paglia.

Arsero Condorcet, Marat, Danton, un bel florilegio di frasi degli eroi raccolte da Manthonè, il quale le recitava all'adunanza come orazione vespertina. Bruciarono i progetti di riforme da farsi a Napoli una volta preso il potere, tra essi quello di De Deo e Lomonaco di cambiare i nomi delle vie, per esempio Toledo in Strada del Gran Patto.

La casa fu lavata con varecchina forte e lisciva, che lasciarono il loro odore acre, violento, per parecchi giorni. Le piaceva, anche se le fece venire mal di testa. La donna di fatica se n'andò, soddisfatta. Restava da rimettere in ordine lo scrittoio. Rimandava, ci girava intorno, poi decise: impiegò tre giorni, facendo chili di scarto.

Ora sullo scrittoio c'è pochissima roba: una copia del povero libro Caravita, il volume intonso di Cirillo, numeri della «Gazzetta familiare» e del «Giornale delle Due Sicilie» (i soli consentiti), vecchie lettere cui bisognerebbe rispondere. Due sono di tio Antonio: dice di sentirsi deluso, malandato. Povero, caro titìo, come le piacerebbe rivederlo!

C'è anche una lettera di Sã Pereira. Accompagna l'ode d'un portoghese che vive a Napoli, intitolata, guarda un po', *Pelo felizisimo dia natalicio de Seu Majestade Carolina de Austria, rainha da Dos Sicilias*. Sã Pereira pretende che lei la traduca in italiano. Possibile che non sappia niente? O tenta d'aiutarla?

Faticoso impulso a prendere la penna. Le dita sono deboli intorno al diafano cannello della piuma, pian piano, però, comunicano antiche sensazioni. Lo sente tiepido, come tessuto vivo.

Ne fa vibrare il vessillo di candide barbe, tenta con un polpastrello la punta. Intinge.

È nuovamente pronta, sì. La lettera viene di getto, senza molte cancellature. La rilegge, abbastanza soddisfatta: c'è il rammarico di non poter accontentare un amico, c'è la spiegazione vera, tra le righe. Sã Pereira è un diplomatico, capirà.

La lettera ha aperto le chiuse. Empito ad esprimersi la gonfia: è proprio voglia di comporre, magari versi, perché no. S'arresta, perplessa, quasi in ascolto. Dal balcone aperto giungono i suoni, i rumori della vita quotidiana nel vicolo. Li lascia accompagnare la ricerca interiore, il fuggir della mente verso frammenti di parole in rima. Musica di sillabe, di strofe, si fa strada, traverso mucchi di macerie. Disse a Sanges un giorno: «I versi, adesso, non mi piacciono più».

«Perché vuoi fare come gli uomini» aveva osservato lui. «Vuoi partorire col cervello.»

Allora erano tempi tremendi, usciva da un periodo orribile. Forse ora è stanca. Stanca di quest'altrettanto orribile periodo di realtà senza fantasia. Prosa di rivoluzioni, guerre, politica, incalzare mozzafiato d'avvenimenti privi di pietà. Senza spazio per un sogno, un abbandono.

5

L'estate è giunta precoce. All'alba torrenti di luce odorosa di frutta invadono la casa.

Sta abbastanza bene, forse potrebbe uscire. Desidera passeggiare, rivedere la città, osservare la gente, capire se c'è davvero in giro l'atmosfera evocata dalle parole degli amici.

Ha ricevuto visite, i giorni scorsi: Sanges, Cuoco, Conforti. Ventate di spensieratezza le ha portate Ciaia. È davvero straordinario, una delle rare persone che spargono gioia di vivere, splendore. Porta notizie di Cimarosa, che sta a Vienna a godersi il successo del *Matrimonio segreto*. Dicono che andrà in Russia, al posto di Paisiello.

«Furbo, il nostro Mimì» ride Ignazio. «Così si toglie dai pasticci. Ma questo *Matrimonio* è un capolavoro.»

Accenna all'aria di Geronimo *Udite tutti, udite*, spiega la fresca voce tenorile nel pezzo di Paolino *Pria che spunti in ciel l'aurora.*

«Non è eccezionale? Scusate la mia pessima interpretazione.»

«Ma no, Ignazio. M'avete fatto capire immediatamente che quest'opera di Cimarosa è bellissima.»

Chiara se lo mangia con gli occhi, perfino ingelosita. Lei! Di me! Davvero cambiata: sembra più giovane, serena, carica di vita. Forse certe cose passano da un corpo all'altro: Ignazio quando la tocca, versa in lei il proprio seme, le trasmette giovinezza, vigore.

Parlano di tante cose. Chiara invita lei, Gennaro, Sanges, a trascorrer l'estate nella sua villa d'Ercolano, dove lei andrà con Ignazio.

«Mio marito» spiega con seria lealtà «dorme nella poca esistenza vegetale che gli resta. Non potrei far nulla per lui. E neppure se ne accorgerebbe.»

In agosto spariscono tutti.

«La rivoluzione va bene,» ride Ciaia «ma fa troppo caldo. Rimandiamola all'autunno.»

«Lenòr» insiste Chiara. «Ve lo ripeto come una sorella. Domani noi partiamo per Ercolano. Raggiungeteci: quando e con chi volete.»

«Grazie, cara.»

Si muore di sudore e d'affanno, però quelli laggiù, in Francia, la rivoluzione continuano a farla. Gennaro la informa.

Il popolo ha assalito le Tuileries. Ha imprigionato il re. Robespierre ha ottenuto la Convenzione.

Agita una copia del «Moniteur» che gli ha procurato il libraio-tipografo Guaccio, il quale dispone d'una rete di contrabbandieri che vengono da Roma, Parma, Milano.

«Guarda qua. Hanno creato un Tribunale Speciale per gli antirivoluzionari. Piombano nelle case, arrestano, fanno piazza pulita.»

«Questo non mi piace. Non è la stessa azione che noi deploriamo qui, quando la fa Castelcicala?»

«È diverso. Lì si arrestano i nemici del popolo, qui gli amici.»

Impossibile stare in casa: occorre uscire, cercare un filo d'aria che t'asciughi. Gennaro l'accompagna. Le ha regalato un parasole rosa. Lei decide di farsi cucire un abito nuovo, va dalla sarta al Largo della Carità che la serviva un tempo.

Porte a vetri spalancate, le ragazze in sudore han tirato su le gonne, sbottonato i corpetti. Si sventagliano, abbandonando i ferri da stiro. Sono pallide, intrise, segnate sotto gli occhi. C'è afrore di sudaticcio e cipria, Annella, la sarta, spruzza acqua d'arancio.

Lei vuole una veste color malva, senza panier, col sellino, come va di moda. Gonna bordata a righe rosa e gialle, corsetto con nastrini rosa, bordini ripetuti ai polsi. Il fisciù deve venire largo, annodato sotto il seno. Dalla cuffiara in società con Annella prova un cappellino a cupola, bianco, tre rose gialle sulla falda.

«'No bisciù» dice la cuffiara, calzandoglielo. «Va proprio bene per capelli come i vostri, donna Liono'. Ricci, di sostanza. Beata voi che già li tenete tutti grigi! Non dovete manco mettere la polvere d'argento.»

6

Gennaro l'accompagna verso il mare. È sempre più stupita: Napoli non sa nulla, Napoli se ne infischia. Quale tensione, che paure? Tutto va come sempre, anzi meglio. La città è splendida, fiorita, si diverte. Il mare azzurrissimo, liscio, riflette come una specchiera il Vesuvio col pennacchio barocco, la penisola di Sorrento, le case e gli alberi di Castellammare. Lo solcano barche, barchini, velieri, con baldacchini ricamati per proteggere dal sole le allegre comitive. Ne giungono, sulle ale di rèfole incostanti, fiotti di canzoni e musiche, richiami.

Sulle spiagge di Santa Lucia, Chiaia, Mergellina, i lazzari nudi s'arrostiscono beati, sonnolenti, avvolti dalle nuvole odorose di salsedine e d'aglio provenienti dai banchetti ambulanti. Ostricari infaticabili spaccano conchiglie coi loro coltellucci ricurvi, producendo montagne di gusci. L'acre odore del limone strizzato sulla carne palpitante di cozze, fasolare, cannolicchi.

Nella Rotonda di Palazzo, sotto tende con fasce bianche e azzurre, ai tavolini bella gente che succhia frutta, lecca gelati monumentali, beve sughi annevati. Va di moda il marsala ghiacciato coi biscotti, ma Monzù Onofrio, il proprietario, ha ogni sorta di bevanda. Da ogni frutto o pianta sa derivare deliziose misture variopinte, che brillano nelle bocce di cristallo allineate sul bancone di marmo. Sugo di pesca, fragola, menta, ciliegia, soprattutto l'insuperabile caffè annevato. Chi vuole può farci mettere un fiocco giallo, denso, di panna cremolata. Da svenire. Ne prende due di seguito: il secondo lo consuma lenta, lasciando sciogliere la panna, in modo che resti liquido cremoso, soffice, ogni sorsetto un sogno.

Pian piano s'azzardano, dietro Castel dell'Ovo, i primi soffi d'un grecale gentile. Smuovono gli orli dei tendoni, frusciano tra le foglie delle piante nei grandi vasi bianchi che cingono il Caffè. Si sta bene, sì. Al largo s'arricciano schiumette, sulle quali piombano voli di gavine bianche. I gabbiani s'impennano nel cielo azzurro, girano in cerchio, sorvolano stridenti la Rotonda. Ombre alate segnano la spiaggia, guizzano sul mare.

Poi alle Tuileries, meu Deus no, guai a chiamarla così, adesso. Si va in Villa. Nella cassa armonica suona l'orchestra dei Turchini, i ragazzi del Conservatorio. In passato li diressero Paisiello e Cimarosa, ora li guida un maestrino in polpe gialle. Folla ben vestita, le care musiche di sempre: Pergolesi, Leo, Durante.

Incredibile: come se al mondo non stesse succedendo niente. Il resto di niente. La sera men che mai. Napoli sfodera la bellezza struggente delle sue notti estive. C'è persino la luna, altissima, tonda, sopra i monti Lattari. Ne tremola il riflesso sul mare, al di là dei bagliori vesuviani. Puntini di luce in tutto il golfo: sono le barche della notte, i pescatori a lampara. E barchini, castaldelle, gozzoni da diporto.

Gennaro vuol fare il giro. Scendono a Santa Lucia: folla, vocio, guizzare di lanterne. Ai pontili barche che partono, che arrivano, sulle tavole, impazienti, i gitanti pronti per l'imbarco. Li scompiglia il flusso di quelli che tornano. Qualcuno cade in acqua, risate, strilli, fischi. Tre "feroci" sorvegliano. Ha un brivido.

Gennaro è eccitato, allegro, la guida all'imbarcadero mentre attracca un gozzo decorato con foglie e fiori d'oro. È coperto da un baldacchino azzurro, ne giungono odore di basilico, origano, arpeggi di chitarra. A bordo si può mangiare e bere: caponata, taralli, alici in mezzo al pane, vino, sciroppi annevati. Tre lazzari dalle facce stanche stanno accovacciati sul gavone di prora, con due chitarre e un mandolino. Più tardi, in mezzo al golfo, uno di loro attaccherà a cantare, cominciando dalla ballata del Guarracino.

Gennaro vuole caponata e taralli, lei si fa convincere. Da quanto non provava un gusto così! Eppure nulla di più semplice: una frisella scura inzuppata d'acqua marina, condita con filo d'olio sorrentino, tre foglie di basilico, un pizzico d'origano, due frusti d'aglio, una scheggia d'alice salata. Ma quel basilico ha foglie larghe, carnose, sotto i denti crocchiano, sprigionano aroma così intenso da stordire.

Il vascello morbidamente affonda nell'acqua densa. Il padrone manovra per entrare nella striscia argentea della luna, tutti l'incoraggiano.

«Vai, padro'! Vai che 'nce simmo!»

Facce, corpi, cose esplodono nella luce bianchissima, fredda, che marca l'ombra in maniera inquietante. Si sfrena allegria, poi, pian piano, si spegne. Persino silenzio, mentre la barca scivola per rientrare nel buio. Gennaro le prende la mano abbandonata sul sedile, stringe forte, intrecciando le dita. Lei ha un piccolo guizzo.

7

Settembre è magnifico: l'estate vi si prolunga, mutandosi con lentezza indicibile. Non ci sono state le tempeste, le piogge torrenziali che qui solitamente devastano la felice stagione per aprire con violenza all'autunno. Il tempo sembra uguale, sebbene sole e aria si faccian via via meno caldi, i rosei pomeriggi cedano a crepuscoli precoci.

C'è un profluvio d'uva e fichi. Fruttivendoli, mercati, bancarelle son sommersi da torrenti d'acini, traboccano di troiane e dottoni. Qui vedi montagne rosse d'uva baresana, là cascate verde pallido di Regina, altrove tappeti turgidi di zibibbo calabrese, tortili brulichii di Cornicella. E i grandi globi d'oro stupefatto del moscato, i capezzoli giovani della Pizzutella. Dagli ammassi stremati di fichi umorosi vaporano sentori disfatti.

Ovunque incontri cafoni e pacchiane con cestini conici di vimini ornati di tralci, straripanti di grappoli. Recano in bilico sui cèrcini spaselle zeppe di fichi, offrono a prezzi irrisori, lanciando grida di richiamo.

«È oro! È oro!»

«Spoglia de pezzente, cuollo de 'mpiso, lacreme de pottana!»

E se ne sciupano! Cadono dai carretti, dalle sporte: i ragazzi corrono a raccogliere, schiacciano acini coi piedi scalzi, si contendono fichi spiaccicati. Su pozzette di sugo vinoso, su mota lattiginosa di polpe, s'affollano mosche, calabroni, vespe. Per Napoli vaga odore aspro-dolcigno, come di mosto.

Fa grandi mangiate d'uva e fichi, col pane. È per questa dieta di frutta che si sta riprendendo in modo straordinario? Molte rughe sembrano spianate, la pelle ha ritrovato color roseo, il seno è tornato prorompente, fiero.

Si sente serena. Anche perché è riuscita a completare *La fuga in Egitto*, prima opera poetica, dopo tanto tempo. È stato ancora Sã Pereira a stimolarla. Le aveva mandato un biglietto, chiedendole se fosse disposta a scrivere un oratorio sacro, in portoghese, per Sua Altezza reale Carlotta di Borbone, principessa del Brasile, moglie di Sua Maestà Giovanni IV. La letterina recava una postilla: «Questo potete farlo, sebbene sia destinato a dei re. Ma quelli del Portogallo resteranno».

Era rimasta a fantasticare. Se avesse accolto il messaggio? Se avesse osato un colpo di testa liberatorio, andando in Portogallo? A lavorare pei re del suo paese? Il Portogallo le appariva tranquillo, nel ribollimento dell'Europa. Ondate non villane di sentimenti e ricordi: racconti e oggetti di vovó, discorsi di titìo, papài... Ma, a quei tempi, il Portogallo sembrava vicino. Adesso non era che sfumato pensiero. Andare laggiù? A Lisbona, Coimbra? Avrebbe dovuto sforzarsi per pensare in portoghese. Se n'era accorta lavorando all'oratorio: in qualche circostanza aveva chiesto aiuto al vocabolario!

Ma non era neppure questo. In fondo sarebbe riuscita a inserirsi, sebbene a quarantaquattro anni non sia facile cambiar vita, aria, paese. Che cosa la teneva a Napoli?

Napoli era diventata davvero la città del suo destino, come aveva intuito fin dall'arrivo, a seguito di misteriosi segnali. A Napoli s'erano sgranati i momenti d'esistenza cui aveva avuto diritto, a Napoli l'avrebbe terminata. A che età sarebbe morta? Sessantacinque, settanta? Gliene restavano venti, venticinque. A fare che? Non era stata, né era, utile a nessuno. A chi avrebbe voluto dare tutta se stessa non aveva potuto. Per chi, per cosa sarebbe stato importante che vivesse? Per la causa? Per Gennaro?

Sorriso malinconico. Gennaro si comportava in modo curioso, adesso. Come se tra loro si fosse instaurata consuetudine d'affetto difficile a descrivere: coniugale, filiale, materno, senza però esser nulla di tutto questo. E privo di trasporti, tranne qualche sguardo d'intesa, una stretta. Da quella sera della barca le prendeva spesso le mani, v'intrecciava le dita, lei lasciava fare. Che male c'era, in fondo? Mai, mai (avrebbe potuto giurarselo sulla memoria di suo figlio) aveva coltivato speranze.

O la teneva a Napoli curiosità intellettuale? Il desiderio di verificare i presagi? Più semplicemente: non dipendeva dall'inerzia occulta, dallo strano piacere d'abbandonarsi all'onda?

In Francia hanno proclamato la Repubblica. Robespierre, coronato di fiori, sale un altare pei riti del culto all'Ente Supremo, intanto fa ghigliottinare i preti refrattari. «Il popolo è sublime» cantano i poeti della Rivoluzione, ma fa rabbrividire la descrizione, sul «Moniteur», dello scempio di massa nel corpo giovane, innocente, di madame Lamballe. Che razza di giornalismo, fra l'altro. La gente va informata, ma non occorre darle il voltastomaco.

Danton tuonava contro i privilegi dei nobili, dei ricchi, ora l'accusano d'aver ville sontuose, amanti. I ricchi devono diventare poveri, i poveri ricchi: cosa cambia? Nel frattempo i ragazzi sanculotti si fanno ammazzare a Valmy. Sono sempre i ragazzi a crederci. E a morire. Un fremito d'affetto pensando a Gennaro, anche se proprio ragazzo più non è. Mai avrebbe voluto che andasse a farsi uccidere da qualche parte. Anche questa una delle cose che la tenevano a Napoli?

Gennaro ha avuto da Peppe Cammarano quattro cedolini omaggio per il San Carlino, ha invitato Chiara e Ignazio. Lei prepara cena rapida: prosciutto, fichi, uva, taralli, vino di Lettere. È contenta di fare queste cose da ragazzi, sebbene la situazione l'imbarazzi un po'.

«Pensino ciò che vogliono» conclude, alzando le spalle. «Alla fin fine...»

S'è resa conto d'un altro fenomeno. Tutti loro, i giovani in particolare, stanno vivendo come non esistesse futuro prevedibile. Sperando, al tempo stesso, in avvenimenti nuovi, eccitanti, capaci di dare un senso ad esistenze, tutto sommato, monotone, mediocri. Lo dice anche Ignazio stasera: «Non perdiamoci niente, ragazzi. Domani qualcuno di noi potrebbe andarsene alla Vicarìa, a Castelnuovo. Ospite di Castelcicala».

Le cose peggiorano. Più in Francia danno dentro, più a Napoli serrano i freni. Ci mancava, fra l'altro, che la Convenzione decidesse d'aiutare i popoli in lotta per la libertà! Ferdinando e Maria Carolina l'han presa come invito ai giacobini del Regno.

«Il bello è,» osserva Ciaia «che son convinti dell'esistenza a Napoli d'almeno cinquantamila giacobini! È stata anche quella vostra cosa degli opuscoli a Palazzo. Li ha spaventati assai.»

Gennaro ride: «Hanno frugato da cima a fondo. Ancora continuano, cercando i giacobini che s'allevano in seno».

«Capirai!» riprende Ignazio. «Come ci fosse chissà quale organizzazione! Ha un bel darsi da fare, Lauberg, coi centesimi che mandano i Francesi. Se si dovesse insorgere, non si metterebbero insieme trenta persone armate in maniera decente.»

«Insorgere?»

«Bah» ride Ciaia. «Qualcosa si dovrà pur fare! Tutto questo agitarsi dovrà sfociare in azione.»

«Dobbiamo aspettare» ribatte Gennaro, con serietà. «Se i Francesi non mandano l'armata repubblicana, togliamoci dalla testa che si possa fare qualcosa. Sì, a Napoli ci saranno cento, mille rivoluzionari, ma, se li vai ad esaminare uno per uno, t'accorgi di quanto valgono. E poi, altri due grossi problemi: quello dell'esercito, quello dei lazzari.»

«Moliterno e Ruvo sostengono che l'esercito sarebbe ben disposto. Ma io poco ci credo. Con tutti quei generali austriaci!

Per quanto riguarda la marina... Caracciolo non s'espone. Ma che la regina e Acton non lo possano vedere... Ora, poi, che comanda Orazio Nelson...»

«C'est que il a volé la femme à l'Anglois!» ride Chiara, contenta di poter usare il francese. «Et puis Caracciolo sera obligé d'être contre le roi de Naples. Parce qu'il a refusé la reine!»

Gennaro sorride. Torna al suo concetto. «Che farebbero i lazzari, se i Francesi ci aiutassero a sollevare Napoli?»

«Ruvo e Moliterno son convinti di farsi seguire. Io dico che se lo sognano la notte. Perché mai i lazzari dovrebbero rivoltarsi contro il re? A favor nostro? Che guadagnerebbero?»

«La liberté. Le début d'une vie civilisée» interviene Chiara, con trasporto.

«Non gliene importa un bel niente, amore mio. La libertà già l'hanno. O credono d'averla. La vita civile? Non sanno manco cos'è.»

«E allora occorre educarli» fa lei, tornata col caffè.

«Brava. Spiega come faresti! E dicci in quanti secoli.»

«Beh. Queste cose vanno per le lunghe. Zucchero, Ignazio?»

«Un cucchiaino, grazie.»

«Bisogna pur cominciare. Senza pretendere risultati subito. Li vedranno le generazioni future.»

«E va bene. Li vedranno quelli che avranno la fortuna di vivere a Napoli fra duecento anni. Ma con quali mezzi? Io sto imparando a conoscerli» fa Gennaro.

«Non lo so. Gira bene il cucchiaino. Bisogna creare scuole pubbliche. Mandarceli a forza. E costringerli a infilarsi le scarpe.»

«Non scherzare!»

«Non scherzo. E dovrebbero lavarsi.»

«D'estate son più puliti di noi. Stanno sempre a mare.»

«Devono lavarsi anche d'inverno. Gli si daranno abitazioni decenti, dovranno lavorare.»

S'interrompe, incerta.

«Ma occorre star bene attenti al tipo di lavoro» aggiunge, piano. «Che non li opprima. Non li immalinconisca.»

«Qualsiasi lavoro opprime. Immalinconisce» osserva Ciaia.

«Lo so. È per questo che i lazzari non ne vogliono nessuno.»

«State parlando come preti» interviene Gennaro, mentre raspa nel fondo della tazza. «Il lavoro non è maledetto. Non si può avere pane senza arare la terra: è un principio di fisica elementare.»

«Ma tu, Lenòr, sei davvero convinta che si riesca ad educare i lazzari?»

«Non lo so, Ignazio. Forse s'estinguerebbero soltanto.»

«Comunque con loro dovremo fare i conti» insiste Gennaro. «In un modo o nell'altro.»

«E che conti!» ride Ciaia. «Ogni tanto ne vedi uno che ti scruta, avido. Anche loro fiutano. Sai che si dice, in giro? Che è prossimo l'"arricchimento de Napole": l'aspettano con ansia.»

«L'arricchimento?»

«Così chiamano l'anarchia, il saccheggio. Lo scorazzare liberi e padroni. Ogni tanto, in passato, lo facevano.»

A piedi verso il Largo del Castello: Ignazio suggerisce il giro lungo, per Santa Brigida e il vico dei Corrieri, onde evitare San Matteo, la Cagliantesa.

«Abbiamo calzoni lunghi, stiamo senza parrucche, accompagniamo due signore.»

Per Toledo la solita folla, bisogna stare attenti a non farsi arrotare dalle carrozze indemoniate. Man mano ci si avvicina al Largo la confusione aumenta. Girano dietro la locanda del signor Monconi, illuminata da lampioni veneziani, i balconcini zeppi di forestieri che ammirano.

Attorno al San Carlino ressa incredibile, la gente s'accalca alla minuscola entrata tra due fanali bianchi, in uno dei quali la luce vacilla. Arrivano continuamente carrozze, il vicolo fra il teatro e il monastero di San Giacomo è intasato di vetture ferme, popolato da cocchieri che litigano, fumano, sputano, giocano alla morra.

Venditori aggrediscono, inseguono. Si sente stordita, mentre Gennaro e Ignazio urlano, tirano calci, gomitate. Qua c'è uno col secchio pieno di lupini biondi, lucidi d'acqua, lo scaccia un altro che vende ceci fritti e sementi. Strilla con voce che trapana le orecchie: «Spassatiempo!».

Un cammesiello barbuto vende tessuti levantini dai colori accesi, ricami in oro sfacciatamente falsi. Un altro commercia papusce d'Oriente: ne tiene grappoli sospesi al collo. Un lazzaro sènza denti propone tabacchiere de Spagna, spìngole frangese, ricchine co' lo bisciù.

Folla eccitata si dimena intorno un ragazzo dal berretto rosso che agita scatolette di legno in forma di cassa da morto.

«Questa, poi!» fa, sbalordita. «A che servono?»

«Vediamo» dice Ignazio. Il ragazzo li osserva con occhi bianchi. Scruta le donne e, ridendo ambiguo, mostra loro una delle piccole bare.

«Signore belle,» esclama «accattàteve lo zi' nisciuno.»

Preme sulla cassa. Strilli, risate grasse: dall'interno foderato in raso vermiglio balza uno scheletrino bianco che protende, dall'ossuto bacino, un enorme, beffardo sesso dalla punta scarlatta.

Gennaro aggrotta la fronte, Ignazio ride. Mentre scansano una chiorma d'orrende prostitute ansanti, che corron chissà dove, commenta: «Eros e Thanatos. È una cosa profonda, guarda un po'».

«Ho sentito raccontare da Mazzarella Farao» dice lei, perplessa «che a Pompei c'erano pavimenti di triclinio con figure di scheletri.»

«Carpe diem» commenta Ignazio. «Godi adesso, datti da fare, domani potresti essere morto. L'epicureismo.»

«Oh no!» ribatte, sbalzata a ricordi di letture antiche. «Questa è l'idea volgare dell'epicureismo. Tu non hai letto Gassendi.»

Lui non risponde. L'afferra a un braccio, la strappa via.

«Scusami» spiega, ansando. «Ma stavi per rimetterci il tuo bel girocollo.»

Si tocca. Ha ancora la collanina di corallo rosa. Sono in voga, sostituiscono senza compromettere il filo francese à la victime. Si volta a guardare un piccolo lazzaro schizzato via: li fissa con aria risentita, quasi avesse subito un'ingiustizia.

8

Il teatro è piccolo, stretto, i palchetti appiccicati l'uno all'altro. Platea e palcoscenico vicinissimi, non serve l'occhialetto. Il fumo dei cerogeni in ribalta, delle torcette ai palchi, dei sigaretti (si può fumare a volontà) s'ammassa, gonfia, penetra. Si diverte a osservare vestiti, facce.

«Pensavo che il San Carlino fosse un teatro per lazzari» dice.

«Macché» risponde Ignazio, mentre saluta all'altro capo della sala il palco in cui, allegrissimi, Lauberg, Manthonè, Lomonaco parlano con ignote ragazze. «Lo fu al principio, quand'era un casotto aperto da Vincenzo Cammarano. Non si pagava quasi niente. Poi s'è fatto intellettuale pure Pulcinella. Ai lazzari in fondo Pulcinella non piace: preferiscono ascoltare i racconti dei paladini di Francia dal cantastorie al Molo.»

«Vorrei sentirli anch'io» chiede, eccitata. Sente le guance calde, gli occhi ardenti, senza volerlo dà una sbirciata a Gennaro. Se ne pente, gira il capo con rabbia: lui la sta guardando, compiaciuto.

Finalmente il sipario si leva, sopra una lugubre scena di camposanto, zeppa di croci, civette in gesso, tombe, pipistrelli dipinti. Si spande luce violacea. Tutto è così esagerato che già fa ridere: gorgoglii, commenti divertiti corrono tra palchi e platea. Esplodono risate, applausi quando il vecchio Cammarano in camicione bianco, pantofoline di lana, coppolone e mezza maschera nera, fa il suo ingresso con un buffo saltino, morbido e svelto nonostante l'età.

Si rappresenta *Pulcinella-Werther*, una parodia del romanzo di Goethe. Pulcinella è servo d'un giovane padrone, innamorato fradicio d'una bella ragazza, però promessa a un altro. Il giovanotto (che è Peppe Cammarano) piange, proclama di volersi ammazzare. Straziato, Pulcinella gli fa eco: si torce, ulula. D'un tratto Werther decide di trascinar seco nella tomba il fedele servitore, Pulcinella piomba nella più nera angoscia.

«Chisto tene li ppigne dint'a la capa» strilla, con la voce nasalizzata dalla maschera. Scappa spiritato, fra le risa del pubblico.

Lei segue con attenzione, è la prima volta che vede Pulcinella. S'accorge presto che l'attore mascherato si muove, parla, gesticola secondo preciso rituale. Quando cammina, ad esempio, i passetti silenziosi delle babbucce hanno ritmo strano. Rappresentano un discorso.

Man mano, inoltre, si rende conto che Pulcinella non è semplice com'è apparso agli inizi. Le aveva dato persino fastidio per la volgarità di certe battute, il modo infingardo e vile di comportarsi, l'untuosità servile. Ma adesso ha momenti smarriti, la sua voce è cambiata, quasi spenta, i movimenti rallentati. Forse il grande Vincenzo avverte il peso dell'età? No, è proprio Pulcinella che è stanco. Recita per la gente, ma non ne ha voglia. Lui pure è innamorato, di Palommella. Ha fatto e detto sciocchi complimenti, cui il pubblico s'è sganasciato.

Gli occhi tuoi sono come due lampioni.
Tieni 'na capa bella comm'a 'na montagna.

Gli espedienti del barocco, del marinismo. Per dilettare e stupire, anche Pulcinella li usa. C'è però incrinatura nella voce di Cammarano, mentre canta, sconsolato:

Scètate, core mio,
faccella cara,
jesce da chisto nido
oi palomella...

Quando se ne va, solo solo, il saltino non lo fa. Prova ad abbozzarlo, rinunzia. S'allontana lento, spalle basse, camicione ammosciato, verso il buio del fondo.

Tutti ridono, lei cerca di cogliere sui volti la gioia liberatrice dell'ilarità. Non c'è. Ed è stato Pulcinella a istillare, senza parere, la minuta angoscia. Accidenti a lui, Cammarano è un vero attore.

D'un tratto pensa che Pulcinella non potrebbe essere interpretato che così. L'ha riconosciuto: lazzaro non più lazzaro, obbligato da infinite cose, il lavoro di servo, il rituale. Si vendica come può.

Alla fine Gennaro vorrebbe salutare Peppe Cammarano.

«È un amico. È dei nostri.»

Ma s'è fatto tardi, lei si sente stanca. Desidera tornare a casa.

«Posso salire?» lui chiede, con formale abitudine. Anche la risposta è abituale.

«Se lo desideri, come no.»

Prepara il caffè, lo bevono seduti nel vecchio divano spelacchiato. Lei si alza, nel tono naturale di moglie antica sospira: «Gennaro mio, io non ne posso più. Devo togliermi le scarpe».

«E fallo!» ride lui, con tono di rassegnato marito. «In verità mi toglierei pur'io questa dannata redingote. Ah, aaah!»

Tornano a sedere, si sorridono.

«Vuoi un altro poco di caffè?»
«No, grazie, basta. Se no, poi non dormo.»
Sta diventando strano pensare che, di lì a poco, Gennaro dovrà reinfilarsi la marsina, salutarla con lieve carezza, andare via. Per Toledo spopolata, buia, verso il palazzo a Monte di Dio, o la piccola stanza che occupa da anni alla Salata. La preoccupa il fatto che se ne vada solo, a tard'ora, per questa città così pericolosa. Lei Napoli nel cuore della notte non l'ha percorsa mai. Ma se l'immagina: scura, misteriosa, percorsa da fischi, lamenti, rumori incomprensibili. E che Gennaro porti sotto il corpetto una pistola a miccia corta (gliela fece vedere una sera che lei si preoccupava più del solito) non le dà maggior sicurezza. Anzi. Se lo trovano i "feroci"? Se si scontra con troppi?

Perché gli uomini son fatti tutti a questo modo, che non sanno placarsi col sereno calore dell'affetto? Così: parlarsi con pacata usanza, tenera stima. Guardarsi nel modo chiaro di chi può e vuol'essere com'è. Perché non basta loro l'incontro della pelle nelle mani intrecciate? La carezza maliziosa, infantile, in punta delle dita? Che demone li spinge a tormentarsi e tormentare? A trasformare soffi di baci in morsi, carezze in disperate strette?
Sarebbe tanto bello restare così, sempre, in questo caro affetto, tranquillo complemento d'una vita. Privo di rimorsi. Non lo guarda negli occhi, perché sa che Gennaro lealmente cerca di mantenerli limpidi.
«Ci vediamo domani, Lenòr» mormora, con sforzo. Si muove un po' a fatica.
«Sì, caro. Buonanotte.»
Lei corre al balconcino. Né luna né stelle a illuminare l'universo del buio. Angoli ed àstici lampeggiano per bagliori vagabondi. I tacchi di Gennaro picchiano la notte, s'allontanano, smorzano.
Resta dietro i vetri, poi sente davvero fischi: lunghi, strazianti, si rispondono come in cattivo, indecifrabile discorso.

PARTE TREDICESIMA

1

Gela, piove a tempesta, il golfo affoga in coltre grassa di foschia. La città, assiderata, tace e aspetta.

Ha febbre, mal di testa, fremiti nervosi. E fitte in gola, tosse. Chissà Cirillo dov'è andato a finire. L'hanno visto, tempo fa, al club nella villa Pirozzoli. «Invecchiato, barba lunga» riferisce Gennaro, il quale chiama un dottorino di Sant'Anna sudicio e sgarbato. Prescrive cataplasmi di semenza di lino, olio caldo, sanguette.

Gennaro pensa a tutto: fa la spesa, cucina, le porta da mangiare a letto.

«Ti passerà. Non t'agitare» ripete. Fa il caffè, ma lei rifiuta, vuol dire che sta male davvero.

«Non prendertela così» insiste lui. «E va bene. T'hanno tolto il sussidio. Non sei la sola. Ma di qui a... Non hai fatto niente. Per quanto riguarda i soldi, ti restano le rate della dote, l'assegno ereditario. Io, poi, che ci sto a fare? Lo sai che dispongo personalmente delle rendite Serra a Perdifumo, Capaccio, fino Villammare?»

Ai primi di dicembre era giunta copia d'un dispaccio di Stato: Sua Maestà Ferdinando IV delle Due Sicilie ordinava al Banco della Pietà di non più procedere alla somministrazione alla signora D. Eleonora Pimentel Fonseca del mensuale sussidio assegnatole con dispaccio del 16 agosto 1779.

Era la fine, sarebbero venuti ad arrestarla.

«Ma no» insiste Gennaro, cingendola alle spalle che sussultano nella tosse. «Non t'impressionare. A Parigi processeranno il re e qua a Napoli sono preoccupati. Sai che Maria Carolina ha rifiutato di ricevere il nuovo ambasciatore della Repubblica francese, il cittadino Mackau?»

«E non ti sembra un segnale di rottura?» mormora, scuotendo la testa. «Io non ho paura di morire, Gennaro, te lo giuro. Anzi. Ma non sopporto il pensiero d'esser tormentata. Dove li mettono, a Napoli, i politici?»

Lui ride, un po' stentato. O è impressione?

«Finora hanno arrestato solo i massoni nel '75. Li hanno tenuti nella Vicarìa.»

«Dov'è la Vicarìa, com'è, Gennaro?»

«All'altro capo della città: una costruzione vecchia. Ma è destinata ai comuni. Per i politici dovrebbero esserci Castel dell'Ovo, Sant'Elmo. Non ci pensare, stupidona. Vedrai che non succede nulla. Però, quando stai bene, ti faccio cambiar casa.»

«Lo vedi? Vedi che anche tu sei preoccupato?»

«Solo precauzione. C'è tempo. Vediamo come rispondono i Francesi al gesto del re di Napoli.»

«È grave, sai. Mai Ferdinando e Maria Carolina hanno mostrato tanta decisione.»

«Hanno paura e rabbia. Come si concluderà il processo a Luigi? Ho letto che Robespierre e i giacobini chiederanno morte.»

2

Bussano da tre ore alla porta, in un mattino infernale: vicolo, palazzo affondati in oceani d'acqua gelida, pei vetri scorrono torrenti. Scoppiano folgori, tuoni spaventevoli fan tremare il mondo.

Gennaro, intabarrato nel ferraiolo a cappuccio, è sceso per comprare qualcosa da mangiare. Si deve alzare lei, reprimendo i battiti del cuore, ficcandosi a fatica la vestaglia. Si trascina all'uscio.

«E tu chi sei?» dice, sbalordita, tremante. Dalla porta aperta gelidi odori di fanghiglia e fogna.

«So' Graziella, signo'. Famme trasi', fallo per la Madonna.»
«Trasi» dice, macchinalmente. Chiude subito, sui rivoli spumosi, sporchi, del ballatoio.
Graziella riempie la casa di melma e d'acqua. Resta in piedi, gocciolante. È avvolta in una mantella di cerata nera, col cappuccio da marinaio, ne scorge solo gli occhi smorti, le scarpe inzuppate.
«Levati questa cosa» mormora, sostenendosi allo schienale d'una sedia. «Asciugati. Io non mi sento, me ne torno a letto.»
Graziella si toglie l'incerata. È irriconoscibile: ingrossata, storta nei fianchi, faccia pallida da vecchia. Labbra strette sulle gengive senza denti, capelli diradati a chiazze, giallastri. Quasi non ha più sopracciglia. Muove cauta le articolazioni. Ha un giaccone sdrucito, gonna marrò tutta bagnata.
«Levati pure quella» bisbiglia, dal letto, Graziella fa per obbedire.
«Primma li scarpe!»
Si china a slacciarsi le fibbie. Ci mette un'ora, poi sfila la gonna. Lunghe mutande logore, poco pulite. Deus, le gambe! Senza polpa attorno all'osso, piene di macchie brune.
«Grazie', ma tu che tieni?» domanda, inquieta. «Da dove stai venendo?»
Graziella la guarda. Serba negli occhi lampi della capricciosa caparbietà d'un tempo.
«Non te lo voglio dicere» borbotta. Afferra la gonna. «Me ne vado.»
«Statti quieta. Dove vai, con quest'acqua? Assèttate e rispondi.»
Si butta a terra in ginocchio, torcendosi le mani. «Solo tu me puo' piglia', signo'. La Madonna te possa benedicere.»
«Ma che hai fatto? Vuoi parla'?»
«Signo', io mo' sto bbona. Non tengo niente cchiù. Lo dottore l'ha scritto nella carta.»
Fruga nel corsetto, caccia un foglio spiegazzato: un cedolino del sifilicomio di Santa Maria della Fede, in cui si dice che la mentovata Graziella di cognome ignoto, forse d'anni venticinque, è stata curata di mal francese da gran tempo contratto.
«Lo vi', lo vi'» ripete, spiando lei che legge. Quando la vede rabbuiarsi, si rotola per terra.

«Pure tu! Pure tu!» singhiozza, picchiando i pugni sopra il pavimento, lei la guarda, stanchissima.

«Ma quando sei uscita da Santa Maria?» mormora.

«So' tre mesi, signo'. Non faccio niente più. Te lo giuro 'ncoppa a la Madonna addolorata.»

S'alza, tremando.

«Io non me fido, signo'. Non posso piglia' cchiù friddo a li puntune, dint'a li ttaverne. Me fanno male tutte ll'ossa, la capa, li ccosce.»

«E tua madre? Lo Spino? Quel vecchio che faceva da mangiare?»

«Zi' Vicienzo» dice, con voce un po' rasserenata. Scuote la testa: «Sarrà morto. Dint'a lo vascio non ce sta cchiù nisciuno».

Protende le mani giunte.

«Signo'. Per lava' 'nterra, per fa' li servizi, io so' bbona ancora. Chiano chiano. Non mi dai niente, mi fai solo sta' dint'a la casa. Io non me ne vado cchiù. E non ti devi mettere paura: so' impestata, ma non mischio.»

Con tono competente spiega: «Li primme tiempe sì. Ma dopo tre, quatt'anne, non fa niente cchiù. Mo' sta dint'all'ossa, non esce fora, signo'. Non tene' paura. E po', può essere pure ca moro ampresso».

«E statti» le dice, Graziella si mette a piangere. Quant'è brutta, figlia cara, con quella faccia avvizzita. I crateri dei foruncoli d'un tempo: o è vaiolo? Le guarda il cranio bianco, nudo tra i radi ciuffi di capelli arsicci.

Graziella si rivela utile. Fa quel che può, ogni tanto si ferma pei dolori, poi, ansando, ripiglia: spazza, spolvera, tiene in ordine, ora che il tempo è migliorato esce per la spesa. Vorrebbe cucinare, alla fine le lascia fare pure questo. Tanto...

Si sente meglio, senza febbre né tosse. Restano i tremiti, il male agli occhi. Gennaro sta cercando la casa nuova. Tenta di nasconderlo, ma è preoccupato. Che starà succedendo? Perché non riferisce le notizie, come faceva prima? Non riesce a togliersi dalla mente la Vicarìa. Prova a immaginarsela. Come Castelnuovo? Oh no: il Maschio Angioino è bello, forte, elegante, non può evocare tetre prigionie. Neppure Castel dell'Ovo, steso nel mare blu, né Sant'Elmo che sboccia dalla vegetazione sul colle. Come sarà questa Vicarìa? E "l'altro capo della città"?

Che sciocca; crede di conoscere Napoli, ne sa pezzi piccolissimi: il Mercato, il Gesù, Visitapoveri.

Si figura questa Vicarìa in un posto strano, fatto dei lerci budelli del fondaco, delle polverose tane del Mercato e, in mezzo, una costruzione nera, paurosa, circondata da "feroci", da soldati in armi.

Ieri l'altro è venuto Lauberg. Fremeva: a giorni i Francesi daranno a Ferdinando e Maria Carolina una lezione memorabile per la faccenda di Mackau.

Gennaro pure è eccitato, va, viene, non parla. Son venuti Ignazio e Chiara, anche loro sembrano vivere d'esaltazione.

«Ma mi volete dire?»

«Appena tutto è pronto.»

L'insurrezione? La guerra? Vorrebbe uscire, capire. Non è prudente, dice Gennaro. Per salute e sicurezza. Poi informa che ha trovato la casa: al Grottone di San Luigi di Palazzo. Ammicca, accennando che proprio sotto c'è una cantina di vinaio.

«Lo cantiniere è de lo bottone» esclama, imitando il gergo usato da Lauberg a Visitapoveri. «E sai cosa nasconde la cantina? Il grottone che dà il nome alla strada. E sai dove finisce quel grottone? Al Largo del Castello, sotto il San Carlino da una parte, alla Vittoria da un'altra.»

3

Il giorno dopo le accompagna verso il nuovo appartamento, a piedi, senza neppure un fagottino.

«Meglio che nessuno s'accorga. Come facessimo una passeggiata.»

La tiene sottobraccio. Dietro arranca Graziella, tremante per il freddo, nonostante il dono d'una vecchia mantella.

Il cielo s'è schiarito, ma la tramontana punge, dalle bocche fumano nubi di vapore. È emozionata. Si guarda avida intorno: Napoli che fa? Napoli non fa niente di nuovo. S'apparecchia al Natale come sempre, coi suoi poveri sciali di mangianza, l'odore di mandarini, baccalà, fichi secchi, il vagar della gente, le novene degli zampognari. I lazzari fanno i lazzari, i cavalieri i cavalieri. Forse un po' più di preti e monache.

«Fate bene all'anime de lo Priatorio» farfuglia una monaca nana, nera nera, alzando la cassetta, Gennaro versa una moneta.

A Toledo il frastuono di sempre. Troppi soldati in giro: indossano divise nuove, con tricorni e giamberghe blu avvitate, uose nere fiammanti. Gennaro indica un monacone che, a tracolla sul saio, porta una fascia bianca a gigli d'oro. Ne pende il fodero d'uno sciabolone. Avanza a passo marziale, seguito da lazzari trafelati, che issano su pertiche e canne bandiere di Sua Maestà. Fischiano, strillano, cantano, ogni tanto zi' monaco balza indietro, tracciando gesti imperiosi.

«Viva lo re! Viva tata nuosto!» schiamazzano i lazzari, facendo impazzire le bandiere. Spettatori s'associano agli evviva.

«Addo' jate?» domanda una vecchia. Un ragazzino ricciuto, rosso, ride.

«Da tata nuosto. La no', non lo sai che li Giacobbe e li Frangise lo vonno accidere?»

«Rassosìa!» fa la vecchia, tracciandosi la croce.

«Ma nuie tenimmo li chiappetielle pronti!» proclama il ragazzo. Fa pure il gesto, stringendosi il collo con le mani e cacciando la lingua.

Si sente tirare per la veste, sobbalza sotto il braccio di Gennaro. È Graziella. Non trema più, ha persino un po' di rosso sulle guance. Sembra preoccupata, chiede: «Signo'. È overo ca vonno accidere lo re?».

«Ma no!» ride Gennaro.

Scuote il capo, ostinata.

«L'hanno detto. 'Nce stava pure zi' monaco.»

«E tu non l'è 'a credere, a chilli llà» la sgrida Gennaro. Ormai il napoletano popolare lo parla proprio bene. «Allora, tu t'ammocche tutte li stroppole ca siente?»

Tace, abbuiata. Mentre imboccano il vicolo del Grottone, insiste: «Signo', rispondimi tu. Chi so' 'sti Giacobbe Frangise?».

Si sente stanca, le sorride.

«Quando abbiamo messo tutto a posto te lo spiego io, Grazie'.»

L'appartamento è piccolo, vecchio. Avrebbe bisogno d'attintatura, nuove tele ai soffitti, ma è luminoso ed ha una bella vista. Dai balconcini si guardano gli alberi intorno al convento di Santo Spirito, i boschi dei monasteri di Santa Croce e San Luigi. Aria di campagna: a pochi metri dal tumulto cittadino! La mattina cinguettano passeri e verdoni tra le alberete dei conventi, quando si leva venticello di mare giunge odore d'erba, mele granate, cedri.

Ai piedi del palazzo c'è "Acino de fuoco", la famosa cantina col grottone, circondata da piante in botti verdi. Un'edera è arrivata al secondo piano, ruscella dai balconi, s'è artigliata alle gronde. Quando s'affaccia la contempla con gusto: le piacerebbe crescesse tanto vertiginosamente da giungere a infrascarle le inferriate, strariparle in casa.

La gente del Grottone è educata, poco strillazzara. A ogni balcone gerani, rose, gelsomini. La signora a fianco ha una rosella rampicante dalle sette meraviglie, la scorcia, l'innaffia, la concima coi fondi di caffè. Quelli dei bassi tengono, davanti, cassette, secchi, vasi con le piante, qualcuno esagera, come spesso fanno i Napoletani nelle piccole cose: ha delimitato un giardino privato, c'è persino un limone, carico di bei frutti gialli.

La mattina presto salgono i crapari con gli animali tintinnanti, infioccati. Lei manda giù Graziella. L'è tornata voglia di bere quel latte caldo, schiumoso, profumato d'erba, come quand'era piccola, a Ripetta.

4

Si sta bene al Grottone. Esistenza scandita da suoni e rumori diversi per chi ha abitudine di Napoli: campanelle e campane dei conventi dall'alba al tramonto, uccelli la mattina, risate e canti d'osteria di sera, a notte. Fanno compagnia.

Da qualche giorno, tuttavia, anche quassù rumori e fatti insoliti. Dalla città giungono scampanii, scoppi di mortaretti, salmodiare, lei e Graziella, dal balcone, vedono sfilare gli ori, i rossi, i bianchi di stendardi e preti, il nero dei cappucci. Altre volte scoppiano fanfare, strepitano zoccoli di bestie, martellano passi di reparti. Fucilate, squilli, annunciano che il re sorte da Palazzo per rassegnare la truppa.

Di guerra ormai si parla: tra l'incredulo, il preoccupato, l'ignorante. Graziella torna dalla spesa eccitata: «Signo'. Domani succede la guerra».

«Ma che guerra, Grazie'?»

«Non lo saccio. Ma succede. Poveri figli de mamma!»

Il giorno dopo torna più agitata.

«Domani succede la guerra.»

«Grazie', sempre domani!» ride lei. «Chi l'ha detto?»

«Tutti quanti. Crescono pure li prezzi. Lo sai che li friarielli oggi vanno a due grana più di ieri?»

Altra volta riappare ingolosita.

«Signo'! Domani fanno l'arricchimento de Napole. Tu me fai ì?»

Non capisce, poi ricorda un accenno di Ciaia. Corruga la fronte.

«Chi lo va dicendo?»

«Tutti quanti, signo'. Dint'a li ccase de li signure, dint'a li ppotéche. Se pigliano tutte cose. Qui non vèneno, signo'» aggiunge, vedendola preoccupata. «'Nce lo dico io de non veni'. Ma a me me fai ì? La porto pure a te la roba ca me piglio.»

«Tu sei pazza, Grazie'!» le grida, spaventata. Forse è il momento di cominciare l'educazione dei lazzari.

È difficile, meu Deus. Si fa presto a dirlo.

«Grazie', sienteme bbuono» esordisce, con tono pedagogico che rapido s'ammoscia. «Queste so' ccose che non s'hanno da fa'. Manco per scherzo. Manco pe' pazzia» corregge, trovata in memoria l'espressione napoletana.

«E perché, signo'? Che 'nce sta di male? Na vota ogni mille anni pure lo popolo ha da campa'. Li signure campano tutti li juorni.»

«Ma non è questo il modo di progredire! Di costruire una società nuova!» prorompe. Cerca di tradurre.

«È overo...» inizia a fatica, a fatica procede. «Nuie avimma fa' 'no munno cchiù meglio. Più giusto. Addò simmo tutti eguali.»

Graziella si mette a ridere, la guarda con aria protettiva.

«Tutti chi, signo'?»

«Tutti quanti» mormora, sconcertata.

«Pure io e te, io e la regina, don Gennaro e lo latrinaro?»
Colta da idea improvvisa, muta discorso: «Signo', ma tu e don Gennaro siete marito e moglie o no?».
Lei si turba.
«E che 'nce trase?» chiede, irritata.
«Tu e isso siete 'no poco eguali. Ma isso sempre ommo è. La femmena adda sta' sotto all'ommo.»
Ghigna, insinuando con salacità: «Isso tiene lo sciabolone, tu tieni la fodera. Isso tiene la mazza e tu no. De la bandiera, signo': che t'è creduto?».
Si sganascia per lo scherzetto, lei scuote la testa.
«Grazie'. Tu non capisci lo riesto de niente» fa, scoraggiata e scontenta. Soprattutto con se stessa.

Non si perde d'animo. Le propone d'imparare a leggere e scrivere.
«E perché?» fa Graziella, scuotendo il capo sempre più implume.
«Per leggere qualche libro, un giornale. Così impari che succede nel mondo. Fai la firma.»
«E perché?» ripete, come in gioco da bambini.
Lei si irrita.
«Perché se no vivi come una capra e tutti s'approfittano di te.»
«Tu non te si' approfittata» mormora Graziella, seria.
«Io no, ma gli altri sì.»
«Ma manco loro sapevano leggere, signo'.»
«Ed erano pure loro caproni!»
Infine Graziella, per farla contenta, acchiappa la piuma d'oca con le dita gonfie, rosse. Non riesce a tenerla: o le cade o la spezza.
«Lo vi'? Non è robba pe' nnuie.»
«Nuie chi?»
«Nuie. Li ppovere gente. Signo', ma a te che te ne importa? Ognuno nasce co' la parte sua. Nasce prevete e è prevete, nasce zoccola e è zoccola. E po': prievete, zoccole, signure, tutte quante morimmo.»
«Grazie'» le chiede, scontenta. «Ma tu hai mai desiderato d'essere felice? Almeno una volta in vita tua?»
«Filice? E chi è filice, signo'? Tu lo sai che vo' dicere?»

Per risponderle impastocchia pensieri e parole insulsi. Preferisce mutar discorso, Graziella ne è contenta. A lei piacciono altri argomenti, per esempio: «Signo', ma perché don Gennaro se ne va tutte le sere? Tu te stai accorta, sì o no? Tenesse qualche commare?».

Lei ride e s'irrita, ma Graziella la guarda con protettiva dolcezza.

«Tu si' comme a 'na creatura, signo'. Liegge, scrive, parle, ma a me me pari proprio 'na creatura.»

Ha ragione, pensa, sconcertata. Si sente piccola, inesperta, bisognosa d'aiuto persino da lei, che è tanto più giovane, sebbene sembri vecchia. Eppure ho conosciuto vita e morte, il mio cervello ha faticato tanto. Per approdare a che?

Nonostante gli insuccessi, prosegue la pedagogia. Questa cosa le sta piacendo. Se c'è opera veramente importante è quella d'istruire il popolo. Rivoluzione, ammazzamenti, progetti palingenetici e pazzi? Fai la rivoluzione e il popolo rimane ignorante? È semplicemente cambiato il padrone. E, se lo vuoi educare, devi insegnargli prima a leggere e a scrivere. Se no, come comunichi le idee?

Va beh che le idee importanti sono poche, si potrebbero trasmettere a voce: a Napoli preti, cantastorie, caporioni indottrinano così. Bisognerebbe obbligarli a diffondere idee giuste. Ma come può un prete, un monacone, gridare che la Chiesa è ignoranza? Si potrebbero fare giornali facili, chiari. Ma se il popolo non sa leggere? Gira e gira, si torna sempre lì. Chissà se i Francesi riusciranno a creare il nuovo mondo anche a Napoli. Come prima cosa scuole: obbligatorie, per grandi, piccoli, lazzari, cavalieri, preti e, perché no, giacobini. Qua l'ignoranza se li mangia tutti.

Intanto preti e caporioni insistono, Graziella torna piena di spavento.

«Signo', stanno venendo li Frangise! Per mare. Nuie 'nce avimma nascondere. Appicciano li cchiese, pigliano li ffemmene.»

«Che vai dicendo, Grazie'.»

«Signo', l'hanno ditto li monaci de la Santa Croce. Hanno messo candele torno torno, hanno esposto san Gennaro.»

Brusìo per il Grottone. Corre al balconcino: la strada è zeppa di folla. Dal convento di Santo Spirito sgorgano monaci in cotta ricamata, con ceri, portano il Santissimo. La gente applaude, grida, piange. Da San Ferdinando giungono torme di lazzari agitanti picche, canne, randelli.

«Ma che accade, Gennaro?» chiede, ansiosa, a lui che ha fatto le scale di corsa. È pallido.

«Sta per arrivare la squadra francese. Per punire Ferdinando di non aver accolto Mackau.»

«Meu Deus, spareranno coi cannoni! Qui siamo vicinissime al mare.»

«Non succederà nulla. Caracciolo voleva uscire con le navi, il re gli ha detto no. Per ordine di Nelson.»

«E perché?»

«Non lo so. Forse gl'Inglesi non desiderano che Napoli entri in guerra. Sanno che il Regno non vale tre soldi, dal punto di vista militare.»

«E allora?»

«E allora niente. I lazzari si preparavano, ma il re ha ordinato ai caporioni di tenerli fermi. Accoglierà la flotta francese. Accetterà Mackau.»

«Che figura! E Maria Carolina?»

«Starà schiumando rabbia, ma quel che dice Nelson è vangelo. Qua siamo tutti pronti per andare a salutare i Francesi: Lauberg ha noleggiato due barcone.»

Vibra d'entusiasmo. Lei prova tenerezza a guardarlo, poi aggrotta la fronte.

«Sarà pericoloso, Gennaro. Prenderanno nota di quelli che partecipano.»

«Ormai è finita per loro! Il re di Napoli s'inchinerà alla Repubblica di Francia.»

È perplessa.

«Io credo vi stiate facendo prendere dall'entusiasmo. Fra due giorni la flotta francese se ne va, tutto torna come prima.»

«Eh no! A Napoli si sarà insediato il cittadino Mackau: darà direttive, armi, soldi.»

«Hamilton, Nelson restano qui, Gennaro.»

«Andranno via anche loro! Il 1793 sarà un grand'anno, vedrai!»

Strano come certi avvenimenti sconvolgano le persone: Gennaro ha perduto prudenza, serietà, sembra impaziente d'andar via.

«Vengo io pure con te sulla barca» dice, in tono un po' risentito.

«No, no. Fa freddo, t'ammaleresti di nuovo. Ma quando torno ti racconto tutto, lo sai.»

Le dà una scrollatina al mento.

«E quando torni?»

«Non so. Oggi si prepara, domani si va... Dopodomani, sta' tranquilla.»

«Perché stasera non rimani qui? A dormire» gli propone, d'un tratto, con aria tesa. Lui la fissa: ha espressione stupita, poi un sorriso.

«Quando torno. Resto, come no. Avrò tanto da dirti!»

Le bacia la mano a lungo, due o tre volte, lei socchiude gli occhi.

5

S'è alzata presto, nonostante il freddo. È nervosa, non sa cosa fare. Anche Graziella sembra preoccupata, appena sveglia s'è gettata a pregare, in ginocchio sul pavimento. Giaculatorie incomprensibili. Poi prepara fagotti.

«Grazie', statti quieta. Mi fai girare la testa.»

«Signo', non te ne vuoi ì? Vengono li Frangise.»

«E vengono li Frangise! A noi non fanno niente.»

Graziella la osserva, inquisitrice. Pensa, prorompe in grido di trionfo.

«Ah! Don Gennaro è amico loro! L'è gghiuto a trova' per 'nce dicere de tratta' bbuono a chesta casa! Ma,» aggiunge, perplessa «perché don Gennaro è amico de li Frangise?»

Gela di paura. Le darebbe pugni, le tapperebbe la bocca.

«Tu sei pazza!» grida, faccia a faccia. «Non ti permettere mai, hai capito, di dire queste pazzarìe! Lo sai o no che se qualcuno ti sente don Gennaro va alla Vicarìa? E pure io. E pure tu.»

Graziella si stringe nelle spalle. Brontola con durezza: «Io no. Io co' li Frangise non tengo niente da spàrtere».

Cerca di placarla.

«Non devi aver paura, Grazie'. Ma che ti credi chi sono, i Francesi? Sono uomini come tutti quanti. Ne parlano male il re, i monaci, i prepotenti perché al paese loro hanno fatto la rivoluzione, hanno distrutto la miseria, le ingiustizie, e il popolo sta bene. Vogliono aiutare pure noi a fare la stessa cosa qua. Hai capito?»

Graziella la fissa inorridita, le punta un dito contro.

«Tu. Allora pure tu si' Giacobba. Si' Giacomina.»

Nonostante tutto le viene da ridere.

«E tu lo nome mio non lo sai? Io non mi chiamo Giacomina. E manco Giacobba. Io mi chiamo Lenòr, te si' scordata?»

Graziella tace, poi scoppia a ridere.

«Tu te chiamme Lionora. Ch'è 'sta Lenòr?»

Per un attimo aleggiano reminiscenze di don Pasquale Tria. Rassicurata, Graziella scherza.

«Lenorra. Lenorra» fa, in caricatura. «La morra. Sai ched'è la morra, signo'? È no juoco ca se fa accossì.»

Butta i punti con le dita, urlando a squarciagola: «Uno! Quatto! Diece».

Verso le nove e mezza non ce la fa più. S'è affacciata mille volte. Ragazzi correvano, scalmanati, giù, verso Santo Spirito, molte botteghe tenevano abbassate le serrande, dai conventi non giungevano suoni.

«Grazie', dammi la mantella. Mettitela pure tu e andiamo.»

«Addò jammo, signo'?»

«Voglio scendere a Santa Lucia.»

«Pe' vede' si so' venuti li Frangise? Pe' scontra' a don Gennaro?»

Il Largo è occupato da battaglioni in assetto di campagna. Davanti Palazzo scalpitano squadroni di cavalleria. Presso la statua del Gigante, otto cannoni a ruote. Cordoni di cavalleggeri incappottati sbarrano la strada, lasciando piccoli varchi per la folla.

«Eccoli» dice, pallida, mentre superano la Santa Croce: di lì s'ha la veduta della rada, solcata dall'agile freccia di Castel dell'Ovo. Sul mare liscio dondolano sette grandi velieri neri dai bordoni d'oro: ai pennoni delle brigantine, dietro la mezzana, un po' flosce, le bandiere repubblicane blu, bianche, rosse.

Ha un sussulto, riprova le antiche emozioni per la gloria.

Dai portelli le navi brandeggiano i cannoni verso la città. Dietro Castel dell'Ovo bordeggiano cauti i vascelli napoletani, bianchi e azzurri.

6

Graziella si dà da fare in maniera febbrile: ha voluto comprare vongole, peperoncino rosso, coniglio.

«Famme fa' a me, signo'. All'uommene 'sti piatti piacciono. Li fanno infoca'.»

S'infastidisce, poi la lascia fare. La tavola è imbandita al meglio: tovaglia ricamata, doppiere d'argento, bicchieri buoni. Per un po' lei pure viene presa dal gioco: attizza il braciere, va a vestirsi con cura. Gli ha promesso di farlo restare per la notte, Graziella ha equivocato. Ma del tutto?

Dalla cucina giunge l'odore del coniglio. Balenano ricordi... Le passeggiate con Primicerio, poi un sussulto d'angoscia: il quadratino a San Carlo delle Mortelle. Quanti anni avrebbe adesso Francesco, il suo ragazzo? Quindici, più o meno quelli di Gennaro quando l'incontrò. Per un attimo se l'immagina, il figlio mai cresciuto, con l'uniforme da collegiale scura, abbottonata d'oro, che Gennaro indossava. Faccina pallida, un po' sorniona, sulla fronte una ciocca bionda, come l'aveva Caracciolo adolescente.

S'abbandona alla dolciastra rêverie. Il suo ragazzo... Adesso sarebbe stato lui a proteggerla. Brivido di terrore pensando che, però, si sarebbe lui pure compromesso. Chi lo avrebbe potuto trattenere? Era Fonseca lui, non Tria.

Come avrebbe potuto impedirgli slanci generosi, intelligenti? Forse ora sarebbe lui pure sulla barca in navigazione verso i vascelli repubblicani. Per un istante *lo vede*, in piedi nel battello, proprio accanto a Gennaro. Si sorridono. Meu Deus, sono identici. La faccia di Francesco è tal'e quale quella di Gennaro, il suo corpo quello del Gennaro attuale, anche gli abiti. Oh no. Prova sensazione molto dolorosa.

Graziella ha finito in cucina: è impaziente, deve solo buttare la pasta.

«Ma 'sto don Gennaro che fa?» sbraita, girando attorno tutta sporca di sugo e carbonella. «Vo' veni', sì o no?»

Gennaro ricompare la mattina dopo. Ha aria stanca, gonfia, ma lieta, scherza con Graziella che gli tiene il broncio, dicendogli: «Mo' chi se lo magna tutto chillo bbene de Ddio?».

«Grazie', con quello che ho mangiato ieri sera sto bbuono per tre mesi!»

Spiega subito. Erano in tanti nella barcona noleggiata a Posillipo: Lauberg, Manthonè, Marra, De Deo, Lomonaco, Vitaliani, Ignazio, Chiara, Jeròcades, Pagano, Russo, Astore, i fratelli Pignatelli, Pasquale Baffi, l'avvocato Logoteta («Un calabrese molto intelligente»), l'avvocato Nicola Fasulo («Ci ha invitati tutti per Capodanno a casa sua»).

«Siamo stati tre ore sotto le navi, in rada, alla fine un cittadino marinaio, dal ponte della *Languedoc*, agitò le bandierine e andammo su. Ho visto da vicino cos'è la rivoluzione, Lenòr. Non esistono più distanze: l'ammiraglio è il cittadino ammiraglio La Touche de Tréville, i cittadini marinai gli danno del tu.»

«V'hanno accolti bene?»

«Da fratelli. Ci han fatto visitare la nave: un'organizzazione, un'efficienza... Ci sono ufficialetti di vent'anni, marinai di sedici. Ci hanno insegnato una canzone di Marsiglia che... Dopo te la faccio sentire.»

D'un tratto le confida all'orecchio: «Manderanno armate in Italia, per invadere lo Stato pontificio e il Regno. Dobbiamo prepararci, Lenòr».

Si toglie dal bavero un distintivo colorato. «Te lo regalo.»

È un berrettino frigio scarlatto, su una bandierina tricolore.

«Li hanno donati a tutti. Ieri sera abbiamo invitato gli ufficiali allo Scoglio di Frisa, a Posillipo. I Francesi portarono casse dei loro vini, Fasulo aveva prenotato non so quante aragoste di Ponza... Ancora alle tre ci sfogavamo con la *Marsigliese*! Senti.»

Accenna piano, gli occhi lucidi:

Allons enfants de la patrie,
le jour de gloire est arrivé...

«Una musica nuova, Lenòr, quella d'un popolo libero. Anche i versi. Eccezionali.»

Recita, con voce rotta d'emozione:

Liberté, liberté chérie,
combats avec tes défenseurs!
Sous nos drapeaux, que la victoire
accoure à tes mâles accents!
Que tes ennemis expirants
voient ton triomphe et notre gloire.

Ansa, commosso. Lei tace, ma ha provato brividi. Graziella li guarda stupefatta, un po' spaurita.

7

La casa di Fasulo in via Atri è grandissima. Due o tre saloni, coi soffitti affrescati dall'Abate Ciccio: distese luminose di cieli azzurri e nuvole barocche su festose tribù di ninfe lattemiele, azzimati pastori, seminude pastorelle. Dominano celeste e bianco: celesti le soprattende bordate di passamanerie e galloni candidi, celeste pastello i fiori delle tapisseries, nivei quelli di seta nei vasi di cristallo. Una vera sorpresa dentro il palazzo tetro, di nera pietra fumosa, in quella zona sudicia e buia della città.

Su grandi tavoli rococò, su tavolini modernissimi di stile chippendale, trofei di frutta meravigliosa: rosse mele annurche, aranci di Sorrento dalla buccia d'oro, mandorle e fichi secchi calabresi.

E vassoi straripanti paste reali, mostaccioli, biancomangiare, cupole multicolori di strùffoli, persino, fuori tempo, pastiere dalla scorza dorata, zèppole croccanti dense di crema gialla.

Su altri tavoli insalatiere d'argento, coppe di cristallo, zuppiere piene d'ogni ben di Dio. Mussillo di baccalà cucinato in tutti i modi (rosso in umido, bianco lesso col limone e l'olio, fritto, con le cipolle) e ruoti di coroniello affogato nel sugo di pomodoro, con patate e olive nere. Montagne spumose di cavolfiori cinti da olive verdi grosse come noci, conigli in umido, capretti arrosto su biondi strati di patate al forno, profumati di rosmarino e mortella, capponi in gelatina, salsicce con le verze. Accudisce a un fornello sempre acceso un cuoco dal berrettone bianco: vi borbottano gigantesche pignatte, donde esala il profumo pizzicoso, grasso, della minestra maritata.

Questo è niente. Su altri tavoli troneggiano, in sprolunghe di metallo, lasagne a fette, sugose di ragù, occhieggianti d'uova sode, ricotta, polpettine. E timballi di maccheroni, sartù di riso con piselli di serra.

È sbalordita. Non pensava che Fasulo fosse così ricco e sguarrone.

Un tavolone d'antipasti: ricci di burro da Tramonti, alicelle salate di Cetara, melanzane alla scapece, perfino scafaree di centopelle, musso, carne cotta, guarniti con fette di limone e prezzemolo.

È stato ricostruito un banchetto d'ostricaro, con spaselle, limoni, tappeto d'erbe marine su cui spiccano fasolare rosate, datteri di mare, carnummole, ostriche del Fusaro. Un servitore, abbigliato da pescivendolo, sbuccia con coltello a lama storta, strizza limone con garbo ed offre, sorridendo.

Altrove l'esercito delle bottiglie: Taurasi, Gragnano, Solopaca, Asprino, Aglianico, vini di Spagna, di Francia, liquori. Caraffe gialle, rosse, marrone, piene di rosolio, fragolino, nocillo.

Tutti girano, fissano, annusano, deglutiscono, Fasulo vaga, felice di tante provocazioni. Quando il vecchio principe di Torella gli biascica: «Fasu', questa è ospitalità degna de 'no rre» ride, estasiato. È un giovanotto piccolo, tondo, con grossi occhi neri, bocca scarlatta. Indossa una redingote azzurra, ha i capelli pettinati alla Romano antico. Qui si può fare ciò che si vuole: nell'anticamera s'è formato un mucchio di parrucche, in terra uno strato di cipria. Molte dame svelano capelli corti, al naturale, parecchie son vestite da maschio.

Ci sono tutti, lei non fa che sorridere, stringere mani, abbozzare frasi affettuose. Ecco Mazzarella Farao con Guidi, Mazzocchi, gli altri "vecchi" della compagnia: Astore, Salfi, Pagano. E Sanges: ha quasi cinquant'anni. I capelli lunghi ingrigiti, ma ariosi, il bel viso roseo solcato alle guance. Le corre incontro, sorridendo.

«Finalmente, Lenòr! Che gioia rivederti!»

Anche Jeròcades s'avvicina. Ha perso i capelli, salvo due cernecchi grigi alle tempie, al bavero della redingote nera ostenta il distintivo frigio.

«Mon amie.»

Qui il francese si spreca, tutti si sforzano a parlarlo e imperversano i "citoyens". Sono "citoyens" pure e soprattutto i servitori, l'ostricaro, il cuoco: questi sorridono, impenetrabili, accennando a lievi inchini.

Eccitati i ragazzi. In verità molti fra loro proprio ragazzi più non sono. Manthonè è in divisa rosso blu da tenente brigadiere, la giacca con gli alamari stringe lo stomaco un po' gonfio. Marra è un armadio nell'uniforme di capitano bombardiere. I veri ragazzi sono i tre fratelli Pignatelli in divisa da cadetti: si somigliano in modo impressionante. Ed ecco Cuoco: guarda in giro con occhi indisponenti, scuotendosi nei tic. Vitaliani, De Deo, Lomonaco raggiano come se a Napoli la repubblica fosse già stata proclamata.

Arrivano Delfico, Baffi, Cirillo (sembra rimesso, sebbene mostri aria triste, ma ha recuperato antico garbo), Lauberg, con fare da trionfatore, Russo (anche lui rimpannucciato: zimarra nera quasi nuova, cravattone rosso, distintivo). E un sacco di studenti: di due o tre Accademie, della scuola di Lauberg, di Cappella Vecchia, dell'Università. Intravede Moliterno in divisa nuova da generale, le presentano l'avvocato Logoteta, madama Bianchetti, madame Grasses, il poeta Rossi, il professor Odazzi.

Fasulo salta da un gruppetto all'altro, dice barzellette, ride, presenta gente, batte pacche sulle spalle: un padrone di casa straordinario. Anche i suoi fratelli Alessio e Giuseppe si dan da fare, e sua sorella Margherita. Le riesce simpatica: piccolina, tonda, petto di burro. Le ha mostrato infinita deferenza alla presentazione, provocandole vanitoso piacere.

«Onorata d'avervi qui, madame...»

S'era corretta, sorridendo.

«Citoyenne Fonseca. Vous faites honneur aux vraies femmes de Naples.»

«Vous aussi» le aveva risposto, abbracciandola.

In un canto, stupita, vede tre intimiditi lazzari. Tre veri lazzari: berretti rossi a calza, giubbotti neri, fasce rosse. Hanno scarpe con la fibbia, ficcate a piedi nudi, sui giubbotti i berrettini frigi. Guardano con sofferenza proterva, restano sempre accanto ai servitori.

«Ma chi ce li ha portati?» sussurra a Gennaro, che ride.

«Qualche idea di Lauberg.»

Poi si viene a sapere che è stato Vitaliani: li ha pagati perché intervenissero. Un putiferio di polemiche, è soprattutto Cuoco a ironizzare.

«Solo così possiamo avere i lazzari con noi.»

Anche Pagano protesta.

«È una cosa idiota. Che si pretende di dimostrare, in tal modo?»

Vitaliani, stizzito, ribatte: «Cittadino Pagano, voi non capirete mai nulla. I lazzari non stanno con noi perché nessuno gli ha mai spiegato niente. Cominciamo a chiamarceli, anche allettandoli con mezzi che a voi sembrano volgari, e riferiranno ai loro compagni».

Pagano scoppia a ridere.

«Cosa riferiranno? Che i giacobini di Napoli mangiano, bevono, si divertono, mentre loro crepano dalla fame?»

«Ma tacete voi, che del popolo non capirete mai nulla! Siete un intellettuale, vi siete fatto ricco e famoso proprio sfruttando gli errori, la disperazione del popolo!»

Pagano ha un guizzo, si contiene.

«Voi non sapete cosa dite. E sareste un combattente per la libertà? Almeno concedete agli altri la libertà di parlare, così come viene a voi concessa quella di dire stupidaggini» risponde, con freddezza.

Interviene Fasulo a distendere gli animi: racconta qualcosa a proposito del re. È Medici che gli riferisce le faccende di Corte.

«Ma lo sapete che a Palazzo hanno paura persino delle parole? Il povero marchese Fuscaldi disse alla duchessa di Ceprano: "Beata voi, donn'Aurelia, che avete una *costituzione* di ferro!". Il re non s'è arrabbiato come un turco? E Paisiello, appena tornato dalla Russia, non passò un brutto momento quando annunziò "toccata e *fuga*"? Il re credeva alludesse alla fuga di Varennes.»

Molti ridono, Logoteta scuote il capo.

«Queste so' barzellette, Nico'. La verità è che stanno impazzendo. Hanno troppa paura e ciò li può portare a fare cose terribili.»

«Nous verrons bien!» esclama De Deo, pallido nella foruncolosa faccetta da bambino.

In altro gruppo Ciaia, Lomonaco, Jeròcades, Pagano, Chiara, molte dame, discorrono di poesia. Ignazio chiama anche lei, che sta ascoltando Baffi mentre spiega cosa c'è scritto nei papiri scoperti ad Ercolano.

Lomonaco è infatuato di Alfieri, lo considera l'unico vero poeta contemporaneo. Anche a Pagano piace, Jeròcades non è d'accordo.

«Ha distrutto ogni armonia. La bellezza della forma.»

«Voi state ancora fermo a Metastasio!» grida Lomonaco. «Sono i contenuti che contano.»

«Niente affatto» ribatte Jeròcades. «Coi contenuti non si fa poesia. Si fa politica, propaganda, tutto quel che volete, ma non parlate di poesia.»

«Ma a che serve, oggi, la poesia come la concepite voi? Oggi è tempo d'azione, i poeti devono infiammare. Esprimere il desiderio della libertà.»

«In ciò sono d'accordo» dice Pagano. «In momenti come questi i poeti possono avere una funzione importante. Pensate a Tirteo a Sparta.»

«Guarda che Alfieri non è tenero con la Rivoluzione» interviene, sorridendo, Sanges. «Se non ricordo male, ha scritto: "Sotto il vessillo del Niun Dio raccolti / rubano, ammazzan e ciò tutto / in nome e gloria degli Errori tolti".»

«E con questo?» s'irrita Lomonaco. «Come uomo resta aristocratico.»

«Le rivoluzioni non possono farsi senza sangue» obietta Ciaia, pensieroso. «L'oppressione genera odio e quando questo può scatenarsi non conosce limiti.»

«Qui sta l'errore» riprende Sanges, pacato. «Da parte di chi pensa di costruire un mondo di giustizia e pace scatenando quell'odio, anziché rimuovere pazientemente le cause che l'hanno generato.»

«Andate a raccontarlo a quelli che soffrono da secoli, aspettando libertà!» interviene ironico Russo. «Può darsi che non siano d'accordo con voi.»

«Bene» ride Sanges. «In cambio li manderemo a morire ammazzati. Così guadagnano libertà assoluta.»

«Meglio morti che oppressi» sentenzia freddamente Russo. Il gruppo si scompone, s'agita: Fasulo ha dato il via alla mangiatoria.

Confusione indescrivibile: i servitori han recato carrellini a ruote carichi di stoviglie, bicchieri, posate, ad essi il primo assalto. Le cariche poi si spostano ai buffet, sulle teste ondeggiano piatti colmi, cadono vivande, sughi. Fasulo balza qua e là ridendo, implorando, chiedendo aiuto.

«Piano! Piano! Ce n'è per tutti!»

È riuscita a prendere un piatto, ma non a rompere la calca intorno ai tavoli, Gennaro tenta anche per lei.

«Che ti prendo?»

«Quello che vuoi. Se ce la fai, un pezzetto di lasagna.»

Si getta, indietreggia, avanza, fende la ressa col piatto in alto. Torna dopo un po', sudato, spiegazzato: ha conquistato una salsiccia, cavoli, un pezzo di pastiera.

«È già sparito tutto!»

«Va benissimo, è tanto. E tu?»

«Ora riparto.»

Riappare, sconsolato, con alici salate, fiocchi di cavolfiore, un arancio.

«Io volevo il capretto. O il baccalà» sospira.

«C'è ancora il pignato!» lo conforta Ignazio, passando di corsa con una scodella. Gennaro si precipita al fornello, dove il cuoco versa di continuo ramaiolate di zuppa. A terra lago appiccicoso di grasso. Torna ancor più deluso.

«È rimasto il brodo! Carne, pasta, prosciutto, adieu!»

Girano senza interruzione guantiere zeppe di bicchieri, che spariscono in un lampo: poi l'assalto alle bottiglie, fra grida, risa, frizzi.

«Un tirebouchon! Où y a-t-il un tirebouchon?» si sente urlare.

Odore d'alcool, le facce diventano lucide, gli occhi scalmanati: ora sì che è festa, ci si ricorda dell'anno nuovo.

«À la républicaine! Saint-Sylvestre à la républicaine!»

Esplodono gli: «À bas le roi de Naples! À mort le roi de France! Tous les rois à la guillotine! Les reines aussi! Marie Caroline avant toutes!».

Man mano vengono aggiunti alla lista Acton, Nelson, Castelcicala, un sacco d'altra gente. Qualcuno propone di danzare la *Carmagnole*, applausi. Fasulo incalza i servitori perché sgomberino la sala, Margherita va alla spinetta, comincia a trarne accordi.

«Un moment! Un moment!» grida Fasulo. Camerieri in livrea recano cestini di coccarde in seta, bianche rosse blu.

«Cotillon à la républicaine!» proclama il padrone di casa, tra nuovi evviva e applausi.

«Et alors, cette *Carmagnole*?»

«Vai, Margherita, vai!»

Lei rossa, allegra, picchia sui tasti. Canti, abbracci, baci.

Et dansons,
dansons la Carmagnole...

«Quando penso che in Francia la cantano alle esecuzioni capitali...» sente mormorare dietro le sue spalle: è Cuoco, scosso da imbronciati tic.

Le dame si scatenano, secondo le figure della danza girano, dimenando i fianchi e il sedere, alzando le gambe. Lo fanno in modo accentuato, lubrìco, i cavalieri le abbrancano alla vita. Anche Chiara è lì in mezzo, si diverte un mondo. Come diavolo fa a resistere, con l'età che si ritrova? Io sento fiato grosso solo a guardare.

I tre lazzari, del tutto ubriachi, sgambettano pure loro, lanciano strida incomprensibili, che finiscono in "é, uì, pirì", forse vogliono imitare il francese. Uno d'essi agguanta una grossa duchessa stagionata che ride, scompigliandogli i capelli. In aria monta la solita fumea delle feste. Fasulo salta su una sedia, strilla che arriva lo champagne, che bisogna brindare.

«À la liberté! À la République napolitaine! Mort aux Capeto! Vive la France! Vive 1793, l'an de la liberté pour tous!»

Al primo minuto dell'anno nuovo esplode il coro, rauco e sbrindellato, della *Marsigliese*.

PARTE QUATTORDICESIMA

1

Siamo stati tutti incoscienti. A conseguenze tragiche non pensava nessuno: adesso siamo qui, in quest'umido ottobre del '94, al Largo del Castello, muti, pallidi, dietro i cordoni dei soldati. In attesa, dalla Vicarìa, del tetro convoglio che recherà De Deo, Vitaliani, Galano alla forca rizzata verso il mare.

Il re e la regina devono vendicare gli strazi provati l'anno scorso (quando s'apprese l'esecuzione di Luigi) e giorni or sono: anche Maria Antonietta. Dicono che Maria Carolina quasi impazzì per la sorella, si rotolava in terra, urlava, sfasciava oggetti.

Leva, cauta, lo sguardo verso l'angolo di Palazzo che si vede dietro gli alberi: finestre chiuse, tranne una che ha persiane accostate.

Si stringe, per freddo e angoscia, al braccio di Gennaro. Intravede il volto pallido di Lauberg, quelli tirati di Lomonaco e Ciaia.

Ha piovuto sino all'alba, Castelnuovo mostra le nere torri ancora lucide d'acqua. Tra i merli brillano i cannoni puntati in basso. Cielo e mare grigi, infelici, il Vesuvio goffo: dopo lo scuotimento dell'estate, ha cambiato sagoma. L'elegante conetto della cima non esiste più.

Ricorda il caldo innaturale dell'agosto: sulla città una cappa rovente. Una notte il vulcano esplose, con boato spaventevole. Si spaccarono vetri. Era uscita, terrorizzata, sul balcone, fasci di luce rossa sciabolavano cielo, mare, case, la gente che urlava per le vie. Dal monte sgorgava ininterrotta una fontana incandescente, al sommo del cielo vagavano strati di nuvole fiammanti. Schizzavano detriti fumosi, fiaccole dalla scia infuocata, il mare ribolliva. Si passò la notte fuori. Il Largo di Palazzo era gremito di persone mezzo nude, scarruffate, senza distinzioni: nobili e cocchieri, preti e militari, i monaci di Santo Spirito e le zoccole della Cagliantesa. Rosari, novene, giaculatorie, la voce più diffusa era che san Gennaro stesse ammonendo la città, visto che si teneva in corpo tutti quei Giacobbe.

E i Francesi avevano dichiarato guerra al Regno. Ferdinando inviò Caracciolo con le navi all'assedio di Tolone, ma un generale repubblicano, certo Buonaparte, fece a pezzi Inglesi, Piemontesi, Napoletani.

Ricorda i pianti, lo strazio, quando tornarono vascelli con a bordo feriti, mutilati, storpi: ancora ne narrano i cantastorie del Molo.

Poi quel diavolo scatenato di Robespierre prese ad ammazzare tutti, nemici e amici. Marat l'accoltellò una ragazza, Fouché e Collot d'Herbois sterminavano le popolazioni a mitragliate, infine Robespierre fu ghigliottinato a sua volta, con Saint-Just e gli altri. Non si capiva più nulla: Sanges, Cuoco, Delfico apparivano disgustati, avviliti.

«La rivoluzione divora se stessa» dicevano. «Povera libertà, povera ragione!»

Gennaro azzardava giustificazioni.

«C'è una controrivoluzione mondiale in atto. Devono pur difendersi.»

«Questo non autorizza a far bagni nel sangue.»

Erano poi partiti, in aiuto della Sardegna, i cavalleggeri bianchi di Moliterno, gli artiglieri, anche Marra e Manthonè. Non se ne sapeva più niente, tante famiglie si disperavano, rabbiose. Ma Napoli era tutta disperata e rabbiosa: per la pace perduta, la quiete distrutta, l'inutilità delle avventure.

E ci fu la questione dei soldi. Acton e il re, per pagare gli armamenti, fecero una pazzia: unificarono i sette Banchi cittadini in uno solo, autorizzato ad emettere, la prima volta nel Regno, carta invece di moneta. Ne seguirono scene selvagge. Mercanti, nobili, borghesi correvano a ritirarsi i soldi, ma il re aveva ripulito. Avevano un bel raccomandare, i banchieri: «È la stessa cosa! Queste carte valgono ugualmente!».

«A nettarse lo culo!» strillavano i clienti, dovettero accorrere i gendarmi. I prezzi presero a salire, i lazzari a tumultuare.

«Prendetevela co' li Giacobbe» ripetevano re, regina, preti.

2

Forse perciò stanno tutti cupi, arrabbiati, in questo enorme Largo con le forche: borghesi, nobili, popolo, lazzari, preti. Aspettano, in brusio un po' torpido, strano per un'adunanza napoletana. Mancano persino i soliti intrepidi venditori. Che aspettano?

Scuote la testa. Aspettano tre poveri ragazzi sciocchi. Li hanno acchiappati proprio per la loro ingenuità: giravano coi berrettini frigi all'occhiello, ostentavano i capelli corti, raccontavano a cani e porci che avrebbero rifatto Napoli, senza re né tiranni, col popolo padrone. Si fidavano di tutti, bastava che uno fosse lazzaro, o lavorante, e lo consideravano "de lo bottone". Anzi meglio di loro, perché povero e manuale: il senso di colpa dei ragazzi agiati.

Gli amici lo pigliavano in giro, De Deo: sempre in lite col padre. Ogni tanto questi arrivava trafelato dalla Puglia, trovava il figlio senza soldi né libri. S'inferociva, poveretto, minacciava di riportarselo indietro.

«Sei nato per farmi crepare» ansimò una sera, da Fasulo.

Invece muore lui adesso, il ragazzo.

Non può scordare i balbettii allucinati del vecchio, mentre ci si prodigava a raccoglier firme, a mandare petizioni. Pover'uomo: andava, smarrito, da Lauberg a Fasulo, da Pagano a Delfico... Pagano taceva, pallido, cupo. Lui aveva fatto il possibile, li aveva difesi tutti e tre, lo disse pure, in tribunale, ch'erano soltanto tre ragazzi, nutriti di cultura classica, non ancora maturi, tutto qui. Ma venne la lettera scritta dal ragazzo al padre: altro che immaturo! Emanuele aveva redatto una cosa bellissima, commovente, nessuno sospettava sapesse scrivere così.

«La morte reca orrore a chi non ha saputo ben vivere.» La lettera veniva recitata in tutti i clubs come nelle chiese il Vangelo, le frasi più belle idolatrate come le parole di Cristo. «Verrà tempo che il mio nome mi farà durevole nelle storie e voi trarrete vanto che io, nato da voi, fui morto per la patria.»

Il povero vecchio ascoltava nei circoli gli applausi sterminati che seguivano la lettura. Aveva espressione stranissima, d'allucinata angoscia.

«Ma come, come potrò dirlo alla madre, quando sarò tornato a Minervino?» mormorava, ogni tanto. In mille si precipitavano a consolarlo.

Chissà dove starà adesso, pensa, girando gli occhi sulla folla.

Il brusio si sta mutando in urlio. Risate, richiami, gli "Ué", i fischi napoletani di sempre. I primi venditori, con fiasche e barilotti.

Tende l'orecchio: da lontano giunge, ovattato, rullo di tamburi. Pure la folla se n'è accorta, comincia ad agitarsi: si pigia, strilla, i soldati fanno fatica a contenerla.

Il rullo s'avvicina, viene dalla Selleria, tutte le teste si girano. Nessuno sa il percorso che farà la carretta criminale della Vicarìa. Il rumore cresce, si spegne, riprende. Adesso è forte, ne è chiara la provenienza: arrivano per dentro. Dovranno sbucare alle Corregge, tra l'Incoronata e la Pietà dei Turchini.

Cerca di rizzarsi in punta di piedi, ma non vede, si sono alzati tutti. È Gennaro a sussurrarle: «Eccoli».

La folla si fa cattiva: urla, bestemmia, s'eccita da sola, lei si tappa le orecchie. I reparti che aprono il corteo si fan strada con decisione brutale, quelli dei cordoni spingono, fra gemiti e urla. Passano così due squadroni a cavallo, il plotone dei tamburini, cupo, monotono nel suo picchiare.

Rabbrividisce allo sfilare dei Bianchi di Giustizia nei camicioni candidi, col cappuccio a punta, buchi neri per occhi e bocca. Frusciano taciti nel passare. Ed ecco che la folla si scatena.

«Giacobbe de merda!»

«Chivemmuorto!»

Si ride, è sbalordita, poi capisce perché. Passa, tirato da due asini, il carretto sul quale è, in piedi, De Deo, in camicia e calzonetti, mani legate dietro la schiena. Il ragazzo sta erto, sporge in avanti la faccetta pallida, con allucinata dignità. Dietro di lui il carnefice, alto, grasso, tutto rosso: s'esibisce tra i motteggi e l'ilarità della gente.

È inorridita, ma Gennaro mormora: «Fa parte del suo mestiere».

Il boia invita il condannato ad avanzare, con gesti cerimoniosi, inchini, gli si fa alle spalle, osserva il collo, lo palpa, ammiccando alla folla. Fa passetti di ballo, come se il condannato non ci fosse. Mostra, a un tratto, d'accorgersene, gli lancia sputi. I lazzari ridono sino alle lacrime.

Qua e là capipopolo lanciano ogni tanto un grido, al quale tutti rispondono: «Morte a li Giacobbe! Viva lo re!».

De Deo sembra insensibile. Fissa sempre avanti. Che guarda? Le bandiere bianche e d'oro, grandi come lenzuoli, che fiottano alle torri del Castello? La forca nera, altissima, che spicca contro l'arco marmoreo del Laurana?

Lei scruta il cappio: giallognolo, di corda nuova, luccica di grasso. S'addossa a Gennaro, che la stringe forte. È pallido anche lui, deglutisce di continuo.

Intanto passa Vitaliani, in camicia e braghette, le braccia legate dietro. Ha aria feroce, dolorosa. Cerca di star dritto, d'un tratto si piega sulle gambe, grida, grida. Non si sente niente, la folla è inferocita contro di lui, tende i pugni, fa le corna, sputa, ulula imprecazioni orrende. Vitaliani pesta i piedi come un bambino, infine vomita.

«Zuzzuso! Zuzzuso!» grida il popolo.

Uno dei Bianchi salta sul carretto, prova a tener fermo il condannato, ma il ragazzo continua a dibattersi. La folla tuona, tempesta, lei si tappa le orecchie, chiude gli occhi.

«Oh no, no!» singhiozza, Gennaro se la preme al petto. Così non vede il boia che, lasciato De Deo, piomba sul disgraziato Vitaliani, lo tramortisce con un pugno in testa, fra le acclamazioni.

«Non dovevamo venire. Non dovevamo» singhiozza.

«Invece dovevamo, mia cara.»

«Ma perché? Perché? Che senso ha?»

«Ha un senso» osserva lui, con un po' di durezza.

Si svincola, piano, riapre timidamente gli occhi. Adesso c'è silenzio fondo. De Deo è sul palco, il boia gli ha già passato il cappio al collo. Lei ha impressione sia diventato lunghissimo. Tutto bianco come un'apparizione, sospeso al grande segno nero tracciato contro il cielo incenerito. È rigido, guarda sempre in avanti. Ma perché?

Quali sono le motivazioni dei ragazzi? Perché un giovinetto intelligente, di famiglia agiata, lasciato solo e libero a studiare nella meravigliosa città, invece di godersela, la vita, in una Napoli così bella, profumata, preferisce chiudersi nei salotti fumosi, sciupare il tempo in discussioni oziose? Giocare alla politica, per cambiare un mondo che nessuno sa se potrà mai diventare nuovo?

Certi ragazzi sono come Dio, generosi e sciocchi. Si costruiscono in testa le immagini orgogliose d'un mondo, s'incapricciano a dargli vita: appagano, in ciò, brame d'infinito amore?

Il rullio finale: tutti vibrano assieme alle pelli dei tamburi, che gonfiano nervi, sangue, orecchie, fino a far scoppiare.

Urlo straziante della folla: il boia ha tirato il calcio allo sgabello su cui De Deo poggiava i piedi e si presenta alla ribalta, braccia alzate, per ottenere il disperato applauso.

«Vieni via» dice Gennaro. «Andiamo.»

«No. Debbo vedere, no?» gli risponde, con curiosa fermezza.

Sente bisogno di guardare con attenzione il corpo d'Emanuele che penzola dal cappio. S'è fatto d'un colpo gonfio, livido. La bocca è aperta, ne sbuca la lingua orribile, grossissima, nerastra. Gli occhi sono sbarrati, guardano sempre avanti, come prima.

La folla schiamazza. Si scarica comprando panzerotti, tìttoli, vorracce, bevendo acqua e anice, caffè, vino. Si spandono richiami, come in un qualsiasi momento collettivo di Napoli. Nel palco il boia si riposa, seduto sullo sgabello che regge i condannati.

Giù, sotto la pedana, i Bianchi attorniano gli altri due da uccidere, che si divincolano, strillano. Un prete basso dai capelli bianchi brandisce un lungo crocifisso.

«Andiamo» insiste Gennaro.

Mentre si fanno largo, avverte un profumo di rosa, intenso, unto. Ed uggiolìo. È una zoccola pitturata, obesa, zizze mezzo fuori dal corsè. Fissa il ragazzo sempre più gonfio appeso al cappio, sussulta nel petto enorme.

«Figlio de mamma» bisbiglia, in modo appena percettibile.

3

Gennaro ha voluto invitare da "Acino de fuoco" Sanges, Cuoco e soprattutto Chiara. Per confortarla, ora che Ignazio è stato preso.

La Giunta Speciale non scherza. La regina ha chiamato a farne parte, oltre Castelcicala e Guidobaldi, l'assassino Vanni, un nevrotico che cammina a saltelli e dice di continuo: «Il mio re». Per il "suo re" ammazzerebbe madre e padre. Raffiche d'arresti: un'altra volta Jeròcades, e Ruvo, il marchese di Corleto, Fasulo, Ciaia, Odazzi, il povero Guidi. Miserabili come Giordano, zucconi come il principe di Torella. Lauberg, Pagano, Baffi, Russo hanno fiutato l'aria e tagliato la corda. Dove saranno, adesso? A Roma? A Milano? È tanto difficile aver notizie! Ormai si rischia per una lettera, un giornale. Proibiti i libri di Genovesi e Filangieri!

Muove macchinalmente sulla tavola della cantina un pezzo di pane casareccio. Chiara le sta accanto: si sforza di parlare, sorridere, ma soffre.

"Acino" fa del proprio meglio: ha apparecchiato con bicchieri invece che boccali di stagno, tirato fuori antichi piatti a fiori gialli, in un caraffino ha messo un cespo di gerani rossi.

Dalla cucina buon odore di sugo, salsiccia, "Acino" reca peretti con Lettere annevato. La stagione è buona: un bell'ottobre chiaro, dolce, quasi tutte le foglie attaccate alle piante. Se guardi fuori, hai illusione di star nel cuore d'un giardino.

Ma non c'è entusiasmo. Sanges è invecchiato, stanco, deluso. Ora prevale in lui la vena di malinconico cinismo che da ragazzo sembrava posa.

Adesso il gioco è veramente chiuso, nessuno più ne resta fuori. Anche se, per ipotesi, da quest'istante fai gli affari tuoi, sparisci: ti sanno, verranno inesorabilmente pure a te.

«È ciò ch'io non comprendo» insiste lei. «Perché noi ancora no? Cosa aspettano? È giusto, è saggio che si resti qui?»

Sanges alza le spalle.

«Non credo si possa fare molto, Lenòr. Non so come Pagano e gli altri sian riusciti a squagliarsela. Evidentemente Lauberg aveva delatori alla Giunta. Ora hanno bloccato i salvacondotti, le frontiere e le coste sono sorvegliate. Se ti agiti dai nell'occhio. Aspettiamo, buoni buoni. Sarà quel che sarà.»

Gennaro ride, per rassicurarla: «Abbiamo sempre questo bel grottone!».

Arriva "Acino", accompagnato da un ragazzuolo scalzo. Portano vermicelli al sugo di pomodoro, aglio, olio e foglie di basilico. Un crampo d'appetito all'odore straordinario, anche Chiara si dispone a mangiare. Gennaro versa il vino, "Acino" porta pepe per chi vuole.

«Tu pensi sia davvero finita, Vincenzo?» chiede Gennaro a Sanges, il quale crolla il capo. Inghiotte, si pulisce, beve, risponde.

«Finita che?»

«La rivoluzione in Francia.»

«In certo senso sì. Il momento pazzo è terminato. Ora tutto sta in mano ai borghesi ricchi, ai militari.»

«Come volevasi dimostrare» interviene Cuoco, strizzando gli occhi. Per parlare non mangia. «La Francia non è l'Inghilterra. Non è mai riuscita a sviluppare industria e commercio, perciò ha sempre avuto bisogno della guerra. Come l'antica Roma.»

«Aspetta» replica Gennaro, mentre "Acino" arriva con salsiccione abruzzesi rosolate a puntino, sprofondate in un letto di grassi friarielli. «La guerra non l'ha fatta la Francia. Gliel'hanno fatta.»

Cuoco deve finire i vermicelli. Scuote il capo.

«Tu non consideri certi avvenimenti» dice, arrotolando in fretta la pasta intorno ai rebbi. «I Francesi si sono annessi l'Olanda, il Belgio, il Lussemburgo. Questa, caro mio, è pura avidità di conquista.»

«Posso leva' lo piatto, Monzù?» chiede timidamente il ragazzuolo.

«Leva» gorgoglia strozzato. «Qui si sta formando un impero. Un impero... democratico. Una bella monarchia universale.»

«Questa poi! Se hanno sterminato Capeto con tutta la famiglia!»

«E chi ti dice che il nuovo re debba essere un Borbone? Uno di questi generali, per esempio...»

Sogguarda la salsiccia, afferra il coltello.

«Quel Buonaparte si sta facendo un nome. 'Sta salsiccia è eccezionale! O quel Barras, che maneggia il Direttorio, ha la fiducia dei banchieri. Potrebbero anche non fare un re: eleggere un Presidente coi poteri d'un monarca.»

«Io penso alla situazione nostra. Qui. A Napoli» s'intromette lei. «Per quanti sforzi faccia, non riesco a capire come si svilupperà.»

«I Francesi attaccheranno l'Italia e la libereranno» dichiara tranquillamente Gennaro, versandosi da bere. «Per loro è indispensabile. Vorresti l'abbandonassero agli Inglesi? Agli Austriaci?»

«Attaccheranno anche Napoli» annuisce Cuoco. «Saranno costretti ad attaccarla. E sapete da chi? Da Maria Carolina. Questa pazza che, invece di far dimenticare d'esser sorella di Maria Antonietta e moglie d'un Borbone, invece di cercare il sostegno delle forze migliori, fa il possibile per alimentare l'odio. Mette in galera i pochi che pensano...»

Chiara, con moto nervoso, allontana il piatto quasi pieno, piange.

«Scusatemi, mia cara.» Cuoco è una tempesta di tic mortificati.

«Rien» fa lei, asciugandosi gli occhi. «Ma, in attesa che vengano i Francesi,» prosegue, ansando «non si può far nulla per Ignazio? Dovrà marcire in quell'orrendo carcere, se non l'impiccano prima? E l'organizzazione, il movimento?»

«Non c'è forza» dice Gennaro, cupo. «L'unico organizzatore era Lauberg. Un altro che avrebbe potuto fare era Ruvo e l'hanno preso. Ora esiste un pulviscolo di persone spaventate. Unica speranza sono i Francesi, cara. Vedrai che faranno presto.»

Chiara si stringe nelle spalle. Fissa il muro grezzo della cantina, sbavato di calce, lei vorrebbe consolarla.

«Non devi far così. Ignazio uscirà presto. Di che lo accusano? Quali prove posseggono?»

Sembra sciogliersi un po'.

«Prove non credo» mormora. «Gli han buttato per aria la casa, ma lui non ci teneva nulla. Ho io le sue carte: in casa mia, da mio marito.»

Tenue sorriso le increspa la bocca.

«E allora?»

«È proprio questo che mi spaventa, Lenòr. Perché lo tengono, se non hanno prove? Chi lo accusa? Se non so, come posso aiutarlo?»

Esita un attimo.

«Se mi recassi da... Caterina di San Marco? Anche Medici, suo fratello, è stato incriminato.»

«Non andate a Corte!» si torce Cuoco. «In questo momento la regina non cederà su nulla. Deve mostrare pugno di ferro.»

«I tuoi zii non possono intervenire, Gennaro?»

Lui solleva le spalle: «È un miracolo che ancora non li abbiano toccati».

«Et alors Ignazio est perdu» mormora Chiara, contratta.

4

Nel tardo pomeriggio, per consolare Chiaretta, Gennaro propone d'andare alla Vicarìa.

«Dando soldi, qualche cosa s'ottiene.»

Vanno in carrozza: Toledo, Port'Alba, San Pietro a Maiella, i Tribunali. Lei passa la prima volta in questa parte della città. Le sembra simile a zone che conosce, la Pignasecca, per esempio. Anche qui si susseguono botteghe che rovesciano sulla via montagne di alimenti e merci, anche qui folla disordinata, chiassosa. La carrozza procede lenta, nonostante le furie del vetturino: Gennaro decide che si fa prima a piedi. Paga e scendono.

Sta calando il crepuscolo, ma confusione e ressa non accennano a scemare. Qualche garzone di bottega s'arrampica ad accendere i fuochi nelle lanterne sopra le pennate.

Poi la strada s'allarga, il basolato cede a terriccio, rotto da pozzanghere vinose, paglia, immondizia. Si finisce in intrico di slarghetti, vicoli d'un metro, baracche, ove si svolge attività frenetica.

Candelari squagliano sego dentro nere caldaie, bollenti su foconi di legna dai riverberi fumosi. Picchiano sulle doghe i tinellari. Davanti a bassi puzzolenti i zapattari, rattrappiti ai deschetti, tirano fili a pece, girano salpe, svirgolano suglie.

È quasi notte quando giungono al Largo dei Tribunali. La scena è diversa: gente rada, circospetta, aria d'intrigo. Lo slargo è immenso, solagno, tra lontane cortine di palazzi gialli. Al centro una massiccia costruzione: agglomerato di speroni, fiancate, mura, torri. Da una tetra muraglia ciuffi di vegetazione selvaggia: vi cresce anche un olivo dai rami neri, rabbiosi.

L'edificio non finisce mai: gira su se stesso, si ritrae in lugubri rientranze, s'espande in sproni taglienti come lame di mannaia. Dalla base al tetto file ininterrotte di finestre a grata, alcune mostrano avanzi di lusso antico. Modanature, fregi in pietra, aggetti sotto i davanzali ricordano che una volta quello fu palazzo di re.

Scruta la Vicarìa. Sensazioni strane: di fascino e ripulsa. Agli angoli della fortezza, sotto torcioni in fiamme, soldati azzurri fan la guardia, imbracciando fucili a baionette ritte.

Tre o quattro bancarelle silenziose, dietro grosse forme di pane cafone sonnecchia una donna in scialle nero. Da buie cavità della muraglia fruscìi, risate, scricchiolii di scarpe. Sotto un torcione due donne, corsetti spalancati sulle poppe, scherzano con dei militari. Frugando il terreno, i cespugli, s'aggirano lazzarielli scalzi: ogni tanto un fischio misterioso, lontano, i ragazzi prendono la corsa.

«Aspettiamo» dice Gennaro.

«Ma da chi bisogna andare?»

«Vengono loro a te.»

Si stacca dall'oscurità un giovanotto smilzo, occhi bianchi. Indossa giacchetta in seta verde, con le falde, ma sotto ha camiciotto di tela, calzoni chiari, sporchi. È scalzo.

«Vi servisse lo canto a fronna de limone, Monzù?» domanda, Gennaro fa cenno di sì.

«Per chi è? Addo' se trova?»

«Non lo so. È un politico.»

«Giacobbo?» chiede il giovane, senza acrimonia.

«E a te che te n'importa?» redarguisce Gennaro, l'altro alza le spalle.

«Comme se chiamma? Chi manda?»

«Si chiama Ignazio. Manda... donna Chiara. Di' accossì: donna Chiara.»

Quello si concentra, tenendosi il mento fra le dita. Avanza un piede, poggia una mano al fianco, leva l'altra, come attore pronto a declamare. Emette voce un po' strozzata, che via via si spiega in nasale melodia:

Fronnella amara,
dicite a Ignazio ca sta donna Chiara.
E 'na palomma
se fa aspetta'.

Pausa, ripete, più lentamente e lamentosamente.

«La palomma è un biglietto» spiega Gennaro. È eccitato, chiede al giovane: «Comme te chiamme?».

«Dommineco.»

«Dommi'. Li giandarme non te dicono niente?»

Il ragazzo sorride, si sfiora da capo a piedi, a indicare il proprio abbigliamento.

«Monzù, non lo vi' lo gamorrino?»

«Ah. Allora tu si' camorrista.»

«Gnorsì.»

«E dentro stanno li guagliuni tuoi.»

«Fràtemo carnale è guaglione de sbruffo» spiega, orgogliosamente. Drizza le orecchie, si slancia: da una finestrella in alto s'è staccata una cosina bianca, volteggia, scende, posa nei cespugli. Il giovane torna trionfante, tendendo un pezzetto di carta.

«So' due piastre, Monzù.»

«Te fai paga' bbuono» sorride Gennaro.

«Io campo cchiù onestamente de lloro» commenta l'altro, indicando la prigione, Gennaro s'irrita.

«Là dentro stanno uomini onorati» dice, duro. «So' gghiute areto li ccancelle pure per te. Tu avissa sta' da la parte loro.»

Il giovane ride. Con aria ironica intona a mezza voce:

Nuie non simmo giacobine,
nuie non simmo rialiste.
'Nce chiammammo cammorriste,
jammo 'nculo a chille e a chiste.

Saluta, s'allontana, mentre Chiara trema sul foglietto.

«Da' qui. Leggo io.»

Gennaro prova a decifrare i segni che Ciaia ha tracciato: strani, come fatti con uno stecco bruciato.

«Ils... Dema... Ha scritto in francese. Saint...»

«Gennaro, ti prego. Dammi.»

Chiara s'accanisce sul pezzetto di carta, l'avvicina agli occhi.

«Dema... Demain... Saint... Questa è una *e*, senza dubbio.»

«Saint...» grida Gennaro. «Sant'Elmo! Domani lo mandano a Sant'Elmo.»

Lunga pausa triste. S'avviano. Dall'altro capo della Vicarìa si leva ancora la voce di Dommineco:

Sciore de mele,
la mamma e li fratielle de Michele
non sanno niente
de comme va.

Cani latrano nel buio.

«Forse volerà una palomma» dice Sanges. Invece, di lì a poco, s'ode dall'alto voce stolida, piagnucolosa: parla, più che cantare:

Addio pate e mate,
addio frate e sora.
Io vaco a Trèmmole e moro.
'Nce vedimmo all'eternità.

I cani han ripreso ad abbaiare, lei ha freddo, prova angoscia.

«Cos'è Trèmmole, Vincenzo?» domanda.

«Lo mandano all'ergastolo delle isole Tremiti. Ed è sicuro che vi morirà.»

PARTE QUINDICESIMA

1

La città è percorsa dalle allegre comitive della primavera e s'infischia di tutto. C'è produzione precoce di ciliege: lazzari e ragazzi girano con ciocche alle orecchie, fermano le carrozze per offrirne cestini.

I Serra coraggiosamente han riaperto il salotto, ci viene anche Margherita Fasulo, dopo la devastazione di casa sua, l'arresto di Nicola. Non sembra avvilita. Indossa redingote chiara, ha tagliato i capelli. Maddalena Serra, Mariangela e Giulia Carafa, Mariantonia Popoli, imperterrite, continuano i pettegolezzi. È tornata Angiola Cimino, lei la osserva senza acrimonia. Chissà Primicerio che fine ha fatto: a Corte non lo vogliono più, non se ne sa nulla. La Cimino è sempre attraente, sebbene intonacata più che mai: vuol predarsi Roccaromana, nuovo frequentatore del salotto. Si ridacchia, s'insinua.

«Tu ne trouveras rien de concret.»

Angiola butta indietro la bella testa prepotente.

«Je suis comme Orphée... Il faisait bouger les pierres, avec son instrument.»

«Oui, ton instrument» ride Mariantonia. «Il n'est pas trop fatigué?»

Roccaromana è bellissimo, ma insensibile alle donne. Almeno, così dicono. La regina e la San Marco l'hanno tentato invano. Maria Carolina s'è fatta grassissima, pelosa: possibile, con i guai che le passano pel capo, che pensi ancora a certe cose?

Gli avvenimenti precipitano. In Francia ascende sfolgorante l'astro del generale Napoleone Buonaparte. Un fulmine di guerra: ha battuto Austriaci, Piemontesi e Napoletani in Piemonte, ha conquistato Milano, instituito la Repubblica Transalpina. Anche Moliterno ne parla bene, nonostante i soldati di Napoleone gli abbian regalato il ricordaccio che mostra in viso. Porta sull'occhio sinistro una benda nera, molto larga, in modo che nasconda un po' anche il naso, deturpato da una sciabolata che lasciò rugoso cratere sanguigno. Lui ci scherza su.

«Solo Nelson può portare la benda sopra un occhio? Ora che lui se n'è dovuto andare, resto io a fare il Ciclope!»

Non nasconde l'ammirazione per Buonaparte. Da secoli non si vedeva sui campi di battaglia un Alessandro, un Annibale del genere.

«Lui ha apprezzato i miei cavalleggeri del "Regina"» spiega, compiaciuto. «Ho saputo che li chiamava "ces diables blancs napolitains".»

La figura di questo giovanotto risoluto, che fiacca i migliori eserciti d'Europa con i suoi scalzacani, sta affascinando parecchi, specie tra i ragazzi.

C'è un cadetto diciassettenne, paesano di Cuoco, Gabriele Pepe: ricorda un po' Gennaro adolescente. Quando si parla di Buonaparte sfavilla.

«Che restiamo ad aspettare!» esclama, agitando i pugni. «Dobbiamo andare noi dal generale! Torneremo con lui a liberare Napoli!»

Chiara Pignatelli paga profumatamente un contrabbandiere di Torre del Greco, il quale porta il «Moniteur» più regolarmente d'un corriere. Segue passo passo il cammino di Buonaparte, a volte s'arrabbia.

«Mais ce Napoléon perd un temps précieux. Il faut brûler les étapes! S'il voulait, il pourrait venir à Naples en une semaine.»

Talora s'illumina: «Viens, viens, je t'en supplie, mon cher Buonaparte!».

Ignazio resta in carcere, a Sant'Elmo. Per ordine della regina non gli si possono far visite: l'ha fatto sapere il ministro Simonetti al duca Gaetani di Miranda, gentiluomo di camera del re, amico dei Pignatelli. Frastornato dalle suppliche di Chiara, ha osato intromettersi, rischiando molto. Neanche il marchese Carlo De Marco, il vecchio, onesto e un po' rimbambito ministro della Real Casa, interpellato da Michele Serra, ha potuto nulla. E a Sant'Elmo non si sciolgono canti, né volano palomme.

2

Si va verso l'estate senza grandi novità. Il re ha fatto affiggere un manifestaccio. Dice, fra l'altro:

> Quei Francesi che uccisero il loro re, che disertarono i templi, trucidando o disperdendo i sacerdoti, che tutte le leggi e le giustizie sovvertirono, quei Francesi, non sazi di misfatti, apportano gli stessi flagelli alle nazioni vinte, o alle credule che li ricevono amici. Noi confideremo negli aiuti divini, e nelle armi proprie. Si faccian preci in tutte le chiese e voi, devoti popoli napolitani, andate alle orazioni per invocar da Dio la quiete del Regno, udite le voci dei sacerdoti, seguitene i consigli predicati dal pergamo e suggeriti nei confessionali... Ed, essendo aperta in ogni comunità l'ascrizione dei soldati, voi, adatti alle armi, correte a scrivere il nome su quelle tavole. Pensate che difenderemo la Patria, il trono, la libertà, la sacrosanta religione cristiana, le donne, i figli, i beni, le dolcezze della vita, i patrii costumi, le leggi.

Ha ordinato tridui, penitenze, novene: la famiglia reale, la Corte, i ministri son tutti i giorni in Duomo, tra gli applausi delle bizoche e dei lazzari. Dai Cassano si ride.

«Ferdinando vuol fermare i Francesi con le preghiere» esclama Marra. È in redingote azzurra, lui e Manthonè hanno lasciato l'esercito per non dover combattere contro Buonaparte.

«Eppure...» borbotta Cuoco, con la sua aria pedagogica, i guizzi. «C'è qualcosa di vero in quello stupido manifesto.»

«Avvocato!» grida sbalordito Marra. «Vi sta dando di volta il cervello?»

«No. Ma nella sostanza è vero che i Francesi, se venissero a Napoli, attaccherebbero quella che, per tanti napoletani semplici, è comunque la patria. Distruggerebbero vecchi e saldi valori, come il trono e la religione. In vari casi insulterebbero le donne, saccheggerebbero i beni.»

«Che eresie stai dicendo!» interviene Gennaro. «L'esercito francese non è un esercito come un altro. È l'esercito della rivoluzione! Della libertà.»

«Sarà» sorride Cuoco. «Però turberebbe quelle che il manifesto chiama "dolcezze della vita" e che sono, poi, le tranquille, semplici cose che rendono le giornate care ai miti Napoletani. Né si può dubitare che sovvertirebbero costumi patri e leggi.»

«Io penso vogliate scherzare» ribatte seccamente Marra.

«Non scherzo.»

«E allora dite assurdità. Il n'y a pas de patrie là où il n'y a pas de liberté.»

«Non c'è libertà per voi» s'agita Cuoco. «Per una parte minima della popolazione. Quella che pensa, legge, sa. O crede di sapere. Ma il popolo si sente libero, sereno, senza troppi problemi. Perché è il re che ci pensa.»

«Senza problemi? La miseria, la fame...»

«Aspettate» Cuoco poggia a Marra una mano sulla spalla. «Non esageriamo per amor di polemica. Nonostante l'aumento dei prezzi dovuto alla scriteriata operazione dei Banchi, a Napoli non si muore di fame. Con nove grana comprate un rotolo di maccheroni. Anche il pane. Con pochi carlini frutta e pesce a volontà, con mezza pezza siete un signore.»

«Et pour vous c'est suffisant! La vostra mentalità è esattamente quella di Capeto, del ministro Simonetti.»

«Vincenzo sta facendo l'advocatus diaboli» interviene Gennaro, notando che Cuoco ha avuto un moto di risentimento.

«Niente affatto» insiste lui, secco. «Io guardo la realtà. E nessuno potrà negare che la venuta dei Francesi sovvertirà costume patrio, pace.»

«Pace, costume patrio...» borbotta Marra. «L'obéissance passive des esclaves.»

«Io penso invece, e lo dico, a costo d'apparire un sostenitore di re Ferdinando, come mostra di ritenere il cittadino Marra, il quale varie cose non le sa... Dico che la venuta dei Francesi non risolverà i problemi del nostro popolo. Ci elargirà un bel periodo d'occupazione militare: con relative conseguenze.»

«Io non saprò tutto quel che sapete voi, avvocato Cuoco,» replica Marra, beffardo «ma dico che nella migliore delle ipotesi siete orrendamente pessimista. E ci fate danno.»

Cuoco ride.

«Non vorrete sfidarmi, per carità! Fin d'ora vi dichiaro che rifiuterei. Qualche "dolcezza della vita" vorrei ancora godermela!»

Marra è il primo spadaccino di Napoli. Vive, appunto, con lezioni di scherma. Avrebbe voluto aprire una scuola, dopo il congedo dall'esercito, ma il re gli ha rifiutato il permesso.

«Quando verranno i Francesi, renderete conto delle vostre opinioni» dichiara, tra il serio e lo scherzoso.

Il discorso torna su Buonaparte, le dame vorrebbero sapere da Moliterno com'è il generale.

«Io non l'ho visto. Ma dicono sia piccolo, bassino, occhi di fuoco.»

«Mon Dieu!» esclama la Cimino. «Quelle déception! Je l'imaginais grand comme un géant, avec de larges épaules, les cheveux blonds, les mains de fer.»

«Magari come Roccaromana.»

«Mais j'espère qu'il ai plus de possibilités que le notre beau garçon. Il est marié?»

«Je ne sais pas» si scusa Moliterno. È Chiara a informare.

«J'ai lu sur le "Moniteur" que justement en avril dernier le général Buonaparte a épousé une aristocrate, la viscomtesse de Beauharnais. Une veuve, mère de deux enfants.»

«Così è finita la Rivoluzione» commenta Sanges, sorridendo. «Il generale sposa la viscontessa, il vecchio regime si mescola col nuovo. Tutto è cambiato, non è cambiato nulla.»

«Qualcosa è cambiato» obietta il solito Cuoco. «Un po' di libertà in più s'è avuta: i banchieri, i mercanti, i militari hanno voce in capitolo. Anche troppa. Ma la società resta amministrata dalle élites.»

«Un'aristocrazia si sostituisce sempre a un'altra» conferma Sanges.

3

Quest'autunno è piovoso, tetro. S'è lasciato alle spalle estate splendida, luminosa, piena d'entusiasmi: a luglio Buonaparte aveva occupato Modena, Reggio, la Toscana, in agosto aveva battuto gli avversari a Castiglione delle Stiviere ed aveva creato la Cispadana.

«Il s'approche!» gridava Chiara, entusiasta. I ragazzi parevano impazziti, due o tre, fra i quali Pepe, erano fuggiti per raggiungere il generale.

«Questo Napoleone... Ormai lo chiamano soltanto per nome» commentavano i saggi. «È diventato un mito.»

«Il mito della forza, della decisione.»

«E dell'avventura. Delle cose roboanti. Buonaparte è maestro di retorica, sa scatenare entusiasmi. Ho letto un suo proclama all'armata d'Italia.»

«Egli incarna tutto ciò che è in fondo al cuore dei giovani: l'odio per la vita comune, le miserie, la meschinità.»

«E incarna pure l'ideale dell'Italia unita, altra cosa che fa ammattire i nostri ragazzi.»

«Dovremo ringraziare i Francesi anche di questo.»

S'apprese, poi, una cosa bruttissima. Eran stati arrestati Conforti, Meola, Guidi ed altri, non a opera degli spioni di Castelcicala, bensì per delazione di Jeròcades e Odazzi: lo rivelò una palomma volata dalla Vicarìa.

Rimase allibita, vuota, fors'anche perché ricominciava a non sentirsi bene. I disturbi nervosi, il male agli occhi.

«Giuda. Porci. Carogne» si commentava, Gennaro era durissimo.

«Se usciranno, è meglio che a Napoli non si faccian più vedere.»

Jeròcades uscì, ma scappò subito in Calabria, a chiudersi dentro un convento del suo paese, Parghelìa.

Perché un uomo può rivelarsi così debole? Jeròcades era un poveraccio, pieno di storture interiori. Cupo, malinconico, solo: forse, in passato, sarebbe stato doveroso aiutarlo, concedergli amicizia. Lei si sente in colpa. Rammenta gli antichissimi tempi: allora tutti tanto giovani, com'era bello Sanges coi lunghi capelli biondi. E Meola, Guidi, così cari, fraterni, Jeròcades cercava d'interessarla con gli sciocchi misteri della Massoneria. In fondo lo aveva sempre trattato male, respinto. Lui l'aveva fatta entrare in Arcadia, a suo modo cercava di proteggerla.

La città è percorsa giorno e notte da reparti in armi che partono verso le frontiere. Vanno a Portella, a Pontecorvo (che il re vorrebbe strappare al papa prima che arrivino i Francesi), nell'Abruzzo ulteriore, a Civitella del Tronto. Scalpitìo di bestie, rotolìo d'affusti, strepitio di sciabole, la mattina Toledo appare sporca di paglia, letame cavallino, avanzi di cibo gettati dai soldati. Si dice che anche i lazzari si preparino, che il re faccia distribuire loro coltelli, pistolette.

Dai Cassano aria incerta d'attesa. Michele Serra si prepara.

«Sono un soldato napoletano» si giustifica, nervoso. «In ogni caso devo obbedire al mio re.»

Ma è inquieto, indispettito: da Palazzo non lo chiamano mai.

Le donne continuano stancamente a pettegolare. Chiara legge sempre più distrattamente il «Moniteur»: Buonaparte ha vinto ad Arcole, l'Inghilterra ha abbandonato la Corsica.

Un soffio d'allegria l'ha portato per qualche sera Luisa Molino Sanfelice, riapparsa più bella e vispa che mai, con quel pazzo del marito. Costui deve godere protezioni incredibili: dopo tutti i guai combinati, l'han nominato deputato all'annona nel Seggio di Montagna! Ciò gli permette imbrogli colossali. I due appaiono carichi di soldi, smaniosi di bruciarli in fretta. Luisa indossa gioielli da favola, veste all'ultima moda: abiti alti di cintura, scarpette slippers di nappa chiara, una maglietta color carne, trasparente. È incinta, ma il pancino si nota appena. La rende più desiderabile, Cuoco penosamente le va dietro, mitragliando tic vertiginosi.

Un pomeriggio, c'era anche Gennaro, ricevé dal Tribunale il dispaccio che annunciava la morte di don Pasquale Tria, avvenuta nella caserma di Pizzofalcone. Fu incerta, triste. Mormorò, non osando guardare Gennaro: «Adesso sono vedova».

Lui sorrise, con indifferenza. Le raccomandò di stare attenta nel definire la questione ereditaria.

«Il Tribunale dovrebbe farti restituire i beni dotali. Forse ti spetta anche il diritto a riavere l'antefato.»

«Capirai...» disse, innervosita. «Tria sarà morto carico di debiti.»

«Ma ha i parenti. La tua dote fu versata in contanti, hai diritto ti venga restituita. Bisogna aprire una vertenza giudiziaria. Ne parleremo con Cuoco. È un peccato tu perda quel danaro, non è giusto.»

Annuì macchinalmente.

«Sì. Hai ragione, Gennaro. Non è giusto.»

PARTE SEDICESIMA

1

Sono passati solo un giorno e una notte, le sembra d'impazzire. Se avesse forza, darebbe con la testa contro queste orrende pareti, dalle quali vapora fuoco puzzolente, che soffoca ed opprime. Ma ha appena capacità di respirare.

Il petto si solleva a fatica, sotto la ruvida, pesante stoffa del camicione che l'hanno costretta a indossare. Gocciola sudore sotto la cuffia, tra i capelli sporchi. Tutto è sporco, qui dentro. Sta rannicchiata a un angolo della panca in pietra nerastra, untuosa. Stagna intorno lezzo di sudiciume antico e d'escrementi: i suoi.

Continua a sentirsi male nello stomaco. Guarda in alto, la finestruola a sbarre. I sudici vetri sono aperti: entra aria bollente, tanfosa di letame, polvericcio.

Sta male, proprio male. Ma è inutile farsi sentire, anzi, meglio di no. In quel "secondo trapasso" della Vicarìa, nel "carcere del popolo" dove l'hanno portata, dominano monache proterve, manesche. Fin dal primo momento l'affrontarono con astio voluttuoso.

«Lévate 'sta rrobba! Leva!»

«Movìmmoce, donna Giacobba! Se tieni lo diavolo 'ncuorpo, te lo facimmo asci'.»

La malmenavano, le strappavano di dosso i vestiti, la spinsero per corridoi scurissimi, sotto tetre volte, fino a precipitarla in quella cella infame.

«Tie'. Tie'» facevano, buttandole con sprezzo l'esile, sudicio materasso di farto, il vaso da notte, il piattello, la brocca di stagno.

Cerca di levarsi. La testa le gira: nella notte ha avuto emicrania, un vero cerchio di ferro alle tempie, all'occipite, l'era parso di morire. Aveva atteso, immobile, che dal finestruolo fiottasse la luce tenera dell'alba. Ogni rumore, mostruosamente amplificato, le feriva il cervello. Tuttavia provò a spiegarsi i suoni della vita notturna: si ricordò la sera in cui avevano portato il canto per Ciaia, le parve si ripetesse. Ma esistono mille altri rumori, che da fuori non s'odono e che, invece, per "quelli di dentro"...

Meu Deus.

"Sono una fra 'quelli di dentro'" pensa, atterrita. "Sono carcerata."

Per quanto? Cosa mi faranno? Aveva imparato a riconoscere il rumor di scarponi, finimenti, fucili che ogni due ore segnava il cambio delle sentinelle. Ad attendere i battiti sonori da un orologio pubblico non lontano. S'era spaventata per avidi rodìi, fruscìi, nell'interno della cella. Per urla di donne assatanate ch'esplodevano nel cuore della notte. Ad esse seguivano trepestio pei corridoi, saltellare di luci fioche sotto l'uscio, la voce irosa, da maschio, di Madre Cannitella, terribile comandante delle suore, poi tornava silenzio.

Aveva ascoltato con batticuore lo spiegarsi delle voci nasali coi loro patetici, ingegnosi messaggi. Provò desiderio d'udire una cantata per sé. Ma da chi? Gennaro era fuggito in maggio, dopo la brutta esperienza fatta giorni prima.

«Lenòr, devo andare. È venuto il mio momento. Stavolta l'ho fatta franca grazie al Grottone, ma ci riproveranno. Chiuditi dentro, non farti più vedere in giro. Io me ne vado a Roma.»

A Roma! Quanti entusiasmi agli inizi di quel 1798! I Francesi, creata la Cisalpina, avevan riscattato la vergogna di Campoformio mandando Berthier a fondare la Repubblica romana.

«A Roma! A Roma!» strillavano tutti. S'era ballato, cantato Carmagnole e Marsigliesi senza prudenza né ritegno. Poi Buonaparte ebbe l'infelice idea di spostarsi in Egitto, dove lo intrappolarono gl'Inglesi, Ferdinando e Maria Carolina ripigliarono fiato. Infine Nelson vinse ad Aboukir.

2

Ricorda i giorni che precedettero l'arresto. Primi d'agosto: Napoli invasa da torrenti di sole, il mare una lastra di cristallo. Alla notizia d'Aboukir scene incredibili, le navi nel golfo issarono il gran pavese, spararono con tutti i cannoni. Palazzo imbandierato, re e regina, tronfi, si fecero vedere, dopo secoli, nella carrozza d'oro scortata dagli Svizzeri, tra folle di lazzari che berciavano

Pe-pe-pe-piripè.
Morte a tutti,
viva lo re

agitando piròccole, sciabole, vessilli.

E lei, per sua sfortuna, li incontrò a Toledo, mentre rincasava con Graziella. Il re era gonfio, imbambolato sotto parrucca ad ala e tricorno, la regina, grigia e torva, una palla.

Rigurgiti di malessere al ricordo. Lo sguardo di Maria Carolina s'era incrociato con il suo. O, invece, tutto era dovuto ai due strani personaggi capitati dai Cassano prima che il salotto venisse chiuso per sempre? Il tapezziere De Simone, Rosita Escobar: chi li aveva mai visti?

Le venne da vomitare, quella notte, eppure era digiuna. Il piattello con la zuppa nerastra di fave e verzi stava in terra accanto all'uscio. Se fosse riuscita ad alzarsi l'avrebbe rovesciato nel pitale: solo a sentire l'acre odore d'olio rancido ed aglio provava disgusto. Anche la pagnotta di pane scuro restava in terra. Ebbe un sussulto. Nonostante le pugnalate nel cervello, doveva alzarsi: pagnotta e piattello provocavano il crescere degli squittii, dei rodii schifosi che dall'inizio del buio sentiva sotto di sé, sul pavimento.

Dal finestruolo entrava debolissimo alone di riflessi lontani. A tastoni si mosse, provocando rabbioso arruffio squittente. Tremando, riuscì a raggiungere piattello e pane, rovesciò tutto nel bugliolo. Batteva i denti, il cranio scoppiava. Durò così fino all'alba, quando il carcere si ridestò tra vocìi, sferragliamenti, campanelli. Comparve una suora secca e lunga.

«Alzàtivi. È l'ora di viniri a la chiesia.»

«Non mi sento» mormorò. «Io non mi sento.»
«E 'nci viniti lo stesso.»
Lei scosse la testa, pianissimo. Ogni movimento le dava dolore, vertigine.
«Non posso» balbettò. «Non mi posso alzare.»
«E allora oggi mangiati pani e acqua.»

Finalmente riesce a tenersi ritta sullo sgabello che le trema sotto. Guarda fuori: sole bianco, aria pesante di pulviscolo. Stenta a riconoscere la scena, poi, pian piano, si raccapezza. Di giorno tutto sembra meno gigantesco, meno pauroso. Attorno alla Vicarìa terra battuta, ai margini prati con belle macchie di papaveri rossi, nel fondo tetri palazzi gialli, dietro i quali s'insegue chissà quale quartiere. Poi l'occhio è impedito dallo sprone anteriore. Nelle crepe ciuffi d'erba, gerani rosa, nidi: passeri volano avanti e indietro, con regolarità, entrano nei pertugi, sostano, riescono.
Le sembra di sentirsi meglio, è bastato vedere cielo, luce, mondo. Le hanno lasciato un'altra pagnottina, la brocchetta con l'acqua. Scende con cautela, beve un sorso. Il pane è soffice, umidiccio, salato, non le spiace il sapore granuloso della crusca. Ne mangia ancora, e le tornano i crampi nello stomaco, nausea. Suda freddo. Riesce appena a stendersi sulla panca. No. Non può andare avanti così. Ma non s'occupano, qui, dei prigionieri ammalati? Nella sbiadita confusione che le vagabonda in capo, ricorda che Cirillo una volta disse d'aver visitato i carcerati di Santa Maria Apparente. Forse per propria iniziativa.
Lo strepito della chiave nella serratura lacera il pensiero.
«Sósete. Alzati» fa la sorvegliante. La scuote. «Te vuo' sósere o no? Aggia chiama' lo gendarme?»
Continua a scuoterla, borbotta: «Chesta overo non se sente. Superio'! Madre superio'!» si mette a strillare, appare suor Cannitella.
«S'adda fa' una bella lavata» sentenzia, col vocione da maschio. «Se non mangia, che 'nce potimmo fa'? Lo dico a Sua Eccellenza.»
L'acciuffano per braccia e gambe, la trascinano fuori, mentre vomita bava bianchiccia, amara, puzzolente.

Una stanza pulita, un vero letto, di ferro nero, materasso, lenzuola. L'hanno spogliata nuda e lavata con secchi d'acqua fredda. Sul momento le mancò il fiato, poi fugaci carezze di benessere. Ora le danno latte col caffè, senza zucchero, non ne ritiene un sorso.

Nuovo groppo di vomito, solo sputo gialliccio. La sorvegliante le regge la fronte con la mano ruvida: odora di metallo, sudore, cucina. Poi risucchio al cuore, viene meno.

3

Si risveglia nella cameretta col lettino. Le gira la testa. Si sente debolissima, ma non vomita più. Una suora giovane, pallida, occhi obliqui, labbra tumide. Parla italiano, ma con accento straniero, indurito sulle *r* e le *s*, dev'essere spagnola.

«Avete dormito tutta notte. Qualche cibo v'avrà fatto male.»

Lei la fissa con occhi deboli, ma ironici.

«Nel menù della Vicarìa non esistono scelte» mormora.

La suora aggiusta il cuscino.

«Perciò dovete cercare d'andarvene presto. Quando sarete guarita, andrete all'interrogatorio de Su Excelensia Guidobaldi. Rispondete a tutto ciò ch'egli vi preguntarà... Domanderà. Così tornerete subito a casa vostra. Se non siete colpevole...»

S'irrita per la sciocca, ipocrita premura.

«Yo no soy culpable de nada» risponde, nel poco spagnolo che conosce. Vuole che la suora si meravigli, intimidisca.

«Si despues en este Reino es culpabilidad tener amigos, ideas...» prosegue. «Yo hè escribido en honor del rei, de la reina.»

La suora l'osserva con stupore, anche fastidio.

«¿Habla español Usted?» domanda.

«Mal.»

«Allora yo preferisco el italiano. Voi avete scritto? Cosa scrivete voi? Voi siete una donna!»

Non può trattenersi dal sorridere. Cerca di levarsi, ma la testa gira.

«Io scrivo, sì. Libri, poesie, trattati.»

L'altra l'osserva, preoccupata. Si fa il segno di croce.

«Io pregherò per voi e la vostra famiglia» mormora. «V'hanno educata molto male. Han producido la ruina de Usted.»
Più tardi viene una ragazzina scalza in camicione nero, le mette sul lenzuolo un piattello di stagno, con una bella pigna d'uva. Fa per prendere il vaso sotto il letto.
«Aspetta. Chi la manda?»
«Donna Crezia» mormora la ragazza, aggiunge, con aria maligna: «Non lo sai? 'Nce sta una ca vene tutti li juorni. Mo' ti porta una cosa, mo' un'altra. Non hai avuto niente?».
«Una? Una chi?» domanda ansiosa, agitandosi.
«Io che ne saccio?»
Donna Crezia è la sorvegliante, tutto passa per le mani sue. Lei prova irritazione, ma è anche commossa. Fino a quel momento donna Crezia ha trattenuto per sé ciò che porta la povera Graziella! Perché solo Graziella può essere quell'"una": sente gli occhi inumiditi.

Ricorda il giorno dell'arresto. Stavano pranzando: ormai avevano preso l'abitudine di mangiare insieme, una di fronte all'altra, chiacchierando, come persone di famiglia. D'un tratto, nel ballatoio, frastuono, crosciar di scarpe pesanti, accorrere di gente, colpi alla porta. Il mangiare saltò in gola.
«Fujeténne! Signo', fujeténne!» aveva strillato Graziella, balzando dalla sedia. Un bicchiere di vino s'era rovesciato, la stanza s'imbeveva dell'acre sentore.
«Dove scappo, Grazie'. Non ti appaurare» le aveva detto, cercando di tenersi calma. «Non succede niente. Apri.»
Graziella era di pietra. A momenti buttavan giù la porta, si mosse lei.
«In nome del re, aprite!»
«Un po' di educazione» ebbe forza di dire, con cipiglio, ai tre intendenti in parrucca e codino che irrompevano. Dietro, gendarmi blu e rossi, bandoliere candide, tenevano a bada coi fucili la gente del palazzo, accorsa a tumultuare.
Ricorda bene quasi tutto, parole, gesti.
«Siete voi Eleonora Piomentel di Fonzeca?» recitò il più anziano, un vecchio rugoso senza sguardo, sporco.
«La marchesa Pimentel de Fonseca» corresse, con durezza.

«Signo', tengo 'no mandato.»
Squadernò il gran foglio col sigillo rosso, aggiunse, sempre senza guardare in viso: «Dobbiamo perquisire».
«Qui non v'è niente che giustifichi il vostro operato.»
«Signo'. Per cortesia. Non me facite inquieta'» rispose l'altro, come parlasse a una popolana. Vide Graziella.
«E questa chi è?»
«La mia domestica. Non c'entra.»
Le andò accanto, mentre gl'intendenti si sparpagliavano per casa. Si sentiva stordita, il cibo alla bocca dello stomaco come peso di ferro. Ma pensò che bisognava mantener contegno: da marchesa Fonseca e cittadina Lenòr. S'irrigidì accanto a Graziella che piangeva.
«Non piangere» le disse. «Non è niente.»
Sentì i muscoli delle mascelle contrarsi mentre quelli spalancavano cassetti, buttando in terra ogni cosa. Ogni tanto il più giovane, un grassoccio roseo, furbescamente esclamava: «Ah! Questo è importante! Ah! Questo!» e metteva da parte.
Infine smisero, il ragazzo aveva adunato un bel mucchio di carte.
«Piglia 'no lenzuolo» ordinò il vecchio a Graziella. Questa lo fissò con gli occhi di fuoco, esplose in uno strillo che fece scattare i soldati.
«Te li porti tu, scornacchiato!»
Protendeva la faccia contro il vecchio, come se avesse voluto azzannarlo.
«Statti zitta» intimò l'uomo. «Se no mi porto pure a te.»
Graziella si mise a tremare. Si strinse a lei, le toccava il viso, le mani.
«Tu a chesta non la porti. Tu primma m'è accidere a me.»
«Dioda', piglia una coperta da lo lietto, fa' 'na bella mappata» diceva intanto il vecchio, indicando con aria di schifo il materiale raccolto.
«Grazie', lèvati» disse lei, piano. «Tanto, non potimmo fa' niente. Lo riesto de niente.»
«Ma addo' te portano, signo'? Tu non hai fatto niente! Ve lo giuro io, ca sto sempre qua, insieme a essa. Non ha fatto niente!»
«Levati di mezzo» insisté il vecchio, afferrandole un braccio.

«Tu! Leva li mmane da cuollo, sa! Viecchio vavuso, capa de morto! Portami a me, dint'a la Vicarìa!» strillò, parandosi davanti.

«Jammo a fa' ampresso» ordinò il vecchio, stizzito, tre soldati si gettarono su Graziella, che si divincolava, continuava a strillare: «Non ha fatto niente! È la signora mia, è una creatura! Perché ve la pigliate?».

«È ordine de lo re. Perciò statti zitta» disse un soldato.

«E allora lo re è 'no strunzo, si se piglia 'na signora comm'a chesta! Vo' rimmane' lo rre de li fetiente, de li pezziente 'nculo! Pppuh!»

Sputò in avanti. Colpì il grassoccio, che ebbe scatto feroce.

«Mo' 'nce avimma porta' pure a 'sta zoccola!» gridò, gli altri risero.

«Tie'» fece il vecchio, porgendogli un fazzoletto. «Non è 'sta gentarella che rovina Napoli.»

S'accostò, con fare più cerimonioso.

«Signora Piomentel...»

«Marchesa Pimentel Fonseca» riprecisò lei, intestardita.

Adesso, in cella, ripensandoci, le sembra d'esser stata ridicola.

«E va bbuo'. Marchesa. Mi dovete seguire. Per ordine del re.»

«Dovrei prendere qualcosa. Denaro, la mia roba.»

«Mi dispiace. Niente di niente. L'ordine è preciso. Dopo. Dopo avrete quello che vi serve.»

«Dopo quando?»

Il vecchio non rispose. A un suo segno due soldati le si posero ai fianchi. Graziella, bocconi sul pavimento, si torceva, ululava, come dalla casa stesse uscendo il morto.

4

È strano seguire l'avvicendarsi delle stagioni dentro un carcere. I segnali consueti assumono aspetti diversi, i brividi d'autunno perdono l'ampio, dorato languore, per farsi malaticcia secrezione d'umidori. Il materasso s'intride, non sai se di sudore insano o gocce d'aria pesante. Indovini la pioggia per le frecciate d'acqua oltre i vetri, pei rivoli nerastri che colano da qualche fessura. Non aspiri il grande odore ferruginoso della terra.

Già finito novembre. S'è rannicchiata sulla panca, lavora all'uncinetto. È incredibile come un essere umano riesca non tanto a rassegnarsi quanto a trovare il misterioso equilibrio che consente le abitudini nuove, ricavandone sciocca, ma necessaria sicurezza.

È in questo stato d'animo. Dopo la crisi delle prime settimane s'è assestata, ha imparato a darsi punti di riferimento. È riuscita a ridurre vitalità, in maniera da vivere ogni giorno solo per quello che, qui dentro, esso può dare. Ad accettare i riti meschini delle ventiquattr'ore: cibo, sonno, lavoro, rosario, discorsi beoti.

Momento bruttissimo quando fu condotta all'interrogatorio da Guidobaldi. Ci aveva pensato tutta la sera e la notte precedenti, variando di continuo, nella mente, scene, situazioni, persone. Chissà perché immaginava quel Guidobaldi omaccio fosco, iracondo, attorniato da soldati in armi, da carnefici coi più disparati strumenti di tortura. Le tornavano memorie d'un libro datole da Pagano tanto tempo fa, perché lo recensisse. Erano i giorni in cui si discuteva sugli scritti del marchese Beccaria, nel volumetto si descrivevano le torture previste dalla Magnifica Comunità di Lugano, con relativi compensi al boia: applicazione di tenaglie infocate venti lire milanesi, fendere una lingua lire cinque...

S'era costruita nel cervello battute e risposte, a un certo punto Guidobaldi si faceva mellifluo.

«Signora Marchesa, voi siete di famiglia nobilissima. Ho qui l'estratto dei vostri quarti portoghesi e spagnoli.»

Teneva sul tavolo gl'incartamenti che papài aveva così penosamente inseguito.

«Non comprendo come voi, così degnamente titolata, siate stata coinvolta in movimenti plebei. Che hanno, tra i loro fini, la distruzione della nobiltà. Dei pilastri sociali.»

E lei tirava fuori la prima frase plutarchiana: «La vera nobiltà consiste nell'essere giusti».

Riappariva l'immagine del Guidobaldi feroce, irritato.

«Sappiamo che frequentate persone poco raccomandabili.»

«Sarebbero?» rispondeva con alterigia, fissandolo negli occhi.

«L'avvocato Pagano, l'abate Jeròcades, il signor Ciaia. Il nominato Lauberg, pericoloso criminale, agente dei nemici stranieri di Sua Maestà. In casa vostra son stati trovati libri proibiti.»

«Per esempio?»

«I libri del principe Filangieri. Dell'abate Genovesi.»

Nuova frase folgorante: «Io credo, signore, che se faceste perquisire gli studi delle persone colte d'ogni nazione civile trovereste questi stessi libri».

«E qua non si possono tenere» rispondeva stupidamente lo sconfitto.

«Allora quali sono i libri che si possono tenere?» incalzava lei.

«Non lo so. Non è roba di cui io m'intenda.»

«Quindi fareste bene a tacere» redarguiva.

L'inquisitore faceva occhi galanti, le fissava il petto, che sporgeva pure sotto l'odioso camicione grigio.

«Signora Marchesa. Siete una dama bella, gentile, siete stata a Corte. Eravate nota, ammirata per i vostri versi. Come avete potuto abbandonare tutto ciò? A quest'ora sareste una celebrità. A Corte v'avrebbero incaricata d'ogni incombenza culturale. Avreste preso il posto del signor Primicerio, che è sparito e irreperibile, la vostra pensione sarebbe stata raddoppiata. In nome di che avete deciso di gettar via queste cose? Di poche idee fallaci, irrealizzabili. Per sciocca fedeltà ad amici egoisti.»

Dio com'era facondo e penetrante, quel Guidobaldi della fantasia! Vero riflesso dell'inconscio, pensò, stizzita, cancellando l'ultima parte del discorso e riplasmando Guidobaldi nell'untuosa dimensione precedente.

«C'è rimedio a tutto. Fuorché alla morte» riprendeva, sorridendo. «Sua Maestà è disposto a perdonare. Noi dobbiamo individuare i nemici del Regno che ancora ne tramano la rovina, per turbare le dolcezze della vita, le semplici cose che rendon care le giornate ai miti Napoletani.»

Ma perché il Guidobaldi fantasma parlava come Vincenzo Cuoco?

«La venuta dei Francesi, signora Marchesa, non risolverà i problemi del nostro popolo. Perciò, chiunque abbia a cuore le sorti di questa cara patria napoletana, che è ormai anche vostra... Ha il dovere di collaborare. Oltre le persone che v'ho rammentato, ne avrete conosciuto altre. Rendereste gran servigio a Sua Maestà (anche a voi stessa) se voleste indicarmene qualcuna.»

Si rifugiò precipitosa nella solennità delle frasi, ne tornì una nuova, attingendo da lontani ricordi.

«I veri nemici della patria sono l'ingiustizia e i tiranni» s'infiammò. «Penso conosciate quella massima del signor de La Rochefoucauld: "Les grands noms abaissent, au lieu d'élever, ceux qui ne les savent pas soutenir". Non potete chiedere a me certe cose.»

Naturalmente l'immaginario Guidobaldi non conosceva il francese: restava annichilito. Poi tornava feroce, riapparivano armati, carnefici, strumenti, tenaglioni s'arroventavano sopra fornacette. Provò fitte atroci in un capezzolo.

Nella realtà le cose andarono in maniera assai diversa e banale. Guidobaldi era un vecchio rugoso, d'antiquata eleganza nella giamberga a fiori argento, con jabot ed engageants lussureggianti, parrucca d'abbagliante candore. Odorava di violetta parmense.

Sedeva, con aspetto annoiato, a un bel tavolone rococò nel suo studio della Vicarìa. Fu stupita nel vedere in quel carcere un locale così: marmo rosso, specchiere, soprammobili di bisquit.

Guidobaldi non guardava mai in faccia. Fiutava continuamente tabacco. Alla sua sinistra un cancelliere, con carta penna e calamaio. Il vecchio rimase seduto, zitto e cogitabondo, poi che lei fu entrata, ciò fu sufficiente a farle perdere sicurezza, astio, eroiche grandezze.

«Voi siete la marchesa Eleonora Pimentel de Fonseca?» borbottò, infine, sempre più infastidito.

Possibile fosse una delle tre jene persecutrici dei patrioti? Sembrava non ne potesse più di quel mestiere, non vedesse l'ora d'andarsene di lì, per correre in qualche stupido salotto di vecchiotti per bene.

«Abitate al Grottone di Palazzo? Per favore, rispondete sì o no.»

«Sì» balbettò, scontenta, vuota. Ma si poteva far diversamente?

Lievissimo cenno all'impiegato. «Scrivi. Riconosce identità e abitazione.» Poi, sempre senza guardare: «Conoscevate Mario Pagano, Pasquale Baffi, Carlo Lauberg?».

Lei si strinse nelle spalle, sempre più sconcertata.

«Scrivi. Ammette rapporti coi sopraddetti fuorusciti.»
Un guizzo: avrebbe voluto protestare, spezzare quel monotono ma invischiante discorso, l'altro non dava tempo.
«Volete anche qua la repubblica come in Francia?» mormorò, ficcandosi una presa di tabacco dentro una narice.
Batticuore, vergogna ansante: «No, no!».
«Allora, perché tenevate l'*Encyclopédie*? Perché in casa vostra c'era un club? C'erano, o no, quei libri in casa vostra?»
Altro che risposte degne di Plutarco! Smarrita, accennò di sì.
«Scrivi. Riconosce d'aver tenuto in casa libri proibiti. Chi altro conoscete? Due parole e ve ne uscite. Subito.»
Nessun'altra esplosione d'indomita fierezza. Soltanto vuota, mortale stanchezza: riusciva appena a scuotere la testa.
«Scrivi. Rifiuta di rivelare i nomi dei complici. Allora ve ne rimanete qua. Stateve bbuono.»

«Stateve bbuono.»
Affiorò una sensazione antichissima: l'ingenua allegria con la quale accolse, mettendo piede nel Regno, quel saluto.
«Non sei nemmeno entrata, già vuoi farti Napoletana.»
Povero, caro titìo. Non c'era più neppure lui, da due mesi. Stretta sulla panca di pietra, si mise a piangere.
Quel saluto, allora, l'era parso cordiale, di gente dai buoni sentimenti. Perché credeva significasse "Fique bonzinho", non "Cuide-se", come vuol dire veramente. Ma è semplicemente una formula: la può pronunziare perfino un Guidobaldi. Anzi. Un significato per lei l'aveva: con quel saluto era cominciata la sua vicenda napoletana, con quel saluto finiva. Guidobaldi, col fare spento e noioso, l'aveva inchiodata. Nella migliore delle ipotesi avrebbe trascorso gli ultimi anni nella Vicarìa. O a Sant'Elmo, Santa Maria Apparente. Quanti? Al momento ne contava quarantanove, sotto ogni aspetto la sua vicenda era chiusa.

5

Una notte giunse la cantata di Gennaro.
Spesso canti venivano indirizzati a detenute. Provocavano

movimento, cigolìi di porte, donna Crezia prelevava la destinataria del messaggio, la conduceva al finestrone in fondo al corridoio, donde volava la palomma.

Le prime volte s'era incuriosita, sforzandosi d'indovinare le storie di quelle 'Ngiulina, Zita, Addolorata, poi perse interesse: col mondo esterno non avrebbe comunicato più. Mai più. Quella notte manco ci aveva fatto caso, alla voce sottile di ragazzo che saliva verso l'inferriata. Fu donna Crezia a smuoverla. Aprì, la fissava dalla soglia con faccia nuova, lietamente stupita.

«Donna Liono'» disse. «Venite. Non avete 'ntiso? È vostra.»

La guardò con stupore enorme, anche per il tono gentile, poi scattò, poggiò l'orecchio al muro freddo, untuoso.

Sciorillo amaro,
donna Liono'
te chiamma don Gennaro

ripeteva la voce.

Donna Liono',
fa' int'a la capa de morta.
Lo vino è bbuono,
po' liegge la carta.

Meu Deus, che voleva dire?

Il cuore l'era saltato in petto: onda felice di tenerezza non appena aveva compreso che Gennaro stava lì sotto. Ma che intendeva dire il resto del messaggio? Sembrava brutto, lugubre. "Capa de morta" in napoletano significa "teschio". Che c'entrava? Rabbrividì. Forse per lei c'era condanna capitale? Ma son cose che non si dicono così!

Donna Crezia la incitò al finestrone: «Jammo, donna Liono'. Facimmo ampresso. Don Gennaro vostro e mio figlio stanno aspettando».

Guardò giù. La notte era chiara, aveva finito di piovere, nelle vaste pozzanghere oscillavano le luci dei torcioni. Gennaro stava avvolto in un tabarro nero, aveva in testa un tricorno. La sua faccia, rivolta in alto, appariva molto pallida, lei si mise a piangere.

«Facite ampresso» la redarguì, quasi materna, donna Crezia.

Cacciò dal grembiulone mezzo foglio di carta, un pezzo di carbonella a punta. «Scrivete.»

«E che scrivo? Che devo scrivere?» ansò, tremando.

«Che mandasse la bottiglia. Poi...» sorrise, esitando. «È lo marito vostro? Io scrivesse qualche bella parola.»

S'impiastrò con la carbonella. In un attimo pensò mille cose: di scrivere in francese, in portoghese, in latino, poi si disse che la palomma sarebbe arrivata a lui, non c'erano problemi. La prima parola che le venne fu "Caro": cercò di cancellarla, sul foglio si fece una chiazza di nerofumo. Donna Crezia scuoteva il capo. Precipitosamente, come sotto dettatura, scrisse: «Aspetto la bottiglia. Vieni presto». Dopo un'esitazione aggiunse: «Sto bene. Tua Lenòr».

La sorvegliante, riaccompagnandola in cella, le spiegò. A Napoli "fare dint'a la capa de morta" significa bere vino. «Lo marito vostro» la lasciò dire senza correggerla «manderà una bottiglia di vino con dentro un messaggio. Voi risponderete con lo stesso mezzo.»

«Ma si può fare?»

«Se lo permetto io sì.»

Donna Crezia continuava a trattarla come una di loro. Forse perché Gennaro, con la cantata, aveva fatto guadagnare suo figlio, forse perché l'episodio l'accomunava alle altre detenute.

Fu contenta. Bisognava continuare, non restarsene sola, in disparte; il giorno dopo chiese il lavoro del carcere: calze e berretti all'uncinetto. Non l'aveva mai fatto, pregò le insegnassero: donna Crezia mandò una ragazza di Caserta, grassa e torpida. Questa sedette a un pizzo della panca, prendendo subito a manovrare le grosse dita in modo agile, sicuro.

«Deritto e stuorto. Deritto e stuorto. Accossì se fa.»

Sempre lavorando, le domandò perché stesse dentro. Non sapeva cosa risponderle, infine azzardò: «Ho detto delle cose contro il re e la regina».

«'E fatto bbuono» rispose, senza emozione, la ragazza.

«Perché?» chiese timidamente. «Che hai contro il re e la regina?»

«Non se po' tene' rispetto pe' nisciuno» rispose l'altra, con voce monotona, osservando la lana che s'aggrumiva in lunga striscia intorno ai ferri. «Manco pe' tata e vava.»

Spiegò che a un certo punto aveva dovuto tagliare il collo con un falcetto a suo padre, che profittava di lei da quando aveva dodici anni. Rabbrividì, sentì la gola stringersi. Provò tenerezza lacrimosa e spaventata per la ragazza, ma costei proseguiva tranquillamente: «E non me voleva fa' 'nzora' co' Mazzetiello, io perciò l'aggio segato. Se non m'attaccavano, segavo pure a màmmema. Manco essa voleva, pe' fa' li canchere suoi. Vide, signo', vide comme vene bello accossì. Mo' fa tu».

La bottiglia era arrivata puntualmente, insieme con un fazzoletto annodato, dentro il quale trovò sette ducati e parecchi carlini. Regalò subito un ducato a donna Crezia, che dapprima faceva complimenti, poi arraffò, con occhi accesi. Travasarono il vino: nel fondo un fagottino di tela cerata, stretto con spago da solachianiello. Ne sgusciò un foglietto su cui Gennaro, con grafia minutissima, in francese, aveva scritto:

> Du courage, ma chérie. Capeto est parti avec une armée de cent mille misérables, sans organisation, sans fortune, commandée par un vieux général autrichien, contre les Français occupant Rome, ou mieux, la République de Brutus. Il sera bientôt rossé comme il le merite, et les Français viendront à Naples, pour libérer tous les patriotes et d'abord toi, ma chère, douce, courageuse Lenòr. En attendant nous cherchons un autre moyen pour te libérer, au cas où il faudrait attendre trop longtemps les Français.

La bottiglia tornò due volte, con notizie nuove.

Sembrava incredibile, ma Capeto era riuscito a entrare in Roma («Les Français se sont retirés à Castel Sant'Angelo. Pour des raisons stratégiques» era la contrariata spiegazione), ad occuparla in nome del Santo Padre e con l'aiuto di san Gennaro.

«Cela ne peut plus durer» continuava il messaggio.

> Les Français sont en train de préparer une nouvelle attaque. L'Autriche ne veut pas soutenir le roi de Naples. La vie est encore très difficile ici pour nous, mais les amis se donnent du mal. Le duc-chevalier est rentré en cachette. (*È Ruvo!*) Nous attendons le retour de Mario (*Pagano?*) et des autres.

Poi la bottiglia non venne più. Nemmeno Graziella. Attese con ansia e tormento le voci dei cantori notturni, scrutava donna Crezia che, con imbarazzo dispiaciuto, faceva segno di no.

«Qualche cosa sarà successa» le mormorò una sera in cui, nel camerone, vecchie e giovani biascicavano, seguendo le suore, un monotono rosario. «Ma non vi appaurate. A Napoli tutto è quieto. Lo re sta sempre a Roma, non si parla di niente.»

PARTE DICIASSETTESIMA

1

Questo '99 è cominciato con freddo polare. Ha dato altri ducati a donna Crezia, per ispidi calzerotti di lana e uno scialle giallognolo che emana odore caprino; una berretta se l'è fatta lei, con l'uncinetto. Meu Deus, i poveri capelli mai lavati dal giorno dell'arresto! Ne esala odore di muffa, sudore, umidità.

Si stringe nelle spalle. Potrebbe chiedere una cràstola di specchio, ma non vuole. Ricorda quanto disse Cirillo circa il gusto della degradazione. Triste sollievo per la libertà dai gesti elementari: non devi lavare il viso, pettinarti *non occorre più*. Non c'è alcuno che ti possa vedere, con cui parlare, in cui destare attenzione. Non sei nessuno, se muori o vivi non ha più importanza.

È strano come ciò, dopo le prime angosce, somministri tanta abulica pace. Il cervello ronza a tratti, se vi affiorano guizzi di passato, ansie moleste di futuro, pigro ma inesorabile il liquame dell'abbandono copre tutto con il sollievo della propria melma. L'attenzione si concentra, invece, sulla vita materiale. S'accorge di provar gioia quando ottiene, grazie ai soldi, roba per stare più calda, qualche piatto di pasta condita, l'adorato caffè. La mattina donna Crezia le manda una ragazza con una bottiglina di caffè fresco. Aspetta con ansia, acquolina, desiderio, afferra la bottiglia calda, riempie dall'alto il bicchiere di vetro che, contro il regolamento, la sorvegliante ha concesso. Il caffè precipita con schiumetta gialla, profuma.

Stamattina un fatto nuovo rompe il misero equilibrio: s'è svegliata con mal di testa, dolori al ventre, nel vischioso stordimento dà la colpa al caffè. Ieri se l'è bevuto tutto, come fa quasi sempre. Ma non dev'essere il caffè.

Si sente impiastrata fra le cosce, avverte, tra i sentori della cella, quello acidulo, dolciastro, del sangue mestruale. Meu Deus. Da quando l'avevano buttata lì dentro le sue cose erano scomparse, forse per l'emozione, il terrore. In verità anche prima, a casa, s'era accorta d'irregolarità: stava due mesi, o più, tranquilla, d'improvviso il flusso riappariva, talvolta scarso, a gocce. Adesso è mare, cascata, fiotto inarrestabile.

Prova ad alzarsi, spaventata. Non sarà malattia? Il camicione è intriso, avanti e dietro, il materasso zuppo, in terra, sotto di lei, si formano chiazze rosse, grumose. Camminando piano, a gambe larghe, lasciando in terra strisce sanguinose, s'avvicina all'uscio. Bussa disperata, strilla, anche donna Crezia s'impressiona.

«Gesù! E ched'è? La lava de li Virgini? Che avete fatto, donna Liono'?»

«E che devo aver fatto!» ansa lei, con voce di pianto. «Aiutatemi.»

Donna Crezia ricompare con una ragazza che reca pezze, un secchio d'acqua. L'emorragia dura sino al pomeriggio.

«Mo' statevi quieta. Mettetevi a dormire» fa la sorvegliante. «E non pigliate cchiù cafè. 'Nce vo' lo zuco de limone.»

Resta spossata sopra il pagliericcio. Ha molto freddo, la testa è leggera, vuota: come aria, senza un pensiero. Solo un ricordo v'ha fatto capolino e ritorna, tenace. Di quand' era ragazzina e girava allegra per conoscere Napoli. Al Gigante incontrò la carrozza col re in giamberga verde e d'oro. Si corrucciò perché lei non fece la riverenza, ma era ancora straniera, non conosceva gli usi. Proprio quel giorno da lei sgorgò sangue, il primo sangue di donna.

Ora è l'ultima volta, invece, che ne emette, lo sa, lo sente. Sempre per colpa del re, vacilla l'emaciato pensiero. Nella testa esangue immagini confuse, slavate: la Napoli d'allora, col Vesuvio rosso fragola, diventa rosa sbiadito, il gran sole di quella primavera si spegne in smorte penombre. Donna Crezia, preoccupata, la scuote.

«Donna Liono', scetàteve!»

Avverte alle narici il bruciore dell'aceto.

2

C'è in giro aria tesa, preoccupata, donna Crezia non dice niente, ma si capisce che qualcosa sa.

Da due o tre sere giungono canti misteriosi. Li ascolta attenta: è uscita un po' dal difensivo torpore. Ieri hanno cercato di 'Ngiulella, la conosce, è una donna giovane, rissosa, sta dentro per contrabbando e furto. Più tardi hanno chiamato Fravolella, una piccola prostituta tonda e sboccata.

Oi Fravolella
hai fernuto de sta' ne li ccancella.
Li guagliune so' pronte a li castielle.

Cosa vuol dire? Donna Crezia continua a tacere. Decide di regalarle ancora, quella bisbiglia: «Donna Liono', si preparano li guai. Lo re è fujuto a Paliermo, la regina pure. Ma ha dato ordine d'appiccia' tutta Napoli. Stanno venendo li Frangise. Per mo' hanno bruciato le navi nel porto. Dicono che li Giacobbe, e pure li lazzarune, vogliono pigliare li castielle».

«Pure la Vicarìa?»

«Pure la Vicarìa. Stasera li surdate vengono a fa' guardia a li ccelle.»

Per i corridoi trepestio di tacchi, voci maschili, tintinnio di finimenti. Informate dalle misteriose voci del carcere, le detenute più sfrontate ridono, cantano, provocano.

«Capora', sto speruta da sei mesi. Aràpe!»

«Brigadie', famme vede' lo coraggio addo' lo tieni! È gruosso?»

Bestemmie d'uomini eccitate e calde, strilli delle monache, rabbiosi pugni agli usci delle celle, il vocione di madre Cannitella.

«Zoccola, statte zitta! Se no vai dinto a lo Criminale.»

«Fetente! La vuo' ferni'? Te mando abbascio a lo Panaro.»

Raggomitolata nell'angolo della panca, si concentra nelle orecchie. Ora viene frastuono dall'esterno, le sembra udir vocio di popolo, pistolettate. Nelle viscere dell'antico castello tonfi pesanti, sordi: i vetri vibrano. D'un tratto un boato orrendo fa oscillare il pavimento, subito dopo il fracasso assorda. Sembra che fiotti di gente scatenata stiano salendo, fra urla selvagge, colpi di pistola, strilli di dolore e rabbia, bestemmie. Trema tutta.
Nel corridoio grida concitate, una voce maschile autoritaria:
«Ginocchio in terra la prima fila! Puntatura!»
Strepitio di scarpe, gemiti di donne. Nitidissima, dietro la sua porta, la frase d'un ragazzo: «Co' lo cazzo! Ccà 'nce fanno piezze piezze. Fujmmo!».

L'uragano è giunto al corridoio: fortissimi rimbombi, spari, urla. Acre odore di polvere bruciata penetra dalle fessure, strilli acutissimi di femmine trapanano lo strepito generale.
«'Ntrucculi', sto ccà!»
«Pignatie', aràpeme!»
Crepitio di porte sfondate, fischi d'asce fulminate sui legni. Si rannicchia. Anche la sua porta trema. Ma lei nessuno la cerca: se sfondano è solo per farle male, profittarne. Forse sono i lazzari che assalgono i castelli, alla caccia dei Giacobbe. Tappa le orecchie.
Davvero spaccano la serratura. È finita: due lazzari dalle facce sporche di polvere nera, gli occhi stralunati, la fissano dalla soglia.
«Tu chi si'? A chi appartieni?» le gridano. «Vuo' asci'? Fa' ampresso!»
L'acciuffano per le braccia, la trascinano fuori. Lei sta con gli occhi chiusi, sente che le forze l'abbandonano, si lascia andare in terra.
«Ma chi è?»
«E chi la conosce!»
Uno dei due l'osserva, alza le spalle.
«Ma addo' sta chella lume a ghiuorno de Fravolella?» bestemmia. «Ccà non se capisce lo riesto de niente.»
«Stesse a lo trapasso de vascio? Jammo a vede'.»

S'è raggomitolata in terra, sempre gli occhi stretti: attorno, sopra, le girano piedi scalzi, stivali, zoccoli di donna. Il frastuono è assordante, la polvere del pavimento e quella da sparo formano nuvole asprigne che bruciano gola, petto, pelle. Improvvisamente si sente acciuffare, cerca di resistere, ma la mano che tira è vigorosa.

«Eccola!» urla, rotta d'emozione, la voce di Gennaro Serra.

La sollevano. Prova ad aprire gli occhi su immagini vagabonde, confuse, avvolte da nebbia sulfurea.

«Lenòr! Corri, vieni! Sei libera» le ride e piange in faccia Gennaro. Ha in testa un berretto blu a calza, da marinaio, indossa giacchetto e brache da marina. Impugna una pistola.

«Coraggio, Lenòr. Dobbiamo far presto.»

«Dai, Lenòr» fanno Manthonè e Lomonaco, sorridendo dietro le spalle di Gennaro. Pure Manthonè è in abito da marinaio, brandisce un fucile.

«Via, via!»

Lazzari, detenute in camicione, militari mezzo spogliati si precipitano verso la scalea. Meu Deus! In un angolo due soldati stesi, braccia e gambe aperte in posizioni sguaiate: da sotto la giamberga blu del primo si spande una pozza scarlatta. Più avanti, sulla soglia d'una cella, giace bocconi una detenuta: le hanno sollevato il camicione sino alla schiena; sulle gambe e le natiche, bianchissime, larghi spruzzi di sangue.

S'appoggia forte a Gennaro. Devono scavalcare un mucchietto di morti: con raccapriccio vi riconosce madre Cannitella, occhi di vetro. Sta supina, a braccia spalancate. Piantato nello stomaco un coltellaccio dal manico nero.

3

«Forza, Lenòr. Coraggio.»

Bisogna correre per le strade intorno la Vicarìa, nel tumulto che ribolle. Le gambe disavvezze non reggono, l'aria aperta le fa girare il capo. Gennaro e Manthonè la trascinano.

«Dobbiamo far presto. Napoli è in mano ai lazzari.»

Gli occhi storditi colgono immagini allucinate. Lazzari armati di fucili, piroccole, spadoni, con chepì dell'esercito, giberne, spalline d'oro legate ai camiciotti. Nuovo grido risuona: «Viva la Santa Fede!».

All'angolo di Santa Caterina è necessario fermarsi: lazzari armati di fucili, in compagnia di soldati fuggitivi, preti protervi, sorvegliano la strada, bloccando, nella folla, le persone sospette. Li comandano un lazzaro scalzo, con giamberga corta, berretto a calza bianco, ed un torvo ufficiale sbottonato, senza tricorno né parrucca.

«Marena', addo' jammo?»

Lei si sente svenire, chiude gli occhi. Sente la voce di Gennaro, dapprima velata d'incertezza, poi disperatamente forte, decisa. Meu Deus, fa' che il suo napoletano non appaia forzato.

«Fujmmo, capita'. Aggio juto a piglia' moglièrema dint'a la Vicarìa.»

Ufficiale e lazzaro la osservano. È pallidissima, respira appena, appesa alle braccia di Gennaro e Manthonè.

«Pare ca mo' more» osserva il lazzaro. Strilla: «Menie'! 'No sorso d'acqua».

Un ragazzo con tricorno militare reca una giarretta di coccio.

«Falla vévere, marena'» raccomanda il lazzaro, con sincera preoccupazione. «Accossì se ripiglia. Addo' è arriva'?»

«'Ncoppa a li Quartiere.»

«Cèveze! E chesta la fai muri' pe' la via. Férmate e falla arriposa'.»

L'ufficiale è più sospettoso. Sta scrutando Gennaro da parecchio, infine chiede: «Dove stavi imbarcato, marena'?».

La voce di Gennaro ha un tremito.

«'Ncoppa a lo *Sannito,* capita'. Hanno appicciato la nave, mo' vado pe' terra.»

«E moglièrete perché stava nella Vicarìa?»

«Contrabbando e mariulizio, capita'. Ccà, si non te muovi, te puzzi da la santa famme.»

«Marena', tu lo sai che stanno arrivando li Frangise?»

«E chi è ca non lo sape?»

«Nuie l'avimma ferma'. A lo ponte de la Maddalena. Tu si' soldato.»

«Agli ordini, eccellenza.»

«Tu devi venire con noi. Chisto,» chiede, indicando Manthonè «è un altro marinaio de lo *Sannito*?»

«Gnorsì. È venuto a m'aiutà.»

Meno male che Lomonaco da qualche minuto se l'è squagliata tra la folla.

«Marena', lassa ccà moglièreta. 'Nce stanno tanta femmene, te la fanno torna' nova. E nuie jammo a rompere li ccorna a li Frangise.»

Dove piglia Gennaro tanta bravura, tanta imprevedibile, audace, abilità d'attore? Ma è Napoletano anche lui, esperienze coi lazzari ne ha fatte...

«Capita'» geme, torcendosi le mani. «E li figli miei? So' sette chiuove de Ddio, abbandunate! Aspettano lo patre e la matre pe' mangia'. Capita', siete pure voi padre di figli.»

«Io li figli e la mogliera l'aggio rimasti a la casa. Pe' veni' a difendere lo Regno.»

È il lazzaro che interviene, guardando bieco l'ufficiale.

«Mannaggia la Madonna!» strilla, buttando in terra il berretto e calpestandolo. «Tu si' capitano, stai de casa dint'a 'no palazzo, tieni criate e vaiasse, de li ccriature e de moglierete te ne puo' fottere. Ma chisto è marenaro, la mogliera sta ascenno da la Vicarìa. Marena', vatténne da li figli tuoi. E, si te vonno ferma', falle vede' chisto.»

Cava dalla fusciacca un bastoncino di legno, intaccato in più punti.

«Di' che te l'ha dato Peggio, il capo lazzaro de la Vicarìa. San Gennaro e la Madonna t'accompagneno. Va'!»

Gennaro trova forza di concludere degnamente la pericolosa esibizione.

«Compa'! Io te vaso li mmane!» grida, facendo gesto d'afferrare le mani del lazzaro, che ride.

«Viva la Santa Fede!» strilla, alzando le braccia.

«Vivàààà!» risponde Gennaro.

Si leva coro allegro, fortissimo. L'ufficiale, sempre più torvo, gira le spalle, sputa e se ne va.

La trascinano per strade allucinate, nel fumo. Molte botteghe mostrano segni di saccheggio: sui muri denudati chiazze degli stigli rimossi, spruzzi di salsa, d'olio, in terra acre pestume d'olive, salamoia, sugna. Tutti i palazzi sono chiusi ma alcuni mostrano avanzi d'usci carbonizzati: il fuoco ha annerito portali, stemmi, i grandi spegnitorcia dalle gole aperte.

In terra resti dell'"arricchimento": carte, fiocchi di bambagia, scrigni, cipria, in vari punti dei morti. Accoltellati, bruciati, teste rotte. Sui gradoni del Conte di Mola un mucchio, coperto a malapena con una mantella grigia: ne affiorano scarpini alla moda in pelle bianca e, da un cespo di merletti, la mano rattrappita d'un uomo.

E cadaveri di bottegai, cocchieri, lazzari. Uno, al cantone di Baglivo Uries, mezzo nudo, tagliato dal collo alla pancia.

I veri padroni di tutto paiono i ragazzi. A migliaia, scalzi, agghindati in fogge straordinarie, spingono carrettini carichi di masserizie, vettovaglie, s'arrampicano sulle pennate per ficcarsi dentro le finestre, spaccano vetri a sassate. Mangiano, bevono da enormi bottiglioni, cantano, scavalcano i morti, li spogliano, s'inseguono.

Per Toledo vapora curioso schiamazzare, diverso da quello variopinto e cordiale d'ogni giorno. È un berciare cupo, stizzito, forse fastidioso a quelli stessi che lo producono.

Se ne sfogano con subitanei scatti d'isteria. Un gruppo punta pistole e fucili contro il cielo, contro un lenzuolo, un balconcino, e spara, una salva dopo l'altra, fra urla di solitudine rabbiosa.

«Viva la Santa Fede. Viva lo re.»

Le chiese spalancate. Sui gradini di San Ferdinando ride felice il parroco, cotta ricamata, ostensorio. Lo agita. Un gruppo di lazzari si ferma. Mettono ginocchio in terra, cavano i berretti, il prete benedice, grida: «Viva la Santa Fede!».

«Vivòòòò!»

4

Adesso, grazie a Dio, siamo qui, a palazzo Serra. Maddalena, Giulia, le Popoli si danno da fare. L'hanno fatta portare in una camera da letto al piano di sopra: molto graziosa, bianca verde dorata, toilette rivestita di tulle. L'hanno spogliata, han fatto preparare un bel vascone caldo, Maddalena in persona l'ha aiutata a indossare la sua vestaglia da bagno. Le dà amorevolmente del tu.

«Ma chérie, tu as beaucoup plus besoin d'air et d'une bonne toilette que de nourriture. Rien de tel qu'un bon bain pour te ramener à la vie, après tout ce que tu as souffert. Bernardina, i sali verdi di Baviera.»

Più tardi a cena nella sala gialla. Tovaglia ricamata, argenti, fiori, i giochi dei riflessi nei grandi specchi, sulle superfici terse dei marmi d'Ercolano, i servitori in livrea ritti dietro ogni sedia. È stordita, incredula, quasi l'orribile parentesi della Vicarìa sia stata sogno. Avverte la pelle fresca, leggermente profumata. Le hanno lavato anche i capelli, asciugandoli con salviette odorose riscaldate su un braciere d'ottone.

Maddalena le ha prestato uno dei suoi vestiti: un abito semplice di panno viola, con gallone allo scollo. Le va un po' lungo, nonostante Bernardina abbia in un attimo scorciato orlo e maniche.

Tutti mostrano segni di decadenza. Michele Serra sembra sofferente. Capelli bianchi, radi, il volto un po' gonfio, rugoso. Negli occhi, nella voce, stanchezza delusa. Mangia pochissimo: un cucchiaio, due, di quel brodo delizioso e forte, un pezzetto di carne, un'oliva.

Agl'inizi si discorre soprattutto di lei. Le chiedono di raccontare le sue esperienze, la coccolano. Giulia Carafa afferma che passerà alla storia: l'unica donna di Napoli arrestata. «Le jour où naîtra la République à Naples vous serez une héroine.»

La osserva, incerta: fa sul serio? Il sorriso di Giulia sembra sincero, amabile, lei prova empito di fastidio. È comodo far la rivoluzione così, in questa dolce bomboniera fuori di spazio e tempo.

«Je ne crois pas» risponde, un po' dura. «Je n'ai rien fait d'autre que la bêtise de me faire arrêter.»

Per deviare il discorso, sorride a Gennaro che le sta di fronte.

«Vuoi mettermi al corrente, sì o no, di quanto è avvenuto in questo brutto periodo? Je ne sais rien à partir de ce moment-là.»

«Hai ragione» anche lui sorride. Si protende a versarle del vino. «Ma è presto detto. Dopo la ridicola impresa di Roma, non appena si sono avvicinati i Francesi, Ferdinando s'è travestito ed è scappato. S'è fermato a Napoli il tempo di prelevare tutto da Capodimonte, da Palazzo (nonché venti milioni ancora nel Banco) ed è filato a Palermo. Lasciando come vicario quel vecchio rimbambito del principe Francesco Pignatelli.»

Michele Serra esce dalla stanca apatia.

«E questi qua i Borboni l'han tenuti per servitori fedeli» farfuglia. Gennaro ride.

«Quando mai, zio! Poi che Pignatelli, dopo aver bruciato la flotta e firmato l'armistizio a Sparanise, se n'è scappato pure lui a Palermo, la prima cosa che Ferdinando ha fatto è stata quella di metterlo ai ferri.»

«Bene. Bene» brontola Michele. Ripiomba nel buio.

«Allora,» prosegue Gennaro «a Napoli non s'è capito più niente. Nessuno comandava più. I lazzari hanno attaccato i castelli, per liberare i carcerati comuni, e ne abbiamo profittato anche noi» conclude, ridendo. «Per venirti a trovare in quell'abitazione un po' scomoda, dove t'avevano ospitato in nome del re.»

Lei sorride.

«Ma i Francesi adesso dove stanno?»

Gennaro mostra incertezza nel rispondere.

«I Francesi? Ancora fermi a Sparanise.»

«E perché?»

«Perché Pignatelli s'era impegnato a consegnare al loro generale, Championnet, dieci milioni di tornesi, purché non invadessero Napoli. Stanno ancora aspettando! Nel Banco non c'è un grano, dopo la ripulita di re Ferdinando.»

È perplessa, non capisce.

«Ma perché i Francesi vogliono soldi, da noi? Dovrebbero intervenire subito. Senz'altro intento che di liberarci.»

«Anche a me questo non è piaciuto» fa Gennaro, serio. «Se ne parlerà con loro. Vedrai che ogni cosa sarà chiarita.»

«Ils avaient leurs raisons politiques» interviene Manthonè. «Sarebbe forse stato meglio che il denaro di Napoli restasse alla mercé di tutti? Dei lazzari guidati da ufficiali borbonici? Una forma di sequestro preventivo. Poi i Francesi restituiranno quel danaro: ma alla Repubblica napoletana.»

«Ed ora che faremo, Gennaro?» risponde lei, preoccupata.

«Domani vedremo. Si riunirà un comitato a casa di Fasulo.»

«È stato liberato anche lui!»

«Sì, come Ignazio Ciaia e tutti gli altri.»

«Son contenta. Anche per Chiara.»

Maddalena si mette a scuotere il capo.

«Ah, bien» interviene. «Mais Chiara n'est plus celle d'autrefois.»

«Chiara non sta bene» interviene, deciso, Gennaro, quasi a troncare il discorso. «Non è più ragionevole. Specie da quando suo marito è morto.»

«On la reconnaît plus, pauvre femme» insiste Maddalena. «Elle a cinquante-deux ans et elle consomme sa vie comme une jeune fille. Comme une fille. Des fêtes, toujours des fêtes, dans cette maison libérée de la carcasse de l'odieux mari. Une vraie désolation.»

«Ma... Con Ciaia?»

«Oh, con Ciaia. Tutto finito, da un pezzo.»

5

Un problema raggiungere la casa di Fasulo in via Atri, Napoli è dei lazzari.

Gennaro ha fatto sistemare fucili, pistole, munizioni alle finestre e ai balconi di palazzo Serra: i servitori hanno ordine di sparare se si tenti l'assalto, sembra che di loro ci si possa fidare. Ma lassù, al Monte, la situazione è tranquilla. Lo schiamazzo, il disordine, sono concentrati a Toledo, al Mercato, al ponte della Maddalena, donde si pensa giungeranno i Francesi.

S'avventurano, Gennaro e Manthonè nuovamente vestiti da marinai, lei con mantella e abito da cameriera. Giù per Sant'Anna di Palazzo.

«Devi venire, Lenòr. Non puoi mancare» aveva detto Gennaro, sorridendo. «Eri già una donna illustre, a Napoli, adesso sei famosa. T'aspettano.»

Per un attimo l'emozione vanesia di quando, secoli or sono, s'esibì al certame di Palazzo, quello delle "gros tétons". Nel vestito da serva il gran petto, flaccido, si spande con comodità. Riposa in pace.

A Toledo, stranamente, non molti lazzari. Parecchie persone d'altri ceti, soprattutto donne, tentano disperatamente un po' di spesa. I mercatini deserti, le botteghe serrate.

«Come mai di lazzari se ne vedono pochi?»

«Saranno tutti al ponte della Maddalena» dice Gennaro, mentre piegano verso i Polveristi.

Largo del Castello: sull'arco del Laurana sventolano le bandiere borboniche e della Santa Fede, tra i merli guelfi brillano i cannoni puntati contro la città.

«Li hanno tutti in mano loro» mormora Manthonè, guardando il mare: su Castel dell'Ovo garriscono bandierone bianche. Lei si gira a fissare Sant'Elmo: nitidissime, seppure piccole come ottoni neri, le gole dei pezzi brandeggiati contro Napoli. Sulla prua del maniero i candidi stendardi.

Nel Largo poca animazione. Qualche reparto di soldati a cavallo, scarsi gruppi di lazzari: hanno acceso fuochi, vi bivaccano attorno, cucinando, mangiando, con tranquillità.

Lei guarda lontano, verso le propaggini della città, alle falde del Vesuvio cenerognolo. Sembra aver inalberato lui pure insegne borboniche e lazzaresche: il pennacchio bianco s'è spiegato da un lato. Laggiù, dove sono indistinte chiazze grige, sta avvenendo qualcosa di decisivo, di storico, ma non se ne vede il resto di niente.

A casa di Fasulo lieta tempesta: applausi, baci, abbracci, esclamazioni. Sta un bel po' fra le braccia ancora forti di Sanges, passa in quelle di Ciaia, di Cirillo, risponde al sorriso distratto di Lauberg, a quello allegro di Marra, alla rispettosa premura di Meola e Guidi. Conforti la contempla, le labbruzze crespe. Abbraccia Margherita Fasulo che odora di pulito e cipria, afferra tante mani affettuosamente vigorose.

E Baffi, Delfico, Astore, Cuoco, Mazzocchi, padre Caracciolo... Riesce a districarsi nella ressa per rispondere alle braccia agitate in alto di Caravelli e Mazzarella Farao. Persino Russo, che sta in disparte con Giordano, Lomonaco e altri, appare meno cupo.

Tanti ragazzi, popolani, marinai, operai. Due in uniforme di soldati del re. O sono patrioti travestiti? Riconosce il cantiniere "Acino de fuoco": fa la sentinella a una finestra, con in mano uno schioppo. Fucili sono appoggiati alle pareti, pistole sul gran tavolo mezzo sfasciato, arso.

La casa è denudata, offesa. Non resta nulla dello splendido arredamento azzurro. Le tappezzerie strappate dai muri, macchie di chissà cosa deturpano i soffitti dipinti dal Solimena. V'è stato fatto coscienzioso "arricchimento".

Ci si deve arrangiare. Molti stanno seduti in terra, a gambe incrociate come i Turchi, mentre Lauberg e Logoteta guidano l'assemblea. Margherita ha recuperato in cantina due o tre lumi a boccia, qualcuno, in una bottega miracolosamente aperta, ha rimediato un mazzo di candele.

Sarebbe piacevole continuare con Ignazio, venuto a sedersi accanto a lei, il sussurro dei ricordi comuni. «Un'umidità a Sant'Elmo! Vermi grossi come capitoni. Sai che m'è venuta l'artrite?», «No, io no. Tanta umidità nella Vicarìa non ce n'era. Ma i topi! E il mangiare!», «A te chi t'ha interrogato, Guidobaldi?».

«Ssst!» fanno tutti. Hanno ragione, Lauberg sta spiegando che bisogna creare un Comitato rivoluzionario, con molteplici compiti. Primo: impedire, fino alla venuta dei Francesi, la formazione d'un governo composto dai nobili dei Seggi, i quali offrirebbero la corona a un Borbone di Spagna, o vorrebbero una repubblica aristocratica. Secondo: prender contatto col generale Championnet, invitarlo a trattar bene la popolazione, per non screditare la Repubblica nascente. Terzo: compiere qualche azione armata, affinché non appaia che Napoli sia stata liberata soltanto dai Francesi. Quarto: preparare una bozza di Costituzione. Quinto: progettare e realizzare gli organi di stampa e propaganda della Repubblica. Sesto: definire le linee politiche. Problemi da chiarire: il rapporto coi Francesi, quello con i lazzari, con le province, con soldati e ufficiali dell'ex esercito dell'ex re.

Lauberg sembra stia per terminare. Salta su Delfico, esclamando: «E settimo, ma primo per importanza! L'economia della Repubblica! Bisogna immediatamente stabilire dove e come trovare le risorse per far vivere lo Stato repubblicano! Cittadini, per favore, restiamo con i piedi per terra».

«Va bene» annuisce Lauberg, un po' mortificato. «Settimo: la questione economica.»

6

La discussione comincia ordinata, perché Logoteta, eletto per acclamazione presidente, riesce a dominare l'assemblea con la sua voce secca e sottile, gli occhi severi dietro le spesse lenti. Dà e toglie la parola con autorevolezza.

«È iscritto a parlare il cittadino Salfi.»

«Io unificherei i punti uno, quattro e sei. Noi dobbiamo fare soprattutto una Costituzione. Essa ci guiderà alla soluzione di tutti i problemi. Su questi punti, perciò, sospenderei il dibattito, in attesa che arrivi Mario Pagano. Nessuno più di lui può esser utile in questo genere di cose.»

«Cittadino presidente!» interviene, strillando, Fasulo, Logoteta fa gran cenni di smettere. Lui insiste.

«È questione pregiudiziale!»

«E va bene. Siete d'accordo che dia la parola al cittadino Fasulo per pregiudiziale?»

Acclamazioni. Sanges, che s'è seduto pure lui, insieme a Cuoco, accanto a lei, ridacchia, sussurrando: «D'altra parte, siamo in casa sua».

«Cittadini!» arringa Fasulo, con enfasi da tribunale. «Mentre noi siamo qua a discutere, al ponte della Maddalena si combatte e si muore!»

«Ti pareva che qualcuno non scimmiottasse l'epica della Convenzione francese?» bofonchia Cuoco, fra i tic.

«I nostri liberatori, i cittadini della Grande Madre Francia,» prosegue l'oratore «stanno versando il sangue per noi. E noi cosa facciamo? Parliamo di Costituzione, di rapporti con i lazzari, i preti, l'esercito del traditore Capeto? Questi son problemi che si risolvono in un attimo! Chi non è con la Repubblica, fuori dai piedi! Con chi vorreste collaborare? Coi servi di Capeto?»

Coro d'acclamazioni furibonde. Inveiscono soprattutto, alzando i pugni in aria, Giordano, Odazzi, Lomonaco, i ragazzi. Anche Marra e Manthonè applaudono, Russo accenna ripetutamente di sì. Logoteta chiede vanamente silenzio, ma Fasulo gli agita contro un dito. È sudato, nonostante il freddo: la sua aria ridanciana s'è mutata in non so che di gonfio, torvo.

«Non ho finito, cittadino presidente! È pregiudiziale, ho detto! Stiamo ancora qui? Al ponte della Maddalena, al ponte!»

«Al ponte! Al ponte!» gridano molti. Lauberg salta sul tavolo.

«Citoyens! Silence! Je vous en prie. Un peu de silence!»

Precaria pausa di curiosità, ne approfitta subito.

«Noi dobbiamo fare della politica, se vogliamo arrogarci il diritto di governare. Niente entusiasmi superficiali, anche se lodevoli.»

«Ma tu stesso hai detto che occorre far subito un'azione armata!» riattacca Fasulo, Lauberg gli fa un brusco segnaccio di tacere.

«Ma quale azione? Una corsa di ragazzini frenetici verso il ponte della Maddalena, dove non c'è assolutamente bisogno di loro? Per azione armata io intendo un'azione studiata, épatante. Che riesca!»

I tumultuosi paiono mortificati. Fasulo s'asciuga il sudore, con voce sardonica ingiunge: «E allora sentiamo la tua proposta, cittadino!».

«Dopo. Adesso torniamo al discorso precedente. Sono d'accordo io pure d'aspettare Pagano.»

«Anche questo è uno sbaglio!» grida, pertinace, Fasulo. «Da un solo cittadino, per quanto meritevole, non può dipendere la vita d'una repubblica!»

«Aspetteremo che venga Pagano» riprende Lauberg, duro. «Per discutere sui problemi costituzionali e di governo. Restano gli altri punti. Qualcuno fra noi andrà, sì, al ponte della Maddalena: come delegato del governo provvisorio, a trattare ufficialmente col cittadino generale Championnet.»

«Ma per dar poteri a questa delegazione occorre fare il governo provvisorio!» imperversa Fasulo. «Tu ti contraddici!»

«Niente affatto. Stasera il governo provvisorio si farà e nominerà la delegazione.»

«Cittadino Lauberg!» sbotta Delfico. «Ci vogliamo ricordare o no del punto sette? Senza denari non si cantano messe!»

«Basta con queste schifose reminiscenze clericali!» salta come un pazzo Giordano, agitando i pugni. «Basta!»

Si riprende a tumultuare, Logoteta e Lauberg non riescono a sedare. Meno male che arrivano Pagano, Ruvo, Moliterno, Lucio di Roccaromana.

«Ah!» grida, felice, Lauberg, saltando giù dal tavolo. «Lucio!» strilla verso Roccaromana, che sembra stanco, ma fa col capo cenni di sì. «A te aspettavo! Cittadini! Silenzio! Comunicazioni importanti!»

Cerca di rallentare il ritmo vertiginoso del parlare.

«Ora possiamo distribuirci i compiti: Pagano, Logoteta, Conforti, Cirillo, Baffi, Salfi, Delfico, Mazzocchi e chiunque altro voglia unirsi a loro si radunino in disparte. Fasu', ci sono stanze in cui si possa star tranquilli?»

«Le ex camere da letto!» ride Margherita. «In una c'è rimasto persino un comodino.»

«E allora!» Lauberg cerca tono allegro. «Quale ostacolo volete che fermi i cervelli insigni dei nostri giuristi e letterati? Pagano e gli altri faranno due cose: un bel proclama ai Napoletani, da stampare e attaccare subito, avviare la Costituzione.»

«E che Costituzione può venir fuori!» grida, beffardo, Odazzi, spalleggiato da Giordano e Russo, il quale appare inviperito. «La commissione che hai nominato è tutta di begli spiriti gentili e reazionari! Al massimo partoriscono la brutta copia della Costituzione del '91. Noi la rifiutiamo in partenza. Invitiamo tutti i cittadini seri qui presenti a contestarla!»

Nuovi clamori, dai quali Lauberg emerge con urla acutissime.

«Ma ho detto o no che chiunque voleva ci poteva entrare? Vuol dire che anche formalmente ne faranno parte Odazzi, Russo, Ciaia. E adesso basta! Terzo punto: sebbene il governo non sia ancora formato, la delegazione per Championnet la facciamo subito. Si ratifica dopo.»

«Ottima democrazia» mormora Cuoco.

«Se permettete, la guido io. Conosco di persona il cittadino generale» riprende Lauberg, con aria indifferente. «Possiamo farci entrare i cittadini Marra, Manthonè, Lomonaco.»

«Tutta la cricca tua!» urla, beffardo, Giordano. «Vi rivedremo dopo la vittoria! Gloriosi, trionfanti, soprattutto incolumi.»

Tumulto enorme. Marra vuol picchiare Giordano, s'intromettono Moliterno, Gennaro, Ciaia, Roccaromana.

«Cittadino!» ulula Lauberg, impiastrando le sillabe. «Questa la devi ringoiare! Per andare dal cittadino Championnet occorre passare la linea del fuoco, tanto per cominciare! Poi...»

«Basta, basta, Carlo» grida Logoteta. «Non val la pena rispondere. Piuttosto: la notizia che volevi darci prima?»

«È questa» Lauberg si ricompone. «Pignatelli, prima di fuggire, ha ordinato al comandante di Sant'Elmo, il cittadino Nicola Caracciolo di Roccaromana, fratello del cittadino Lucio qui presente, d'accogliere nel forte centinaia di lazzari. Ma il cittadino Nicola è con noi. Basterà mandare al forte Lucio, con un drappello dei nostri, disarmati, dicendo che vogliono battersi contro i Francesi. Poi ci penseranno i due Roccaromana. E domani sera Sant'Elmo potrebbe... Deve essere nostro!»

«Io ci vado!» tuonano Marra e Lomonaco, Manthonè fa eco: «Moi aussi!».

I ragazzi tumultuano, Lauberg scuote il capo.

«Voi farete parte della delegazione. Ma qui ci sono tanti altri pieni d'entusiasmo.»

Guarda i fratelli Pignatelli, incrocia l'occhio torvo di Fasulo. Con aria ironica esclama: «Questa è un'azione di guerra vera».

«Va bbuono» mormora Fasulo, scrollando le spalle. S'avvia con gli altri della Commissione verso l'antro che fu camera da letto.

Lauberg, Roccaromana, i Pignatelli, Ruvo fanno crocchio per concertare il piano di Sant'Elmo, anche Gennaro s'è unito a loro. Delfico, Sanges, Cuoco scambiano occhiate critiche. Lei è preoccupata: Gennaro non le ha nemmeno rivolto uno sguardo per chiederle consenso. Come andrà questa cosa? E io, intanto, che faccio? Si dirige a Lauberg.

«Cittadino» esclama, un po' seccata. «Per alcuni di noi sembra non abbiate progetti.»

«Pardonnez-moi, ma chérie. J'ai oublié» ride lui. «Voi dovreste accingervi a pensare il giornale. Je ne sais pas, mais quelque chose comme le "Moniteur" de France, ou le "Moniteur de la République romaine". Mais avec plus de passion, plus de sentiment révolutionnaire. Et avec l'esprit de Naples, des Napolitains, leur grand amour de la liberté, de l'indépendance.»

«Da sola? Dovrò farlo da sola?»

«Mais oui» ride ancora Lauberg, impaziente di tornare al suo gruppo. «C'est forcé. Qua i pochi che sanno scrivere devono impegnarsi per la Costituzione e il governo. Gli altri saranno buoni chiacchieroni, sapranno anche menar le mani, ma, in quanto a scrivere... Sono sempre figli del glorioso e ignorantissimo Regno delle Due Sicilie!»

Nella sala restano in pochi. Sanges e Cuoco sono stati chiamati nell'antro dei Costituenti, il gruppo di Sant'Elmo s'è rifugiato nell'altra camera da letto.

Siede su una sedia libera, ha la testa confusa. Come diverse le emozioni, a seconda dell'età! Da ragazza un incarico simile a quello ricevuto l'avrebbe preoccupata, ma eccitata con vanesio tumulto. Ora è differente: sa prefigurarsi la difficoltà dell'impresa. Un giornale non è un pezzo di carta su cui scrivere quel che ti viene: è espressione d'una forza politica. D'un momento di storia. Sai quante litigate, con questi scalmanati dalle idee confuse! Un pensiero sottile la fa vibrare un po': il giornale dovrò farlo io. Da sola, ha detto Lauberg. Allora scrivo quel che dico io. E cosa dico io?

Corruga la fronte. Si sente in difficoltà. Dev'esser chiara con se stessa: cosa pensa, davvero, di quanto sta accadendo? Ha, poi, un'idea della rivoluzione? Di come nasce, come andrà a finire? E cosa è mai rivoluzione?

Forse soltanto sogno di ragazzi arrabbiati, uomini delusi, d'umiliati e offesi che non sanno reagire individualmente. Con simili premesse, cosa si realizzerà?

La rivoluzione è figlia di ragione o sentimento? Idee nuove girano in Europa, sul valore da restituire ai sentimenti. La ragione fallisce, senza dignità né decoro. E però i sentimenti non sono anch'essi fallaci? Barbari? Come s'edifica un mondo esclusivamente sul cuore?

Si guarda intorno, un po' smarrita. Il gruppetto popolare con "Acino de fuoco" gioca a tarocchi sotto la finestra, Margherita Fasulo, in un angolo, stringe appassionatamente le mani di Luigi Rossi, un ragazzo che vuol fare il poeta. Le facce appaiono calme, normali. Ma sentono anche loro, sì o no, che tutto questo durerà pochissimo? Un gioco inverosimile, sventato, messo su da uomini-bambini.

Rabbrividisce all'idea che, in fondo, tutto non è che gioco senza senso né scopo. A che serve far la rivoluzione se poi, in un modo o nell'altro, moriremo? Per i figli? I nipoti? Moriranno anch'essi, senza averci capito un bel nulla.

A che servono Napoleone, Napoli, un giornale? A che è servito... Malinconica stretta. A che servì la vita di quel bambino? E la sua morte? Per riempire di sciocco, inspiegabile amore, sciocco, inspiegabile dolore, alcuni tratti della mia esistenza. Tutti questi giochi servono alla medesima cosa. Quello lì, tanto crudele, non l'ho creato io, m'è stato imposto. Ma tutto ci viene imposto. E meno male: altrimenti come reggeremmo, disillusi e vuoti?

Chiude gli occhi. Che bisognerà fare, meu Deus? C'è chi lo sa cosa bisogna fare: c'è "meu Deus" che ci pensa a fornirti speranza, consolazioni, scopi, al solo patto che tu gli creda. Con cuore semplice, senza fantasticherie né dubbi: Dio può conoscere te, tu lui no. Per definizione. Filosofica. Beati pauperes spiritu, si ripete, macchinalmente.

La distraggono Sanges e Cuoco che escono dall'antro costituzionale a passi veloci, ironici e arrabbiati insieme.

«Cose da pazzi! Da pazzi!»

«Che c'è, Vincenzo?» chiede, preoccupata.

«Senti che razza di proclama ai Napoletani si sta compilando di là. Ne ho trascritto il principio. Ascolta. "Napoletani! Il vostro Claudio è fuggito, Messalina trema!" E senti il resto. "I destini d'Italia devono adempirsi: scilicet id populo cordi est, et cura quietos sollicitat animos."»

«Virgilio» osserva, perplessa.

«Sì. Ma anche se fosse Tacito o Cicerone, mi dici chi lo capirebbe?»

Cuoco s'agita nei tic.

«Questi non hanno compreso che il popolo non deve necessariamente conoscere la storia greca o romana per essere felice» sogghigna.

«Ma sapessi che vanno proponendo! Pagano vuol costituire eforati, arcontati, Russo impedisce ogni discorso sensato con le sue utopie: vuole si vieti per legge l'uso dei cappelli, dei gilè, pretende si decretino l'abolizione della religione, la conversione dei preti in contadini.»

«Sono anche avidi» incalza Cuoco. «Non vogliono utilizzare

per la Repubblica gli ex impiegati del Regno. Gl'impieghi pubblici van distribuiti ai patrioti, a mogli, figli, nipoti dei patrioti.»

«Aboliscono i feudi con un tratto di penna. Chi aiuterà i contadini a vivere senza più guida? Non sono avvezzi alla libertà totale, improvvisa. Mi meraviglio di Pagano...»

«Basta proclamare la Repubblica» sentenzia Cuoco, ridendo. «Vedrai che tutto andrà magicamente a posto.»

PARTE DICIOTTESIMA

1

Maddalena, Giulia, le Popoli, Margherita Fasulo e altre dame patriottiche, aiutate dalle domestiche, preparano pile di bende candide, odorose di spigo, filacce, tovaglioli accoccati con dentro salami, pane, formaggio, per i soldati della libertà.

S'aspettano nuove da Sant'Elmo. Ogni tanto qualcuna corre ad aprire i balconi sulla tersa ma gelida giornata di gennaio. In cima al Vomero la fortezza spicca contro il cielo azzurrissimo: sullo sperone fiottano sempre le bandiere bianche.

Anche lei (per ora abita dai Serra) dà una mano, sebbene abbia altro per il capo. Sul tavolino mucchi di carte spiegazzate, appunti, abbozzi. Quanto pagherebbe per avere le sue carte d'un tempo! Le copie del «Moniteur», i vecchi numeri del «Caffè», della «Gazzetta veneta». Ad ogni modo, nel formato il giornale dovrà essere simile al «Monitore» di Roma: su due colonne larghe. Anche il titolo uguale: MONITORE NAPOLETANO, in caratteri aldini grandi, su tutta la larghezza. Una barra, la data, niente più. Forse un disegno? No, prende spazio. Quante pagine? Almeno quattro. Forse, agli angoli del primo foglio, in alto, un motto repubblicano: LIBERTÀ, UGUAGLIANZA.

Il primo numero deve aprire con un articolo bellissimo, in cui si spieghi tutto, s'ispirino entusiasmo, fiducia. Ma chi lo leggerà, il «Monitore»?

Sistema in un cestino di vimini le arance pei patrioti che una domestica porta a grembiulate. Scuote il capo. Pochi, pochi saranno i lettori del giornale. Rammenta quando discorrevano sull'educazione dei lazzari. Altro che! A Napoli non san leggere né lazzari, né soldati, né potecari, né artigiani. E manco tanti monaci, preti, nobili di secondo rango. Quanto poi alla maggioranza degli impiegati, degli ufficiali, dei nobili elevati... A fatica sanno decifrare un documento. E allora, questo «Monitore», a chi andrà? Ai pochi patrioti appassionati, disposti a sudare sopra un foglio stampato, ai pochissimi intellettuali. In sostanza agli amici, una cosa in famiglia.

Conta mentalmente: quanti sono quelli che conosce? Forse cento. Mettici altri cento, duecento patrioti sconosciuti, due o trecento nelle province... Perché il giornale deve andare nelle province, è importante che non sia solo Napoli a decidere e sapere. Facciamo quattrocento. E poi? Non più di mille copie.

Però, pian piano, si dovrà imporlo. Manderò strilloni nelle strade, chiederò che venga commentato nelle sale patriottiche, ai mercatini. Come fanno i preti? E perché no? Anzi, anzi: non sarebbe da scartare l'idea d'imporre ai parroci la lettura in chiesa di brani dal giornale.

Voci concitate, scalpitio di zoccoli in cortile. Corrono ai terrazzi, spalancano. Balza su anche lei, ripresa dall'ansia del reale: sarà Gennaro, finalmente? Si sporge dalla balaustra grande, fissa Sant'Elmo, partecipa al grido d'entusiasmo: le bandiere bianche non ci sono più!

Compaiono, sporchi, trafelati, Mario Pignatelli e Gabriele Pepe. Odorano di polvere da sparo, terriccio, alcool, Pepe ride coi denti bianchi, forti.

«Sant'Elmo è preso!» annuncia, con enfasi. Le dame applàudono, s'abbracciano, strillettano.

«E Gennaro?»

«Il cittadino Serra sta benissimo. È lui che ci ha mandati.»

«Ora voi due mangiate, bevete, vi ripulite, riposate. Venez» ordina Maddalena, Pignatelli scuote il capo.

«Mais non, citoyenne. Abbiamo ordine di tornare subito. Per condurre al forte la cittadina Fonseca.»

«Ce n'est pas la place des femmes, celle-là!» esclama Maddalena.

Il ragazzo risponde da fiero eroe repubblicano: «Mais pour

une femme comme la citoyenne Fonseca, oui. Non si può proclamare la Repubblica napoletana senza la sua prima eroina».

Lei ha brividi di stupore, vanità, corruccio. Si scopre risolutezza.

«Eh, cittadino Pignatelli!» redarguisce. «Non bisogna esaltare gli esseri mortali. Ma sono molto onorata di venire a Sant'Elmo in questa circostanza. Andiamo.»

«Mais où allez-vous, par ce froid!» grida Maddalena. Manda a prendere una cappa pesante.

«Une héroine gelée» aggiunge, ridendo, mentre l'aiuta ad avvolgersi «ne sert pas à la République.»

I ragazzi vengono mitragliati di domande.

«Abbiamo avuto qualche morto» spiega Pignatelli. «E dei feriti. Ma è stata un'impresa perfetta.» Gli scintillano gli occhi.

«Mais... La citoyenne Fonseca» chiede Giulia Carafa, perplessa «viendra avec vous à cheval jusqu'à Sant'Elmo?»

Lei ha un sussulto. Schizza in mente il ricordo di Ruvo che voleva "impararle" a cavalcare.

«Je ne sais pas monter à cheval» mormora, contrariata.

«Il n'y a pas de problème» sorride Mario. «Venez avec moi, sur mon cheval. Mais il faut partir tout de suite.»

"Quanti sacrifici per la Repubblica!" pensa, sorridendosi dentro, mentre, schiacciata contro il petto di Pignatelli, sobbalza al galoppo del cavallone baio, che sprizza scintille sui bàsoli consunti del Monte di Dio, leva nuvoloni per via delle Mortelle.

Qui smuore. Che strana sensazione, meu Deus: questa via percorsa a piedi tante volte. Tanto tempo fa. La stamperia reale, il convento: come li avesse lasciati ieri, come fosse pronta a ripigliare il solitario, stralunato cammino verso il quadratino di marmo.

Chiederebbe a Pignatelli di farla scendere, ma in quel momento il ragazzo si mette a stimolare il cavallo, stringendo le gambe, rizzandosi in sella: «A! A!».

La bestia guizza, s'inarca. Sballottio frenetico, il polverone soffoca. Si protegge la bocca col mantello. È anche lievemente turbata per il contatto col ragazzo: ne avverte odore acre, caldo, di sudore, il respiro un po' affannoso sui capelli, sul collo.

Si passa tra i grandi pini verdi che fiancheggiano il carcere di Santa Maria Apparente, s'imbocca l'infernale salita del Petraio. Le bestie fioccano bava ai morsi, sul petto. Il sentiero che s'inerpica alla collina è ciottolume grigio. Di lì precipitava, negli antichi inverni, la spuma minacciosa della lava, ora è asciutto. Il cielo ride, c'è tanto verde, nonostante la stagione. Nei campi ben squadrati lavorano quieti pacchiane e contadini, come niente intorno stesse succedendo. Eppure qui Sant'Elmo incombe, col minaccioso sprone. Sotto, la dolcezza candida della Certosa di San Martino, dentro un mare di foglie sempre verdi.

Il Petraio piega a gomito, s'inerpica, piega di nuovo. I cavalli ansano, tremano.

«Mario, ma non ci conveniva venire pei Sette Dolori? Per la Concordia?» mormora Pepe, ansando lui pure. «A scendere, per qua va bene. Ma a salire... Per di più, in due sopra una sella...»

«E sai quanto ci mettevamo? Comunque cambiamo.»

Salta giù, l'aiuta a salire sul cavallo di Pepe. Lei getta uno sguardo fugace in basso: la prora rossa, verdazzurra, del Monte Echia e di Pizzofalcone si protende al mare. Oltre l'aria di cristallo, la penisola sorrentina, Capri.

«Via, via!» grida Pignatelli.

Ciottoli franano sotto gli zoccoli dei cavalli, le povere bestie si tendono in fremere forsennato di muscoli. Adesso s'odono le voci di Sant'Elmo. Uno scoppio esaltato, fortissimo, accompagnato da fucileria, squilli di trombe: «Viva la Repubblica!».

Sul pennone del rostro sta salendo, lenta, la bandiera blu, rossa, gialla della Repubblica napoletana.

«Mannaggia!» grida Pignatelli, furioso. «Non ci hanno aspettato! Corri, brutta bestia, o ti ammazzo.»

2

Invece li aspettano: quella era solo la cerimonia dell'alzabandiera. Al primo piazzale trovano una guardia repubblicana schierata, negli abbigliamenti più strani. Rende l'onore delle armi. In terra cadaveri, quasi tutti di lazzari. Uno ne vede, proprio accanto l'ingresso, la faccia un grumo sanguigno: ha sulla fronte, legata con lo spago, un'immagine di san Gennaro, tutta intrisa.

«Chi è?» domanda a Pignatelli, spaventata.

«Ah» risponde lui, corrugando la fronte. «Questi lazzari sono strani. Quando li abbiamo assaliti di sorpresa, si son battuti come belve. Questo ci sfidava, con quella figura legata sulla testa. "Sparate!" gridava, ridendo. "Non me facite niente! Santo Jennaro me scanza!"»

«E allora?»

«Faceva anche pena, nessuno si decideva a tirargli. Poi Giordano gli ha scaricato una pistola intera. Quel che m'ha colpito è stata l'espressione delusa, da bambino, che gli ho visto sul volto, prima che si spappolasse in quel modo.»

Le vengono incontro Gennaro, Logoteta, Ciaia. Indossano una sorta di divisa: redingote azzurra, calzoni bianchi, stivali. Gennaro l'abbraccia.

«Vieni, vieni, dunque!»

La guida per la scala al terrazzo in alto, dov'è il portale in marmo con aquile rampanti. Lì hanno issato l'albero della libertà, un bel tronco verde, appena scortecciato. Lungo la balaustra patrioti armati di fucili, a destra i componenti del Governo provvisorio. Pagano le fa un sorriso un po' triste, Fasulo, in redingote nera fiammante, strizza l'occhio.

Pallido, solenne, Logoteta ascende i gradini marmorei che menano all'ingresso. Si ferma sotto il fregio alato, nel silenzio estrae una pergamena. Con voce strozzata d'emozione, però squillante, grida: «In nome del popolo napoletano! Dichiaro decaduta per sempre la monarchia borbonica nelle persone di Ferdinando IV e Maria Carolina, per alto tradimento e abbandono vile del Regno! In nome del popolo finalmente libero, dichiaro costituita la Repubblica napoletana una e indivisibile!».

«Viva la Repubblica!» s'urla da ogni parte. I patrioti sparano due salve, una tromba squilla argentina dagli spalti. Commozione, baci, abbracci, anche lacrime.

«Mi sembra incredibile» mormora Ciaia, pallido, sorriso emozionato. «È così facile fare la storia?»

Alcuni discutono sulla data da applicare al documento di Logoteta, che passa di mano in mano per le firme.

«È ventoso o piovoso? O nevoso?»

«Nossignore. È esattamente il 2 di piovoso. Perché il calendario va così: dal 21 settembre al 21 ottobre è vendemmiaio, poi vengono brumaio, frimaio, nevoso, che va fino al 19 di gennaio. Siamo al 21 di gennaio e allora è il secondo giorno di piovoso. Che finisce il 18 febbraio. Ventoso viene dopo.»

«Me l'aggia 'mpara' bbuono. È 'no poco difficile.»

«E adesso che si fa, Gennaro?» chiede, mentre si brinda, si balla attorno all'albero, si cantano *Marsigliese* e *Carmagnola*.

«Adesso niente. Vieni qui.»

La conduce agli spalti dei cannoni, dove i patrioti di Roccaromana, che le fa un bel sorriso bianco, maneggiano le gran culatte bronzee. Le dà un cannocchiale.

«Guarda. Guarda laggiù. Verso il Vesuvio.»

Nei cerchi un po' sfocati balzano, vicini, case, persone, il mare.

«Punta a sinistra! E regola la vite.»

Il Mercato! Intravede, tra nuvole di fumo, il campanile del Carmine, la porta bianca e nera.

«I Francesi sono al Mercato! Fra poco, piegati i lazzari, entreranno a Napoli. Intanto noi spariamo sui castelli.»

Un boato tremendo, accompagnato da odore acre di zolfo, la fa sobbalzare. Ne seguono altri: Sant'Elmo spara.

«Ora tiriamo su Castel dell'Ovo. Girati di qua. Guarda.»

I due cerchi sfocati s'azzurrano di mare, vi schizza, enorme, l'immagine di Castel dell'Ovo. I rombi si susseguono, colonne d'acqua spumeggiante si levano ai piedi del castello.

«Alzo più su!» grida Roccaromana.

Ancora rombo, un urlo d'entusiasmo.

«È cogliuto! L'avimmo cogliuto!»

Le tonde lenti annebbiate da un nuvolone di polvere, sulla punta del fortino a mare.

Arriva un gruppo di patrioti segnati dal combattimento: gli altri due Pignatelli, Lomonaco, Moliterno, che appare stanchissimo, avvilito.

«Impossibile!» va borbottando. «Non riesce a tenerli più nessuno. Neanche me sono stati a sentire!»

I lazzari ripiegano verso la città, si danno a ogni sorta di ribalderie: bruciano, saccheggiano, scannano.

«Dovremmo sortire tutti noi,» ansa Moliterno «per dargli la lezione che si meritano.»

«Ma no» fa Gennaro. «Ci penserà Championnet. Noi serviamo qui.»

Si spara con regolarità, tutto il pomeriggio. Per Sant'Elmo vaga, azzurrognola, acre nuvola di polvere. Verso le sette il Carmine ammaina le bandiere bianche. Cala la sera, si smette. All'alba giungono Lauberg, Manthonè, Marra. Laceri, sporchi, Marra ha una mano fasciata.

«È finita!» strillano, eccitati. «Kellermann ha preso anche Castelnuovo! Ma che macello...»

«Quel che non comprendo,» osserva Manthonè «è la ragione della resistenza ostinatissima dei lazzari.»

«Mi meraviglio di te, Gabriele» fa, brusco, Lauberg. «E la funzione degli agenti borbonici? Dei preti? Le promesse del re?»

«Quali promesse?»

«Se scacciano i Francesi, il re lascia Napoli a disposizione dei lazzari. Per sette giorni fino al suo ritorno.»

«Sarà. Ad ogni modo si son battuti da leoni. Lo stesso cittadino generale Championnet n'è rimasto stupefatto. "Ce sont des héros, des diables déchaînés" diceva. "Mais que défendent-ils?" Il bello è che, un minuto dopo la battaglia, si lavavano mani e bocca col limone, andavano dai Francesi a chiedere: "Monzù, me dai 'na prùbbica", "Monzù, 'no poco de chillo vino buono ca tieni".»

«Perché lavano mani e bocca col limone?»

«Per non far sentire odor di polvere da sparo. Sanno che i Francesi se ne pigliano uno che ha combattuto lo fucilano.»

«Questo non è bene» osserva, aggrondata. «Non serve certo a conciliare napoletani e francesi. Parcere subiectis...»

«À la guerre comme à la guerre» conclude Manthonè, alzando le spalle, mentre Marra, ridendo, tira per un braccio Fasulo.

«Senti questa, ch'è buona. C'è un Francese che, attorniato da un mucchio di lazzari, va ripetendo: "Une femme. Tu peux me procurer une femme?". E i lazzari gli portano pagnotte, maccheroni, aranci. Lui li respinge, insiste: "Je veux une femme". "Ma comme?" fanno i lazzari, sbalorditi. "Tieni famme e non vuoi mangia'?" Finalmente uno d'essi s'illumina, grida: "Qua' famme e famme! Chisto non vo' mangia', chisto vo fot...".»

S'interrompe, imbarazzato per la presenza di lei. Si ride, si commenta, finché Lauberg non comunica stentoreo: «Domani tutti giù. Per la grande parata repubblicana al Largo delle Pigne».

3

Che giornata, meu Deus! È l'una di notte quando, stanca morta, testa indolenzita, torna a casa sua, a Sant'Anna di Palazzo. L'hanno scortata il caro, silenzioso Astore, il caro, vecchio Meola, che mostra ancora in volto i morsi della tortura subìta in Santa Maria Apparente. Si sono autoeletti guardie del corpo, collaboratori.

«Buonanotte, cari. Mille, mille grazie.»

«Figurati, Lenòr. A domani.»

Apre zitta il battente nel portoncino, scivola per la stretta scalinata tanfosa che va alla sua nuova abitazione.

Fu tanto perplessa, quando la sensale gliela propose: tornare a Sant'Anna! Dove, nella prima casa in cui fuggì da Tria, era morto papài. Dove, nella casa del marchese Sifola, visse il suo primo salotto, ci furono Graziella, Fortis, scrisse le cose più importanti, trascorse gli strani, delicati momenti del rapporto con Gennaro. Dov'ebbe inizio, con la brutale invasione di Lauberg e compagni, la sua vita di rivoluzionaria così e così.

Poi fu lieta, quasi la propria vita riannodasse il filo. Riprovò superstizione: era il destino che la richiamava? La riconduceva dove dette il meglio?

La casa era piccola, in un palazziello soverchiato da due brutti mammoni in granito, alti più di venti metri. Dai tre balconcini stretti stretti non si vedeva niente: solo i palazzi dirimpetto, il vicolo. Ch'era rimasto uguale, coi panni stesi da un capo all'altro della strada, le medesime lenzuola, un po' lise, ma pulite dall'energia di soda, cenere, del sapone di piazza, le stesse mutande rappezzate, le camiciole stinte.

Per arredare aveva dovuto comprare tutto. Dopo la perquisizione e l'arresto, nell'appartamento del Grottone rimasto alla mercé di vicini ed estranei non si trovò uno spillo. Un lettino d'ottone lo prese da uno zagrellaro, due materassi, uno di lana e uno di crine, li fece impunturare alla Salata. Un comodino di cent'anni fa glielo regalò Astore, insieme al tavolone in camera da pranzo, che era anche redazione del «Monitore».

«Ne ho una casa piena, d'antichi mobili. E ormai son solo» aveva detto il caro amico, sorridendo.

Comprò, infine, dieci seggiole di chiesa da un apparatore. Ai muri appese bozzetti di patrioti pittori per lo stemma della Repubblica.

Apre, avanza a tastoni. Tocca lume e zolfini sulla consolle accanto all'uscio, accende. Annusa l'odore familiare: caffè, inchiostro, un po' di tanfo. Certo, non riesce a mantenere pulito, ci vorrebbe Graziella. Moto di tenero rimpianto: dove sarà finita? Di nuovo a batter gli angoli dei vicoli? Ma forse torna, quando meno te l'aspetti.

Si dirige al tavolone carico di carte, libri, come quello di tanto tempo fa. Ma qui ci sono le prime prove di stampa per il «Monitore» e, dentro una cartella rossa dai cordoni gialli e blu, il materiale per il primo numero.

Con questa vita, però, altro che «Monitore»! Come faccio a preparare il giornale? Bisogna decidere: rappresentanza, politica attiva, o il «Monitore».

Sono morta, ho i piedi in fiamme dentro le scarpe nuove. Bocca e lingua cattive. Si beve troppo, si festeggia troppo in questa Repubblica.

Posa il lume sul comodino. Il letto è sfatto. Ma son venuti all'alba!

«Presto, presto!» gridavano Ciaia e Gennaro. «La parata comincia alle nove, il Largo delle Pigne è lontano.»

Freddo pungente, cielo livido, stanco. Quando uscì nel vicolo, ancora addormentata, ebbe la curiosa sensazione che Napoli tutta fosse così: stremata, incolore, malinconica.

La carrozza era guidata da un enigmatico cocchiere, coccarda rossa, gialla, blu al cappello.

«Si son convertiti anche i cocchieri?» chiese, sul predellino, quello dalla serpa guardava, impenetrabile.

«I cocchieri d'affitto napoletani si convertono a tutto» rise Ciaia. «Vai, patro'.»

Fecero Toledo, la Pignasecca, lo Spirito Santo, la Cavallerizza, poi imboccarono Foria. Il cielo plumbeo.
Poca gente. Qualche bottega apriva, senza voglia né scialo. Gruppi di patrioti, con coccarde e bandiere, cercavano d'eccitarsi intonando ogni po' *Marsigliese* e *Carmagnola.* Di sotto le banche degli acquaioli, dai gradini di chiese e palazzi, s'andavano levando i lazzari che v'avevano trascorso la notte. Si stiravano, rassettavano fusciacche e berretti, raccoglievano mappate, si mettevano in cammino, come niente fosse stato.
«Dove vanno?»
«A vedere la parata anche loro.»
Per Foria movimento, nell'angolo della Cavallerizza con Santa Teresa ressa di gente e carrozze. Ai lati della strada cordoni di patrioti e granatieri francesi, in mezzo scorreva la folla. Dominavano le redingotes, anche per le donne, alcune delle quali in pantaloni. Ragazzini vestiti bene agitavano piccole bandiere repubblicane.

Al Largo un gran palco coperto da bandiere tricolori napoletane e francesi. Vi sorgeva un enorme albero della libertà, pavesato di stendardi, tutt'intorno plotoni di granatieri rossi e blu, baionette innestate.
Venne colpita da un gruppetto di persone in nero, con bandiere nere recanti la scritta «Vendicarsi o morire».
«Chi sono?»
«Non lo so» rispose Gennaro. «Qui, in un giorno e una notte, son nati come funghi i gruppi più stravaganti. Bisogna creare presto la Guardia Nazionale: così si levano di mezzo gli esaltati.»
Cominciava ad affluire popolo. Anche lazzari, con aria allegra, sfottente, quasi a dire: "Vediamo un po' di che si tratta".
S'avvicinarono al palco. Già schierato, il Governo provvisorio, con grandi fasce tricolori. E ufficiali francesi scintillanti, superbi: cinturoni e tracolle dorati, spalline grondanti oro, decorazioni a grappoli, sciabole di fuoco.
«Che bei soldati!»
Gennaro e Ignazio la guidarono su. Le venne incontro Margherita Fasulo, tutta rossa, blu, gialla, un'enorme coccarda tra i lucidi capelli. Offrì una coccarda anche a lei.

«Vieni» fece Gennaro. «Ti voglio presentare il cittadino generale Kellermann.»

Sorpresa, orgoglio, vanità: il figlio del vincitore di Valmy, colui che aveva preso Castelnuovo! Lo guardò con timido rispetto, nonostante fosse un ragazzo, mentre lui s'avvicinava sorridendo. Le baciò la mano. Era bellissimo nell'uniforme sfolgorante.

«Je suis très heureux de connaître la première héroïne de la jeune République napolitaine» disse.

«Oh» mormorò lei, contenta di trovar subito una frase adatta. «Je suis très honorée de connaître en même temps le fils du héros de Valmy et le héros de Castelnuovo de Naples. Bon sang ne saurait mentir.»

Ormai la folla aveva gremito il Largo. Zeppi i balconi, le finestre. S'avvicinava un corteo splendido. Apriva uno squadrone d'usseri rossi e d'oro, gli chacòs pelosi, montati su cavalli bianchi: reggevano sottili picche con gagliardetti colorati. Li seguivano, a passo rimbombante, plotoni e plotoni di granatieri con le loro bandiere, indi una fanfara che sonava senza interruzione la *Marsigliese,* con ritmo lento, solenne, infine reparti scintillanti di cacciatori neri e bianchi. Dietro, caracollavano il generale Championnet e il suo seguito. Chiudevano altri plotoni di granatieri, poi disordinati patrioti con bandiere e taciti tamburi.

Championnet lasciò il bianco, enorme cavallo a un granatiere, venne sul palco con passo elastico, possente. Anche lui giovane, sulla trentina; alto, robusto, sventolava capigliatura lunga, rossiccia. Indossava giubba blu con baveri e colletto ricamati in oro, d'oro la fascia alla cintura. Grondava di decorazioni.

Fu colpita dal modo in cui gli aderivano i candidi calzoni. Tutti i Francesi li portavano strettissimi, ma Championnet sembrava addirittura nudo. A sinistra si disegnava il sesso.

Il generale salutò con inchini disinvolti le persone sul palco, mentre i militari scattavano sull'attenti, poi si fermò a parlare con Lauberg.

La folla era divenuta foltissima: ne vaporavano curiosità, attenzione, meraviglia. In prima fila, dietro i cordoni, erano giunti lazzari d'ogni età, d'ogni sesso. Guardavano incantati. Lo spettacolo pareva di loro gradimento, seguivano la musica della fanfara oscillando teste e spalle.

Tre squilli di tromba laceranti, Lauberg, pallido, avanzò sul palco.

«Cittadini napoletani!» urlò, cercando di rallentare le sillabe. «Il cittadino generale Giovanni Championnet, nostro amico, desidera parlare al popolo di Napoli. Gli dò la parola.»

Silenzio massimo. I lazzari di prima fila guardavano in su con aria sospesa, i granatieri agitarono leggermente le baionette.

Championnet venne avanti con disinvoltura, alzò le braccia.

«Cittadini napolitani!» gridò. La voce era davvero stentorea. «Mi dovete scusare si non parlo bene italiano. Però io voglio emparare presto. Anzi. Io voglio emparare la langua napolitana» aggiunse e fece pausa sapiente, per godersi il sorriso che andava spargendosi per la folla. «Noi Francesi non siamo venuti come vostri nemici, ma come li vostri amici li più sinceri. Ci dispiace che alcuni tra voi non lo hanno compreso e ci hanno costretti a combattere contro di loro. Ma io devo dire che si son battuti bene. Onore ai Napolitani eroi!»

Fremito corse per la piazza. Vide i lazzari contemplare Championnet a bocca aperta, come la statua d'un santo.

«Noi,» proseguì il generale, soddisfatto «vogliamo che li Napolitani riprendino la loro vita semplice e alegra, sotto la nostra protesione. Il vostro re vi ha abandonato, fusgendo in modo vile, lasciandovi sansa protesione ni aiuto. A questo penseremo noi. Voi avrete un governamento fatto da voi medesimi, d'uomini bravi e onesti, che vi daranno tutto quello che voi meritate, perché voi siete buoni napolitani eroi!»

Prima di ritirarsi, Championnet fece segno ai granatieri di stringersi al palco, in modo che la folla potesse avvicinarsi. Ridendo, prese a lanciar monete, mentre salutava: «Stateve bono! Bono!».

Inferno d'applausi, fischi, urla, tumulto per coglier le monete. La banda ripigliò la *Marsigliese*, stavolta a ritmo veloce.

4

Fa freddo, ci vorrebbe un bel braciere ardente. Ah, Graziella! Si spoglia, tremando. Il lenzuolo un gelo. Soffia sul lume, si accuccia, in attesa che montino calore e sonno. Il calore sì, lento lento, si va formando tra corpo e tessuto, il sonno, invece, non vuol venire: è ancora troppo eccitata. Pensieri, immagini, parole saettano d'ogni parte nel cervello.

Championnet è stato bravo, simpatico. Non m'è piaciuta, tuttavia, la distribuzione dei soldi: alla stregua dei Viceré spagnoli, di Capeto! Per il resto bene. I lazzari avevano ammirato lo spettacolo. Donne in prima fila mangiavano con gli occhi il generale, gli ufficiali francesi, ridevano, si davano col gomito. Se ne parlò anche al pranzo di Palazzo nazionale. Eh, quel pranzo! Il maggior responsabile del dolore alla testa.

Organizzò Fasulo. Con che voluttà si moveva nell'ex palazzo del re. Volle far preparare la sala azzurra in tutta la sua pompa. La difficoltà maggiore fu quella di reperire serventi: quasi tutto il personale di Corte era scappato a Palermo, nessuno dei patrioti di basso ceto voleva saperne d'indossare livree per servire a tavola.

Meu Deus, il mal di testa non va via. Per forza! Tutti quei vini, che mescevano in continuazione: Championnet aveva fatto portare casse di Chablis, Mosella, D'Epernay. In tavola cinghiali, daini, pernici.

«Come si farà a pagare?» sussurrò Delfico a Lauberg. Rosso in faccia, allegrissimo alla sinistra di Championnet, Lauberg rideva e beveva.

«Non ti preoccupare. Qualcuno che paghi vien fuori sempre! Adesso abbiamo il potere.»

Tanta gente. Incredibile come fossero sbucati quasi tutti i nobili napoletani, anche quelli con nomea borbonica. E le dame! In un lampo avevan tirato fuori toilettes all'ultima moda: quella del Direttorio lanciata da madame Tallien. Tuniche e pepli leggerissimi, nonostante la stagione, bianchi o in bei colori pastello, sandali dalle lunghe stringhe avvolte sui polpacci, pettinature alla greca. Gli ufficiali francesi facevano strage.

Vaporava aria strana: come se, per curioso meccanismo, si fosse sparso tacito permesso di libertà senza ritegni, quasi voci misteriose avessero sussurrato, alle coscienze, tristi pensieri di caducità.

Frammenti colorati, chiassosi, si sovrappongono a frammenti. Ricorda quando Championnet le baciò la mano, dicendole con pietosa galanteria: «Je suis ébloui de voir que la grandeur de votre esprit épouse parfaitement la beauté de votre personne».

Très gentil le général. Uno di quegli uomini che cercano simpatia, l'ha fatto anche coi lazzari. Poveretti! Ci son cascati subito, come bambini. Ciaia raccontava, ridendo, che s'eran divisi: i giovani e le donne pei Francesi, i vecchi, i capoccioni per il re, per la Santa Fede.

«Ne ho sentiti, dopo la parata! Uno sosteneva che Sciamponé, come lo chiamano, è assai più bello di Ferdinando. "Chillo è 'no viecchio muollo muollo. Lo frangese hai visto che guàllara[1] ca tene? Tosta e pronta." Un altro aveva redarguito: "Guaglio', che vuo' capi'! Te feta ancora la vocca de latte! Chiste vengono, magnano, poi se ne vanno. E quando torna lo re, che le dicimmo? Maista', t'avimmo traduto pure nuie?".» Finirono per darsele di santa ragione, dovettero intervenire i granatieri.

Championnet ascoltava, sorridendo. Momento allegrissimo quando chiese la traduzione delle parole lazzaresche. Non si riusciva a trovare il francese di "guàllara": ogni proposta suscitava risate omeriche.

«Oh, bien» concluse il generale, quand'ebbe capito. «Ces Napolitains sont adorables. Un peuple simple, facile à gouverner. Il faut leur donner de grandes émotions, des couleurs, du spectacle, leur apparaître grands, forts, invincibles. Ils ont besoin d'un père, qui leur donne de l'assurance, de façon à pouvoir continuer à vivre leur vie simple et sans soucis.»

«Vous avez parfaitement compris la situation, mon général» diceva Lauberg, che gli stava attaccato come cozza allo scoglio.

Gli aveva suggerito lui d'inserire parole napoletane nel discorso? Di lanciar monete?

«Demain,» continuava Championnet «tout Naples devra être

[1] Il complesso dei genitali maschili, soprattutto il sacco dei testicoli.

gai, euphorique, plus que d'abitude. Je veux que demain soir toute la ville soit illuminée, en fête, avec les drapeaux, les arbres de la liberté dans toutes les places. Il faudrait aussi distribuer du vin, de la viande...»

«C'est difficile, mon général» azzardava Lauberg. «Vous prétendez des millions de ducats de Naples, mais il n'y a rien dans les caisses de la Municipalité.»

«Oh, mon cher Lauberg! Il faut s'adresser aux bourgeois de Naples, leur donner des privilèges, je ne sais pas, des fournitures militaires, leur adjuger des travaux. Et, puis, réquisitionner tout ce qui a de précieux en ville, et les propriétés des partisans de l'ancien régime. Il faut sourtout cuisiner les prêtres, fermer les couvents et séquestrer leurs immenses richesses.»

«Mais ainsi le peuple sera contre nous, mon général. Si les lazaristes voient que l'on dépouille les couvents, les églises...»

«Lauberg, vous n'êtes pas un vrai homme politique! Demain j'irai à la cathédrale, avec mes grenadiers. Nous assisterons *respectueusement* au miracle de san Gennaro.»

«Mais le miracle de saint Janvier n'a pas lieu au mois de janvier!» esclamò Ciaia, ridendo del gioco di parole.

«Mon ami,» fece Championnet «si les prêtres le veulent, le miracle aura lieu demain. Je vous le promet.»

Nel pomeriggio visite alle Sale Nazionali, la sera dai Cassano, che avevano invitato a cena generale in capo e ufficiali: altre bevute e mangiate, altro clamore, balli, civetterie, amorazzi.

Infine al San Carlo, ribattezzato Teatro Nazionale. In fretta e furia la compagnia Todi-Mattucci, che dava il *Nicaboro in Yucatania* di Piccinni e Tritto, aveva messo su, per dopo l'opera, un inno e un ballo di circostanza:

Squallida e morta in volto,
col cor tremante giace
l'infame coppia audace
della Sicania in sen

cantavano gli artisti.

Per la prima volta al San Carlo, oltre ai signori dei palchi, popolani, borghesi, qualche lazzaro. L'insolito pubblico urlava, a proposito e sproposito, «Morte al tiranno! Morte al re!», poi il teatro si dovette chiudere, per rifare balaustre, stucchi, pavimenti, sedie.

5

Napoli sembra aver dimenticato tutto. La temperatura è mite e, nonostante si sia entrati in "ventoso", per la città non vola un soffio: forse qui bisognerebbe modificarlo il calendario repubblicano, che è nato in Francia, dove il clima è diverso.

Tutto, o quasi tutto, pare tornato come prima, anche meglio di prima. La folla gremisce strade, vicoli, piazze, le botteghe han riaperto, i lazzari si son fatti amici dei Francesi. Ci scherzano, li fanno divertire, li derubano, li accompagnano di qua e di là. Sulle spiagge di Santa Lucia, di Mergellina, folla di granatieri, d'usseri, cacciatori: ai banchetti di vendita o in attesa d'imbarcarsi sopra i gozzi d'oro. Osterie e bische straripano di Francesi e d'accompagnatori, per non parlare del Mercato, dei vichi della Cagliantesa, di San Matteo, dove, sotto le insegne coi gerani, in ogni ora del giorno e della notte brulicano uniformi rosse e blu.

Lazzari e Francesi si scambiano allegramente anche il linguaggio: qua senti uno che, arrotando la erre, chiede ridendo: «Maccavonì, sivenà», là senti un altro che dice «Buatta, scemenfò, arsgià». E magari tutti assieme, lazzari e Francesi, cantano canzoncelle come questa, nata chissà da chi:

> È arrivato lo Frangese,
> co' 'no mazzo de carte 'mmano.
> Liberté, ugualité, fraternité:
> tu arrubbe a me, io arrubbo a te!

Intorno agli alberi della libertà, piantati dappertutto come aveva raccomandato Championnet, si balla, si canta, si vendono spassatiempi, brodi di polpo, femmine. E Championnet davvero è andato a vedere il miracolo di san Gennaro in Duomo.

Folla enorme dietro i cordoni di granatieri lungo la strada di Donnaregina, nella gran chiesa dai marmi multicolori, parata a festa. Tutto come sempre: davanti la balaustra dell'altare, in prima fila, le vecchie "parenti" di san Gennaro, vestite di nero, montagne di fiori freschi, scintillio di ceri.

Tuttavia, per far venire le "parenti", il cardinale dovette mandare il cappellano segretario, con biglietto autografo. Si presentarono scure in volto, biascicando scontento.

Quando la cattedrale fu zeppa, arrivò Championnet. Percorse a passo lento e rispettoso, col seguito, il lunghissimo tappeto rosso fuoco che menava all'altare, qui s'inginocchiò devotamente, pur senza farsi il segno della croce. Poi andò a baciare la mano al cardinale, che l'aspettava in piedi, presso il busto d'oro di san Gennaro, splendente avanti il tabernacolo. Iniziarono le preghiere: nel popolo, misto di patrioti, Francesi, lazzari, bizoche, chi partecipava e chi no.

Le "parenti" restavano zitte, immobili. Ciò non andava bene. La parte più eccitante della cerimonia era proprio da loro interpretata, quando cominciavano a recitare in coro litanie d'ogni sorta e, man mano, apostrofavano il santo, prima con paroline carezzevoli, poi, se il miracolo tardava, con insulti e minacce.

«Faccia jallùta! Fa' il miracolo!»

Ostinatamente zitte. Impietrite. Il cardinale le sogguardava dall'altare, infine sollevò lievemente le spalle. Fece segno a due diaconi d'andare a prendere le ampolle con il sangue del santo.

Le ampolle giunsero, nel brusio della folla, il cardinale levò alta la voce supplicante. Le "parenti" niente: come prima.

Championnet, dal suo tronetto di velluto e d'oro, osservava con estrema attenzione. Seguiva disciplinatamente le liturgie del rito, alzandosi quando tutti s'alzavano, abbassando il capo quando molti s'inginocchiavano. Il cardinale recitò la preghiera che il generale aveva chiesto d'inserire: «"Ti preghiamo, onnipotente Iddio, affinché, per intercessione del nostro santo, miracoloso patrono Gennaro, il tuo servo Giovanni, che per misericordia tua ricevette il governo del Regno liberato, riceva l'aumento di tutte le virtù onde possa evitare ogni peccato e così gradito pervenire a te che sei la via, la verità, la vita"».

Niente. Le vecchie parevano statue, il popolo appariva disorientato. Preti, diaconi, chierici presero a salmodiare sulle note dell'organo.

Seduta in fondo con Astore e Meola, scuoteva il capo. Su queste cose è difficile raggirare il popolo. E le vecchie. L'aria era diffidente, fredda, e a modo loro quelle vecchie stolide, ignoranti, che restavano immobili come mummie, manifestavano una protesta politica. Non avrebbero dato il loro contributo perché il miracolo avvenisse (fra l'altro fuori tempo!) e san Gennaro benedicesse i Francesi senza Dio. Al cardinale non avevan potuto disubbidire, ma non ne condividevano l'operato: s'arrangiasse da solo.

Il cardinale faceva del proprio meglio, intonando a gola piena atti di contrizione, supplicando in ginocchio il grande busto d'oro. Ogni tanto andava a prendere con delicatezza le ampolline, le levava cautamente in alto tenendole nel palmo delle mani, poi decise di non lasciarle più. Pregava con voce altissima.

Championnet pareva un po' aggrondato: si levò, andò a inginocchiarsi sui gradini dell'altare.

Preghiere, canti, musica giunsero al parossismo. Il pubblico partecipava, in coro, qualche donna s'arrogò il diritto delle "parenti": lanciò strilli all'indirizzo del santo, la zittirono.

D'un tratto il cardinale, che teneva gli occhi fissi sulle ampolle, ebbe un moto di sorpresa. Lo si vide sorridere, levar le braccia in alto, poi venne avanti ostentando le fiale con aria rapita, intonò: «Te Deum laudamus...» seguito dal coro eccitato di tutti. L'organista pigiò più forte sui tasti.

Championnet si levò a osservare le ampolle, si protese in un bacio raggiante. La folla ebbe fremiti contrastanti: molti applaudivano, altri protestavano. Le "parenti" restavano, di sasso, nei loro scanni in prima fila.

Si formò la processione: in testa due plotoni di granatieri francesi, poi i diaconi che reggevano, sotto un baldacchino, il busto di san Gennaro, infine il cardinale e Championnet, coi rispettivi seguiti.

Tumulto nella folla, chi voleva seguire, chi no. Voci gridarono: «Jenna', te si' venduto!». Altre: «Viva santo Jennaro!».

«Andiamo pure noi. Voglio vedere» disse agli amici. Dietro i cordoni spettatori stupiti, divertiti, ostili: urla, applausi, fischi.

Nel passare per i vicoli del Lavinaio avvenne una cosa straordinaria: una dopo l'altra le finestre delle miserabili case, le portelle dei bassi, si chiudevano con sgarbati tonfi. Pum pum pum. Un gruppetto di vecchie sformate e zozze sputava in terra senza ritegno, al passaggio del grande busto d'oro.

«Vatténne, santo Jennaro puorco. Puh, puh! Non ce veni' cchiù, ccà dinto. Ca' te si' fatto Giacomino pure tu.»

6

Questo problema del rapporto coi lazzari e la popolazione bassa è il più importante di tutti: se non si convinceranno intimamente che la Repubblica non gli è nemica, non si concluderà nulla. Il «Monitore» dovrà impegnarsi a fondo in questo senso.

Ieri pomeriggio è uscito il primo numero. Nella stanza da pranzo-redazione continua a esaminarselo, da cima a fondo, anche se da ieri sera non ha fatto altro. È sempre seccata per la stampa un po' grossolana: l'inchiostro non ha preso bene in vari punti. Soprattutto è ansiosa di sapere se va, quante copie se ne stanno vendendo, cosa pensano gli amici.

Astore e Meola amano il giornale come fosse anche figlio loro. Han fatto la spola tra la stamperia di Santa Maria La Nova e la redazione, aiutato a correggere le bozze. Astore è stato tutta la giornata di ier l'altro a San Lorenzo, sede del Governo provvisorio, per farsi dare comunicati, notizie, Meola controllava che i due strilloni assoldati si mettessero nei punti brulicanti di Toledo, di San Ferdinando. Ogni tanto veniva su a riferire: «Ne hanno vendute altre due. Un'altra».

Alle dieci e mezza eran state vendute trentasette copie, poi gli strilloni se n'andarono a dormire. Trentasette... Pochissimi. Eppure il giornale è venuto bene. L'articolo d'apertura fervido, s'era andata eccitando man mano lo scriveva, fino a diventare una vera, calda repubblicana. Cominciava con uno squillo d'entusiasmo, «Siamo liberi in fine», e conteneva in modo chiaro le grandi indicazioni politiche: l'amicizia con la Repubblica Madre, le critiche al regime, un breve resoconto degli ultimi avvenimenti. Infine una gonfiata all'amicizia lazzaro-francese.

Questo finale, in verità, nel rileggerlo a stampa, non l'era piaciuto: retorico, falso. «E bello fu vedere a un tratto succedere la fratellanza fra il vincitore e il vinto all'ira e al sangue.» Per ora c'è fratellanza solo nelle porcherie, dentro le taverne, nelle bische, nei bordelli. Per non parlare dei Francesi che vengono trovati in qualche angolo della città, un coltello nella schiena, nel ventre, la testa fracassata.

Infine le notizie varie: scarsissime, non per colpa sua. Questo benedetto Governo si rompe il cervello su declamazioni, leggi complicate, ma non si cura d'informarsi, né d'informare. Così il giornale non è interessante. Meu Deus, domani devo mandare i materiali alla tipografia: cosa stamperò?

Si sente stanca, priva d'entusiasmo. Un giornalista ha bisogno del conforto del pubblico, degli amici, delle persone colte. Qui non si vede nessuno, nessuno s'è fatto vivo a dirle: "Bene. Male. Uno schifo".

Sì, Astore e Meola sono stati prodighi d'approvazione, ma le vogliono bene, il bene acceca. Perché Astore non torna con le novità degli strilloni? Nel numero due cosa scriverò? Dentro la cartellina rossa appunti, abbozzi, fogli, svogliatamente fruga. Niente, la testa è vuota, va a prepararsi un caffè. Astore torna in tempo per berne una tazza, mentre lei lo assale: «Allora? Altre notizie?».

«Stamattina ne hanno vendute cinquantuno» dice, soddisfatto. «Ne avevano avute cento, gliene restano dodici. Sarà uno scherzo esitarle.»

Ha un primo moto d'entusiasmo, poi si spegne.

«Ma ne abbiamo tirate mille, Antonio! E le altre novecento?»

«Lenòr. Se avessimo potuto mandare strilloni in altri punti... Ma con i pochi soldi che ci ritroviamo... E poi, il Governo deve provvedere affinché il giornale sia spedito in provincia.»

«Meu Deus. Cosa faremo di tutte le copie che ci resteranno?»

«Si potrebbero distribuire gratis; sempre meglio che farle marcire in qualche posto.»

«E chi farà questa distribuzione?»

«Io, Meola, chiamiamo i ragazzi delle Sale Patriottiche. È un lavoro politico, sì o no?»

Scuote il capo, sempre più avvilita.

«Non si può fare un giornale in questo modo, Antonio. Ogni sforzo va perduto. Fra l'altro, quelli che ne avrebbero bisogno non sanno leggere, a chi diciamo certe cose? A coloro che ne sono convinti? Allora il giornale è perfettamente inutile.»

«Non è inutile, Lenòr. Anche se venisse letto solo da due, tre persone che non condividono le nostre idee, sarebbe un successo. In quanto ai lazzari... Non potranno usarlo direttamente, ma occorre persuadere quelli dei nostri che hanno cultura a leggere per loro. Con pazienza, amore, allora il "Monitore" raggiungerà egualmente lo scopo.»

Astore va al Governo per vedere se ci sono novità, lei fruga nuovamente nella cartella, sempre in modo svogliato, sebbene le parole d'Antonio l'abbiano destata un po'. Lettere, appunti, tre o quattro fogli volanti a stampa, tutti indirizzati «Ai cittadini napolitani». In questi giorni è nata la curiosa fregola di stampar volantini, allocuzioni, strampalate concioni. Guarda qui: «Infamia sui codardi falsi Titani, che laocoontica morte li colpisca!», «La Repubblica fia cimonica, o non fia». Che stupidaggini! Ma le danno uno spunto: si tira avanti un foglio bianco, comincia.

> Molti cittadini pubblicano ogni giorno civiche ed eloquenti allocuzioni al popolo. Sarebbe però da decidersi che se ne stendessero alcune destinate particolarmente a quella parte di esso che chiamasi plebe, proporzionatamente alla di lei intelligenza e ben anche nel di costei linguaggio. Invitiamo il Governo a stabilire delle missioni civiche, siccome prima ve n'erano delle semplicemente religiose... Invitiamo il gran numero dei nostri non meno dotti che civili e zelanti ecclesiastici, i quali hanno già pratica della persuasione popolare, a presentarsi a questo scopo, anche senza l'ordine e l'invito del Governo.

Qua non s'è mai capito che la cosa più importante è educare il popolo, anche se è difficile. E questa sarà la linea, la battaglia principale del mio «Monitore». È contenta, perché ha trovato una via maestra. Diventa ancor più allegra quando arriva Meola, con notizie simpatiche, di vita quotidiana.

«Dove le hai prese?»

«Le ho raccolte qua e là» sorride, un po' stanco. «Basta andare in giro, ascoltare.»

Lesta, eccitata, si mette a scrivere.

Annunciamo, intanto, con civica espansione di cuore, che un mercante carbonaio, di nome Gabriele Stendardo, appena proclamata la libertà, ha cominciato a vendere a buon prezzo il carbone. Emuli di questa civica azione, altri mercanti di formaggio, uno fra gli altri chiamato Vincenzo Altieri, lo ha imitato, ribassando il prezzo del cacio bianco che suole vendersi al popolo.

«Bisognerebbe fargli avere un elogio dal Governo» sorride, levando il capo dal foglio. «Vedi cosa s'ottiene con l'esempio? Se si insisterà su tali cose, s'otterranno risultati grandi.»

Più tardi un ragazzo reca dal Governo la notizia che Championnet ha assistito, sul Molo Piccolo, all'innalzamento dell'albero della libertà, tra ovazioni dei cittadini. «Pubblicare con grande rilievo» avverte una nota di Lauberg.

Il messaggero ha portato anche quattro o cinque cartelli, freschi di stampa, con la scritta: QUI CI ONORIAMO DEL TITOLO DI CITTADINO.

«Che ne devo fare?»

«Metteteli alle pareti, cittadina. Il Governo li attacca dappertutto.»

Un altro foglio, con la nota di Lauberg: «Senza suscitare allarmismi, decidete voi se pubblicare o no».

V'è scritto che

alcuni banditi e facinorosi, avanzi dell'ex esercito borbonico, si son radunati intorno a mostri sanguinari, già noti per la loro ferocia, come i briganti detti Pronio, Rodìo, Michele Pezza nominato Fra' Diavolo, il molinaro Gennaro Mammone, e incitano i fedeli cittadini delle province a ribellarsi alla Repubblica, sotto pena di strage. Stanno per partire reparti dell'amico esercito francese e del nuovo esercito repubblicano, che sicuramente sgomineranno i malviventi in breve tempo.

Ci riflette parecchio. Primo moto: pubblicare, un giornalista non può ignorare una notizia. Ma se la notizia cade in momenti delicati, difficili? Se rischia di danneggiare arduo, paziente lavoro sopra le coscienze? Rimanda ai prossimi numeri.

Ma bisognerebbe avere informazioni esatte da queste regioni provinciali così lontane, ignote, spesso solo nomi cui non corrispondono paesaggi, volti, storia: Abruzzo Citeriore, Cilento, Capitanata, Calabria Citra. La Repubblica ci dovrà pensare, dovrà rendere note queste plaghe, la gente che ci vive. Dare ad essa importanza, dignità. Occorrerebbe aprire anche strade comode, sicure, costruire stazioni di posta, scuole.

La interrompono Sanges e Cuoco, è felice di rivederli.

«Meu Deus, Vincenzo. Ma dove vi siete cacciati, in questi giorni clamorosi? Ho avuto anche preoccupazione per voi due.»

Vincenzo ride, sollevando le spalle.

«Il fatto è che gente come noi non la vuole nessuno. Diamo fastidio.»

«Agli sciocchi. Ma non a chi vi stima. Hai visto il "Monitore"? Voi, Cuoco, l'avete visto? Ditemi cosa ne pensate, ve ne prego: la vostra opinione m'è più cara di qualsiasi altra.»

Cuoco tentenna il capo: s'è smagrito, ha aria tesa, occhi inquieti.

«Posso dirvi proprio tutta la mia opinione?»

«Ve ne supplico.»

«Il giornale è buono, è concepito in maniera abbastanza moderna e ragionevole. Quello che talvolta non mi piace è il tono.»

«Il tono?»

«Sì, l'atteggiamento. Che è poi il vostro, visto che lo fate da sola: è ingenuo, semplice, pieno di buona fede, d'entusiasmi, come siete voi. Troppe lodi sperticate ai Francesi, ai patrioti, a qualsiasi stupidaggine avvenga nella Repubblica. Insomma, un po' fuori del reale.»

«Ma bisogna abituare il popolo alla Repubblica! All'idea che la Repubblica è mille volte meglio di quanto c'era prima! Se ci mettiamo subito a criticare, spegniamo ogni entusiasmo e Dio sa se ne abbiamo bisogno!»

«Allora sarebbe stato meglio non fare alcun giornale» sentenzia Cuoco, nel suo insopportabile ma implacabile tono pedagogico. «Un giornale politico è critica spassionata o non serve a nulla.»

«Anche tu, però, sei fuori della realtà, Vincenzo mio, quando parli così» obietta Sanges. «Mi dici come, in una Repubblica legata a un filo, quello delle armi francesi, priva di denaro, staccata dal popolo, un giornale politico possa mettersi a criticare la situazione, il Governo? O le ruberie dei Francesi che si comportano da puro e semplice esercito d'occupazione?»

«S'io venissi a constatare questo,» fa, incredula, irritata «lo denunzierei senza pietà. Ma lo sai che Championnet ha rinunziato al donativo di dieci milioni di ducati?»

«E vedrai cosa gli succederà per il bel gesto. Però, detto inter nos, pretende da questa nuova Repubblica tremila franchi a settimana per le "spese di rimpasto" della propria tavola! Si trattan bene i cittadini di Francia, a spese dei cittadini di Napoli.»

«Chiamali fessi» fa Cuoco, cavando un orologino di metallo bianco. «Ma il problema di fondo resta, per me, l'assurdità della Repubblica. Mi dici come può esser libero un popolo, la cui parte superiore ha venduto la propria opinione allo straniero? E come una Repubblica di principesse e letterati possa piacere ai lazzari?»

«Ma insomma!» insorge lei, stizzita per le critiche al «Monitore». «I lazzari devono imparare. Li educheremo, certo, questa è la linea che il "Monitore" seguirà. Ma non potete pretendere che siano loro a dettare la politica. O a fare la cultura!»

«I lazzari e il popolo basso son la maggioranza, Lenòr» interviene Sanges. «Ma Cuoco non intende dire che soltanto perché sono maggioranza debbano dirigere lo Stato.»

«Staremmo freschi!» strilla Cuoco. «Così daremmo ragione a quegli imbecilli alla Mably, alla Babeuf, che parlano di stolide uguaglianze. Io voglio dire che una rivoluzione deve tener conto degli interessi del popolo, ma non bisogna confondere questi interessi con le ideologie imparate da qualche filosofo forestiero. I cervelli degli intellettuali, il loro linguaggio, non sono quelli del popolo. Ho sentito io, giorni fa, nella Sala d'Istruzione, un dialogo significativo. Un patriota insegnava il calendario repubblicano a dei popolani. "Tu, lo sai che mese è chisto?" "Febbraro." "Nonsignore. Se dice piovoso. Marzo è ventoso. Aprile è germinale. E sai luglio comme se chiamma? Termidoro. Hai capito?" "Gnorsì, eccellenza. Luglio è pommodoro: perché è lo tiempo de li ppommarole."»

Non può trattenere un sorriso, mormora: «Questo è vero. Ho scritto un pezzo, per il nuovo numero, che, in fondo, parla proprio di ciò. Posso leggervelo?».

«Certamente.»
Legge, sogguardando gli occhi neri di Cuoco, le labbra di Sanges.
«Va bene» annuisce Cuoco, cavando nuovamente l'orologio; lei sospira, ma quello colpisce a tradimento.
«Però quest'idea delle missioni civiche... Quanti preti si metteranno a leggere ai fedeli i vostri articoletti? I preti stan facendo un ben diverso lavoro e, prima o poi, se ne vedranno i frutti velenosi.»
Prendono il caffè, ma Cuoco scalpita: si leva, torcendosi in un tic.
«Allora, Sanges? Non vieni?»
«Ti raggiungo. Lasciami fare un po' di compagnia a Lenòr: non la vedevo da tanto!»
Spiega che il poveretto sta vivendo un momento terribile: ha preso una cotta infame per la cittadina Sanfelice, che ora tiene salotto al piano matto di palazzo Mastelloni. Non ne perde un giorno.
«Ah. Sempre tanto carina, la Sanfelice?»
«Non è più una bambina, è una donna. Splendida. Ma di poco cervello.»
«E il marito?»
«Credo stia trafficando coi Francesi, con dei maneggioni repubblicani. Lassù arriva la gente più strana: patrioti, preti, ex borbonici. Io cerco di far capire a Cuoco che non è ambiente per lui, ma quand'uno s'innamora a quel modo incretinisce completamente. Fra l'altro la Sanfelice lo fa impazzire a vuoto, perché ha già due amanti. Equamente suddivisi dal punto di vista politico: uno è un certo Baccher, ex ufficiale del re, l'altro un tale Ferri, della Guardia Nazionale Repubblicana.»
«Ma... Il marito di lei...»
«Sei rimasta la stessa incantevole ingenua» sorride lui, accarezzandole il mento. «Gente così vive così. Del resto la libertà è diventata un bel pretesto: Napoli è tutta "feste repubblicane". Sai che vanno molto anche i "matrimoni alla repubblicana"?»
«Cosa?»
«Matrimoni alla repubblicana. Ti piace una signora, pardon, una cittadina e tu piaci a lei? Si può osare, basta la volon-

tà dei contraenti davanti al popolo sovrano. Moi, citoyen x e y, je veux t'épouser. Moi, citoyenne z, également. Il matrimonio è fatto. Se poi la storia finisce, un bel divorzio alla repubblicana, sempre "coram populo". In fondo s'espongono alla luce del sole cose delle quali, prima, si parlava alle spalle. Il cicisbeismo sotto forma nuova.»

«E se la cittadina ha già marito?»

«Le mari doit se taire pour que l'on ne l'appelle pas rétrograde, partisan de l'ancien régime. Lo si minaccia di denunziarlo al Governo.»

«Non ci credo. Non è possibile s'arrivi a sudice idiozie di questo genere.»

«Va' a qualche "festa repubblicana", Lenòr, vedrai di peggio.»

PARTE DICIANNOVESIMA

1

Piove, spiove, il sole sbuca da nuvole capricciose. Lei lavora con impegno: il «Monitore» va meglio, se ne vendono almeno tre, quattrocento copie in città, altre trecento il Governo le spedisce in provincia, a seguito dei "Democratizzatori" che vanno a predicare la Repubblica. Qualche centinaio son destinate ai preti: se poi le leggono ai fedeli, vattelappesca.

Bisogna insistere sul concetto d'educazione della plebe. Anche i teatranti, grandi e piccoli, dovrebbero far la loro parte, e i cantastorie del Molo. Sta aspettando Peppe Cammarano per discutere di queste cose. Intanto ci sono grosse novità.

Il Direttorio di Parigi, visto che Championnet non manda da Napoli né danaro né oro, ha spedito un commissario, il cittadino Faypoult, per rammentare al generale in capo il suo dovere, che poi sarebbe quello di spremere venti milioni di ducati, nonché di confiscare, a vantaggio della Repubblica francese, tutti i beni della corona borbonica.

Finalmente il Governo napoletano ha smesso d'occuparsi d'eforati e gherusie: una commissione guidata da Manthonè (Lauberg s'è defilato) ha ricordato a Championnet le sue belle parole verso i Napoletani. Il generale è leal'e: ha dichiarato nullo il decreto del Direttorio, rispedendo a Parigi Faypoult. Cosa succederà?

Altro fatto nuovo: il cardinale principe Fabrizio Ruffo di Calabria, nominato da Ferdinando Vicario Generale del Regno, sbarcò inopinatamente a Bagnara, uno dei suoi feudi, raccogliendosi intorno bande di cafoni, preti, briganti, ex borbonici, avventurieri. Alzava bandiera bianca e rossa della Santa Fede, garantiva libertà di bottino. La cenciosa, fetida armata si mosse, risalendo pian piano la Calabria.

Quando arrivò la notizia, a Napoli molti scoppiarono a ridere, pochi si preoccuparono, fra questi Logoteta, che ne parlò in riunione. Ma che poteva fare il Governo? A stento s'era messa su una scalcinata compagnia di Guardia Nazionale, Ettore Ruvo si dannava per radunare un po' di cavalleria. E Championnet aspettava le decisioni del Direttorio. Così Ruffo prese Mileto, Cutro, Crotone, Catanzaro, Cosenza: se incontrava giacobini alzava l'altarino, benediceva le bandiere, poi ordinava l'attacco. Tagliavano teste, violentavano, incendiavano.

Lei rammentava Ruffo. La sera degli opuscoli: pigro, inquieto, si toccava lo stomaco, parlando col dottor Cotugno. Le pareva strano fosse capace di tanto.

Non l'era antipatico né simpatico, ma bisognava darne, e subito, immagine mostruosa. Scrisse due o tre articoli, tirando fuori tutti gl'insulti che sapeva: vile, scellerato, infame, bevitore di sangue. Non era soddisfatta: un giornalista serio non dovrebbe ricorrere a mezzi simili per eccitare il pubblico. Ma qua non c'è più tempo per spiegare con calma, gli avvenimenti incalzano, anche il giornale deve fare in fretta: condensare, riassumere in simboli.

Ecco Peppe Cammarano. È venuto con lui il vecchio don Vincenzo, il grande Pulcinella. Lo accoglie con rispetto: è ancora saldo, sebbene gli tremino le mani ossute, gli occhi siano orlati di rosso.

«Accomodatevi, don Vincenzo. È un onore. Mo' vi faccio il caffè.»

«Donna Liono', lasciate sta'.»

«'No momento momento. Purtroppo sono sola.»

Il caffè viene bene, tirato, don Vincenzo le fa i complimenti.

«Grazie. Peppi', vorrei discorrere con voi. Visto che è venuto pure don Vincenzo, è ancora meglio. State seguendo il "Monitore"? La campagna che faccio per educare il popolo? Mi dovreste dare una mano.»

Peppe annuisce, servizievole.

«Noi qua stiamo.»

«Io penso che dovreste dare qualche spettacolo democratico, inventare dei copioni con Pulcinella che si fa repubblicano. Non so, qualche storia tragicomica, dove si vedano le schifezze dei Borboni, l'eroismo dei patrioti.»

Peppe si fa perplesso, guarda suo padre, il quale resta immobile sulla sedia, senza espressione.

«Mah...» dice finalmente il giovane Cammarano. «Io lo farei pure, ma mi sento incerto. Il nostro pubblico è abituato a certe trame, non saprei proprio come la piglierebbe. E se poi facimmo peggio? Se non ci viene più nessuno?»

Lei fissa il vecchio, che non si muove.

«Don Vincenzo. Vogliamo sentire voi. Cosa ne dite?»

Cammarano la osserva. Finalmente si decide a parlare.

«Donna Liono', compatite il mio pensiero. Pulcinella è 'no povero ddio. Un uomo di niente, un pezzente, un vigliacco. Uno che pensa solo a salvarsi la pelle nelle disgrazie che lo zeffonnano. Perciò è arraggioso, fetente, mariuolo, arrepassatore. Non è un eroe. Voi lo vedete ca se mette 'ncoppa a 'na cascia alluccanno?»

Il vecchio si leva in piedi. Senza volerlo assume l'aria del palcoscenico, fa la voce nasale di Pulcinella.

«Citatine! È nata la Ripubbreca... La Repubroca... La prubbeca... Mannaggia lo cascione, comme canchero se dice 'sta fetente de parola?»

Le vien da ridere. Anche Peppe sorride, guardando il vecchio con ammirato amore.

«E poi,» sospira Cammarano, tornando a sedere «Pulcinella non è un tipo allegro. Sa le cose nascoste. Ca la Repubblica adda fernì', come finisce tutto, ca ll'uommene se credono de fa' chesto, de fa' chello, de cagna' lo munno, ma non è vero niente. Le cose cambiano faccia, non sostanza: vanno sempre comme hanno da ì. Comme vo' lo Padrone. Lo munno non po' gira' a la mano smerza. Lo sole sponta tutte li mmatine e po' scenne la notte, la vita è 'na jurnata che passa: viene la morte e nisciuno la po' ferma'. Perché è de mano de lo Padrone: di Dio. Pulcinella queste cose le ha sapute sempre, come volete che si metta a fare il giacobino? Lo po' pure fa', ma solo per far ridere, per soldi. Isso non ce crede.»

Giusto. Allora niente da fare nemmeno coi "Rinaldi" del Molo: quelli contano favole d'eroi potenti, fatati, fanno volare le semplici fantasie della gente bambina in umili sogni da poco prezzo. Chi glieli può distruggere, per costringerla a realtà che non può amare? Si rivolterebbe, feroce.

E, forse, è proprio questa la ragione per cui, nonostante tutto, nonostante il Governo repubblicano abbia abolito le gabelle sul pesce, sulla farina, sulla frutta, nonostante i patrioti vadano in giro a piantare alberi della libertà invitando la plebe a ballarci attorno, nonostante il «Monitore» scriva i suoi begli e inutili articoli educativi, i lazzari, il popolo basso, non ci stanno. Continuano a ricordare con affetto un miserabile come re Ferdinando, a seguire quei mascalzoni dei preti, e applaudiranno, quando arriverà, un furbo sanguinario come Fabrizio Ruffo.

Si batteranno da belve, come già hanno fatto, per cacciar da Napoli Francesi e Giacobini, estranei, scocciatori emeriti, fastidiosi perturbatori d'un mondo quieto, fantastico, bene ordinato secondo i primordiali principi della vita: padre Dio, padre re comandano, provvedono alle cose grandi e noiose. Per il resto, li han sempre lasciati fare a modo loro, a celebrare i riti fanciulleschi, nell'esistenza indipendente e saggia.

Voglion esser lasciati in pace nella loro grande, bella città di giardini, cupole, spiagge. Nel sicuro protettivo dei vicoli, dei bassi, del tempo. Resteranno così? Com'essi vogliono? Sempre il vecchio problema: s'ha diritto di far felici gli altri imponendogli quella che riteniamo sia felicità? Felicità comporta sacrifici, s'ha diritto d'imporli a chi pensa che non valga la pena di farli?

Mettetevi le scarpe, imparate il gergo repubblicano, fatevi ammazzare per cacciare i Borboni, Ruffo, i preti, l'ignoranza (e così regalare alla Gran Repubblica Madre i palazzi del re, Capodimonte, Ercolano), studiate, diventate colti. Leggete Genovesi, Filangieri, distruggete Pulcinella, san Gennaro, vicoli, bassi, la vostra vita randagia, priva di padrone. Sarete finalmente felici.

Forse bisognerà aspettare che queste generazioni di Napoletani man mano s'estinguano, carpire ad esse i giovanissimi, quelli che cedono, come il lavorante riccio senza un dito al piede. Col tempo le impenitenti legioni s'assottiglieranno, si dilegueranno nel Mito: Napoli diventerà una città come tant'altre, civili, della Terra, abitata da un popolo istruito, educato, ragionevole, pronto a seguire quanto gli verrà intimato dai filosofi, da tutti quelli che vogliono assolutamente dargli felicità.

Più tardi vengono Luigi Rossi e, guarda chi si vede!, Cimarosa. È diventato assai grasso, ha palpebre pesanti. È più che mai taciturno, aggrondato. Da quando re Ferdinando minacciò di farlo arrestare perché non gli era piaciuta l'*Artemisia regina di Caria*, s'è fatto ipocondriaco.

«V'abbiamo portato l'inno della Repubblica» sorride Rossi, porgendole un foglietto. «Il cittadino Cimarosa ha scritto una musica bellissima. Domani verrà eseguito al Largo del Castello: volete darne notizia?»

«Ne sarò felice.»

Legge alcune strofe:

Su di un sovrano popolo
sovrano più non v'è.
Al foco, indegne immagini,
ìtene ormai dei re...

E non temer che al Caucaso
Giove ti leghi il piè.
Se Giove è il re dei despoti
noi non abbiam più re.

Ah sì. Chiarissimo: per il popolo, per i lazzari, per Pulcinella. Ripone l'inno nella cartellina rossa.

In serata dai Cassano, dove c'è l'ennesima festa, sebbene in tono minore. Non verrà Championnet, Kellermann è partito per le Puglie, contro l'orde di Ruffo. Finalmente i Francesi si preoccupano.

Maddalena è stanca, anche un po' seccata per gli ospiti francesi che tiene in casa, tre colonnelli e un capitano. Tutte le famiglie patriottiche hanno chiesto l'onore d'alloggiare eroici soldati della Repubblica Madre, ora di quest'onore farebbero volentieri a meno.

«Una cosa terribile, mia cara!» le sussurra all'orecchio, adesso parla soltanto in italiano. «La fraternità va bene, ma con un po' di creanza. Vogliono la carne due volte al giorno, il dessert, bevono come spugne, mi stanno rovinando le donne di casa. Sapessi con che occhi mi guardano il Giorgione, il Caravaggio, le pietre incise, le medaglie...»

Incontra fugacemente Gennaro, il quale appare nervoso. Continua ad arrovellarsi per metter su la Guardia Nazionale. Non ci vuole entrare nessuno, salvo qualche ragazzo incosciente. Diventa sgarbato persino con lei.

«Lenòr, fammi il piacere. Non scrivere più quegli articoli entusiasti sull'"ardore col quale la nostra briosa e ostinata gioventù e anche l'età provetta d'ogni professione si prestano al servizio della truppa nazionale". Vogliamo farci ridere dietro?»

2

Schifo indicibile! È irritatissima, con tutti. Inutilmente Gennaro e Ignazio cercano di calmarla, di convincerla che certe cose, nel momento attuale, non si possono dire.

«No, no» s'impunta. «Non per questo abbiam fatto tanti sacrifici! O, per caso, siete d'accordo anche voi?»

«Lenòr!» esclama Gennaro. Ha espressione logora. «Come puoi dirlo!»

«E allora lasciatemi pubblicare le notizie su Duhesme e Rey.»

Sono due degli ufficiali rimasti a Napoli, poi che Championnet è stato deferito alla Corte Marziale. In attesa che torni Faypoult, col nuovo comandante in capo, il generale Mac Donald, gli ufficiali della guarnigione si danno a veri atti di brigantaggio. Duhesme ha fatto assalire dai suoi granatieri la diligenza di Lecce col danaro di privati e del Governo, Rey ha ordinato ai Napoletani insigniti del toson d'oro e altre decorazioni preziose di consegnarle a lui, pena la morte.

«Come volete ch'io non pubblichi questo, sul "Monitore"?»

«Lenòr, io sono più disgustato di te. E, se vuoi, io e Ignazio sfidiamo a duello Rey e Duhesme. Ma ciò non giova alla causa della Repubblica. Tu sai che abbiamo i giorni contati: se dobbiamo finire, finiamo in bellezza. Non mostriamo a tutti che ci siamo clamorosamente sbagliati.»

«Allora è solo per salvare la nostra vanità! Non dobbiamo mostrare d'aver sbagliato tutto. Ma a chi? Al mondo? Sai quanto se ne infischia, il mondo, di quel che succede in questo pezzetto di Terra a Sud d'Italia! Ai Napoletani? I Napoletani han già capito da un pezzo. E intanto i ladri vestiti da repubblicani continuano a far soprusi su un popolo infelice! Ma nessuno deve sapere, perché altrimenti Gennaro Serra, Ignazio Ciaia, Lenòr Fonseca, Carlo Lauberg, eccetera eccetera, fan la figura d'aver sbagliato tutto.»

«Te ne prego, Lenòr. Ne abbiamo parlato con il Governo: chiarirà la questione con Mac Donald.»

«Il Governo! Quale Governo? Quello di ieri, di oggi? Quello di stasera? Ormai qua non si fa che cambiarne i membri!»

«Non è colpa nostra se gli uomini sono deboli. Ora che le cose precipitano, è umano che taluni cerchino d'abbandonar la nave. D'altra parte, vorresti restare a difendere la Repubblica coi vili?»

«Non è detta l'ultima parola» cerca di rincuorarla Ciaia. «Sai che è tornato Caracciolo? Pensa: poteva restarsene a Palermo con Ferdinando, beato e tranquillo. Invece è venuto qua, per formare la marina repubblicana. Se avesse avuto sensazione che tutto sta per finire, non si sarebbe mosso.»

«Caracciolo è rimasto ragazzo» osserva lei, con malinconica saggezza. «Come tutti noi. Perciò è venuto.»

«E poi,» incalza Ciaia «Napoleone non resterà sempre in Egitto! Un giorno o l'altro romperà il blocco, le nuvole svaniranno.»

«Sì. Ma adesso le nuvole ci sono. E piove» indica con azzardo di sorriso la finestra, il grigiore della pioggerella. «E i Russi sono entrati in Italia.»

«Va bene! Va bene!» scatta Gennaro, irritato. «E Ruffo avanza in Puglia, i contadini si rivoltano contro la Repubblica. E allora? Vogliamo lasciar perdere tutto? Squagliare pure noi? In America? In Francia?»

«C'è sempre il Grottone di Palazzo» sorride lei.

Gennaro ha un gesto di stizza, poi si placa.

«Scusami. Ad ogni modo, le notizie di Duhesme e Rey le pubblichi?»

«Tu cosa penseresti di me se non le pubblicassi?» gli risponde, ponendogli una mano sul braccio.

«Male. Molto male» conclude lui, il viso gli s'illumina. Anche Ignazio sembra contento.

«Vuol dire che faremo il duello. Però vorrei ci fosse Marra al posto mio!»

«E che canchero, Igna'! 'Sti ufficiali francesi sono vinaiuoli, figli di verdummari, non sono nati con le spade in mano!»

Anche Astore e Meola insistono per pubblicare, il «Monitore» esce con le notizie. Agli strilloni è stato raccomandato di non vociarle, ma quello all'angolo di San Ferdinando non ubbidisce, Astore viene su trafelato.

«Lenòr! Sta strillando: "Marioliccio degli ufficiali francesi!".»

Impallidisce: tornano tremori, ma riesce a cacciarli. Strano come, da qualche po', si senta risoluta, tanto adulta da pensarsi uomo. Perché il misterioso flusso s'è seccato? Perché sta diventando grossa, orrenda? Peli grigi van spuntando fra naso e labbro superiore, li strappa dispettosamente, con una pinzetta, come faceva prima con la sottile peluria. Ma quelli eran peli giovani di donna bruna, un'attrattiva, segno che, alle parti segrete, ne celava molti. Ne ha tuttora molti, ma opachi, non setolosi come un tempo. Tutto, nel corpo, va spegnendosi. La pelle presenta macchie, smagliature, pieghe, sulle gambe disastro violaceo di varici. E il gran petto famoso è diventato pallido grassume.

Va a guardarsi allo specchio, toglie gli occhialetti, fissa gli occhi. Non più "de foco": sbiaditi, stanchi, arrossati. Cosa vi si legge, dentro? Non riesce a trovarvi niente di prima. Brillìi improvvisi d'entusiasmo, velature di tristezza, niente. Il resto di niente. Non v'è più nascosto nulla.

Nel pomeriggio, sotto l'acquerugiola, un'inutile, anche pericolosa parata militare repubblicana, voluta dal Governo nel tentativo di mostrare forza. A San Ferdinando si bruceranno le bandiere catturate alla Santa Fede nell'unico scontro vittorioso.

I patrioti sono nervosi, cupi. Oltre i cordoni di granatieri dalle visiere dei chepì lucide di pioggia, poca folla silenziosa, torva.

Sfilano i radi reparti di Guardia Nazionale, esercito, cavalleria, artiglieria repubblicani, con le belle divise appena uscite dalla sartoria messa su per ordine di Ruvo: larghi sparati gialli sulle giubbe blu notte, colletti e paramani rossi, i colori di Napoli.

È andata a vedere, con Astore che regge un grande ombrello da parolano in tela cerata verde. Sfilano bene, con aspetto marziale. Trascinano nel fango le bandiere nemiche: come faranno a bruciarle, così intrise?

La cavalleria è scarsa, ma bellissima: la guida, impettito, Ruvo, enorme su un cavallone sauro. Ma la gente, che pure s'entusiasma ai cavalli, resta zitta.

Fermento di curiosità, residui di simpatia al passaggio di Francesco Caracciolo in testa alla marina repubblicana, che è poi composta da un centinaio di ragazzi con le vecchie divise borboniche, coccarde tricolori ai berretti.

Caracciolo è invecchiato: dalla feluca blu e d'oro, inzuppata di pioggia, sbucano le bande dei capelli grigi. Cammina con sguardo in avanti, bocca serrata. Perché è tornato? Davvero in lui tanto patriottismo? O esistono anche in Caracciolo motivazioni segrete che, nate da eventi della vita, fermentano nelle falde umidicce dell'inconscio? Per sgorgare improvvise in forma d'eroismi, delitti, grandiosità? Fatti di donne, favorite e regine, han fermentato per Caracciolo?

È stato sempre personaggio un po' misterioso, riservato. È venuto a morire qui. Lo sa bene anche lui che moriremo tutti. Perché vuole morire? Nella sua annoiata saggezza di gran signore napoletano pensa sia volgare sottrarre alla morte pochi anni insulsi, quando la si può sfruttare per conclusione elegante, rispettabile? O, più semplicemente, appreso che Nelson naviga verso le isole del golfo, vuol dimostrargli, ancora e sempre, che il mare napoletano è di Caracciolo? Sebbene disponga di mezzi infimi: i due sciabecchi, la gabarra, le quattro navicelle da cui è composta la flotta repubblicana. Avrebbe mai potuto, Francesco, sopravvivere, inerte, a Palermo? In miserabili tragitti da minimo cabotaggio, per trasferire alle feste di Mondello re, regina, dame della Corte? Lontano dalla costa ineffabile del golfo, che lui fin da ragazzo conosce in ogni sasso, roccia, scoglio?

3

Dall'Africa giunge scirocco torrido: incolla su cielo e mare pàtina grigia, molliccia. Le barche nel golfo sono invischiate dentro un brunastro pudding all'inglese. Velo di polvere, impalpabile, molesto, fa smorire i colori, rende opachi specchi vetri marmi. A stento sulla collina s'intravede Sant'Elmo con la bandiera tricolore, Castel dell'Ovo è scomparso nella sciapa fuliggine.

Che sarà l'estate se fa così da fine maggio? Ma forse è meglio. Meglio non vedere più niente. Tanto meno le isole: almeno si dimentica che ieri, nonostante il coraggio di Caracciolo, la flotta inglese se n'è impadronita.

Tutto crolla: Suvorov ha vinto a Cassano d'Adda, marcia su Milano, Ruffo è nel Cilento. I Francesi non se ne danno per intesi. Il generale Mac Donald è duro, irridente, antipatico, un pelo rosso che mastica male l'italiano.

La faccenda Duhesme-Rey prende pieghe pericolose. Uscito il «Monitore», Rey è andato su tutte le furie, ha spedito un plotone di granatieri a minacciare il tipografo. Su proposta di Ciaia è intervenuto il Governo. Mac Donald ha assicurato che «oui, les citoyens généraux ont exagéré dans leur souci de recueillir l'argent pour soutenir l'armée républicaine». Ma ha aggiunto: «Les républicains de Naples ont aujourd'hui des problèmes bien plus dramatiques que les étourderies de deux officiers français; cela aurait été donc mieux de s'occuper d'autres nouvelles dans les journaux napolitains».

Lei s'arrabbia di nuovo. Si fa accompagnare da Ciaia e Logoteta a Palazzo, dove lo Stato Maggiore della Gran Repubblica Madre bivacca. Che schifo! Fin dall'ingresso, un porcile: ne viene odore nauseabondo di paglia fradicia, escrementi di bestie, urina, roba cotta. I grandi androni si son fatti neri pei falò che i soldati accendono dovunque. Vocio, ressa di militari, prostitute, ambulanti, lazzari su strame appiccicoso; sopra i bassorilievi impronte di manacce, rigature di piscia.

E i saloni al primo piano! Quello verde, quello azzurro, dove lei visse due momenti importanti... Come si farà a ripararli? Lo specchio marmoreo dei pavimenti è scomparso sotto sconcio pattume. Non esiste più un mobile, le consolles d'oro dai sontuosi ricami, gli specchi nelle cornici a stemmi, i tavolini leggiadri... Più niente. Finiti nei depositi di qualche Rey. O in Francia.

Mac Donald ha occupato uno degli studi del re. Le sembra riconoscere quello in cui Ferdinando le parlò, sorridendo, della nuova città che avrebbe portato il suo nome. Vuoti i magnifici stigli in radica di noce che toccano il soffitto affrescato con scene d'Arcadia. Il generale affonda in una delle poltrone damascate che una volta stavano nell'atrio; non s'alza all'ingresso della delegazione.

«Citoyen Général» esordisce Ciaia, serio. «J'ai l'honneur de vous présenter la plus éminente citoyenne de la République napolitaine: Eleonor Fonseca.»

Il cafone resta seduto, accenna col capo. Lei prova stizza tale che lo picchierebbe.

«Elle,» prosegue Ciaia, calcando le parole «est la directrice du "Moniteur napolitain", le courageux journal qui a dénoncé les abus qui ont été commis par des êtres indignes de s'appeller citoyens et républicains.»

«Bon» sorride il generale. «J'espère que votre journal ait encore le temps de conduire ses grandes batailles. Mais je vous prie de laisser en dehors l'armée française, au moins pendant les trois jours qui viennent.»

Si guardano negli occhi, è lei che risponde.

«Si l'armée française est objet de polémique, le "Moniteur" n'hésitera pas à l'accuser» dice, assumendo l'espressione più fiera che può.

«Bon. Mais l'armée française ne s'occupera plus de vos problèmes, madame. Dans trois jours nous quitterons Naples. Vous aurez donc tout l'honneur de défendre votre République, mes chers amis. D'autre part la République napolitaine ne peut pas soutenir l'armée française. Si vous pouviez payer cinq cent mille ducats, les soldats de France pourraient encore rester pour vous défendre, sinon, non.»

Restano annichiliti. Il generale sorride, con aria maligna. Li congeda, alzandosi e precedendoli con lurida cortesia.

«J'ai été honoré de connaître madame de Fonseca.»

«Questi figli di puttana ci mollano» mastica Ignazio, quando sono fuori e han ripreso facoltà di ragionare.

«Il Direttorio ha bisogno di truppe per i confini orientali della Francia» mormora pensoso Logoteta. «Di tutto il resto se ne infischia.»

«E quell'imbecille di Buonaparte che se ne sta a scaramucciare coi Mamelucchi in Egitto! Possibile che uno come lui non riesca a venir fuori da quella trappola infernale? Comincio a pensare che l'abbiamo sopravvalutato.»

«Ci avrà provato, come no, caro Ciaia. Sono gl'Inglesi che lo controllano a dovere. Il Mediterraneo è diventato un lago britannico, come scrivono sulle loro gazzette, con l'orgoglio fetido che li contraddistingue.»

«All'inferno questi cialtroni di falsi rivoluzionari!» grida Ignazio, esasperato. «Ce la vedremo da soli! Venderemo la pelle!»

Con espressione strana per lui, disperata, sogghigna: «Possiamo sempre far trovare a Capeto, quando tornerà con la sua vacca, un bel mucchio di rovine fumanti. Cento buone cariche, messe nei punti giusti... Sai che rimane della famosa, bellissima Napoli? Così sarà, come ha voluto, il re delle macerie».

Lei ha un brivido. Ignazio alza le spalle, sorride a Logoteta che lo fissa con occhio severo, incredulo.

«Ma no! Abbiamo combattuto per ben altro! Avremmo voluto costruire non distruggere. Bene. Lasceremo almeno un bell'esempio. I posteri ci loderanno, magari c'innalzeranno monumenti.»

«Equestri» fa, serio, Logoteta, mentre si dirigono verso Castelnuovo, dove alloggia il Governo da quando i Francesi si son preso Palazzo. «A cavallo della nostra ciucceria.»

Ignazio ride forte.

«In fondo, non ci possiamo lamentare. Almeno io. Quand'ero ragazzo, sognavo amore e gloria. L'amore... Beh.»

Lei lo guarda con curiosità, lui strizza l'occhio.

«Un pochino ne ho racimolato. La gloria... Pensavo di raggiungerla con la poesia. Mi ci son voluti trentasette anni per capire che i miei versi sono scadenti. Però la storia m'offre un'occasione lo stesso. Il mio nome sarà legato a questa sciocca, cara, inverosimile Repubblica, nata non si sa come, non si sa come vissuta, morta con onore e dignità.»

Ha una pausa.

«Non mi dispiace che i Francesi se ne vadano. Il gioco torna a noi, saremo noi a decidere. Tutto porterà il nostro segno, nel male e nel bene.»

La notizia della partenza di Mac Donald funziona da pietra di paragone. Squagliamento generale: Governo, Costituente, Commissioni si smembrano, si decompongono. Ma ci sono ancora quelli che osano prendere il posto dei fuggiaschi: Conforti è il nuovo Ministro degli Interni! Ha obbedito, dicendo con allucinata freddezza: «Verumtamen non sicut ego volo, sed sicut tu».

E Cirillo ha accettato, col suo smorto sorriso, d'esser Presidente della Legislativa, pronunziando una strana battuta in tedesco: «Die Toten reiten schnell».

Nessuno sa cosa voglia dire, in Napoli a conoscere il tedesco c'era solo la buonanima di Filangieri.

Con angosciato stupore apprende cosa significa quando Sanges le presenta Johann Eicholz, un curioso ragazzo di Eiberfeld. Che diavolo fa a Napoli in questo periodo infame? C'è venuto apposta. Un biondino roseo, sui venticinque: lo sguardo pare addormentato, ma s'accende di subitanei furori. Scrive poesie, scrive musica, s'occupa di filosofia.

«Voi lottare contro tiranno. Può essere altrove posto di poeta?»

A Sanges piace, lo ospita persino, nella sua camera di Taverna Penta.

Eicholz sembra venire da un mondo sconosciuto. Parla di scrittori, musicisti ignoti. Una sera, nell'ormai malinconica, vuota casa dei Cassano, si mise al clavicembalo.

«Dock, ich wurde worziehen, preferirei ein pianoforte» borbottava. Prese a suonare una musica strana: in taluni momenti sgarbata, sgradevole, in altri di dolcezza infinita. Spiegò ch'era parte della prima sinfonia d'un giovane musicista tedesco sulla via della gloria, Ludwig van Beethoven.

Se si discorre di poesia, parla con sprezzo di quelle italiana e francese. Detesta Metastasio, ma non ama neppure Goethe. Cita nomi sconosciuti: Hamann, Burger, Herder, Klinger.

«Verso di Burger quel che voi interessare, mein Freundin. E, cosa molto strana, stare dentro poema che portare vostro nome: Lenore.»

Rimane attonita.

«Proprio quelle parole? Cosa vogliono dire?»

«Vogliono dire: "I morti camminare in fretta". Devo io spiegare contenuto di Tanzlied, ballata, si no voi non capire. Die Tanzlied di Burger parla di fanciulla di nome Lenore, che viene avvicinata da uno misterioso reiter. Come voi dire... Chevalier, in franzose.»

«Cavaliere.»

«Ja, cavaliere. Questo prendere Lenore sopra suo pferd, cavallo, e porta via. Ella molto schrecken, paurosa.»

«Spaventata?»

«Ja. Elle a très peur. Domandare sempre a cavaliere: "Dove tu portare me?". E quello rispondere: "Die Toten reiten schnell", I morti correre presto. Vostro amico Cirillo conoscere Tanzlied di Burger.»

Discorrendo con Johann, Sanges sembra aver recuperato interessi, freschezza giovanili. E scorda quanto sta succedendo. L'esercito repubblicano è ridotto a zero, Ruffo è a Nola, Manthonè, nominato generale in capo, non sa a che santo votarsi. Vincenzo se ne infischia: lietamente. Ha ricevuto chissà come il libretto d'un poeta veneziano, un certo Foscolo, un romanzo, intitolato *Ultime lettere di Jacopo Ortis*. Se n'è innamorato, come un tempo gli capitò col *Werther*.

«Merita, poi, questa vita d'esser conservata con la viltà o con l'esilio?» risponde, citando da quest'*Ortis*, a una fra le preoccupate domande di lei. «Dovresti leggerlo, Lenòr. Non è geniale come il *Werther*, al quale somiglia, ma è più, come dire, più italiano. Più fresco.»

«Ti pare, questo, tempo per occuparsi di poesia, Vincenzo?»

«Ma più che mai!» ride Eicholz. «Poesia essere lingua madre di tutto genere umano. Poesia und musica essere sole consolatrici dentro Verwustung. Come devo dire: de-so-la-tio-ne.»

«Mah. Beati voi. Io continuo a pensare a questa *Lenore* di Burger. Una coincidenza così strana che non sembra una coincidenza. Segno funebre? Ce ne sono tanti, ormai, nell'aria! E però il nome, la vicenda... Come l'ha imparato Cirillo? Glielo chiederò, se lo vedo.»

Ma chi si vede più, in questo clima pazzo! Siamo strani personaggi presi da chissà quali misteriosi doveri, assorti in pensieri sconosciuti, già proiettati in dimensione estranea, lontana. Evitiamo ogni discorso ch'abbia senso d'avvenire. Quali strani sorrisi, compìti e smorti, ci facciamo! Siamo cortesissimi: della gentilezza untuosa, un po' vile, che s'usa coi malati gravi.

Pochi la prendono in maniera diversa, bruciando i giorni, le ore, se stessi. In certe case è festa continua, come dalla Sanfelice a palazzo Mastelloni, dove il povero Cuoco un paio di volte s'è addirittura ubriacato, in modo assai penoso. Ben gli sta. In fondo mi rimane antipatico, con la presunzione, l'aria da maestro. Ma non sono difese d'un timido sperduto?

4

Il tempaccio afoso continua. È pallida, ansante, suda molto, ogni momento deve togliersi gli occhialetti che s'appannano.

Ha indossato un bel vestito-camicia leggerissimo, di batista bianca, che svolazza sul corpo libero, senz'ombra di busti, di guêpières. Questa sì ch'è liberazione vera, per una donna! Ha calzato sandaletti dorati, con i lacci, alla greca. E s'è fatta tagliare i capelli molto corti. Da un po' di giorni l'è venuta voglia di frivolezze: spende tempo allo specchio, in caccia di peluzzi, rughe, dopo secoli usa rossetti, ciprie.

Un'occhiata avvilita al tavolo ricoperto da libri, carte, bozze: c'è il nuovo numero del «Monitore» da preparare. Ne vale la pena? Il giornale non si vende quasi più, il tipografo è in credito di parecchio denaro. Stamperà tre numeri, poi, se non viene pagato, smette: ma ci saranno ancora tre numeri?

Suvorov ha conquistato Torino, Ruffo è al Sebeto, presso Capodichino: cosa potrò mai scrivere su questo numero che potrebbe esser l'ultimo?

Scartabella nella cartellina rossa. Notizie assurde, ridicole. La mozione di quel pazzo di Russo: propone di bruciare tutti i libri scritti in periodo borbonico. Butta via, stancamente. Prova desiderio di prender aria, uscire, veder gente: afferra l'ombrellino bianco, la borsetta a sacco. Sta per chiudere, quando arriva, trafelato, Cuoco.

È torvo, trema tutto nei tic. Indossa redingote estiva color crema, pantaloni azzurri, ma sembra sgualcito, un po' malato.

«Vincenzo! Da quanto tempo! Son lieta di vedervi.»

«State per uscire» fa lui, sempre più cupo. «Ma ve ne prego: si tratta di cosa importante.»

Rientrano, lei siede al tavolo, lui rimane in piedi, aggrondato.

«E allora?»
«C'è una notizia grave che debbo darvi. Per il vostro giornale.»
Farfuglia, non guarda negli occhi.
«L'ho appresa un'ora fa. Dovrò anche comunicarla al Governo.»
Lei impallidisce.
«Ruffo ha iniziato l'attacco?»
«Oh no» fa lui, ripigliando per un istante il tono saccente. «Penso che aspetterà il giorno 13, sant'Antonio. Voi sapete che per i Sanfedisti sant'Antonio ha preso il posto di san Gennaro, dopo il miracolo regalato a Championnet. No. Devo parlarvi d'altro. Guardate.»
Dal taschino del panciotto estrae un foglietto di pergamena piegato in quattro, lo spiega: al centro v'è, stampato, un sigillo tondo con le iniziali di re Ferdinando.
«E che cos'è?»
«Un salvacondotto. C'è una congiura, a Napoli, organizzata da ufficiali dell'ex esercito borbonico, preti, vecchi nobili... Anche lazzari.»
«Una congiura? Per fare che? Ormai...»
«Per insorgere. Stanotte o domani. Ammazzare i patrioti, far trovare a Ruffo Napoli già ripulita.»
«E voi come lo sapete?»
Esita, tace, si torce nei tic, alla fine, con scatto nervoso, esclama: «La signora Sanfelice è amica d'uno dei capi di questa congiura, l'ex capitano Gerardo Baccher. È lui che, per proteggerla, le ha dato il salvacondotto».
«E come mai lo possedete voi?»
Cuoco soffre molto, ha gli occhi disperati.
«La signora Sanfelice lo ha dato al magistrato repubblicano Ferdinando Ferri. Che pure è suo amico.»
Con sorriso straziato aggiunge: «Ferri è venuto a consultarsi proprio con me. Abbiamo deciso di denunziare il complotto: me ne sono assunto io l'incarico».
Lo considera, attentissima. Lui continua a fissare in terra, a sussultare nelle scosse nervose. Sta rendendo un servigio alla Repubblica morente. Si possono snidare i congiurati, guadagnare qualche giorno di vita.
Ma io credo di sapere cosa veramente lo muove. Il «Monito-

re» dovrà parlare di ciò e Luisa Sanfelice, Ferdinando Ferri saranno rovinati per sempre. I loro nomi di piccole stolide persone verranno iscritti nell'Albo glorioso della Patria Repubblicana, re Ferdinando, al ritorno, li additerà per la vendetta. Gerardo Baccher sarà punito dalla Repubblica, Luisa e Ferri dal re. Il male ricevuto Cuoco lo vendica così.

È vero? È vero, Cuoco? Lo fissa, lui continua a tacere, tormentando nelle mani il salvacondotto. Infine leva lentamente lo sguardo: infelice, malato. È così? continua a domandargli, con gli occhi. Le pare che dentro le pupille di lui si legga una smarrita risposta.

"Forse. Forse. Forse."

Anche tu dovrai pagare, Vincenzo, pensa, colta da cattivo émpito di giustizia. Magari vendetta. E di che? Non posso agire diversamente: il complotto va denunziato, la Repubblica difesa. Del resto Cuoco si rivolgerà al Governo, si procederà agli arresti. Io devo fare solo ciò che, in sostanza, lui desidera e pensa: esaltare i nomi di Luisa (povera, bellissima sciocca: guarda un po' come si può finire nella storia!), di Ferdinando Ferri, esecrare quello di Baccher. Cuoco, in fondo, che c'entra? Perché dovrei parlarne? Ha riferito, non è necessario che il suo nome compaia.

Tace, tesissima. Irritata più che mai con Cuoco, il quale l'ha cacciata in questa orrenda posizione di giudice, dispensiera di vita, di morte.

Lui mette in tasca il foglietto, torce le dita, accenna a partire.

«Ora andrò al Governo» sospira. Ma non si muove: che vuole ancora? Vuol sapere cosa farò io? Conoscere il verdetto? Ha un émpito di rabbia dolorosa: pensa ai rimorsi che costui le lascia dentro. Non è giusto, no. Paghiamo tutti.

«Avete fatto bene» gli dice. «Ve ne prego, datemi i dettagli, se li conoscete, in modo ch'io possa stendere un articolo informato.»

Un attimo d'esitazione.

«Forse sarebbe bene che la notizia venisse data come proveniente dalla stessa Sanfelice» aggiunge, fissandolo. «Ne acquisterà merito e si tralasceranno gli aspetti meno dignitosi della faccenda. Vi pare?»

«Sì, certo. Io non ho dubbi sulla vostra capacità di presentare mirabilmente la vicenda. Altri particolari non ne conosco. Grazie. Addio.»

Che caldo maledetto! Ma questa storia le ha ridato impegno: scrive, strappa, scrive, strappa, alla fine le pare vada bene così: «Una nostra egregia cittadina, Luisa Molino Sanfelice, svelò ieri la cospirazione di pochi non più scellerati che mentecatti...».

E chiude: «La nostra Repubblica non deve trascurare d'eternare il fatto e il nome di quella illustre Cittadina».

Riprende la penna, aggiunge: «Essa, superiore alla sua gloria, ne invita premurosamente di far pubblico che ugualmente con lei è benemerito della Patria in questa scoperta il Cittadino Vincenzo Cuoco».

Ecco fatto. Solo quando l'articolo esce sul «Monitore» s'accorge d'un'incredibile dimenticanza: ha tralasciato il nome di Ferdinando Ferri! Vera dimenticanza? Non, piuttosto, indecifrabile spinta dell'inconscio?

Cuoco le ha rovinato la giornata. Si spoglia, scontenta. Cosa deciderà il Governo? E Conforti, il nuovo Ministro degl'Interni? Cerca di distrarsi. Prepara, svogliata, una caponatella, mangia piano, s'alza per versarsi un bicchiere di vino. Poi il caffè. Forse, un'oretta di sonno... Ha appena tempo d'indossare il camicione di mussola che picchiano alla porta. Chi sarà? Gli amici sanno che al «Monitore» si riceve nel pomeriggio. Di nuovo Cuoco? Mette una vestaglia, va ad aprire.

Meu Deus. È cambiato, tanto cambiato! Ma lo riconosce immediatamente: Luigi. Luigi Primicerio. Smagrito, radi capelli grigi lunghissimi sul collo, occhiali tanto spessi e pesanti che paiono trascinarlo in avanti. Indossa una giamberga dei vecchi tempi su pantaloni moderni. In bocca gli s'è fissato un curioso sorriso: ironico, banale, incerto.

«Luigi.»

«Posso entrare, Lenòr? Scusa per l'ora.»

«Entra, vieni. Vuoi caffè?»

«Sì, grazie.»

Lo serve, cercando di star calma. Perché s'agita tanto? Non se ne ricordava più, di Primicerio, se non in rari momenti.

Lui la osserva. Dietro le lenti spesse un dito gli occhi diventano palline nere. Fisse, fastidiose. Cerca d'evitarle, va a sedersi al tavolo del «Monitore».

«È buono il tuo giornale, sai» dice lui. «Ho sempre saputo che la tua vera vocazione era questa. Ottima la campagna per l'educazione della plebe.»

Lei sorride. Avverte fastidio di star lì in vestaglia.

«Perdonami un momento.» Riappare col bel vestito bianco, si scusa: «Non posso ricevere in disordine un amico come Luigi Primicerio».

«Grazie.»

«Raccontami di te» gli domanda. «Pensavo fossi andato via da Napoli.»

«Avrei voluto farlo. Soprattutto quando son rimasto proprio solo.»

«Solo?»

«Tutto mio, secondo il pensiero di Leonardo da Vinci. "Tu sarai tutto tuo se sarai solo." Ed io son rimasto tutto mio. Che compagnia!»

Lei esita: «E tua... I tuoi... figli?».

«Andati via. Forse a Sessa Aurunca, dai genitori di mia moglie.»

Chissà perché, in questi tempi estremi, ha tanta vocazione a scoprire i moventi nascosti della gente. Questo di Luigi, tuttavia, non è tanto facile a decifrare. S'è fatto vecchio, è solo, cerca rifugio? Gli guarda gli occhi dietro le spesse lenti, le mani pallide, che gli tremano sopra le ginocchia. Forse è proprio così: non ce la fa più, ed è venuto. Ci siamo amati, negli antichi tempi.

Lui le sorride, mormora: «Sei rimasta bella».

Prova stizza, confusione, fastidio.

«Eh no, Luigi! Devo pensare che queste lenti così spesse non ti servono a nulla? O son miracolose, che modificano il brutto?»

«Io ti vedo bella. Forse appesantita, da allora. Non sono le mie lenti.»

Restano in silenzio, il respiro di lui è forte, un poco cavernoso. Sorride sempre, mentre lei s'arrovella per capire. Cosa c'è, in quel sorriso? Tenerezza, astuzia, pena? Luigi corruga la fronte.

«Lenòr» esclama, serio. «Tu hai pensato? A ciò che dovrai fare?»

Non risponde. Prova soprattutto rabbia: lui l'ha strappata, in un attimo, dal torpore incosciente, dal protettivo rifiuto del domani. Al tempo stesso, tuttavia, le montano teneri, caotici, lacrimosi impulsi di riconoscenza. Si preoccupa della mia sorte! Di nuovo rabbia: perché soltanto adesso?

«Non lo so» gli risponde, con durezza voluta. «Ma non me ne importa niente. Non ho una sola ragione per dovermi preoccupare.»

«Certo» annuisce lui. «Credo che qui ben pochi ne abbiano, ormai. Io, però, non vorrei che tu pensassi così.»

Ha ripreso l'aria padrona d'una volta? Lei prova curiosa speranza.

«È per questo che son venuto. Ho cominciato a pensarci dal primo giorno in cui ho comprato il tuo giornale. Io non ho fatto niente per la Repubblica. Non ne avevo voglia, tempo, possibilità. M'è parsa, fin dall'inizio, una cosa gratuita. Puerile. Come il tuo giornale adorabile, perdonami. Pensavo, fra l'altro, ch'eran state le piccole simpatie mostrate per voi a rovinarmi. Andassero, perciò, questi sciocchi ragazzi nel più profondo dell'Inferno! Col giocattolo che, incredibilmente, eran riusciti a costruire. Ora mi sento più dolce: perché vedo che molti fra loro non sono andati via. Rimangono, capisci. Per giustificare quel che hanno fatto; non giocano. Vanno incontro alla morte. Davvero credevano di poter realizzare sogni.»

Allarga le braccia, sospira. Sorridendo, aggiunge: «Di fronte a tutto questo, io sono stato merda».

È vero? È vero? È questo il tuo movente segreto? pensa lei, un po' delusa, continuando a spiarlo.

«Poi c'eri tu» continua, con la voce che aveva da ragazzo. «La bambina strana bloccata innocentissima di allora, dolce e testarda, spaventata e saggia. Anche con lei ho sbagliato tutto. Sono stato ancora merda, scusami la parola, ma non trovo di meglio.»

«Io non ho mai pensato di realizzare sogni» mormora, con la voce incrinata. Perché vengono lacrime? Perché vola indietro nel tempo, si rivede come allora? Soda, tenera di pelle, lucida nei begli occhi "de foco"? Mentre Luigi le denuda un seno grande e fresco?

Anche lui era bello, sgarbato, forte. Quelle mani nervose, artigli di falco. Perché adesso penso che a sbagliare sono stata io, con questo primo uomo della mia esistenza? Come sarebbe andato tutto, dopo? Chi lo sa, chi può sapere. Passa nervosamente le mani dentro i vecchi capelli.

«Lenòr» dice lui, con decisione. «Bisogna mettersi in salvo. Per questo sono venuto: devo aiutarti, capisci. Tocca a me. Ormai davvero tutto è terminato. E le vendette saranno atroci: perché paura e rabbia provocate da questo gioco di ragazzi sono state immense.»

PARTE VENTESIMA

1

La buttano giù dal letto i ragazzini della tipografia. Hanno trascinato fino a Sant'Anna un carrettino coi pacchi del «Monitore» numero 35 del 20 di pratile.

«Signo'! Donna Lionora!» strillano. Danno calci alla porta.

«E ched'è!»

«Signo', né ieri né stamattina è venuto nisciuno a ritirà' li pacchi. Don Salvatore ha detto de li porta' a la casa vostra.»

Imbambolata di sonno, estenuata di sudore e d'afa, li guarda, senza capire; quelli vanno e vengono, recando sulle spalle i pacchi che odorano d'inchiostro fresco.

«Ma che è successo?»

Va in cucina a prendere mestolate d'acqua, per rinfrescarsi, tornare in sé. Silenzio strano in casa e fuori: mancano i concerti di campane che dall'alba fan tintinnare l'aria del quartiere, manca il rumore di scuri e di portelle che sbattono, annunziando il risveglio nei palazzi e nei bassi, mancano rotolio di carrette, richiami, gli urli dei ragazzi. Napoli tace.

Allarmata, apre la finestra, facendo entrare vampe di calore bianco. Pochissime persone in giro, radi i potecari che s'avviano, in mano le enormi chiavi alla san Pietro, per toglier catenacci alle botteghe. Un solo carrettino di verdura s'arrampica verso il mercatino al trivio, il padrone non scarica mazzate né bestemmie sul povero ciuccio affaticato. E ched'è?

Riempie la caffettiera. Ora si sente lucida. Forse questo è l'ultimo caffè che mi preparo, pensa. Domani è sant'Antonio, il giorno stabilito da Ruffo. E il numero 35 del «Monitore» è proprio l'ultimo. Non lo leggerà nessuno.

Con la tazzina fumante in mano, torna in sala da pranzo, contempla i pacchi accumulati in disordine. Che fine faranno? I lazzari, i vicini, quando verrà saccheggiata la casa, li piglieranno per accendere il fuoco, farci coppetti pei venditori di lupini. Per quello che c'è scritto dentro! Il numero più brutto del giornale. Bugie. Tutte bugie.

Dal Governo le avevano spedito dispacci scarabocchiati in fretta, con le notizie dei combattimenti alle soglie di Capodichino, al ponte della Maddalena. «Esaltare, entusiasmare»: la solita postilla di Lauberg. E come no! I fuggiaschi, terrorizzati, avevan riferito che i Sanfedisti tagliavano con ogni cura i corpi dei nemici. Ne facevano ordinati mucchioni: teste qua, gambe là. Perché? Vallo a capire.

Si sente molto colpevole. Ha osato scrivere di «presenti vittorie», di successi sugli «insorgenti» in provincia, i dispacci con la brusca annotazione «I Sanfedisti sono al ponte» li ha liquidati con un ipocrita, vile «Notizie più circostanziate le daremo nel foglio seguente». Quale foglio seguente? Eccolo qua, il «Monitore». A pacchi. Se vuoi, te lo puoi leggere e rileggere. Tu sola, a tuo piacere, fin quando non verranno a pigliarti.

Stavolta, stranamente, questo pensiero non dà angoscia. Forse perché, nelle pieghe misteriose dell'anima, sente giunto il finale conseguente di tutta la vicenda. È venuto il tempo. L'altra volta si disperava perché sapeva che non tutto era ancora scritto. Ora no. Mo' non c'è proprio più niente da fare. Il resto di niente. Sarebbe bene prepararsi, ha ragione Luigi.

Va al comò, ove conserva biancheria, sciqquaglie, i pochi soldi. Solo questi, forse, serviranno, ha esperienza del carcere. Ma adesso sarà peggio. Purché non mi faccian molto male. Che m'ammazzino subito.

In un sacchetto di maglia ficca soldi, gioielli. Dal comò saltano ricordi: lo scialle di vovó, una miniatura di mamãe, di papài non riuscì a farne fare, per via dei soldi. E nemmeno di Francesco, il bel bambino riccio che le somigliava. Le balza in mente, nel cuore, così vivo, nitido, da farle perdere d'un colpo la fermezza un po' beota ostentata sin qui. S'inginocchia a piangere.

«Ma che c'è, Lenòr? Che cosa hai fatto?»

Primicerio la trova così, occhi rossi, petto ancora agitato.

«Niente, Luigi. Un piccolo momento di debolezza.»

«No, no. Niente debolezze» sorride. «Sono andato al Governo, non c'è più nessuno. Manthonè è al ponte della Maddalena, con Ruvo. Per farsi ammazzare: chi lo ferma più, quel Ruffo? Lauberg s'è trincerato in Castelnuovo, i Pignatelli dentro Castel dell'Ovo. Marra è a Sant'Elmo, dove si sono rifugiati tutti gli altri.»

«A quale scopo, ormai?»

«È quel che dico anch'io. Resisteranno qualche giorno, poi... Ma la pazzia maggiore che intendono fare è un'altra: nel pomeriggio fucileranno Baccher e soci al Largo del Castello.»

Impallidisce. Brutto, marcio senso di debolezza, Luigi se ne accorge, fa per sostenerla.

«Che hai? Ti senti male?»

«No. Ma penso che la colpa di questo eccidio sia anche mia.»

Lui scuote il capo, con smorfia scettica.

«Eccidio... Sono tre o quattro mascalzoni, che a loro volta preparavano eccidi ben più grossi. Meritavano d'essere puniti. Ma non ora. È questa la sciocchezza: significa scatenare i lazzari prima del tempo. Dobbiamo andarcene immediatamente, Lenòr.»

Lei gli pone una mano sul braccio.

«Dove vuoi andare, ormai» mormora, stanca.

Lui s'infervora.

«Senti. So che han messo pattuglie a ogni uscita dalla città. Ma il mare è ancora libero. Se riusciamo a pigliare una barca a Mergellina, a puntare su Pozzuoli, è fatta. Possiamo raggiungere Roma. Milano. La Francia.»

«L'America» dice lei, con debole sorriso. «Con la tua barchetta.»

«Non scherzare, Lenòr. Non è il momento. Hai denaro?»

Gli dà il sacchetto, con tenera obbedienza.

«Io non posso andarmene, Luigi. Io sono... Sono stata la cittadina Lenòr Fonseca. Ho diretto il "Monitore", la voce della Repubblica. Ho denunziato i congiurati Baccher che saranno fucilati oggi, non posso scappare come una serva qualunque.»

«Non far retorica» esclama, brusco, afferrandole un braccio. «Cosa guadagni a lasciarti ammazzare? Se riesci a salvarti, a raggiungere Milano...»

«A Milano ci sono i Russi.»

«La Francia, allora. Lì potrai ancora essere utile a Napoli. Scrivere, controbattere la propaganda infamante che i Borboni scateneranno contro la Repubblica.»

«Nella Grande Repubblica Madre» sorride, con caparbia ironia. «Protettrice amorosa delle repubblichette figlie.»

Diviene seria, fissa Luigi in quei curiosi punti neri dietro le lenti.

Ecco: ancora una volta, nella mia esistenza, c'è qualcuno che sceglierà per me. Mi disegna il destino. E io mi piegherò. Com'è avvenuto sempre, come, in fondo, m'ha fatto sempre comodo. È così vantaggioso non decidere!

Fuggiremo, Luigi mi porterà via. Com'è strana la vita. Dopo trent'anni si ripiglierà un discorso interrotto. Da vecchi avremo quell'incontro di carne mancato per scelta del mio corpo, non del mio desiderio. Prova pietà un po' stizzosa all'immagine del proprio grassume bianco, sfatto, accanto al corpo vizzo, fuligginoso, di Primicerio. Cerca d'immaginare l'unione. Possibili guizzi di piacere? Oh no, solo per accontentarlo. Espiazione, compenso? Per sé il gelido, inutile guadagno della carità.

Piccole luci le balenano dentro. Posso confessarmi che amore, carità, non ne ho provati mai? Nemmeno per Francesco. Volevo farne arma di vendetta e orgoglio, è giusto che quello lì me l'abbia tolto, se lo sia ripreso. Neppure adesso voglio, né so dare. A questo rottame d'uomo. Fargli tornare dignità. Barlumi malinconici di sesso. È questo, solo questo, il movente antico di Luigi? Si difende, secernendo disprezzo dal cervello.

«Non parlarmi più di fuggire» sbotta, con marcata alterigia. «Sai che per me non è possibile. Il mio dovere è un altro.»

Lui non appare incollerito. Sorride, pronuncia una frase che la sbalordisce.

«Sei sempre tu. Provi piacere nel farti male. Nel punirti.»

Rimane trasognata a guardarlo, il grande petto molle si gonfia, ansando.

«Io non ho mai deciso niente» farfuglia, tirando su col naso. «Sono stata sempre e solo scelta. Tutti hanno utilizzato me. Ne hanno approfittato.»

Luigi la prende tra le braccia, la schiaccia contro sé. Prova a darle piccoli baci sulla fronte, sul viso inumidito.

«Farsi scegliere *è* scegliere» le sussurra, girandole il volto con la spinta del proprio, in cerca delle labbra. Ha barba ispida, l'alito leggermente cavernoso, tuttavia lei s'accuccia contro di lui.

Queste sensazioni levano spazio a ogni altra cosa. Le piace sentire le mani di lui, stavolta leggerissime, timide, sfiorar le spalle nude sbocciate dal vestito, aspetta con ansia tenue il momento in cui le dita di Luigi si stringeranno attorno ai seni.

2

Tira il lenzuolo sul grande petto nudo. Si vergogna un po' che Luigi, steso accanto a lei, continui a guardarla. Ma senza i suoi occhialacci la vede davvero? Ha aria così buffa, privo delle lenti... Strizza gli occhi, allunga il collo. I radi capelli grigi son tutti scompigliati. Lo contempla nel nudo corpo smagrito: gli si vedono le costole, il pelame sul petto è bianco.

Luigi ansa ancora. Spinge una mano a giocare, a strizzarle, con lieta levità, i capezzoli bruni, ogni tanto scuote il capo.

«Chi l'avrebbe detto...» ripete. «Dopo trent'anni. Son trent'anni, è vero?»

«Esattamente ventinove e qualche mese» sorride lei, rivestendosi. Non hanno mangiato, bisognerà preparare qualcosa. Strano come ora si senta naturale, serena, in questa minima dimensione d'una casa serrata sul mondo esterno, con un vecchio uomo gentile che le ha voluto bene. Ha desiderio di fargli da mangiare, accudirlo.

«Non ti muovere» dice, vedendo che anche lui sta per levarsi. «Riposati ancora un po'. Preparo maccheroni ziti col sugo fresco. Ti vanno?»

Luigi sorride, non obbedisce. Cerca gli occhiali, si riveste in fretta.

«Pensi sempre che mi piaccia tanto mangiare? Non è più

così. Ho avuto una brutta malattia proprio allo stomaco. Ma non possiamo perdere altro tempo. Dobbiamo andare via. Non senti nulla?»

Corre alla finestra, apre, ascolta.

«Non senti?»

Lei, volenterosa, accorre, tende l'orecchio. È la controra deserta, ardente, quando davvero tutto tace. Si percepisce solo l'ansimare assopito di natura, animali, persone.

«No, Luigi. Io non sento niente.»

«Aspetta. Ma che ore sono?»

Obbediente, va a pigliare l'orologino di metallo: le quattro e cinque minuti. Trasale. Ha ragione lui: lontano martellio di passi, rullo affiocato di tamburi a morte.

«L'esecuzione» mormora, pallidissima. Anche Sant'Anna ha udito: si smuove infastidita, nell'incrocio delle voci impastate, nel batter di portelle.

«Lenòr, andiamo. Prima che si scateni l'inferno.»

Nel vicolo si sta radunando gente. La conoscono tutti, sanno chi è, se volessero... Non dice né fa niente nessuno. Luigi, invece di scendere a Toledo, la spinge in su, verso il Tiratoio.

«Dove pensi d'andare?»

«Ora è il caso di dirlo: non siamo noi a scegliere. A Toledo andiamo dritti nel caos. Potremmo buttarci nei vicoli della Salata, tentare di raggiungere Santa Lucia. Ma come passiamo Chiaia? Non resta che salire al Vomero.»

«A Sant'Elmo?»

«No. Se potessimo, dal Vomero, buttarci pei Camaldoli. O ad Agnano: ti ricordi quando andammo da Bonito? Lì ci sono sentieri. Poi vedremo. Il guaio è che fa un caldo infernale e queste sono salite da assassini.»

«Non hai neppure mangiato nulla, Luigi.»

Lui ansa, suda, rivoli gli scendono per il viso. Il sole è altissimo nel cielo, spacca. Non un filo d'ombra. Gli alberi, nei giardini lungo la Concordia, proiettano freschezza all'interno. Per fortuna non s'incontra nessuno. Al trivio di Cariati Luigi si ferma, cereo, intriso. Anche lei non ce la fa più: soffoca, il cuore batte da scoppiare.

«Ora viene il problema» ansa lui. «O prendiamo il Petraio...»
«Meu Deus!»
«Lo so ch'è duro. O proviamo a scendere per Santa Maria Apparente, Betlemme, ed osiamo per Chiaia. No, no, aspetta.»
Corre verso il sentiero lungo il convento di San Nicola, dopo un istante torna, trafelato.
«Di qua no. Sento voci. Niente scelta, dobbiamo buttarci nel Petraio.»
Vanno in fretta verso San Carlo alle Mortelle. Lei tiene gli occhi chiusi, arida e dolce insieme. Decide Luigi!
All'altezza della chiesetta di San Carlo altro momento tenero, nonostante la spossatezza del corpo. La chiesa è serrata, il sole screpola le vecchie ante pittate in verde. Manda un bacio con la mente, verso il caro quadratino. Andiamo.
I ciottoli del Petraio riverberano fuoco. Ininterrotto il frinire delle cicale sui greppi e le terrazze: stordiscono. Piedi e gambe bruciano, labbra, narici, gola sono secche. Ogni tanto leva lo sguardo sulla mole gialla di Sant'Elmo: proietta ombra vastissima sui giardini della Certosa, dai quali nasce desiderio di fresco, quiete, pace. Forse non possiamo far altro, Luigi mio, vecchio, malridotto amore di trent'anni fa. Dobbiamo proprio andare a Sant'Elmo.
Lo guarda arrancare, sudato, cadaverico, ricoperto di polvere. Non si sentirà male? È vecchio ormai, nel pomeriggio s'è affaticato su di lei col suo respiro a tratti cavernoso, non ha mangiato nulla. Gli prende una mano.
«Riposiamoci un poco. Te ne prego.»
«Dove? Non c'è un maledetto filo d'ombra!»
Salgono verso la fortezza sulla quale pende, floscio, il tricolore repubblicano. Che senso ha questa strana bandiera contro il cielo sfavillante? Tutta la gran vicenda sbiadisce nell'insopportabile luce: impossibile che adesso loro due debbano rompersi le gambe nell'infernale petraia, a causa di un'avventura chiusa nelle pieghe del tempo.

Invece chiasso, trepestio, nuovi spaventi. Luigi la stringe a sé, cava una pistola. Pallidissimi, ritti al centro della rampa, aspettano. Lui punta l'arma verso la curva sottostante. A momenti s'ammazzano a vicenda, tra patrioti e amici: quelli che salgono sono un gruppo trafelato, sanguinante, lacero, di Guardie Nazionali e borghesi. Riconosce Astore, Rossi, Pepe.

«Siete voi!»

Astore ha un braccio fasciato, zuppo di sangue, il viso terreo.

«Meu Deus!»

Gli corre incontro.

«Cos'è avvenuto? Cos'è avvenuto, giù?»

«L'inferno» ansa Rossi, Astore si sforza di sorriderle.

«Poco male per me» ansima. «Ma davvero quella cerimonia sarebbe stato meglio non farla. Il guaio è che Baccher ha gridato "Viva lo re!" prima di cadere sotto le fucilate. Ha scatenato il finimondo.»

«Lazzari e borbonici erano già intenzionati» borbotta Rossi, ripulendosi il viso con la manica della divisa gialla e scarlatta, a brandelli. «Altrimenti perché sarebbero venuti? In tanti? Quel che mi dispiace è che abbiano preso il cittadino Serra, il cittadino generale Ruvo.»

Lei ha un tuffo del cuore.

«Gennaro! L'hanno preso?»

«Si è battuto come una belva, ma erano troppi. Sapeste quanti altri dei nostri sono morti!»

3

Sta affacciata a uno dei camminamenti di Sant'Elmo, in questa notte straordinaria. Prova sensazioni confuse: vorrebbe cogliere quanto può dell'indicibile spettacolo di natura e vita, invece serra gli occhi, respinge tutto come provocazione crudele.

Nella penombra l'aria è tenera, fresca. Dai giardini della Certosa salgono profumi intensi, sul mare fruscia il segno bianco della luna. Il Vesuvio fiotta, a intervalli regolari, lenti fasci scarlatti. Piccolo vento fa stormire fiori, foglie, t'accarezza il viso. Il golfo è illuminato da navi e barche, come ai tempi lieti. I vascelli più grandi sono inglesi: nel pomeriggio di ieri, con il cannocchiale, hanno visto gli Union Jack alle maestre. Uno è il *Fulminant* di Nelson, ospita il re.

Pei camminamenti si continua a lavorare sotto la guida di

Marra, che è il comandante della piazza. È frenetico, pallido, ci farà guadagnare qualche giorno di vita, ci guiderà pei sentieri della storia e della morte.

Gli uomini vanno e vengono dai sotterranei, portando barilotti di polvere e, dentro grandi coperte, palle da sistemare nelle cannonaie.

Intravede Pagano, invecchiato, smorto, vacilla insieme al marchese di Corleto sotto una cassetta pesante. Cirillo, Doria, Forges trascinano un tappetone rosso carico di palle, Logoteta e Paribelli van controllando il livello dei pozzi. A Sant'Elmo ce ne sono tanti, pieni fino all'imboccatura, nei loro cerchi d'acqua si riflette la luna. Vi navigano foglie, grumi verdi, insetti.

C'è anche da mangiare. Nella fortezza in alto, durante la Repubblica, Lauberg aveva fatto accatastare sacchi di gallette, olio, legumi. E si posson requisire, come ha proposto Marra, i magazzini dei monaci nella Certosa. Poveretti! Da ieri si son raccolti nella chiesa grande, sui loro meravigliosi stalli di noce intarsiato, non fanno che pregare e attendere.

Tutti non facciamo che attendere. Mentre questa città bellissima ai nostri piedi va accendendosi di luci. Sembra sentirne vaporare l'alito, di veder la gente brulicante per strade, vicoli, piazze. Ride, mangia, prende il fresco, vive. Noi, invece, in quest'isola arcigna, fuori dal mondo banale e bello.

All'alba rombi e boati fanno saltare tutti.

«Alle cannonaie!» grida Marra, barba lunga, capelli rossi spettinati.

Un'alba rosea, meravigliosa. Lungo la costa sorrentina bagliori d'oro sopra fasce azzurre, il Vesuvio verdissimo contro sfondo color fragola emette timide nuvolette bianche, quasi temesse di sporcare il cielo che sta sbocciando, turchino, da involucri rosa, gialli, viola. E Napoli splende, rosea e d'oro essa pure. Verso il ponte della Maddalena, invece, una brutta colonna di fumo nero, percorsa da scintille.

«È Vigliena che brucia!» grida Marra a Ciaia, il quale funge da luogotenente. «Toscano ha fatto saltare il fortino!»

Un istante dopo l'aria è rotta da sibili, tuoni. Si sentono le grida, nella chiesa da basso, dei monaci di San Martino, mentre alti spruzzi di terriccio, in vortici di foglie, rami, fiori, si levano dai giardini.

Sparano da batterie nascoste nelle terre del Vomero. Giù, in rada, le navi inglesi tirano su Castel dell'Ovo e Castelnuovo. Mostrano le fiancate avvolte da nuvole biancastre, in cui bruciano sprazzi luminosi.

Pignatelli e Lauberg, però, rispondono: Castel dell'Ovo si gonfia di fumo e bagliori. Nell'acqua, tra le navi, sprizzano fontane, su di un grosso vascello scoppietta il fuoco d'un incendio.

«Evviva!» gridano a Sant'Elmo. E se fosse il vascello del re?

Il vascello del re se n'è andato da un pezzo. Lei, che non si stacca dai merli nonostante gli strilli di Primicerio, l'ha visto spiegar le vele, filare verso il Granatello.

Le navi vomitano fuoco senza interruzione. Castel dell'Ovo non risponde più. Anche a Sant'Elmo arrivano palle su palle. Parecchie hanno colto i bastioni di sotto, scalfendo il durissimo traliccio del tufo, un'altra ha sbrecciato un tratto della merlatura, facendo franare sopra la spianata un mucchio di macerie fumanti.

«Dentro! Dentro!» urla Pepe. Lei e gli altri che s'aggiravano pei camminamenti debbono raccogliersi nella piazza grande. Fra gli uomini che s'agitano per le cannonaie le sembra, a un tratto, di vedere... Jeròcades! Nel vestito nero di sempre, calvo, il viso umile e cupo. Per un istante incrocia lo sguardo di lei, lo fugge. Scappa via, a portare cesti di micce ai cannonieri.

Improvvisamente, ai boati che continuano incessanti si mescola rumore ben diverso. È suono, è armonia, è musica: tutte le campane di Napoli! L'onda sonora giunge intensa, chiara. Toni bassi, argentini, riverberi metallici s'impastano in vento musicale che cresce, svolazza fra gli alberi devastati della Certosa, si spande fra le torri, alita sui piazzali.

«Ruffo è entrato» mormora Pagano, terreo. Si terge il sudore che gli gronda. Fa tanto caldo, come sul ponte d'una nave in mare. Si distribuisce acqua in ragione di tre mestolate a persona. E due gallette, una tazza di fagioli assoluti, un filo d'olio.

Il cannoneggiamento continua tutta la giornata. Sul ponte della Maddalena persiste una cappa di nuvolaglia bianca. Lauberg tira a intervalli verso le navi, che si muovono, bordeggiano, si fermano. Dai loro fianchi gonfiano i buffi degli spari. Molte si son disposte in diagonale, per bombardare meglio Castelnuovo, che non si vede più, immerso in polvere e fumo. Improvvisamente Ciaia, che sta osservando con un binocolo da marina, grida, incollerito: «È finita per Lauberg! Alza bandiera bianca!».

Anche Castel dell'Ovo tace, sebbene il tricolore sventoli ancora. D'un tratto, sugli spalti, nuvolaglia chiara, corsa da lampi. La bandiera scende, al suo posto salgono, veloci, i candidi vessilli dei Borboni e di Ruffo.

Marra convoca una riunione nella loggia in alto, quella del grande stemma alato, sotto il quale Logoteta annunziò la nascita della Repubblica.

«Abbiamo la possibilità di resistere per un po' di tempo» comunica. È sudicio di polvere, chiazze di sudore gli macchiano la giubba rossa e gialla. «Forse un mese. Ovviamente non al ritmo attuale: sparando per difesa. Forse Ruffo ci attaccherà nel pomeriggio. O stasera. Vi domando cosa si debba fare: siamo rimasti soli.»

Qualcuno osa l'antica retorica: «Dobbiamo morire qui! Fra le macerie di Sant'Elmo! Quando Ruffo verrà faremo saltare il castello!».

«Muoia Sansone con i Filistei» borbotta Luigi, che le è venuto accanto. Le tiene forte una mano. «Che ne pensi, Lenòr?»

«Per me è indifferente» mormora, rispondendo alla stretta. «Hai visto che non avevamo scelta? Ora, se si potesse, mi piacerebbe sì andarmene con te. In un angolo di mondo semplice, per una vita normale. E però sicura. Noi due. Magari come contadini. O in un posto di mare. Ma ormai è finito tutto.»

«Forse si sarebbe potuto» mormora lui, assorto, mentre Logoteta interpella il comandante.

«Cittadino Marra. Ci sono due aspetti del problema, quello militare e quello politico. All'aspetto militare avete fatto cenno. Per quanto riguarda l'aspetto politico... Se resistessimo a oltranza otterremmo unicamente il risultato di far bella figura. Di dimostrare che quei pazzi di Napoletani han saputo morire con onore.»

«Ma potrebbe succedere che Napoleone torni in Europa! Che i Francesi ripiglino l'offensiva!» gridano Pepe e i più giovani.

«Ci credo poco» obietta Logoteta. «Ad ogni modo io domando al cittadino comandante: se Ruffo ci proponesse pace, l'accettereste?»

«Cittadino» risponde Marra, dopo pausa accigliata. «La resistenza protratta vedrebbe pochissimi tra noi uscire vivi di qui. Se ci venisse proposta pace, si potrebbe trattare, salvare delle vite. Naturalmente a condizioni onorevoli. Io non parlo per me: per me vivere è indifferente e, come comandante di questa fortezza, trovo giusto morire con essa. Ma non posso decidere per le vite altrui. Cittadino, mettete ai voti le decisioni da prendere.»

4

La maggioranza vuole difesa sino all'ultimo, Marra fa piazzare due cariche di mina all'ingresso del ponte levatoio.

Per tutto il pomeriggio e la serata il fuoco nemico si concentra su Sant'Elmo. Adesso sparano anche dai castelli, con palle ammicciate, esplosive. Alcune arrivano spente, ma parecchie roteano in aria, fischiando e fumando per poi scoppiare, con tremendi bagliori viola e gialli, proiettando schegge micidiali. Molti cannonieri giacciono morti ai pezzi, alcuni patrioti sono caduti nel piazzale.

Marra ha dato ordine di rifugiarsi nei cameroni bui della fortezza grande, dove vengono trasportati i feriti. Lei si dà da fare, con Margherita Fasulo e le altre donne. Portano acqua, lavano, fasciano. Strazio di lamenti, pianti, bestemmie, cattivo odore di sangue. Cirillo corre di qua e di là, sporco, disperato. Non ha neppure la sua borsa dei ferri, s'arrangia con un temperino appuntito: lo fa bruciare a una torcia e cauterizza, slabbra, taglia, fra urla atroci.

Finalmente cala la notte. Nei cameroni s'accendono torce fumiganti che accrescono il caldo, l'afa. Ma fuori sale nuovamente la luna: dalle feritoie se n'intravedono barlumi d'argento. Pian piano anche lì dentro s'insinua la brezza fresca che reca profumi dalle piante. Dal basso non si spara più. Arriva Marra, con gli altri. C'è anche Luigi? Meu Deus, sta bene.

«Come va?»

Cirillo allarga le braccia. Nel camerone in fondo sono stati portati quelli che non ce l'hanno fatta, tanti. Gelidi sul rosso pavimento di cotto. Ed altri ce ne sono, per le cannonaie, nei piazzali.

«Ora possiamo raccoglierli» brontola cupo Marra, asciugandosi la fronte. Lei vuol collaborare, sebbene Luigi cerchi di fermarla. Le sfiora il volto con la mano nera di polvere, sudore, grasso.

«Attento che m'insudici» gli dice, con sorriso fuori tempo e luogo.

La notte inizia tranquilla. Il golfo splende, le navi hanno acceso ogni fanale. C'è movimento, invece, per la collina: da qualche po', lungo le rampe del Petraio, che la luna schiara, si stanno inerpicando lazzari, sanfedisti, soldati. Recano fucili, pistole, stendardi bianchi e rossi, fiaccole resinose. Tutti sugli spalti a osservare.

«Con questi i cannoni non ci possono» commenta Ciaia, tra il divertito e l'ironico. «Stanno sotto l'alzo.»

«Allora prendiamoli subito a schioppettate» esclama Pepe. «Vogliamo farli arrivare proprio sotto?»

La testarda folla ora riempie il Petraio a perdita d'occhio. L'avanguardia straripa nelle terre, s'accampa oltre le bianche mura della Certosa.

«Potremmo anche togliere i cannoni dagli affusti e piegarli» medita Ciaia. «Basta trovare il modo di fissarli.»

Marra lo guarda ironico, facendo il segno napoletano delle dita a coppo.

«Igna', tu quando mai hai capito niente d'artiglieria? Va' a scrivere poesie, che è meglio.»

Ordina di portare tutti i fucili da tre quarti d'oncia, polvere e munizioni nel piazzale devastato. Sottovoce, chiama l'adunata.

L'assalto s'aspettava all'alba, invece, un'ora dopo mezzanotte, dal formicaio ammassato sotto la fortezza si levano strida, si comincia a sparare. Nuvole di fumo, sibili di palle.

«Han voglia di sciupare polvere» commenta Ciaia, la tempesta saetta troppo in alto.

«Sono cafoni e ciucci. E li comanda un prete» ride Marra. «Basterebbe s'ammassassero dall'altra parte, nel bosco del crinale: ci coglierebbero d'infilata. Gli voglio dare una lezione.»

Fa preparare una mina con una pentola serrata da stoppa, cenci, chiusa con lo spago. N'esce miccia corta.

«Appiccia, conta fino a dieci e mena abbascio» ordina a un ragazzo in divisa della Guardia. «Vai!»

La bomba parte. Di lì a pochi istanti trambusto, strilli, un lampo, poi s'ode lo scoppio, grave, sordo. Lo segue un inferno di voci, di lamenti, la fucileria ripiglia, rabbiosa.

«Perché non ne cuciniamo parecchie, di queste minestre?» ride, entusiasta, il ragazzo che ha lanciato, Marra gli dà una scoppola.

«Bravo! E poi, comme sparammo? Se ne andrebbe troppa polvere, guaglio'!»

In cielo chiari brividi, presaghi dell'alba. Gli assalitori, strepitando, prendono a ridiscendere il Petraio.

«E ched'è? Se ne vanno?» fa Ciaia, perplesso.

Marra caccia un lungo, arrabbiato sospiro.

«Ci siamo. Scendono per non esser presi dalle cannonate.»

Non fa in tempo a finire che arriva la prima. Una palla ammicciata fischia in alto, va a esplodere nel centro del piazzale, spargendo schegge e sangue. Anche Ciaia è ferito, a un braccio, in terra quattro o cinque patrioti, colti in pieno.

«Dentro!» urla Marra, mentre si scatena l'inferno: sibili, tuoni, crepitii di macerie. Nei cameroni penetra soffocante lo zolfo.

Un boato più forte, scricchiolio pauroso: il soffitto del camerone crolla, in una nuvola di calcinacci, fra le urla.

«Via di qui! Via!»

Luigi la trascina al camerone dei morti. Anche gli altri si precipitano, calpestando le salme imbiancate dalla polvere, sottile come cipria, che scende piano piano. Più tardi ci si raduna negli stanzoni in basso, a livello dell'entrata. Pochi han conservato le armi. L'atmosfera è disperata, stanca.

«Vado su a vedere» dice Marra.

Il cannoneggiamento prosegue, si susseguono tonfi, crolli, schianti. Al ritorno, con aria cupa, Marra comunica: «È saltata pure la bandiera».

Improvvisa, vigliacca scarica di fucileria crepita vicinissima. Ventate di pallottole spazzano il cortile, entrano nelle feritoie. Due o tre nel camerone cadono. Anche Luigi. Preso nella schiena, a sinistra. Meu Deus. Lei con occhi sbarrati vede lo zampillo rosso vivo che sprizza due o tre volte, si spegne. Non fa in tempo a raggiungerlo che Luigi, in terra, ha già serrato i denti in smorfia gelida, incancellabile. Gli accarezza la fronte ancora tiepida, i pochi, lunghi capelli grigi dietro il collo.

«Sono nel boschetto! Usciamo! Rispondiamo!» grida qualcuno.

La voce di Marra domina la confusione.

«Non possiamo continuare. Pepe, vieni qua. Se te la senti, va' su. Issa bandiera bianca.»

Di sotto la giubba rossa e gialla trae un tovagliolo macchiato di sudore, polvere.

«Tieni. Va'. Ciaia, Logoteta, Paribelli: se non vi dispiace, dopo scendete voi a trattare la resa. È un ordine.»

Escono nel primo pomeriggio, sotto il sole cocente. Sono una trentina, li ha contati mentre si radunavano in piazzale, cercando di ricomporsi alla meglio. Anche lei cerca d'aggiustarsi, ma... Ha ancora addosso il vestito con cui era fuggita. È un cencio immondo, macchiato d'ogni sorta di cose: polvere, morchia, sangue di Luigi. Si spazzola con le mani, mentre Marra e Ciaia cercano d'ordinare il drappello.

«Usciamo con dignità. Abbiamo ottenuto l'onore delle armi, la consegna nelle mani di Ruffo. I membri del Governo in testa.»

E chi c'è del Governo? De Rensis, Doria, Logoteta... Ciaia ha l'ultima battuta.

«Vado avanti o dietro? Sono membro del Governo, ma anche tuo luogotenente.»

«Va' avanti!» ride Marra.

Logoteta accenna al primo passo. Il cuore le batte forte, cerca d'assumere espressione coraggiosa. Non guarda i compagni, ma avverte che fan tutti lo stesso. Dall'imbocco del ponte levatoio cominciano i cordoni borbonici. Con la coda dell'occhio guarda i soldati che presentano le armi: grondano sudore dai tricorni, da sotto le parrucche. Dietro di loro s'accalcano lazzari, sanfedisti. Vocio, scoppio di risa, qualche ufficiale minaccia la folla con la sciabola.

Fin che si va per il Petraio, Santa Maria Apparente, le Mortelle... Per Toledo, fino a Castelnuovo, cambia tutto: qui il rapporto fra soldati e popolo è rovesciato. La folla straripa, urlando, minacciando.

Napoli sembra aver ritrovato di colpo la propria vita tumultuosa, sonora. Con maggior golosità. Le botteghe, riaperte per incanto, traboccano di roba, i balconi grappolano paurosamente di persone. Per l'aria nuovamente gli odori untuosi e dolci dell'estate napoletana.

Toledo è rigurgito inaudito. Meno male che il povero, sudicio drappello vien protetto da due plotoni con baionette inastate. I cordoni sono infidi: li integrano lazzari seminudi, pistole ficcate nelle fasce, preti armati e urlanti, sanfedisti. Li sbircia: cafoni coi gilè rattoppati, croci rosse cucite sui cappelli a cono. Calabresi, Abruzzesi? Nonostante il caldo, molti portano cioce e panciotti caprini; ostentano paurose barbe incolte e tromboni adorni di nastri.

A Santa Brigida un ingorgo. Da una casa i lazzari fanno uscire dei patrioti snidati: uomini in redingote spinti a pugni, calci, sputi, donne scarmigliate, urlanti, sono sommerse dalla folla. Le vede riaffiorare, gli abiti a brandelli: difendono con le braccia i seni nudi.

«Fance vede'! Lo tieni l'albero pittato 'mpietto?»

È terrorizzata, sebbene i soldati serrino.

«Via!» grida l'ufficiale che li comanda. «Aprite spazio! Via!»

Si scende per il Largo del Castello. È come nelle grandi feste di Napoli ondeggianti di folla, muggenti di clamori, non si capisce niente. Intravede stendardi e statue danzare sulle teste, ode richiami. Gente sbocconcella pollanchelle lesse, affonda i musi in fette gocciolanti di mellone. Si cammina su torsoli di pannocchie, bucce.

Davanti al teatro del Fondo, intorno un albero della libertà atterrato, danzano lazzari seminudi, donne a sottane alzate. Qualcuno piscia sopra l'albero. L'attenzione si sposta sul gruppetto che arranca tra i soldati.

«Ma chi so'?»

«Li Giacobbe de Sant'Ermo!»

«Chivemmuorto! Menavano chilli casatielle!»

«Largo! Ordine del re!» grida l'ufficiale, brandendo la sciabola.

«'Nculo tu e pure lo re!»

Sente l'odore, il fiato sudicio e caldo della folla che spinge, chiude gli occhi. Un pensiero opaco: "Forse è qui che finisco".

Urlo vicinissimo la lacera. Voci stridule di donne.

«La vi'! Chesta è una delle zoccole che abballavano 'ncoppa a li triati!»

«Mo' la facimmo abballa' mmiezo a lo Mercato!»

«Co' li capille curte, puh! Svergognata!»

Sputo caldo, appiccicoso, si spande su una guancia, quasi all'angolo della bocca. Ha un conato di vomito, ma si raccomanda di star ferma. Continua ad avanzare. Un soldato le sta a ridosso. Sente il ruvido della giubba, il moto del braccio che spinge innanzi il fucile.

«Levateve de miezo!» urlano ufficiale e soldati. La folla preme.

«S'adda mantene' fresca e tosta pe' li fetienti comm'a essa!» strilla, isterica, una donna, buttandosi avanti. Mette le mani sotto le mammelle flosce, le caccia dalla pezza che le copre, se le fa ballare, le sbatte.

«Non ha fatto dodici figli comm'a me!» stride. «Non po' tene' li zzizze strutte comm'a li mmeie! 'Sta panza 'nfracedata!»

Si dà gran pugni sul ventre informe, molle.

«Zoccolona! Magnacazze! Puttana!»

Piovono altri sputi, torsoli di pannocchie, stracci. Uno zoccolo la colpisce a una spalla, proprio mentre sta provando tanta pietà e disgusto.

5

"Non è finita ancora" ha appena forza di pensare, mentre giace, stremata, sulla banca di pietra del "Coccodrillo" in Castelnuovo. Sente, infatti, girar la chiave nell'enorme toppa. Non ce la fa neppure a muoversi, dopo un giorno e una notte in quell'orrido pozzo: strettissimo, maleolente, ingrommato di muffe, popolato dai più schifosi animali delle tenebre; al confronto la Vicarìa era una reggia.

Quest'antro ha una bassissima volta di bàsoli neri, da cui stillano gocce putride: vanno a raccogliersi in pozzanghere nel pavimento. C'è una sola feritoia, con una croce di sbarre: ne penetrano, di giorno, barlumi di luce umidiccia, puzzolente di fogna, la notte fosforescenza greve di rumori. S'odono spesso sciaguattio d'acque lente, tonfi, trepestio di legni.

Non hanno mai portato da mangiare, solo una gamella di stagno con acqua tiepida. E non c'è pitale né bugliolo: ha cercato di trattenersi, fino a sentirsi male, a farsi scoppiare la vescica, poi il corpo ha ceduto, s'è intrisa tutta, in dolente sollievo, mentre piangeva come una bambina.

Un graduato la chiama: «Fonseca. Fonseca». La scuote: «Alzatevi. Venite».

A momenti deve prenderla in braccio. Si ripiglia, ferita dall'aria e dalla luce, solo quando, al termine della stretta scalinata, si trova nel cortile di Santa Barbara. La fanno scendere per altri gradoni, che menano a mare, l'imbarcano in una lancia, con due soldati e un marinaio.

Meu Deus. Forse han deciso d'affogarci come topi. Ma si sente meglio mentre la barca si destreggia fra i grandi battelli fermi in darsena. Il sole è alto, gagliardo fa scivolare occhi luminosi sull'acqua, dal largo brezza salsedinosa frizza e ristora.

«Dove andiamo?» ha coraggio e forza di chiedere, uno dei soldati indica genericamente le navi ferme in rada. Accanto a quelle inglesi vi sono navi più piccole, e barchette, castaldelle, gozzi. Un movimento incredibile, specie intorno al *Fulminant*, che è ricomparso: sta ancorato enorme, pavesato a festa, proprio al centro della rada, ne viene musica di banda. Le barchette, stracariche di lazzari mezzo nudi, bambini, donne, avvolgono il vascello inglese di capriccioso vocio. Forse c'è ancora il re a bordo.

Sta seduta a poppa, il vento la colpisce in viso, le scompiglia i capelli. Sembra che lavi, purifichi. In che stato è ridotta! Il povero abito bianco s'è sfilacciato, puzza d'orina, sudiciume, sudore. E i sandali! Persa la polvere d'oro, son diventati lerce strisce, spezzate sui piedi gonfi, sporchi, le unghie lunghe.

La barca fila verso una tartana nera e bianca. Può vedere Napoli dal largo: la prima volta. È stupenda. Sul grande specchio verdazzurro s'impastano i riflessi, i colori della costa. Un paese d'oro, segreto. Com'è bello, in alto, Sant'Elmo, ora pacato, luccicante; le terribili tracce dei giorni scorsi neppure si vedono. Vi garriscono al vento enormi bandiere bianche.

Ormai s'è quasi in rada, il marinaio rallenta. Il *Fulminant* è altissimo veduto dal basso, le pesanti catene d'ancora ben tese. Sì, a bordo c'è il re. Lo vede al pulpito della murata: molto grasso, tutto bianco, decorazioni in petto. La gente delle barche sembra impazzita: strilla, s'agita, suona, balla persino, a rischio di far capovolgere le imbarcazioni.

«Tata, si' tornato! Tata nostro!»

Il re saluta con le mani, si toglie il tricorno. Indica, come colui che più d'ogni altro merita l'applauso, Nelson al suo fianco.

Improvviso agitarsi sulla nave inglese, su quelle vicine. Il moto si propaga alle barche, che girano, manovrano. Cosa c'è? Tutti guardano in mare, si grida, s'indica un punto nell'acqua, a una ventina di metri dal *Fulminant*. Lei pure si sporge, le sembra di vedere, rotolato dall'onde della rada, un grosso involto bianco: una balla, un sacco.

Il marinaio scia di sinistro, batte vogate energiche, è curioso anche lui, riesce ad avanzare. Ora si vede bene cos'è: un morto. Un torso d'uomo vestito di bianco, gonfio, coperto d'alghe e d'erbe. La testa va su e giù nel moto ondoso, d'un tratto, quasi avesse ricevuto un colpo da sotto, il cadavere gira, la faccia viene al sole, tumefatta. Capelli grigiastri sono ancora appiccicati al capo. Lei ha un salto del cuore: l'è parso riconoscere lineamenti di Caracciolo.

Ma forse è solo impressione. Come si può ravvisare alcunché in questa povera testa priva di colore? In questo volto sformato, il labbro superiore già consunto a mostrare la fila nuda dei denti?

Il clamore è assordante, dalle navi inglesi i soldati fanno cenno alle barche d'andar via. Il re è scomparso. Resta Nelson alla murata: fissa giù, immobile, l'unica mano artigliata al pulpito di legno.

Finalmente alla tartana: il marinaio afferra la scala del barcarizzo, i soldati aiutano a salire. Sul ponte li ritrova ancora, tanti fra i compagni di molta esistenza: Marra, Manthonè, Cirillo, Ciaia, Logoteta. E quelli conosciuti negli ultimi tempi, come

Paribelli, Forges, De Rensis... Tutti sporchi, segnati, barbe lunghe, ma le fanno festa.

«Forse ce la facciamo, Lenòr. Dicono che Ruffo ha ottenuto di farci sfrattare da Napoli: questa nave va a Tolone, capisci!»

Annuisce, senza gioia. Ormai era entrata (ma non c'era da sempre?) nella dimensione stordita della fine: perché si spalanca ancora un avvenire? Un inutile, doveroso macinar di giorni, attività, pensieri?

«Cosa potrò fare, in Francia?» Un barlume d'interesse: riprenderò a scrivere. Posso fare libri, lavorare in istituzioni culturali. Subito dopo, stanco cedimento. Ancora sradicata da un luogo? Costretta a ripiantarmi? Stavolta non ce la farei. La mia storia s'è svolta, ne lascio qui i segnali, le memorie, il valore, non ho forza per costruirne un'altra.

Ma gli amici sono vivaci, fanno patetici progetti.

«J'ouvrirai une belle école d'escrime» dice Marra, è tornato a usare il francese.

«J'espère rencontrer une citoyenne française riche» ride Ciaia. «J'ai très envie de conduire la vie normale d'un bon père de famille.»

«Proprio tu!» sorride Logoteta. Ci si scambiano notizie.

«Salti è riuscito a scappare.» «Anche Lomonaco.» «Sei sicuro? È stato con me fino all'ultimo...» «Anche Lauberg è scappato.» «Quello è stato sempre un negromante. M'era un po' antipatico, però.» «Guardate! Un nuovo carico di candidati all'esilio.»

Due grosse scialuppe accostano. Tutti alle murate: gridi, saluti. Arrivano Pagano, Conforti, Fasulo, Astore, Ruvo, i Pignatelli! Nuovi abbracci, discorsi, scambi di notizie.

Ruvo spiega: «Pare che il re abbia litigato con Ruffo, ha minacciato di farlo arrestare. Non vuole riconoscere i patti stretti con noi da Sua Eminenza il Gran Pitale calabrese».

Qualcuno ride, ma Pagano esclama, agitatissimo: «Non avete capito che vuol farci fuori tutti? Senza processo: hanno creato una nuova Giunta per i "rei di Stato"».

«Che saremmo noi» postilla Ciaia.

«E sapete chi ci han messo, in questo "tribunale"? Assassini come Vincenzo Speciale, criminali come Di Fiore e Damiano.»

«Allora siamo fottuti veramente. Ma ci avevano detto che

avremmo dovuto firmare un'obbligazione "penes acta". Con la quale c'impegnavano a non tornare mai più nella... Nel Regno» mormora Logoteta.

«Con gente come questa...» borbotta Cirillo, alzando le spalle.

Si mangia a bordo, è affamata, ingozza il brodo caldo, il pane. Poi cerca di ripulirsi, un marinaio le concede un secchio d'acqua.

Il pomeriggio trascorre in tensione. La rada va vuotandosi, il *Fulminant* s'è dileguato all'orizzonte. Scende leggero un umido crepuscolo, un po' grigio, un po' viola. Il vento di mare è calato, ma lei rabbrividisce. È Ruvo che le dà la propria giubba rossogialla lacera e sporca.

«Io so' abituato alle *intemperanze*» dice. Le viene un sorriso.

Prima che cali notte, giungono cancellieri e sbirri con una grossa barca sorrentina: hanno una nota di nomi, leggono in fretta.

«Questi restano a bordo, poi firmeranno l'obbliganza: Foligni, Montanaro... Paribelli... Vaglio. Questi altri scendono, tornano con noi.»

Brusio, proteste, minacce.

«Che novità son queste?»

«Silenzio: ordine di Sua Maestà il re.»

È tornata alla Vicarìa. Li han messi tutti in un camerone sorvegliato da guardie con baionette in canna, in attesa dei "processi", che sono velocissimi. Ogni cinque minuti s'apre la porta in fondo, tra i gendarmi esce un amico, con aria cupa, smorta, o sprezzante. Comunque conclusiva. Esce Marra, sorridente, saluta passando.

«Addio, cittadini ed amici!»

Poi si volge agli sbirri, imperioso: «Muovetevi. Facimmo ampresso».

Quelli, intimiditi, obbediscono. Esce Ignazio Ciaia, pallido, spettinato.

«Conoscerete dei veri furfanti» spiega, indicando col capo la porta. «Degni del loro re. Addio! Viva la Repubblica! Viva la libertà!»

Esce Pagano, un po' rattrappito nella persona, fa un cenno del capo. E Astore, Logoteta... Conforti tiene le mani giunte: va senza guardare.

Tocca a Cirillo e a lei, insieme, si vede che dentro vogliono accelerare. Uno stanzone tutto stigli zeppi di carte polverose, a pacchi. Dietro una scrivania riconosce, seduto con aria sonnolenta, Guidobaldi. Altri due in piedi e, al centro, un ometto dallo stomaco tondo. Ha redingote nera, codino, è il famoso Speciale. Sembra aver fretta, fa cenno a Cirillo di venire avanti.

«Voi siete Cirillo Domenico, di anni sessantuno, medico *chirurgico*, professore di *Anto... Anantomia* all'Università, eccetera eccetera. Scrittore, presidente della Commissione Legislativa della cosiddetta repubblica della schifezza di Napoli. È così?»

Cirillo non risponde, Speciale ride, con aria di disgusto. Esclama, mimando esagerata ammirazione: «Che grand'uomo! E mo', di fronte a me, chi cazzo sei?».

Cirillo, che si stava facendo floscio, assente, forse in preda al famoso piacere della degradazione, ha un guizzo di collera. Si domina: ripigliando l'aria serena dei tempi felici sorride.

«Di fronte a te chiunque diventa un eroe. Anch'io.»

«Vatténne, va', fetente e presuntuoso. Pena de morte.»

Mentre lo conducono via, le rivolge un sorriso tenero. Per un istante le pare di rivederlo giovane, elegante, compìto, un gran signore. Gli manda un piccolo bacio con la punta delle labbra.

«Che so' 'ste fetenzie! Davanti a noi!» sbraita Speciale, andandole incontro. «Questo è luogo sacro della Legge, non uno dei bordelli in cui avete trasformato Napoli! E voi, avete scritto libri, giornali, pieni di schifezze... Avete parlato in pubblico! Una donna! Che *dissoluzione*! Non ve mettite scuorno? Puh, via da davanti a me, mi disgustate. Pena de morte.»

Fa un altro segno sullo scartafaccio.

6

Sta bene qui, nella stanzetta al sommo della Vicarìa, nel "trapasso delle camerette". È spaziosa, pulita, col pavimento di cotto, un vero letto, una sedia, un tavolino: dalla finestra, nonostante le sbarre, può vedere gli àstici e le cupole che vanno verso la Marina, le cime dei pennoni nel porto. E il Vesuvio che in questi giorni abbacinanti d'agosto appare torpido, spento. Può vedere anche angoli di vicolo lontani, dove, sin dall'alba, gente seminuda fugge dai bassi, caccia sedie, tavoli, vi si affloscia. Mangia, dorme durante la controra, vi resta sino a notte, quando ripiglia fiato ed energia: allora torna il vocio, s'accendono torciole, candelotti. Molti restano a dormire nel mezzo della via, su un materasso, una coperta, su niente.

Qui dentro vive come in una bolla d'aria, in una di quelle campane di vetro che coprono le statuette dei santi. Non sa niente, non le dicono niente. Due volte al giorno viene una suora inespressiva: porta pane, pasta e fagioli, melanzane al sugo, l'acqua. Non dice una parola, non risponde, non guarda. A volte compare una ragazza in camicione grigio che ritira il pitale: sta alla larga, sbircia con occhi spaventati, lo sa che sono condannata a morte. Questo nero camicione ne è segno. Le han dato, infatti, un vestaglione nero, senza cinta, con scollo quadro: per la scure o il cappio? Mah.

Non ha più molti pensieri. I primi giorni, le prime notti, consumati nel ripassare, sussultando, i ricordi recenti: la morte di Luigi, l'arresto, il corpo di Caracciolo nell'acqua, gl'interrogatori... Poi, pian piano, l'accavallarsi di facce, suoni, colori s'era andato sfuocando, fin quando non rimase che il senso generale dei fatti, l'ombra delle persone e delle cose.

È subentrato, al contrario, desiderio d'ordine esteriore, pulizia. Non occorre gran che a rassettare la stanzetta, ma ci passa le giornate. La mattina, dopo aver rifatto il letto, ci torna, lo disfa, lo rifà, assestando ogni piega del lenzuolo, spianando le grinze. Talvolta, mentre è intenta a qualcos'altro, vi getta un'occhiata, scopre una ruga, corre a cancellarla. Ripulisce il tavolo dopo aver mangiato, raccoglie ogni briciola, anche la più minuscola, va a buttarla dalla finestra. Ha chiesto alla suora una scopa, senza risultato, allora pulisce con i piedi. Le hanno fornito zoccoli di legno: li struscia in terra per levar macchie, polvere, frustoli di roba. Qualche volta si chiede l'origine della puntigliosa mania. Estrema confessione d'aver sbagliato vita? Non sa rispondere. Specie adesso, con la mente tanto indebolita. Ma non vuole pensare più.

Solo un rimorso l'ha tormentata, nelle prime notti. Era contenta per aver saputo, sebbene tardi, rendere felice Luigi, era triste per non aver saputo, né voluto, fare uguale dono a Gennaro. Ma con Gennaro era diverso: tanto più giovane, era come mio... Cancellò il rimorso-rimpianto, che non venne più.

Stamane una visita: un prete alto, magro, occhi onesti.

«Sono padre Alessandro De Forti» dice, andandole incontro; dopo breve esitazione aggiunge: «Dei Bianchi della Giustizia. Vorrei parlare con voi. Se me lo permettete».

«Accomodatevi» risponde, con garbo da salotto. S'alza dalla sedia.

«Oh no. Ve ne prego. Restate seduta.»

«È il momento?» domanda, con semplicità. Lui la guarda sconcertato, annuisce.

«Subito?» insiste, quasi divertendosi a scompigliarlo.

«Oh no. Molto più tardi» balbetta il prete. «Io volevo, però, aiutarvi a... M'è difficile con voi. So che siete una signora molto istruita, una letterata. Dovete perdonarmi.»

Gli sorride.

«Non dovete darvi pena. Non m'occorre nulla. O, forse, ho un piccolo, banale desiderio. Non so nemmeno se...»

«Dite, ve ne prego.»

«Vorrei bere una tazza di caffè. Sapeste come la desidero!»

Il prete la fissa, cercando di capirla.

«Ve la farò portare. Ma desidero farvi una domanda: siete davvero tanto serena, o ostentate? Per difendervi, non so.»

Ci vorrebbe una bella risposta plutarchiana, ha, invece, uno stanco sorriso.

«Non lo so nemmeno io» spiega. «Forse perché penso che ormai sia tutto inutile. Le decisioni che mi riguardano sono state prese. E non da me. Che potrei fare? Arrovellarmi? A cosa servirebbe?»

Improvviso scatto di vivacità.

«Vedete, io, come forse sapete, non sono Napoletana, però sono vissuta in questa città fin da bambina e ne ho appreso molte cose. Una delle più importanti è questa: Accossì adda i'. Come dicono i lazzari: così deve andare. Tu non ce puo' fa' niente. Il resto di niente.»

Il prete scuote il capo.

«Ma c'è qualcuno che fa succedere le cose. Che le governa ed al quale dobbiamo rendere conto di quanto facciamo: questo è l'argomento di cui volevo parlarvi» dice, precipitosamente.

«Io ho già reso conto. E poi...»

«Ma a chi? A voi stessa, non a Dio. È facile chiedere perdono a se stessi. Ma a Dio...»

«Io non ho più quasi nulla da perdonarmi.»

«Forse da perdonare agli altri?»

«Nemmeno. Volete che vi dica, come Cristo, che perdono a tutti quelli che m'han fatto del male? A re Ferdinando, a Maria Carolina, che mi mandano al patibolo? A tanto non arrivo. A proposito, padre: io sono nobile, di nobiltà portoghese. Mio padre aveva ottenuto il riconoscimento a Napoli di questa nobiltà. Vorrei essere sicura che ciò venga ricordato, adesso, e mi si uccida per decapitazione. Oh, no, non per stupido orgoglio» aggiunge, vedendo un moto sul viso del prete. «È per mio padre. Ci ha tenuto tutta la vita. Mi piacerebbe che il suo rovello si rivelasse... utile a qualcosa.»

«Lo chiederò. Ma perché non vi preoccupate d'altro? Della vostra anima?»

«Posso farvi io delle domande? Dio, secondo voi, è capace di soffrire? Può veramente ogni cosa? Perché ha fatto vincere re Ferdinando che ora ci ammazza tutti?»

Il prete corruga la fronte, con sofferenza. Balbetta, scuotendo il capo.

«Voi... Non dovete pensare questo. Dio ha sofferto per noi nella persona di suo figlio. Dio non fa vincere nessuno, Dio vuole semplicemente il trionfo del bene.»

«Allora è un bene che ci ammazzino tutti? È Dio che lo vuole?»

Il prete soffre davvero: ha espressione triste, affaticata.

«Noi non possiamo sapere ciò che Dio volga nel suo alto pensiero. Noi siamo vermi della terra» mormora, congiungendo le mani.

«È lui che sceglie? Che decide e dispone?»

«Sì. Noi siamo nelle sue mani, figlia mia. Io ero venuto qui per consolarvi. Per disporvi...»

«Ma lo avete fatto» cerca di rincuorarlo. «Siamo nelle sue mani. Anch'io lo penso.»

«Allora... Volete pregare... Con me?» esclama, lieto di speranza.
«Lo farò per mio conto. Nel momento giusto.»
Più tardi le recano il caffè, poi rientra il prete, seguito da due in cappucci e camicione bianchi. Come fanno a non crepare, con questo caldo?
«Dobbiamo andare. Vi prego.»
Rassetta la roba sul tavolino, li segue. Ci sono giù soldati, gendarmi, altri Bianchi. Il gruppo si muove per la via Maddalena, costeggia l'immenso, cupo convento che proietta ombra sui vicoli, scende lungo il Lavinaio. Non c'è molta gente, lazzari e ragazzi saranno andati al mare. Restano fuori dei bassi vecchi pallidi, estenuati, gettati di traverso su sedie, in attesa d'un soffio d'aria o della morte. E le donne, le tremende, infelici donne di Napoli, sfatte, deformi, imbestialite, offese in ogni piega del corpo, dell'anima.
E i lavoranti alle mille attività di quelle strade. I ferzaiuoli che, seduti in terra fra montagne di pezze, tagliano e cuciono alle Ferze, i salaioli che, nel Salatoio, sudici di grasso, gli avambracci imbiancati di sale, stivano alicette nei barili. Non fan caso all'infelice corteo. In questi giorni, sai quanti ne vedono!

7

La cappella del Carmine è fresca, in penombra, foderata da armadi in legno scuro, da enormi quadri del secolo scorso, col fondale nerissimo sciabolato da lividi colori. E c'è Gennaro, Gennaro Serra! Incredibile! Appena lo vede, in calzonetti e camicia bianchi, seduto al tavolo fratino, gli si precipita incontro. Lo abbraccia, nonostante l'intervento delle guardie.
«Dio mio, Lenòr!» esclama lui, sfavillante.
È smagrito assai. Mostra una lunga cicatrice ancora rossa, un po' slabbrata, su una guancia. Il ciuffo, ora molto lungo, sempre di traverso, i bellissimi occhi illimpiditi, come quand'era ragazzo.
«Gennaro... Gennaro...» mormora, dall'angolo ove l'hanno ricacciata.
Vedi se non esistono le scelte misteriose? Perché io devo morire oggi, insieme con Gennaro? Ha significato?

Per un istante pensa che, dopo la morte, qualcosa davvero ci sia. Magari i Campi Elisi, i luoghi delle ombre per gli antichi, ove gli spiriti degli eroi e delle donne si possano incontrare. O la quieta, disinteressata luce del Paradiso cristiano. Gennaro le sorride.

Altri due siedono al tavolo, in camicia e brache: uno è anziano, grasso, l'altro un ragazzo. Moriranno anche loro oggi? Chi sono?

«Ti presento il cittadino monsignor Natali, vescovo di Vico Equense» grida Gennaro, indicandoli. «E il cittadino marchese Stefano Colonna.»

«Silenzio!» minaccia una guardia.

Entra un altro drappello d'incappucciati, dietro i quali zoppica un uomo di mezza età, in braghe e farsetto rossi.

«Via, su, andiamo!»

Si dispone il corteo, secondo misterioso, stolido rituale. Avanti i soldati, poi le guardie, i Bianchi, uno sbirro che porta lo stendardo blu e d'oro della Vicarìa, il trombetta che squillerà e strillerà: "Questa Giustizia la manda la Gran Corte della Vicarìa, delegata per Sua Maestà il re. Questo è Gennaro Serra, duca di Cassano, e si decapita per essersi reso reo di Stato. Questo è monsignor Natali, vescovo di Vico Equense, e s'impicca per essersi reso reo di Stato. Questo... E questa...".

«A proposito, padre De Forti. Avete posto il mio quesito?»

Egli scuote il capo: «Non hanno voluto».

Allora il trombetta strillerà: "Questa è Eleonora de Fonseca, che s'impicca per essersi resa rea di Stato".

Di lì a poco, infatti, mentre s'esce al fuoco del sole, nella grande piazza gremitasi come per incanto, il trombetta squilla e annuncia.

Si costeggia la porta nera e bianca. Oltre il mare di teste s'erge il palco nero e argento, come lo vide la prima volta, quando Vincenzo Sanges le spiegava Napoli.

Passano per il vicoletto Sospiro de 'Mpisi. Folla ai balconi, davanti ai bassi, i lazzari son tornati dal mare cotti e stupiditi di sole, ma si stanno svegliando per il nuovo spettacolo. In molti occhi coglie cupidigia, letizia da bambini. La folla si stende fin oltre Sant'Eligio, nei vicoli dei Campagnari, degli Spicoli, dei Parrettari.

«Posso pregare per voi, figlia mia?» sussurra padre De Forti, mentre il corteo sale la scaletta del palco. Gli risponde con sorriso breve. Si sente stanca. Tanto stanca.

I Bianchi sono andati a disporsi nel fondo, sbirri e soldati giù. Il boia vestito di rosso resta padrone della scena. Va a tentare il cappio delle forche, alza e appoggia la mannaia luccicante sopra il ceppo, s'asciuga il sudore. Cerca di fare un po' di scena, ma sembra affaticato. Si leva il farsetto, lo piega con cura, va a deporlo in un angolo.

La folla è ancora inerte. Segue i preparativi, fa brusio, ma il sole continua a picchiare, l'afa opprime. Tuttavia timidi accenni di brezza cominciano a giungere dalla Marina, il drappo intorno al palco s'agita lievemente.

La gente prende a tumultare per le lungaggini del boia, i movimenti di don De Forti, che va da un condannato all'altro.

«Masto Dona'!» si grida. «Volimmo accomincia'?»

«Jammo a fa' ampresso! Le volimmo ammozza' 'sti capozzelle?»

Girano le prime battute spiritose, si ride. In fondo, qualcuno accenna a battere un tamburo, a intonare strofette. Si leva presto un coro:

Fatte cchiù acca', fatte cchiù allà:
càvece 'nfaccia a la libertà!

La frenesia aumenta, cominciano gli urli isterici delle donne. Il boia avanza sul palco: chiede silenzio alzando un braccio.

«Popolo, po'!» grida, con voce stentorea. «La sai la novità?»

«Noooh!» strillano quelli delle prime file, già ridendo. La domanda del boia passa di bocca in bocca, ondate di risa e di "Noh!" spingono altre ondate, sino all'estremità della piazza.

«È la primma vota c'aggio da 'mpennere 'no monsignore!»

Altra ilarità, movimento.

«Non è overo!» si grida. Il boia va a prendere monsignor Natali, lo spinge avanti.

«Chisto è monzignore overo. È... Era lo vescovo de Vico.»

«E allora 'mpennimmolo co' tutti li sacramenti!» strilla uno spiritoso, le risate divengono scroscianti.

«A servirvi, monsigno'» dice, istrionescamente, il carnefice.

Spinge indietro il vescovo, che è pallido, serio. Lieve fremere delle labbra indica che prega internamente.

«Jammo, monzigno'» esclama, sgarbato, il boia. Lo fa salire sullo scaletto, gli ficca il cappio intorno al collo.

«Vai, vai!» urla, agitandosi, la folla. Il boia, a sorpresa, assesta un calcio allo scaletto. Monsignor Natali non ha neppure il tempo di finire il segno della croce che penzola dal cappio. Sangue cola dalla bocca aperta.

«Viva lo re! Morte a li Giacobbe!»

Boati, canti, suoni, ribollono sulle teste. Il carnefice varia il programma.

«Chisto è nobile napolitano» grida, spingendo avanti Gennaro. «A chisto l'avimma ammozza' la çapa.»

Guarda tesa, contratta. Fissa Gennaro che è dritto, fermo, anche se trema un poco. È molto pallido. Prima d'avvicinarsi al ceppo si volta, la guarda, le sorride. Gli manda un bacio, forte, con tutto il cuore. Gennaro mio, caro, caro amore anche tu, non soffrire, ti prego. Non soffrire troppo.

Però non ha coraggio di guardare la mannaia cadere. Meno male che il gruppo di serventi precipitatisi a gettar segatura impedisce di vedere. Scorge soltanto, dopo il boato «Viva lo re!», tre o quattro che portano giù per la scaletta il corpo insanguinato di Gennaro. Come un ragazzo che ha avuto un incidente: tutto piegato da una parte, non si può capire che non ha più la testa.

Tocca a lei. Il cappio accanto a quello da cui penzola il corpo pesante di Natali oscilla un poco. N'è come affascinata: guarda il grosso nodo della corda. Chissà se scortica la pelle.

Il boia la spinge avanti. Sta per gridare qualche lazzo, don De Forti gli balza accanto, lo afferra per un braccio.

«State zitto voi!» grida. Le prime file sentono, stupìte. Forse pensano si tratti di un ordine, tacciono con aria premurosa, infantile. Passano parola. Un fruscio di "sssss, stàteve zitte" si sparge per la piazza. Dopo un po', della folla s'ode solamente il respiro.

Lei resta sbalordita a guardarla. Il gran mare di teste. Abbassando gli occhi coglie, in dettaglio, visi d'uomini, donne, ragazzi. Per un istante una povera faccia segnata, quattro peli grigiastri su una testa: Graziella?

Tutti mortificati, obbedienti all'ordine del prete. Come ragazzini. Di lì a poco, finita la festa, si sparpaglieranno in mille direzioni. Sulla sabbia della Marinella, verso Santa Lucia, a Toledo, per rosicchiare spassatiempi, inghiottire frutti di mare, sbocconcellare pollanchelle. O a guardare il passeggio, a cercarsi un posto per la notte. Le donne si rificcheranno nei bassi lerci, puzzolenti, a sfacchinare, sudare. Domani avranno già scordato quanto succede adesso: ora, però, si stanno divertendo, innocenti e crudeli come infanzia.

Ma tutti siamo infanzia: questi qui, noi che moriamo, il re, la regina... Quante assurdità, meu Deus! Servirà, poi, ricordare queste cose?

Appaiono nuovamente impazienti, vede correre fremiti. Si stancano presto, come, appunto, succede ai bambini, non possono sopportare impegni troppo a lungo.

Per un attimo fissa lo sguardo su uno vestito da marinaio. Accigliato, anche lui la fissa. Ma, forse, sono le allucinazioni di chi sta per morire. È Vincenzo Sanges? È lui?

Addio, addio anche a te, Vincenzo. Caro Vincenzo della mia giovinezza in questa cara città. Amore mio tu pure, ovunque ti trovi adesso. Speriamo che riesca a salvarti.

Alza gli occhi, verso il mare, che s'è fatto celeste tenero. Come il cielo, come il Vesuvio grande e indifferente. Un piccolo sospiro di rimpianto. Non osa chiedere: vorrebbe, però. Ritrovarli tutti nell'abbraccio di Dio sarebbe bello. Così, invece, che rimane? Niente. Il resto di niente.

Vacilla. Mastro Donato il boia la sorregge, poi la spinge, con delicatezza. Le tiene una mano per farla salire sopra lo scaletto. Prima di dare il calcio la guarda, con occhio serio, un po' aggrondato.

Nota dell'autore

Questo è un romanzo "storico" (secondo la classificazione didascalica dei generi, in verità tutti i romanzi sono "storici", così come tutti i romanzi sono "sperimentali"), non una biografia, né una vita romanzata. L'autore s'è quindi preso, nei confronti della Storia, quelle libertà postulate da Aristotele («Lo storico espone ciò che è accaduto, il poeta ciò che può accadere, e ciò rende la poesia più significativa della storia, in quanto espone l'universale, al contrario della storia, che s'occupa del particolare», *Poetica*, IX), dal Tasso («Chi nessuna cosa fingesse, poeta non sarebbe, ma historico», *Primo discorso sull'arte poetica*), dal Manzoni («Lo scrittore deve profittare della storia, senza mettersi a farle concorrenza», *Lettera al Fauriel*), da altri grandi.

Indice

Enzo Striano

V *La vita e le opere*
VIII *Il resto di niente*
XIV *La fortuna*
XVI *Bibliografia*

1 IL RESTO DI NIENTE

371 *Nota dell'autore*

«Il resto di niente»
di Enzo Striano
Oscar
Mondadori Libri

Questo volume è stato stampato
presso ELCOGRAF S.p.A.
Stabilimento - Cles (TN)
Stampato in Italia. Printed in Italy